预拌混凝土企业
运营管理实务

余成行　常　峰　李庆栋　编著

化学工业出版社
·北京·

内容简介

本书主要从组织架构、管理与控制、预测与决策、战略管理、数据分析、过程控制、生产运作与服务、试验与检测、技术质量、设备与物资、团队建设、绩效管理、经济分析、成本控制、组织行为与个体能力提升等方面对预拌混凝土企业的日常管理进行了系统阐述。本书内容丰富，参考性和实用性强。

本书可供混凝土企业管理人员、转岗人员或其他建材生产制造类企业的管理人员，以及大专院校的师生阅读参考。

图书在版编目（CIP）数据

预拌混凝土企业运营管理实务 / 余成行，常峰，李庆栋编著. — 北京：化学工业出版社，2025. 7.

ISBN 978-7-122-48045-3

Ⅰ. F426.91

中国国家版本馆 CIP 数据核字第 2025GN7535 号

责任编辑：李仙华　窦　臻　　文字编辑：郝　悦

责任校对：李雨晴　　装帧设计：张　辉

出版发行：化学工业出版社（北京市东城区青年湖南街 13 号　邮政编码 100011）

印　　装：北京科印技术咨询服务有限公司数码印刷分部

787mm×1092mm　1/16　印张 22¼　字数 579 千字　　2026 年 1 月北京第 1 版第 1 次印刷

购书咨询：010-64518888　　售后服务：010-64518899

网　　址：http://www.cip.com.cn

凡购买本书，如有缺损质量问题，本社销售中心负责调换。

定　　价：158.00 元

前言

当今社会是一个高速发展的自适应时代。然而，当前大多数预拌混凝土企业的管理仍旧是粗放型的，很多管理人员上岗之前也未进行过管理知识和专业技能的培训，而且主动学习能力不强，已经跟不上建材行业绿色、低碳、集约化、智能化的发展趋势。虽然管理无定式，但也应遵循事物发展的基本规律。因此，管理者首先要了解系统的基础管理知识，然后才能对比分析并发现针对性的关键提升点，才能把日常有价值的碎片信息系统化、实用化，才能有效地理论联系实际，逐步提高企业管理水平。

企业管理的目的，就是使企业自身具有更强的持续竞争力，赢得客户信任，在市场上活下来。日常管理就是管事、理人，借力成事。当然，面对日益扩大的管理提升空间，作为重资产的制造业，更要充分设计好资本和运营者的利益分配机制。管理者也要清醒地认识到：没有管理，企业做不强、做不大；"一好遮百丑"可能掩盖了许多深层次的问题，以及"技术好，好十年；管理好，好百年"的底层逻辑。因此，企业的首要工作是建立良好的管理机制，用流程管事，用制度管人。企业是"人治"还是"法治"，流程和制度的建立与否是判断企业管理类型或转变的前提和基础条件，而管理机制和企业文化是流程和制度得以有效实施的体系保障和思想保证。

"夫济大事者，必以人为本。"管理的核心就是人的问题，即人心、人性、人际关系和人的需求。日常的整个管理围绕事情展开，核心是要激活人，要充分重视激励的作用，尤其是薪酬的设计。在处理与人有关的事情时，要"合情合理"，先要"合情"，又要"合理"。管理者要识人识己，发现人的优势，从正面思考，把合适的人放在适宜的岗位上，把人的价值最大化。"尊天理，顺人欲"，在充分认知人性的基础上，也要尊重属地文化习俗。如此，管理才能恰到好处，实现企业存续、修己安人的局面。

本书针对预拌混凝土企业日常管理所涉及的不同方面，主要从"道"和"术"的角度按照不同侧重点进行系统的阐述：有的方面主要对管理基本原理或理论（即管理的底层逻辑或第一性原理）进行简要介绍；有的方面则根据行业特性对具体管理措施进行分析说明，内容以方法论为主，力求达到抛砖引玉的效果。

如前所述，管理从来没有标准答案，没有最好，只有最合适。管理也没有对错，也不是对错的判断，而是利弊的选择，面对事实解决问题。"学而不思则罔，思而不学则殆。"管理者一方面要抱着一种批判和怀疑的精神，不断地向成功者学习；另一方面也要多复盘、多总结、多分析自己，"我思故我在"，更要阶段性地检视自己的观念和知识，与时俱进。

笔者长期从事混凝土行业技术研究、市场营销与企业全面管理工作，结合学习心得与实践经验，从组织架构、管理与控制、预测与决策、战略管理、数据分析、目标计划、过程控制、生产运作与服务、技术质量、设备与物资、试验与检测、团队建设、绩效管理、经济分析、成本控制、组织行为与个体能力提升等多个方面对企业的基础管理进行了系统阐述。本书可供混凝土企业管理人员、转岗人员或其他建材生产制造类企业的管理人员参考，也可作为管理专业的培训教材。

本书由北京市中超混凝土有限责任公司总经理余成行高工、北京新航建材有限公司站长常峰高工、赤峰中兴首创混凝土搅拌有限责任公司李庆栋总经理共同执笔。余成行高工编写了第3、6、10、11、12章，常峰高工编写了第1、2、5、9章，李庆栋总经理编写了第4、7、8章。

由于编者水平和经验有限，书中难免有疏漏，恳请读者批评指正。

编者
2025年5月

目录

第1章 企业管理及智能制造

管理是一门范围广泛、分支很多的科学。工业企业管理主要包括管理理论、管理组织、管理方法和管理技术手段等诸多方面。

管理工作是企业生存和发展的重要条件，管理的好坏，直接决定着企业的命运。首先，管理是合理组织生产力、保证生产过程顺利进行的不可分割的部分，它本身就执行生产的职能。社会化大生产共同劳动的范围越大，企业与社会的联系越广泛，企业管理就越复杂，也就越需要组织管理。其次，管理是维护和巩固生产关系的手段。再次，管理是关系到企业兴衰成败的一个决定性因素。从次，管理也是一项能够创造物质财富的资源，它本身就是一项经济资源。最后，管理也是一门科学。否定管理，就等于否定现代化本身。重视和加强管理，生产发展就快，经济效果就好；不讲科学规律，不讲客观条件，片面夸大精神的作用，经济发展就缓慢，生产就上不去，经济效果就差。

预拌混凝土是大宗建筑材料之一，建筑材料是基本建设的物质基础，各种建筑材料所形成的建材工业是一个重要的原材料基础工业。其主要特点如下：

① 建材工业是一个多行业、多品种的材料工业部门，是我国工业部门十二个粗分类中的一个独立部门，它包括建筑材料及制品、非金属矿及制品、无机非金属新材料三大门类。

② 建材工业既是开采工业部门，也是重化工业部门。

③ 建材工业产品量大，有的产品容易破损、散漏、变质，不适宜长途运输。

④ 建材工业中小型企业多，产品地域性强。

⑤ 建材工业中的一些行业属于劳动密集型工业。

⑥ 建材工业是综合利用工业废渣较多的部门。

⑦ 建材产品市场需求量大，资源分布广，生产技术要求一般不高，但环保要求高。

以上这些特点决定了建材行业的市场竞争的不同之处。对于预拌混凝土行业来说，市场竞争日趋激烈，如何提高经济效益和企业竞争力成为企业管理者的一个重要课题。目前，降本增效是企业管理的重点，但对于大多数混凝土生产企业来说，在管理上降本增效的潜力比生产技术上的潜力要大得多。单单从减少原材料用量等技术角度降低成本是有质量风险的，而从日常管理角度入手风险则小得多。事实上，许多企业不增加设备，不增加人员，主要靠改善与强化企业管理，挖掘企业内部潜力，降低物质消耗，节约费用开支，提高产品质量，就能达到增加产量、降低成本、提高经济效益的目的。

1.1 企业管理的职能任务

所谓“管理”，就是对企业生产经营的一切活动进行计划、组织、指挥、协调和控制等各种行动，充分、合理地运用企业所拥有的人力、财力、物力，使供、产、销得以协调进行，以获得最大的经济效益，达到预期的目标。简单地说，管理是指同别人一起或通过别人，使活动完成得更有效的过程。管理的直接目的就是要使资源成本最小化。

管理者就是指挥别人活动的人。企业管理者可分为基层管理者、中层管理者和高层管理者。管理角色主要完成人际关系、信息传递和决策制定三个方面的事务（表 1-1）。

表 1-1　明茨伯格的管理者角色理论

角色	描述	特征活动
人际关系方面		
1. 挂名首脑	象征性的首脑，必须履行许多法律性的或社会性的例行义务	迎接来访者，签署法律文件
2. 领导者	负责激励和动员下属，负责人员配备、培训和交往	实际上从事所有的有下级参与的工作
3. 联络者	维护自行发展起来的外部接触和联系网络，向人们提供帮助和信息	发感谢信，从事外部委员会工作，从事其他有外部人员参与的工作
信息传递方面		
4. 监听者	寻求和获取各种特定的信息（其中许多是即时的），以便透彻地了解组织与环境；作为组织内部和外部信息的神经中枢	阅读期刊和报告，保持私人接触
5. 传播者	将从外部人员和下级那里获得的信息传递给组织的其他成员	举行信息交流会，用打电话的方式传达信息
6. 发言人	向外界发布有关组织的计划、政策、行动、结果等信息；作为组织所在产业方面的专家	举行董事会议，向媒体发布信息
决策制定方面		
7. 企业家	寻求组织和环境中的机会，制定“改进方案”以发起变革，监督某些方案的策划	制定战略，检查会议决议执行情况，开发新项目
8. 混乱驾驭者	当组织面临重大的、意外的动乱时，负责采取补救行动	制定战略，检查陷入混乱和危机的时期
9. 资源分配者	负责分配组织的各种资源，事实上是批准所有重要的组织决策	调度、询问、授权，从事涉及预算的各种工作和安排下级的工作
10. 谈判者	在主要的谈判中作为组织的代表	参与工会进行合同谈判

企业管理的具体职能是多方面的（图 1-1），它随着科学技术的进步和管理理论的发展而不断演变。其主要职能如下。

（1）计划　就是预测未来，确定生产经营方针和目标，制定和优选方案，编制长期和短期计划，通过计划管理使目标与资源的关系处于匹配状态。科学的计划，是企业生产经营活动的重要依据，是实现科学领导和有效组织生产的重要条件，是企业管理的首要职能。

为了制定长期计划，确定恰当的目标，企业要根据国家有关方针政策，按照市场需要和自身条件，广泛收集资料，据此对今后近期和远景的发展变化进行各种预测，然后列出多种方案，进行分析比较，最后做出最优决策。决策正确与否，对企业发展具有决定性作用。

（2）组织　组织职能就是把企业生产的各项要素、各个环节的生产和各个方面的工作，从劳动分工与协作上，从上、下、左、右的相互关系上，从时间和空间的相互联结上，科学、合理地组织起来，形成一个有机整体，让生产的各个要素最大限度地发挥作用，使企业生产经营和各方面工作都能有秩序地进行，并不断地提高企业生产经营活动的效果。组织是企业管理的一项重要职能，是搞好企业管理不可缺少的前提条件，通过组织管理能解决权力与责任匹配、平衡的问题。从一定意义上讲，组织水平的高低，决定了企业生产经营成果的大小。

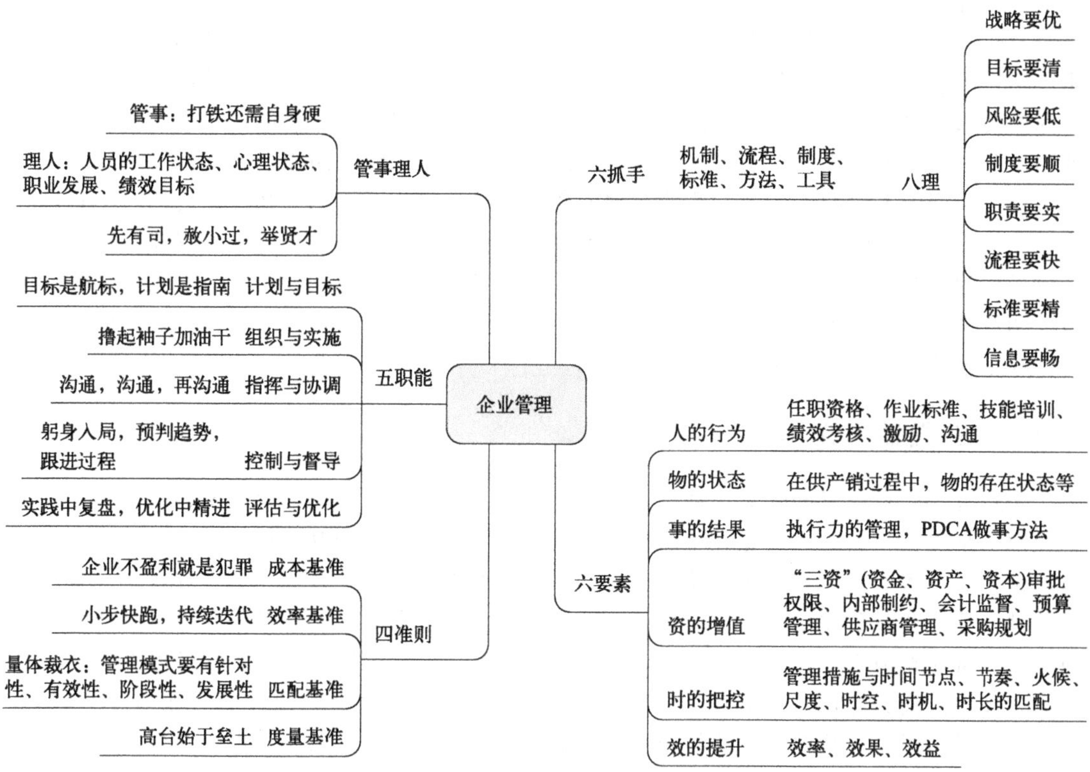

图 1-1　企业管理的具体职能与要求

组织职能的具体内容一般包括：合理地确定企业管理机构的设置，规定各个环节和部门的职责分工和责、权、利关系；建立合理的生产结构和空间布局；正确地挑选和配备各类人员，优化劳动组合，使每个人都有合适的岗位，做到人尽其才；切实对职工进行教育、培训与考核，努力提高职工队伍的素质。要充分重视人的作用，这是组织职能的重要内容，也是现代企业管理的基本特征，在实施组织职能的过程中，要充分运用各种科学方法，调动广大职工的积极性。

（3）领导指挥　领导就是指导和激励所有参与者并解决冲突、问题。指挥就是领导企业各级组织和各类人员，保证企业内部各部门、各单位之间步调一致。企业的生产经营活动十分复杂，要求配合与协作十分严密，所以指挥必须有高度的权威性，强调集中统一。这种高度的权威性和集中统一，是社会化大生产的客观要求。指挥与调度是保证生产经营活动顺利进行的必不可少的条件。

（4）协调、控制

① 协调是为了有效地实现企业的任务，把各种管理活动统一起来，加以协调和调度，使企业各部门、各生产环节不发生或少发生矛盾，当发现问题时能够及时处理，使它们能够保持良好的协调配合关系。这是因为企业的生产经营活动虽然事先都经过详细的计划与组织，但在实际工作过程中，总会出现一些事先无法预料到的矛盾，所以，就需要经过协调和调度加以解决。为了达到协调一致，必须使企业各部门和全体员工能清楚地了解企业的计划、目标和各项标准，并自觉地围绕计划和目标进行活动，严格执行统一计划，服从指挥，加强协作，克服本位主义。

② 控制也是监督，它的实质是对计划进度进行管理。企业在实现经营目标、执行各种

计划和进行生产经营活动的过程中，经常将实际结果和原定目标、计划和标准等进行对比，以便及时发现偏差，查明原因，采取措施，加以纠正，以保证原定目标、计划得以实现。具体包括生产控制、库存控制、质量控制、费用控制和成本控制等。因此，控制的目标、计划和标准要求尽可能具体、明确和定量化，便于分析对比；要建立有效的信息反馈机制，以便迅速、及时地采取纠正和预防措施；同时控制还要求有预见性，防患于未然。

企业管理的上述职能，涉及企业管理的各个方面，是相互联系、相互制约的一个有机整体，缺一不可。总的来说，通过计划，确定企业的目标和任务；通过组织，建立实现目标和完成任务的机制，激励职工的积极性；通过指挥，建立正常的生产经营管理秩序；通过协调，调节关系，保证各个部门步调一致地去实现企业的目标；通过控制，检查计划的实施情况，纠正偏差，保证计划和目标顺利实现。

1.2 企业责任与文化

企业责任来自环境的影响。环境是指对企业绩效有着潜在影响的外部机构或力量。任何企业都不是独立存在的，企业并不能自给自足，它同环境发生相互作用，并受环境影响。环境，是企业投入的来源和产出的接受者。一般环境通常包括企业外的一切，如经济因素、政治条件、社会背景和技术因素，还包括那些能影响企业但联系尚不清楚的条件。企业管理者通常将大量注意力集中在特定环境（又称具体环境），即与组织目标实现直接相关的那部分环境，如供应商、客户、竞争者、政府机关和能够对企业产生公共压力的特殊利益群体等。具体环境是由对企业绩效产生积极或消极影响的关键顾客群或要素组成的。具体环境对每一企业而言都是不同的，并随条件的改变而变化。环境的不确定性主要表现在不可预见之变化的变化程度和复杂程度。这些环境力量大多数是动态的，并产生相当大的不确定性，如：顾客的偏好改变；新的法律出台；供应商不能按合同约定日期交货；竞争对手引进了新的技术、产品及服务等。在某种程度上，这些环境的不确定性是不可预料的。

近年来，社会环境对企业的社会责任和道德的要求越来越高。普遍认为，企业管理的责任不仅是使利润最大化（第一目标是生存），而且还要保护和增加社会财富。当一个企业符合了其经济与法律标准时，它已经履行了它的社会义务。与社会义务相比，社会责任和社会响应不只限于符合基本的经济和法律标准。社会响应是指一个企业适应变化的社会状况的能力，即企业对社会压力做出反应的能力，如产品召回等。社会责任要求企业决定什么是对的、什么是错的，从而找出基本的道德真理。目前，主要有三种观点作为评价的标准，即功利观、权利观和公正观。功利观的目标是为绝大多数人提供最大的利益。权利观认为应该尊重和保护个人自由和特权，如隐私权、良心自由、言论自由等。公正观理论上要求管理者公平和公正地贯彻制度规则。由于管理领域正在发生变化，这些观点也在改变，而且这些观点也不是完全正确的。

如同每一个人都具有“个性”一样，一个组织（一个企业）也有自己的个性，这种个性称为组织文化，又称企业文化。企业文化是指组织共有的价值体系，在每个组织中，都存在着随时间演变的价值观、信条、仪式、神话及实践的体系或模式，这些在很大程度上决定了员工的看法以及对周围世界的反应。当遇到问题时，组织文化通过提供正确的途径来约束员工行为。目前，虽然还没有规范的方法来衡量组织文化，但可以通过具有有关特征的程度来进行识别（表 1-2）。一个组织的文化常常反映的是组织创始人的倾向性和假设性思想，如：勇于奋斗进取、敢于承担风险、专注于创新、强调服务、富有人情味等。员工对组织的基本价值观的接受程度越高，文化就越强。

表 1-2 识别企业文化的关键特征与内容描述

关键特征	内容描述
1. 成员的同一性	员工与作为一个整体的组织保持一致的程度，而不是只体现出他们的工作类型或专业领域的特征
2. 团体的重要性	工作活动围绕团体组织，而不是围绕个人组织的程度
3. 对人的关注	管理决策要考虑结果对组织中的人的影响的程度
4. 单位的一体化	鼓励组织中各单位以协作或相互依存的方式运作的程度
5. 控制	组织所实施的规章制度的实行效果，以及监督和控制员工行为的程度
6. 风险承受度	鼓励员工进取、革新及冒风险的程度
7. 报酬标准	同资历、偏爱或其他非绩效因素相比，依员工绩效决定工资增长和晋升等报酬的程度
8. 冲突的宽容度	鼓励员工自由争辩及公开批评的程度
9. 手段-结果倾向性	管理更注重结果或成果，而不是取得这些成果的技术和过程的程度
10. 系统的开放性	组织掌握外界环境变化并及时对这些变化做出反应的程度

可以看出，文化管理在一定程度上解决的是企业持续经营的问题。一个企业的企业文化之根源，是企业（领袖）思维方式和管理方式的体现。企业文化既是企业的核心灵魂，也是企业的本质特征，是在企业领袖推崇和执行的管理方式下产生的。通常管理方式对企业文化的推动有这样的发展过程：人事制度→人的管理→企业管理方式→核心价值观→企业文化。随着企业的发展，企业文化的发展通常历经企业家个性魅力（企业家文化）、团队个性魅力（团队文化）、企业个性魅力（企业文化）、最终形成的社会个性魅力（竞争性文化）。所以企业文化管理要经历生存目标导向、规则导向、绩效导向、创新导向、愿景导向的逐步过渡，才可以保证企业能够逐步成长。当然，企业文化建设是一条漫长的路，这条路伴随着企业持续成长。

1.3 管理现代化

管理要有效率，就要科学理性，有秩序，有规则，有标准，要降本增效。首先，科学理性，做事情都要有数据，有事实，有依据，不能瞎说，不能拍脑袋决策。其次，组织要有秩序和规则，这基于高的违规成本支出与严格的组织纪律约束等。再次，效率来自标准化，来自经验的积累与可复制。没有标准，就不可能规模化复制，就难以做大规模，就形成不了规模优势，这是工业文明最核心的常识。而标准来自“四化”，即：最优化、精细化、简单化、规范化。最后，效率来自降本增效，来自节流。通过不断管理实践，结合现代化的科技手段，逐步实现管理现代化。

1.3.1 管理现代化的基础工作

主要包括以下几个方面。

(1) 标准化工作　是指有关管理标准和技术标准的制定、贯彻执行和日常管理工作。实现标准化是现代化大生产的必要条件。比如，依据《质量管理体系　要求》(GB/T 19001)、《环境管理体系　要求及使用指南》(GB/T 24001)、《职业健康安全管理体系　要求及使用指南》(GB/T 45001)、《能源管理体系　要求及使用指南》(GB/T 23331)、《资产管理　管理体系　要求》(GB/T 33173) 和《设备管理体系　要求》(T/CAPE 10001) 等标准分别建立质量、环境、健康安全、能源、资产和设备等标准化管理体系，以规范管理行为。

管理标准是对企业各项管理工作职责提出的要求，对重复出现的管理业务的工作程序、方法等所作的规定。技术标准是对生产对象、生产条件、生产方法以及包装储运等所规定的应该达到的标准，其中包括产品标准、工艺规程、操作规程、设备维修规程和安全技术规程等。技术标准和管理标准对各方面均有约束力，是加强企业管理、提高经济效益的一项综合性的基础工作。

技术标准有不同的级别，这里主要是指产品标准。产品标准分为国际标准、国家标准、行业标准、团体标准、地方标准和企业标准等。要保证标准的先进性，就要积极采用国际标准和国内外先进标准。同时，还要相应地制定出管理标准，特别是工作质量标准和管理程序标准，使企业各项管理工作合理化、规范化、高效化。

（2）定额工作　定额是企业在一定的生产技术组织条件下，在人力、物力、财力的消耗、利用或占用方面所应遵守和达到的标准，常用的主要有劳动定额、资金定额、物资消耗和储备定额、管理费用定额和设备利用定额等。

定额是企业十分重要的一项基础工作，影响企业技术经济各个方面。以劳动定额为例，没有劳动定额就无法定员，贯彻按劳分配和优化劳动组合就失去了依据，提高劳动生产率和企业的整体效益也就无从谈起。

定额能否起到应有的作用，关键是看定额水平是否恰当，这是定额的核心问题。正确的定额水平是指定额要定在先进合理的水平（或称为同行业平均先进水平）上，这个水平既要是先进的，又要是经过努力后，大多数人可以达到、少数人可以超过的。它反映了企业在一定时期的一定的物质技术水平、管理水平和职工觉悟的程度。

（3）计量统计工作　计量是以一个已知的标准量为单位，用以和同类的未知量相比较而测定其量值的过程。工业企业的生产和管理都离不开计量，如重量、长度、时间、温度、压力、电流、电压、功率等的计量。计量工作包括对上述内容的测试、化验、检定和分析。做好计量统计工作可以为企业生产经营活动和科学试验提供可靠的数据，从而保证产品质量和开展经济核算，否则将因缺乏真实、可靠的原始记录，而无法进行正确的核算，无法分清各方的经济责任，使生产难以正常进行。所以，必须从原燃材料进厂到产品出厂，在供、产、销各环节都要认真计量和统计。

计量统计管理对建材行业尤为重要，但又是一个老大难问题。这是因为建材生产是连续的，且建材工业产品量大，有时很难统计准确。因此，必须加强计量工作，合理选择和配备计量器具，做好计量检定工作，保证计量的准确性，努力提高原材料、工艺过程和产品的检测率，逐步提升数字化、网络化管理水平。

（4）信息和数据处理工作　管理信息一般是指原始记录、统计资料、技术经济情报和经济科技档案等。

信息和情报并没有严格的区分。但前者一般指企业内部信息，其中主要是数量最大的各种原始记录和统计资料等。内部信息反映了企业生产进度、物资消耗和存储、设备技术状况、资金和销售收入等。情报就是情况、消息，一般是指外部的，主要包括与企业生产经营决策有关的经济与科技情报，如市场对产品的需求、原材料供应情况、国家的经济政策等。经济科技档案是企业以往生产经营和技术活动的真实记录，包括有保存价值的、应归档的图纸、文字、照片、录音等资料，它实际上是贮存起来的信息。信息工作就是对上述资料和数据进行收集、整理、传递、贮存和使用。

信息是了解情况、指挥生产经营、进行正确决策的重要依据，被视为现代管理的“第二资源”。信息的最大特点是有很强的时效性，而且要求十分准确。延误时间就失去信息的作用；而依据错误信息做出决策，将贻误良机。

（5）职工教育工作　职工教育就是企业在承担经济任务的同时，对职工按不同要求进行政治思想、文化科学知识、生产和业务技能以及经营管理知识等方面的教育，全面提高职工政治素质和业务技术水平，达到出产品、出人才的目的。

职工教育的形式主要有：入职教育、岗位教育、业余教育、脱产和半脱产教育等。此外还有对后备员工的培训，如师傅带徒弟、办技工学校等。入职教育和后备员工培训主要是根据各岗位的应知、应会进行基础教育和技能训练。业余教育是从不同程度上提高职工文化科技知识水平与业务水平，进行知识更新的重要形式。另外，也要根据条件有计划地组织职工参加脱产或半脱产教育活动，系统地提高有关人员的科学技术水平和管理知识水平。

职工教育是开发智力、培养人才的重要途径，是一种战略性的智力投资。通过教育可以全面提高职工队伍的能力，促进企业技术的进步、生产的发展和经营管理的改善，全面提高经济效益。对此，企业要给予高度的重视。

1.3.2　管理现代化涉及的主要方面

生产力的发展和科学技术的进步要求企业管理与时俱进，向现代化发展，这是世界各国管理发展的共同规律。企业管理现代化涉及的主要方面如下。

(1) 管理思想现代化　企业管理现代化应当建立在实行生产经营型管理的基础上，按照市场经济的客观要求，树立正确的现代化思想。具体地讲，就是要树立以下几个观念：市场竞争观念，即产品要根据市场需要，适销对路，优质高产，顾客满意；经济效益观念，即产品成本低，经济效益高，上缴利税多，企业收益和职工收入不断提高；人才第一观念，即要坚持"两个文明"一起抓，各类人员素质高，人才使用合理；技术进步观念，即科研成果多，技术革新成绩大，技术改造快，新工艺、新产品效果显著；民主观念，即坚持依靠职工群众，充分调动各方面的积极性。

(2) 管理组织高效化　企业要根据生产关系适应生产力、上层建筑适应经济基础的原理，按照集权与分权相结合、统一性和灵活性相结合的原则，权责对等原则，有效性原则，管理幅度原则，管理层次原则，统一指挥原则，分工协作原则，精简原则等，建立管理体制，设置管理机构，确定生产组织形式和劳动组织形式。这些管理机构和组织形式要能够适应生产发展的要求，使得每个管理层次、每个职能机构和每个职工分工明确、责任清楚，能充分发挥各自的作用，有利于提高工作效率。

(3) 管理方法科学化　就是要根据客观经济规律和生产技术规律的要求，运用现代自然科学和社会科学的成果，采用适合于生产活动性质和规模的各种科学方法，正确且有效地解决问题。解决问题的方法，可以分为定性与定量两个方面。用定性方法解决问题，就是按照客观规律办事，这有赖于实践经验和判断能力。用定量方法解决问题，就是在管理和决策中广泛运用数学方法，提高管理的准确性，实现管理的最优化。要选择和充分利用适合企业具体情况的各种科学管理的方法，如全面质量管理、全员设备管理、网络技术、本量利分析等。

(4) 管理手段数字化、网络化，并逐步智能化　在采用现代化管理方法时，都需要使用计算机和网络。在管理工作中应用电子计算机，不仅可以代替人工进行一部分管理业务，而且还可以通过显示终端随时了解企业经济活动情况，并能通过互联网 APP（泛指智能手机第三方应用程序）实现人机互联，从而提高企业管理工作的效率和质量。企业在推进现代化管理的过程中，也必须逐步地、越来越广泛地把计算机网络用于企业的日常管理，如 ERP（enterprise resource planning，企业资源规划，一种整合企业流程的运营管理软件）、APP、5G、物联网、区块链等。

(5) 管理人员专业化　管理涉及的科学技术、生产经营知识十分广泛，管理需要有特殊的本领，"要管理就要内行"，要精通生产的一切条件，要有一定的实践经验，还要受过专门的训练，否则管理现代化也就成为一句空话。在当今工业发达的国家中，多数企业实现了管理人员专业化，国内外成功企业的管理经验表明，高层管理人员也应学习工程学、管理学和管理心理学知识。技术专家若要从事企业的高层管理工作，必须接受管理科学方面的再教育；管理人员也要不断接受继续教育，吸收新鲜知识。

1.4 智能制造

智能制造是指以产品的整个生命周期为对象，在达到广泛认知的情况下实现信息化生产制造。智能制造技术建立在现代传感、互联网、全自动化等最新技术的基础之上，通过智能识别技术、人机交互技术、决策和执行技术，实现设计流程、制造流程的智能化。智能制造技术可以说是信息技术、智能技术和设备制造技术的全面结合和集成，将制造自动化变得更加智能和高度集成。

从技术角度看，智能制造技术是制造技术、自动化技术、系统工程与人工智能等学科互相渗透、互相交织的一门综合技术，简单说就是"机器换人手、软件换人脑"。其具体表现为：智能设计、智能加工、机器人操作、智能控制、智能工艺规划、智能调度与管理、智能物流、智能装配、智能检测、智能装备、新制造模式等。在产品制造全生命周期中，主要从知识产权链、价值链和资产链三个方面进行智能分析设计，当前所有热点的信息技术，如互联网、大数据、云计算、人工智能、物联网、区块链等都可以用在这三条链的各个环节中。

智能制造以智能工厂为基础，以实现关键制造环节智能化为目的，通过端到端的数据流作为基础、互联网的连接作为技术支持的特点，可以缩短产品的开发周期，降低资源能耗，让运营成本大幅度降低，从而明显提高生产率和产品品质。所有活动均能在网络空间中得到充分的数据支持、过程优化与验证，同时在物理系统中能够实时地得以执行并与网络空间进行深度交互，这样的工厂可称为智能工厂。

智能制造既不是单纯地运用智能装备，也不是简单地用信息技术改造传统制造业，而是先进制造技术与新一代信息通信技术交叉融合引发的颠覆性突破，是生产组织方式和商业模式领域的创新与变革。所以说，智能制造是制造业发展的必然趋势。

1.4.1 智能工厂的基本特征

与传统的数字化工厂、自动化工厂相比，智能工厂具备以下几个突出特征。

（1）制造系统的集成化　作为一个高端的智能制造系统，智能工厂表现出了鲜明的系统工程属性。具有自循环特性的各技术环节与单元按照功能需求组成不同规模、不同层级的系统，系统内所有元素均是互相关联的。

（2）决策过程的智能化　传统的人机交互中，作为决策主体的人有支配"机器"的行为，而智能制造中的"机器"因拥有扩展人类智能的能力，使人与"机器"共同组成决策主体，在同一信息物理系统中实时交互。信息的种类以及交流的方法更加丰富，从而使人机交互与融合达到前所未有的深度。

制造业自动化的本质是人类在设备加工指令执行之前，将制造指令、逻辑判断准则等预先转换为设备可识别的代码，并将其输入制造设备中。此时，制造设备可根据代码自动执行制造指令，从而节省了此前在制造机械化过程中的人类劳动。比如，采用人工智能图像识别技术实现预拌混凝土出厂坍落度的检验。在智能工厂中，"机器"具有不同程度的感知、分析与决策能力，它们与人共同构成决策主体。在"机器"的决策过程中，人向制造设备输入决策规则，"机器"基于这些规则与制造数据自动决策，这样可将由人为因素造成的决策失误降至最少。与此同时，在决策过程中形成的知识可作为后续决策的原始依据，使决策知识库不断优化与拓展，进而不断提升智能制造系统的智能化水平。

（3）加工过程的自动化　车间与生产线中的智能加工单元是工厂中产品制造的最终落脚点，智能决策过程中形成的加工指令将全部在加工单元中实现。为了能够准确、高效地执行制造指令，企业必须确保智能制造单元数字化、自动化、柔性化。

首先，智能加工单元中的加工设备、检验设备、装卸设备、储运设备等都是基于单一数字化模型驱动的，这就避免了传统加工中由于数据源不一致而带来的大量问题。

其次，智能制造车间中的各种设备、物料等，大量采用条码、二维码、RFID（radio frequency identification，即射频识别技术）等识别技术，使车间中的任何实体均具有唯一的身份标识，在物料装夹、储运等过程中通过对这种身份的识别与匹配，实现了物料、加工设备等的自动装卸与传输。例如，预拌混凝土出厂检验的试块制作，从取样、成型、拆模、码放到试压等全过程均为自动化操作。

最后，智能制造设备中大量引入智能传感技术，通过在制造设备中嵌入各类智能传感器，实时采集加工过程中机床的温度、振动、噪声、应力等制造数据，并采用大数据分析技术来实时控制设备的运行参数，使设备在加工过程中始终处于最佳效能状态，实现设备的自适应加工。例如，通过对设备运行过程中各因素间的耦合关系进行分析，可提前判断设备运行是否异常，并实现对设备健康状态的监控与故障的预警。

（4）服务过程的主动化　制造企业通过应用信息技术、网络技术，根据用户的地理位置、产品运行状态等信息，为用户提供产品在线支持、实时维护、健康监测等智能化服务。这种服务与传统的被动服务不同，它能够通过对用户特征的分析辨识出用户的显性及隐性需求，主动为用户推送高价值的信息与服务。比如，通过 5G 网络跟踪检测浇筑后混凝土的温湿度变化、收缩应变和强度发展历程，适时预警，及时调整施工现场的养护、拆模方案，防止裂缝等问题发生，提升工程结构质量。此外，面向服务的制造将成为未来工厂建设中的一种趋势，集成广域服务资源的行业物联网将越来越智能化、专业化，企业对用户的服务将在很大程度上通过若干联盟企业间的并行协同来实现。对用户而言，其所体验到的服务高效性与安全性也随之提升，这也是智能工厂服务过程的基本特点。

1.4.2　智能制造能力成熟度评估

当前智能制造正在引领制造方式变革和制造业产业升级，并成为全球新一轮制造业竞争的制高点。为了有序推进我国智能制造的快速发展，以评促建，国家相继出台或修订了相关政策与标准，包括《国家智能制造标准体系建设指南》和《智能制造能力成熟度模型》（GB/T 39116）、《智能制造能力成熟度评估方法》（GB/T 39117）等。各省市主管部门也相继出台了相关政策，鼓励企业基于智能制造国家标准开展智能制造能力成熟度标准符合性评估（简称“CMMM 评估”）。

《国家智能制造标准体系建设指南》中把智能制造系统架构分为生命周期、系统层级和智能功能 3 个维度，并对智能制造所涉及的活动、装备、特征等内容进行了描述。能力成熟度标准在研究国内外相关成熟度模型的基础上，结合我国智能制造的特点和企业的实践经验总结出了一套方法论，给出了组织实施智能制造要达到的阶梯目标和演进路径，提出了实现智能制造的核心要素、特征和要求，为内外部相关利益方提供了一个理解当前智能制造状态、建立智能制造战略目标和实施规划的框架。

尤其是《智能制造能力成熟度模型》（GB/T 39116）标准，聚焦“企业如何提升智能制造能力”的问题，提出了智能制造发展的 5 个等级（图 1-2）、4 个要素、20 个能力子域以及 1 套评估方法，引导制造企业基于现状合理制定目标，有规划、分步骤地实施智能制造工程（图 1-3）。依据《智能制造能力成熟度评估方法》（GB/T 39117）标准可对制造企业的智能制造能力水平进行客观评价，这是制造企业认识智能制造现状、明确改进路径的有效工具，也是各级主管部门掌握智能制造产业发展情况的重要抓手。智能制造能力成熟度评估的主要依据是各个等级的智能制造能力特点，覆盖设计、生产、物流、销售、服务、资源要素、互联互通、系统集成、信息融合、新兴业态等10个方面。当前，我国大部分生产制造企业处于二级、三级水平。

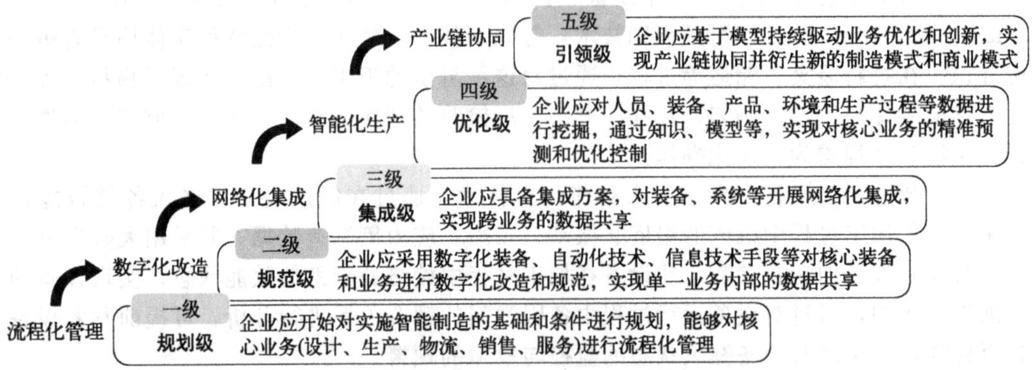

图 1-2 智能制造能力成熟度等级示意图

图 1-3 智能工厂建设实施步骤分解示意图

1.4.3 预拌混凝土智能工厂

预拌混凝土行业发展智能化的基本目标应该是以客户为中心，基于市场的创新，构建面向未来的高质量发展模式，主要体现在以下四个维度：

① 现代化。首先是理念思维现代化，用新的知识、新的方法、新的策略构建全新的行业与企业的发展理念；其次是技术手段现代化，主动、积极导入新技术、新工具，集大成于一体；最后是治理体系的现代化，包含行业治理、产业链治理等多个方面，用新的模式、新的机制、新的体系重塑企业与行业。

② 绿色化。主要体现在产品绿色化、工艺过程绿色化、环境绿色化等方面。

③ 智能化。一要数字化，实现自我感知、安全传输、指令作业、协同控制，强调物理世界向数字世界及人为判断转化的能力；二要智能化，实现自学习、自适应、自控制，强调人的知识与经验由物理世界向数字世界转化的能力。

④ 生态化。打造行业智能制造生态体系，体现于产业链上下游企业实现协同发展。

团体标准《预拌混凝土智能工厂评价要求》对预拌混凝土智能工厂的要求和评价进行了

详细描述。预拌混凝土智能工厂架构采用四层三纵的架构设计（图 1-4）：四层主要分为基础设施层、生产执行层、运营管理层和决策分析层；三纵主要分为数据体系、业务体系和信息安全体系。预拌混凝土智能工厂各层间既相互独立又相互关联，不同层级由相对独立的信息系统承载核心功能，同时各层间需通过信息集成技术实现系统集成，具备数据实时传递、业务管控自动执行的特点。标准也针对基础设施、生产执行、经营管理、决策分析等不同层级中的关键业务环节，结合信息化发展趋势进行了技术要求和规定。

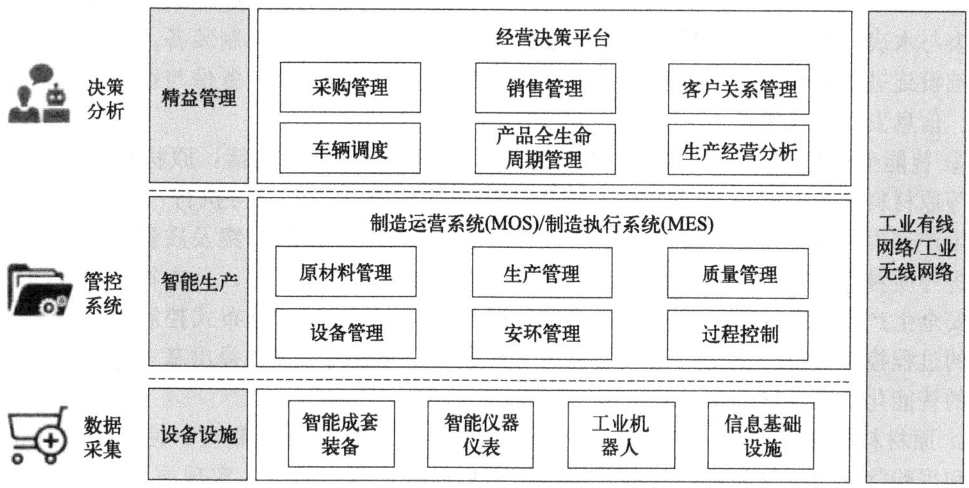

图 1-4　预拌混凝土行业智能工厂参考架构图

(1) 总体设计与要求　企业基于软硬件自主可控原则，依照智能工厂参考架构，纵向完成系统层级各模块数据交互，横向完成生命周期各环节系统集成，通过“数据采集建模→生产过程控制→经营决策分析”的管控集成模式，实现建材工厂的设备数字化、生产智能化、管理精益化、服务敏捷化。

从图 1-4 可以看出，纵向分为三个层次，分别是设备设施层（包括智能成套装备、智能仪器仪表、工业机器人以及厂内配套信息基础设施）、智能生产层（包括以制造运营管理为核心的原材料、生产、质量、设备、安环、过程等工厂智能化建设的关键场景）、精益管理层（包括采购、销售、客户关系、车辆调度等，并结合经营分析工具，助力工厂决策）。

① 数据体系。数据体系在数据采集、加工处理、数据交换过程中提供统一的标准规范，最大限度地实现信息优化、数据互通和资源共享。

② 业务体系。主要包括四个方面：

一是基础设施层，它是数据采集的基础，主要实现对设备信息、工作状态等各类信息的实时感知，实现对设备数据的采集和指令的执行，包含且不限于信息设备、生产设备、材料设备、试验设备、运输设备和其他设备。

二是生产执行层，实现从订单到产品交付的过程控制，主要基于基础设施层的数据感知，实现对生产全要素、全过程的作业信息处理，包含且不限于生产管理、物资管理、质量管理、设备管理、中控室管理、车辆管理，以及健康、安全、环境管理体系管理（三者简称 HSE 管理）。

三是运营管理层，是面向物流、资金流和信息流合一的综合管理，提供满足不同角色在不同场景下的移动访问需要，主要基于生产执行层的制造信息，运用互联网技术实现对运营组织、风险控制等经营过程的信息处理，包含且不限于营销管理、采购管理、物流管理、财务管理和辅助管理。

四是决策分析层，基于基础设施层、生产执行层、运营管理层的数据信息，对数据进行汇总、展示、分析和预警，主要运用大数据技术实现对精准决策与预测的辅助支撑，包含且不限于预算管理、风险控制管理和资源管理，能够提供便捷、灵活、多样的移动访问模式。

③ 信息安全体系。信息安全是对信息系统（包括硬件、软件、数据、人、物理环境及其基础设施）实施保护，确保其不受到破坏、更改、泄露，保障系统连续可靠、正常运行。

（2）重点建设内容

① 设备设施建设。主要是对传统设备进行数字化改造或重新配置智能设备，如采用智能电表与水表、自动称重与传输设备、搬运机器人、智能传感与控制装备。同时，对工厂信息基础设施进行迭代更新，包括计算机网络、工业通信网络系统、备份与存储系统、服务器系统、信息安全系统等。

② 智能生产建设。智能生产以制造运营管理为核心，主要包括：原材料采购、原材料进厂等原材料管理；多级计划协同、可视化排产、作业自动下发与执行、制造资源动态组织、生产过程可视化监控、生产绩效分析；质量数据采集、质量档案及质量追溯、质量分析与改进等质量管理；设备运行状态监控、设备维修维护、异常管理；厂内物流配送；环境监测与安全生产等生产执行活动；以可编程逻辑控制器（PLC）和分布式控制系统（DCS）为核心的过程控制系统。主要用于规范智能生产中各类智能化场景并提出基本要求，确保制造过程的智能化、柔性化和敏捷化。

a. 原材料管理。依托原材料管理系统，通过制定原材料管理制度，使销售管理中的供应商和采购管理与原材料进厂管理、标识管理和资料管理相结合，实现原材料的高效管理，为后续生产的智能化管控打下坚实基础。

b. 生产管理。通过订单系统、生产计划系统以及物料配置系统的有机融合，实现生产能力适应订单变化的动态调整；同时建立综合调度中心，依托生产管理平台，应用8S管理等方法，实现对人、机、料的精确管控与调配，生产过程数据互联互通，实现生产区域内关键工序的实时监控、可视化管理，最终实现增强生产运行的平稳性，以及提高生产经济效益的目的。

c. 设备管理。设备管理包含搅拌机、皮带上料系统，计量系统和其他辅助系统。在进厂到报废的各个阶段进行运营维护，并建立设备管理系统的在线诊断平台，加强对设备机组的在线监测与诊断，时刻掌握设备的运行状况和变化趋势，准确记录设备运行信息，有效地结合预测性维护、检修，并形成分析统计信息，防止设备重大事故的发生，提高设备现代化管理水平。

d. 质量管理。原材料及出厂产品的检测全过程具备数字化能力，可实现数据准确、实时采集。通过与检测设备对接，采集各环节检测数据，具备数据统计分析能力，可以按时间周期生成质量日表、周报或月报；与DCS对接，将优化配方传输至工控系统，指导生产线配料优化。建立质量追溯系统，还原生产环境，挖掘产品质量产生异常的原因，实现产品生产环节、销售环节、服务环节的全生命周期管理。

e. 安环管理。制定符合国家或行业标准的指标，对生产过程中所产生的粉尘、废气、污水以及噪声进行管理，实现控制排放数字化；对相关的排放严格把控，实时了解各项排放数据是否达标，并对超标排放及时处理；建立隐患等级、隐患类别，实行隐患排查、隐患上报措施，并根据整改报告作出处理，处理后调整隐患等级。

③ 精益管理建设。预拌混凝土企业把管理者、管理对象、管理系统等若干个相互联系、相互作用的要素，按照管理目标结合成有机整体，以共同规划需求为核心，运用科学的生产经营分析方法，选择整体最优方案，提高工厂经济效益。

a. 采购/销售管理。实现采购、销售、订单等业务数据的全面集成和成本的精细化管控。通过对资源的集中管理，帮助预拌混凝土企业实现科学配置工厂资源，优化工厂运营模式，改善工厂业务流程，提高领导层决策效率。

b. 客户关系管理。通过客户关系管理系统，全方位管理工厂内部销售体系及面向市场的商业机会，包括参与人员、订单、服务、客户以及反馈等信息，实现集成化的管理模式。服务内容包括但不限于：维护老客户；寻找新客户；提高客户的忠诚度和满意度；降低营销成本；掌握销售人员的工作状态等。

c. 车辆调度和物流管理。通过统一管理生产任务数据和交货单数据，实现线上接单、车牌自动识别与匹配、生产调度优化及运输监控；厂内设有自定义排队规则，根据货物目标品种及进出场时间进行智能排队；设置信息发布展示大屏，采集并对外发布动态和静态排队信息；利用卫星定位系统、运输监控系统配合地理信息系统（geographical information system，简称 GIS），实时监控车辆地理位置、运行轨迹和当前所执行的任务的情况，并智能规划车辆路径，实现车辆的在途监控管理；通过高级驾驶辅助系统，实现驾驶行为分析与预警、车道识别系统与预警、主动安全预警。

d. 产品全生命周期管理。企业可以按照集成的思路将产品原材料、产品结构、工艺、生产计划、质量和服务支持等方面的数据有机地联系起来，形成一个闭环。比如，通过 5G 网络实时跟踪混凝土浇筑后结构实体的温湿度变化情况，及时采取措施以提升结构质量。通过产品生产全生命周期中的各个环节与新一代信息技术等融合，建立内部供应链协同平台，借助标识解析技术记录配料、生产、销售、发运等信息，综合形成产品档案，为全生命周期管理提供保障与支撑。

e. 生产经营分析。企业可以采用成熟的分析工具和分析方法，包括但不限于业务分析模块、收入分析模块、客户分析模块、资源分析模块等；采用成熟的商业智能分析软件，基于商业智能（business intelligence，简称 BI）分析工具完成生产经营分析境况的报表制作，通过直观的图形化看板展示各模块报表的分析指标、关联因素、展开层面及模块内容，以便辅助工厂管理层更好地理解和使用报表，从而做出科学决策。

④ 敏捷服务建设。企业可以进一步打通消费与生产、供应与制造、产品与服务间的数据流，推进研发、生产和供应链等全流程的模块化、柔性化、网络化改造，创新服务模式。

a. 供应链协同。整合产业链全生产要素，完善从客户端需求、原材料采购、生产制造到供应服务的全链条供应链体系，推动行业供应链上下游企业实现协同采购、协同制造、协同物流、协同施工。打通原材料、生产、物流、施工各环节，使各环节互联互通。建立围绕全生产链协同共享的产品溯源体系，提供生产制造和运维服务等环节的信息溯源服务。

b. 柔性定制。通过持续改进，形成完善的基于数据驱动的设计、生产、销售、供应链管理和服务体系，快速、低成本地满足用户个性化需求。采用模块化设计，通过差异化的定制参数，组合形成个性化产品；建立基于互联网的柔性定制平台，通过定制参数选择、三维数字建模、虚拟现实、数字仿真等技术，实现与客户深度交互，快速生成产品定制方案；建立个性化产品数据库，应用大数据技术对客户的个性化需求特征进行挖掘和分析，并与其他数字化制造系统实现协同集成。

c. 电子商务。鼓励企业加快电子商务平台建设步伐，推进传统销售模式向电子商务模式转型，构建“智能化生产＋个性化定制＋质量追溯＋物流配送”为一体的综合电商服务体系，实现统一、集中化的经营管理与调配，满足敏捷服务、柔性资源配置等的要求，降低工厂运营成本，提升产品竞争力、品牌影响力。

随着数字经济、平台经济和人工智能的兴起，新一代信息技术与传统产业融合正在加速。预拌混凝土行业的发展不再是单纯的业内竞争，如何面对产业链竞争和未知的竞争对手，也成为业内有识之士高度关注的发展问题。

第2章

组织架构、工厂平面布置、管理与控制

“组织”一词的希腊文原意是和谐、协调。传统理论认为，组织是指为了完成共同目标，通过不同层次的权力和责任制度、分工合作协调某一群体活动的社会实体。现代管理理论认为，组织是由若干系统组成的开放的社会技术系统。从心理学观点来看，组织是个体、群体、领导者与被领导者，以及社会环境交互影响的复杂机体，是一个小型的社会心理体系。从这个角度讲，企业日常管理的重点是人的管理。

2.1 组织架构

组织架构（结构）是组织各部分之间关系的一种模式。如果人员管理没有适当的组织架构作为支撑，就无法实现良好的蓝图和计划。明确组织架构、职权分工和从属关系，才能真正实现人尽其才。而且，组织架构的设计必须与生产活动的管理控制相适应。在某一时期是合适的组织架构，过了一段时间以后可能就不再合适了。组织架构是指描述组织的框架体系，是对组织的复杂性、正规化和集权化程度的一种量度。

（1）复杂性　指的是组织分化的程度。一个组织的劳动分工越细致，纵向等级层次越多，组织单位的地理分布越广泛，则协调人员及其活动就越困难。

（2）正规化　组织依靠规则和程序引导、规范员工行为的程度就是正规化。有些组织仅以很少的规范准则运作，还有一些组织虽然规模很小，但具有各种的规定指示员工可以做什么和不可以做什么。一个组织使用的规章条例越多，其组织结构就越正规化。

（3）集权化　集权化描述的是决策制定权力的分布。在一些组织中，决策是高度集中的，问题自下而上传递给高级管理人员，由他们选择合适的行动方案。而另外一些组织，其决策制定权力则授予下层人员，这被称作分权化。

管理者在设立或变革一个组织的结构时，进行的就是组织设计工作。比如，决定决策应该在哪一层次做出或者有哪些标准规则需要让员工去遵循。应注意，任何组织结构或形式对组织成员都有这样或那样的、或多或少的心理影响作用。一个好的组织结构绝非一朝一夕自发形成的，而是在向目标奋进的过程中受多种因素的影响而逐步形成的，主要有以下几个方面：

① 目标因素。一个好的组织结构系统，必须有明确的总的组织目标，并以此目标去指引和集中所属部门每个成员的视线，使每个成员将自己日常的工作或生产都自觉地指向总的目标、总的成果，使每个成员了解各自的任务在整个组织任务中所处的地位和作用。

② 功利因素。一个有效的组织结构系统必须有一整套根据成员完成任务的情况进行奖惩的措施，以此激励成员为实现组织目标而奋斗。

③ 规范因素。组织通过各种方式引导成员自己订立行为规范，规范一经确定，就要求全体组织成员自觉遵守。违反了规范的成员，将会受到组织和公众舆论的谴责。只有这样，组织才能具有思想统一、步调一致的力量。

④ 强制因素。组织必须制定相应的保证劳动、生产和工作正常进行的规章制度和劳动纪律，所有这些，不管组织成员个人是否赞成，都必须坚决遵照执行，这就是所谓的强制作用。如果没有必要的强制作用，放任自流、各行其是，组织是不会有效能的。

2.1.1　组织架构设计原则

组织架构设计需要遵循四个基本原则：一是统一指挥，一个人只能够有一个直接上司；二是劳动分工，根据权责和专业化来划分横向与纵向的劳动分工；三是管理层次与跨度，有效的管理跨度是 5～6 个；四是部门化，把分工所产生的同岗员工集合于一个部门内，由一个经理来领导并加以协调。本质上，组织架构设计是想力图平衡权力和责任两者之间的关系。

因此，实现组织管理需要两个条件：专业化与分权。专业化能够解决很多事情，包括服务的意识、分享的可能。专业化可以削弱权力滥用的负面影响，并使工作中的信息传递和指令更为标准和科学。分权是在组织中较难做到的一个方面。如果分权作为政策资源，这种做法不是组织管理，是领导管理，不是分权而是授权。分权的根本标志是一旦权力做了分配，分配者将不再拥有这个权力，当权力可以调整的时候一定是授权，不是分权。

2.1.1.1　统一指挥

俗话说，“家有千口，主事一人”，每个员工应当而且只能向一个上级主管直接汇报工作。如果员工需要同时向两个或者更多的主管汇报工作，那么，下属人员就可能要面对来自多个主管的冲突要求或优先处理要求。在统一指挥原则下，应当对工作做出明确的区分，以便让每位主管人员分管某一项工作。组织应严格地遵循这一原则。

2.1.1.2　劳动分工

劳动分工是指将工作划分为若干步骤，由一个人单独完成其中的某一个步骤，由多个人共同完成全部的工作。换言之，个人只是专门从事某一部分的工作，而不是全部工作。

劳动分工可以有效地利用不同员工具有的多样技能。在大多数组织中，有些工作要求高度熟练的技能，而另一些则可由未经过训练的人来完成。如果每一个员工都要从事制造过程中的所有工作，他们就必须同时具备所有工作所需要的全部技能。那么，除了从事需要最高技能、最为复杂的工作外，员工们大都在低于其技能水平的状态下工作。这就意味着花费更多的工资，还会导致资源的浪费。

随着专业化的推广与发展，由劳动分工产生的人员非经济性（如由厌倦、疲劳、压力、低生产率、劣质品、常旷工和高离职率等表现出来）会超过专业化分工带来的经济优势。这就需要根据员工具体情况进行工作调整以提高生产率。总体上看，劳动分工思想仍在当今的许多组织中具有生命力，且有比较好的效果。

2.1.1.3　管理层次与跨度

管理层次是指生产指挥系统划分为多少等级，它一般决定了组织的纵向结构。按照分层次领导的原则，在一个企业中，大中型企业的层次通常分为三级或四级，小型企业分为两级。

管理跨度，通俗地说就是一位管理者能够有效指挥多少个下属，尽管具体数目没有统一，但普遍认为不超过 6 人。管理跨度的大小，在很大程度上决定了组织的管理层次和管理人员数目。但是，管理跨度小，会导致管理层级增多，管理人员增加。企业管理人员通常占总人数的10%～20%。当所有条件都一样，管理跨度更宽、更大（扁平化组织架构）时，即一个管理者能有效监督的下属人员越多，管理成本就越低，而组织管理也就更有效率。当然，管理跨度可以根据因素变化的情况进行调整。比如，受过更多训练、具有更丰富的经验的下属，明显需要更少的直接监督。因此，经验丰富的、受过良好训练的下属的管理者，他们能够以更宽的跨度开展工作。其他对跨度范围起决定作用的因素还有：下属工作任务的相似性、任务的复杂性、下属工作地点的相近性、使用标准程序的程度、组织管理信息系统的先进程度、组织文化的凝聚力以及管理者的管理风格等。

另外，在设计组织架构时，还应考虑管理距离的问题，即上下级之间以及企业内部车间与车间的距离限度。管理距离不当，不仅会影响企业内部信息的沟通和领导与被领导之间的关系，也会增加管理的难度，同时，还会影响企业的经营效果。

2.1.1.4 部门化

组织中的活动应当经过专业化分工而组合到部门中。劳动分工创造了岗位能手或专家，但也对协调提出了要求。而将这些专业人员归并到一个部门中，在一个管理者的指导下工作，有利于协调、沟通。组织通常可依据所开展工作的职能、所提供的产品或服务、所设定的目标顾客或客户、所覆盖的地理区域，或者将投入转换为产出的过程等，设置或调整相应的部门。部门的建立要能够反映最有利于实现组织目标和各部门目标的要求。管理者可以依据职能、产品、顾客、地区或过程进行部门化，当前绝大多数大型企业同时使用这五种方式进行部门化管理。

（1）职能部门化　是一种常见的方法，即按履行的职能组合相同或相近的工作活动。企业可以将设计、会计、制造、人事和采购等专业人员分别组合到相应的一个部门中，来建立工厂的组织结构。职能部门化可以在各种类型组织中得到应用。

（2）产品部门化　与职能部门化不同，企业所涉及的制造及其他重要工作都按产品做了分割，以便给予产品经理足够的自治权和控制权。例如，建材公司设混凝土事业部、砂浆事业部、外加剂事业部等部门。如果一个组织的工作是以提供服务为主而不是以制造产品为主，那么，每一种服务都可以单独设立一个部门。比如，家政公司设置保姆、保洁、月嫂、医疗陪护、投诉处理等部门。

（3）顾客部门化　组织力求争取的顾客的特定类型也可以用来组合工作人员。例如，预拌混凝土的销售部门就可以细分为三个，分别服务于中建、中铁和其他三类顾客等。采取这种顾客部门化方式隐含的一个假定是，每个部门所服务的顾客都有共同的问题和要求。

（4）地区部门化　即按照地理区域进行划分。如销售职能可以分布在西部、南部、中西部、东部等几个区域。如果一个组织的顾客遍布于广泛的地理区域，那么采取地区部门化方式是最有意义的。

（5）过程部门化　当产品制造的每一过程都要求不同的技能时，就可以实施过程部门化，合并同类活动。过程部门化可以在制造产品，也可以在提供服务中加以应用。

目前，大部分公司的组织架构采用部门划分方式，如集团公司的各个事业部内部就是按照职能进行划分的，制造企业可按过程划分，销售单位可按地理区域划分，而每个地区销售单位又可进一步划分为若干顾客组。然而，最近出现的两种趋势值得关注：一是顾客部门化愈来愈受到高度重视；二是跨越传统部门界限的团队的采用，即将上下游工序的部分岗位活动纳入本部门管理，以提高工作效率并避免部门协作不畅。

2.1.1.5 职权与职责

职权，是指管理职位所固有的发布命令和希望命令得到执行的一种权力。职权是把组织紧密结合起来的黏结剂。职权可以委让给下属管理人员，授予他们一定的权力，同时规定他们在限定的范围内行使这种权力。每一个管理职位都具有某种特定的、内在的权力，任职者可以从该职位的等级或头衔中获得这种权力。因此，职权与组织内的一定职位相关，而与担任该职位管理者的个人特性无关，它与任职者没有任何直接的关系。

应注意，职权与职责要对等，即授权的同时，应该授予相应的职责。一个人得到某种“权力”，相应地就要承担一种“责任”。“授权不担责”只会给滥用职权提供机会，也没有人会对其不拥有权力的事负责。

职责通常不可以下授，即授权者对其授权对象的行动负有责任。注意，此时，如果仍想保持职权与职责对等，就要区别两种不同形式的职责：执行职责与最终职责。管理者向下授予执行职责，这一职责可能会进一步往下授受。不过，职责的另一方面（它的最终要素）应当保留：管理者最后应对其授予了执行职责的下属人员的行动负责。所以，管理者应当下授与所授职权相等的执行职责，但最终职责永远不能下授。

职权关系主要有两种形式：直线职权与参谋职权。直线职权是指给予管理者指挥其下属工作的权力。这种上下级职权关系从组织的最高层贯穿到最底层，从而形成所谓的指挥链。在指挥链中每个链环处，拥有直线职权的管理者均有权指导下属人员的工作，并无须征得他人意见而做出某些决策。

“直接管理者”是指对组织目标的实现具有直接贡献的那些组织职能的管理者。比如，制造业企业中，技术、生产和销售职能的人员可以作为直接管理者，而人事和财会职能的管理人员则被看作是辅助管理者。但一个管理者的职能究竟应归类为直接的还是辅助的，是相对而言的，完全取决于组织的目标。每个管理者都对他的下属拥有直接职权，但并不是每个管理者都处于直接职能或职位中。

应注意，职权和权力两个词经常混淆。职权是一种基于掌握职权的人在组织中所居的职位的合法权力。职权是与职务相伴随的；与之对照，权力则是指一个人影响决策的能力。换句话说，与一个人在组织中所居职位相联系的正式的权力，只不过是这个人影响决策过程的一种手段而已。

组织中的一个人可以通过五种方式获得权力，即：强制的、奖赏的、合法的、专家的和感召的。强制权力是指由害怕、担心等心理作用产生的一种影响力量。一个人对不遵从上级意图所可能产生的负面结果的惧怕，就使他对这种权力做出反应。强制权力的反面就是奖赏权力，即服从他人的要求或命令后带来的正面的、有利的结果。能给他人施以他们认为有价值的奖赏的人，就对这些人拥有一种权力。从组织的角度看，奖赏可以是金钱、良好的工作评价、晋升、满意的工作轮班等。合法权力代表一个人在正式层级中占据某一职位所相应得到的一种权力，而职位相关的职权包含强制权力和奖赏权力。专家权力是指来自专长、特殊技能或知识的一种影响力。感召权力的基础是对一个人所拥有的独特智谋或个人特质的一种确认，感召权力产生于对他人的倾慕和希望自己等同于这个人的心理，如领袖魅力。

2.1.2　组织架构形式与权变因素

2.1.2.1　组织架构形式

（1）机械式组织　也称官僚行政组织，是综合使用传统设计原则的自然产物。坚持统一指挥的结果就是产生了一条正式的职权层级链，每个人只受一个上级的控制和监督。而保持窄的管理跨度，并随着组织层次的提高，管理跨度在缩小，这样也就形成了一种高耸的、非人格化的结构。当组织的高层与低层距离日益扩大时，高层会增加规则条例，这就会使高层的工作变得简单化、常规化和标准化。

(2) 有机式组织　又称适应性组织，相比于机械式组织，其特点是：低复杂性、低正规化和分权化。

有机式组织是松散、灵活的，且具有高度适应性；而机械式组织则是僵硬、稳定的。因为不具有标准化的工作和规则条例，所以有机式组织是一种松散的结构，能根据需要迅速地做出调整。有机式组织也进行劳动分工，但人们所做的工作并不是标准化的。员工多是职业化的，具有熟练的技巧，并经过训练能处理多种多样的问题，也不需要多少正式的规则和直接监督。有机式组织一方面保持低程度的集权化，就是为了使职业人员能对问题做出迅速的反应；另一方面，员工也不期望高层管理者拥有做出必要决策所需的各种技能。

现实中，很少有标准的机械式或有机式组织，有许多架构形式既可以是机械式的，也可以是有机式的。

2.1.2.2 组织架构权变因素

管理艺术重在权变，不存在一种普适的管理方法，管理只能依据具体情况行事。要因人而变，因事而变，因环境条件而变，不变就没有管理创新。具体因素主要有：

(1) 战略　组织架构是帮助管理者实现其目标的手段。因为目标产生于组织的总战略，所以，使战略与架构紧密配合，这是顺理成章的。特别是架构应当服从战略。如果管理者对组织的战略做了重大调整，那么就需要修改组织架构以适应和支持这一调整。当战略从单一产品向纵向一体化转变，再向多样化经营转变时，架构必须从有机式变为机械式。

(2) 规模　组织的规模对其架构具有明显的影响。当规模增大时，专业化、正规化、纵向分化和集权化的程度也更高。如大型组织（2000 人以上）比小型组织更倾向于高程度的专业化和横向及纵向的分化，规则条例也更多。

(3) 技术　任何组织都需要采取某种技术将投入转换为产出。为达到这一目标，组织要使用设备、材料、知识和富有经验的员工，并将这些组合到一定类型和形式的活动中。由于转换过程或方法是不相同的，技术越常规，架构就越为标准化、机械式；技术越复杂，纵向层次数目就越多。而对于非常规的技术，就会要求更高的架构灵活性，架构越应该是有机式的。

(4) 环境　从本质上说，机械式组织在稳定的环境中运作最为有效；有机式组织则与动态的、不确定的环境最匹配。环境-结构关系可以说明为什么现在许多管理人员将他们的组织改组为精干、快速和灵活的。机械式组织不能满足顾客对高品质和快速交货的愈来愈高的要求。因此，企业会改变组织架构，使其变得更有有机式组织的特点。

2.1.3 组织架构设计选择

组织职能的一个基本内容就是管理和决策员工日复一日所做的工作应当如何设计和安排，包括个人应该单独工作还是作为团队的成员来工作、如何最有效地安排工作时间等问题。而且，并不是所有管理者都参与了组织设计的决策。大多数监督人员和其他低层次管理者，对于企业将包含多少或何类的规章条例，或者在组织的高层与基层之间存在多少个等级层次等，几乎没有或者只有很小的发言权。在履行组织职能上，低层级管理者通常更关切任务或职务的设计，而不是做有关组织架构的重大决策。

2.1.3.1 机械式

当权变因素要求采用机械式设计时，主要有两种方案：一是职能型结构，其重点主要是将同类专家组合在一起，从劳动分工中提高工作效率；二是分部型结构，主要是创造出自我包容的自治单位，这些单位通常按机械式进行组织。

（1）职能型结构　将相似或相关职业的专家们组合在一起来组建结构，是整个组织的主导形式。优点在于它从专业化中取得的优越性，比如，专业化、规模经济、减少人员和设备的重复配置，以及通过给员工们提供与同行们“说同一种语言”的机会而使他们感到舒适和满足。

职能型结构的明显缺点是：组织中成员常常会因为追求职能目标而看不到全局的最佳利益。没有一项职能对最终结果负全部责任，每一职能领域的成员们相互隔离，很少了解其他职能的人干些什么。因为只有高层管理者才能看到全局，所以他得担当起协调的角色。不同职能利益和不同的视野会导致职能间不断地发生冲突，各自极力强调自己的重要性。职能型结构的另一个缺点是：它不能为未来的高层经理提供训练的机会。职能经理们看到的只是组织的一个狭窄的局部：他们的职能只涉及部分，而与其他职能的接触非常有限。因此，这种结构并不能给管理者带来关于整个组织活动的广阔视野。

（2）分部型结构　是设计建立自我包容的单位。每个单位或事业部一般都是自治的，由分部经理对全面绩效负责，总部对各分部提供支援服务，如技术、财务和法律等。当然，总部也作为一个外部监管者，协调和控制各分部的活动。因此，在既定范围内，各分部是相对独立的。只要在总部设定的总体指导方针下，分部经理常常可以按照他们觉得合适的方式自由地指导所属分部的工作。分部型结构的内部也包含着职能型结构。分部型框架结构是自治的“小公司”，其内部存在的组织形式可以看作是职能型结构的变种。

分部型结构优点是：强调结果。分部经理对一种产品或服务负完全的责任。分部型结构也使总部人员摆脱了关注日常运营具体事务的负担，使他们能专心致志于长远的战略规划。分部型结构的主要缺陷是：活动和资源出现重复配置。例如，每一个分部都可能有一个市场营销部门。因此，分部型结构的职能重复配置就导致了组织总成本的上升和效率的下降。

与职能型结构不同，分部型结构是培养高级经理人员的有力手段。各分部经理在经营其自治单位的过程中也获得了很多经验。而个人责任感和独立性给他们提供了体验经营一个完整企业的酸甜苦辣的充分机会。

2.1.3.2　有机式

有机式结构主要有以下几种形式。

（1）简单式结构　所谓简单式结构，就是指低复杂性、低正规化和职权集中在一个人手中的结构。它是一种“扁平”组织，通常只有两三个纵向层次，有一个松散的员工队伍，并且决策权集中于某一个人。“一人多岗”，人力资源成本较低。简单式结构在所有者与经营者合一的小企业中得到了广泛的应用。

简单式结构的优点是：反应快速、灵活、运营成本低、责任明确。一个主要缺点是：它只对小型组织适用。当组织成长以后，它就会变得不合适，因为这种低正规化和高集权度的结构会导致高层信息超载。随着规模的扩大，做决策的过程将变得缓慢。如果单个经营者仍试图继续由自己做出所有的决策，则企业只会停滞不前。事实证明这是许多小企业走向毁灭的主要原因。如果结构再不变革，改为更复杂些的形式，企业就很可能要失去发展的势头，并最终走向失败。简单式结构的另一缺点是：所有事情取决于老板一个人，风险极高。

（2）矩阵式结构　矩阵式结构创造了双重指挥链，利用职能部门化来获得专业化经济，但在这些职能部门之上，配置了一些对组织中的具体产品、项目和规划负责的经理人员。比如图 2-1 所示的某建筑公司的矩阵式结构。注意，在图 2-1 中的上部横向排列的是技术部、物资部、人事部等这些类似的职能部门，但在纵向上增加了该建筑公司目前正在进行的多个施工项目，每一项目由一名经理领导，他将为其负责的项目从各职能部门中抽调有关人员。这样在横向的传统职能部门基础上增加纵向坐标的结果，就将职能部门化和产品部门化的因素交织在了一起，因此称为矩阵式结构。

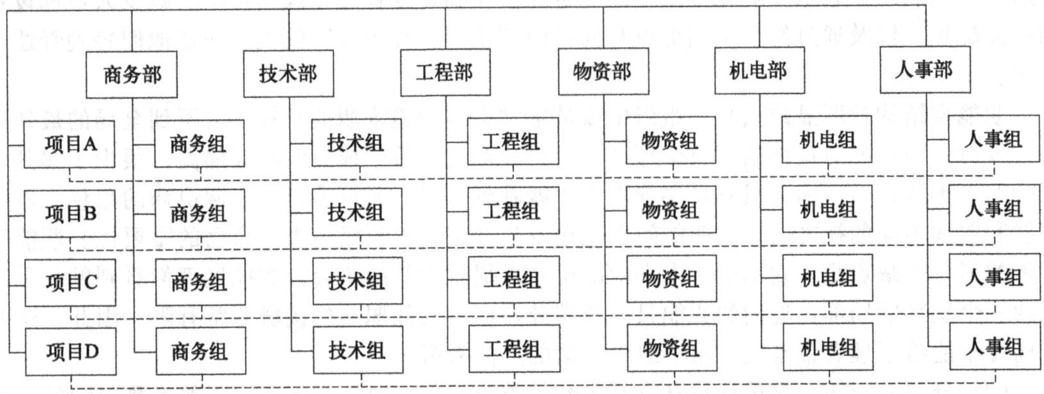

图 2-1　某建筑公司的矩阵式结构示意图

矩阵式结构运作时，矩阵中的员工有两个上司：一个是所属职能部门的经理，另一个是产品或项目小组的经理。项目经理作为其项目小组的职能人员也拥有职权。例如，负责 A 项目供应活动的商务专家，他同时要向商务部门经理和 A 项目经理汇报工作。两位经理共同享有职权。一般地，项目经理只能对项目小组成员行使有关项目目标达成的权力，如分工、监督等，而将晋升、工薪建议和年度评价等决策的责权留给职能部门经理。为使矩阵式结构有效地运作，项目经理和职能部门经理必须经常保持沟通，并协调他们对所属共同员工提出的要求。

由这种矩阵关系形成的总体结构，可以兼有职能部门化和产品部门化的优点，而避免它们各自的缺点。职能型结构的优点在于，它将职能专家组合在一起，可以减少所需的人员，并促进专门化资源在各产品或项目间的共享共用。其主要缺点是，它难以协调各职能专家的工作，难以按时、按预算地完成任务。而产品分部形式恰好具有与职能型结构相反的优缺点。管理者要是决定采用矩阵式结构，可以在临时性或永久性设置之间进行选择。

矩阵式结构的优点是：它能促进一系列复杂而独立的项目取得协调，同时又保留将职能专家组合在一起所具有的经济性。

矩阵式结构的主要缺点是：它造成了一定的混乱，并隐藏着权力斗争的倾向。这是因为一旦放弃了统一指挥原则，也就出现了谁向谁汇报工作的混乱局面。这种混乱和模糊反过来培植着权力斗争的种子。这是因为职能部门经理与项目经理之间的关系通常并不是由规则和程序确定的，而是由两者相互协商，而这就容易产生权力斗争。

（3）网络式结构　一般只有很小的中心组织，依靠其他组织，以合同为依据进行制造业务、分销业务、营销业务或其他关键业务的经营活动。它使管理者对新技术或者来自域外的低成本竞争等能具有更强的适应性和应变能力。它可以最大程度地发挥自身相对优势，投入最低限度的资源，利用一个关系网络，就可以与独立的设计者、制造商、代理销售商等联系，按照合同执行相应的职能。但网络式结构并不是对所有企业都适用。

网络式结构也与那些试图通过所有权控制它们命运的组织不同，后者自己研究开发，生产是在公司自有的制造厂中进行的，销售和营销也由自己的职员来做。为了支持所有这些活动，管理者需要聘用另外一些人员，包括会计、人力资源专家和律师等。而在网络式结构中，这些职能的大部分都从组织外“购买”，这给管理者提供了高度的灵活性，并使组织集中精力做它们最擅长的事。从本质上说，网络式结构的管理者将他们的大部分时间花在协调和控制这些外部关系上。

（4）临时性附加式结构　有时管理者可能要保持总体的机械式结构，同时需要获得有机式结构的灵活性。这时，可将一个有机式结构单位附加在机械式组织之上，如任务小组和委员会等。

任务小组结构是一种临时性结构，其设计用来完成某种特定的、明确规定的复杂任务。任务小组的成员一直服务到任务完成。然后，任务小组解散，其成员转换到另一任务小组，或者回到他们永久隶属的职能部门，或者离开组织。

委员会结构，是将多个人的经验和背景结合起来，跨越职能界限处理一些问题的结构。从实质上说，委员会可以是临时性的，也可以是永久性的。临时性委员会通常等同于任务小组。委员会的成员长久地隶属于某一职能部门，他们定期或不定期地聚在一起分析问题，提出建议或做出最终决策，协调有关的活动，监督项目的进行等。

总之，上述这些结构都有一定的适用条件，企业应根据管理所对应的权变因素和要求进行选择（表 2-1）。

表 2-1 组织架构设计选择

设计选择	优点	使用的时间和地点
职能型	专业化的经济性	单一产品或服务的组织
分部型	对结果的高度责任感	大型组织；多种产品或多个市场的组织
简单式	快速、灵活、经济	小型组织；发展的初期；简单、动态的环境
矩阵式	专业化的经济性与对产品结果的责任感	有多个产品或规划、需要依靠职能专长的组织
网络式	快速、灵活、经济	工业企业；发展的初期
任务小组	灵活性	有些重要任务具有特定的期限和工作绩效标准的组织，需要跨职能界限的专业技能的组织
委员会	灵活性	需要跨职能界限的专业技能的组织

2.1.4 职位设计

职位设计，是指将任务组合起来构成一项完整工作。企业通常对于职位和岗位的概念不作特别细致的区分，有时两者互相混用。有时一个职位可以对应多个岗位，比如，一个司机职位可以有多个司机岗位。岗位是和人对应的，一个人就是一个岗位。职务是指一个人在组织中所处的行政级别，具有管理和监督职能的职位才会有职务。

组织中人们所承担的职位并不是随机确定的。企业应当对职位进行有意识的设计，以反映组织的技术要求以及工作人员的技巧、能力和偏好。只有如此，才能使员工充分地发挥其生产潜力。

2.1.4.1 职位特征

工作系统设计是指将员工组织到如部门或团队这样的正式或非正式的单位中去。职位设计涉及的是为个人分配职责和任务。在设计工作系统时，企业必须在人力资源管理的五个传统领域中做出选择：计划、人事安排、考评、薪酬以及培训教育。如表 2-2 所示，这五个领域的每个方面都可以视为一个连续统一体，左边是传统化的刻板惯行的结构化环境，右边是具有灵活惯行的非结构化环境。

对组织的有效性和个人的工作满意度而言，两者都是至关重要的。研究发现，在工作场所，员工首要的五个需求是：有意思的工作、认可、做主、安全感、报酬。提高员工满意度和工作积极性的最好办法就是使工作富有回报，这意味着增加工作内容的多样性，强调工作的重要性和意义，提高自主性和主动性，并提供有意义的反馈。对员工生产率、工作动力和满足感产生主要影响的职位特征要素如下。

表 2-2 工作系统设计中的选择

计划		薪酬	
非正式	正式	基础薪酬低	基础薪酬高
短期	长期	内部权益	外部权益
清晰的职位分析	含蓄的职位分析	额外补贴很少	多种额外补贴
职位简化	职位丰富化	标准的、固定的工资方案	灵活的工资方案
员工参与度低	员工参与度高	参与度低	参与度高
考评(目的:培养、修正和维持)		没有激励	多种激励
行为性准则	结果性准则	短期激励	长期激励
员工参与度低	员工参与度高	没有聘用保障	高度的聘用保障
短期准则	长期准则		
个人准则	群体准则		
人事安排		培训教育	
内部来源	外部来源	短期	长期
狭窄路径	宽路径	狭窄	广泛
单一阶梯	多重阶梯	重点在生产率	重点强调工作和生活的质量
清晰的准则	含蓄的准则	随意、无计划	系统、有计划
有限社会化	高度社会化	个人导向	群体导向
程序不公开	程序公开	参与度低	参与度高

① 技能多样性，指一个职位要求员工具备多种技术和才能从事多种不同工作的程度；

② 任务完整性，指一个职位要求完成一项完整的、从头到尾的、具有同一性的任务的程度；

③ 任务重要性，指一个职位对其他人的工作和生活具有实质性影响的程度，让员工在某种程度上觉得他们的工作对组织或社会非常重要；

④ 自主性，指一个职位给予任职者在安排工作进度和决定从事工作所使用的方法方面的实质性自由、独立和自主的程度；

⑤ 职位反馈，指个人获得有关绩效信息的直接和清晰程度。

工作系统设计应该赋予员工实现运营绩效目标的内生动力和外在动机。研究表明，关键心理状态、核心工作特征、调节因素和工作成果是影响满意度等的主要因素。从图 2-2 中可以看出，前三个特征（技能多样性、任务完整性和任务重要性）共同创造出有意义的工作。也就是说，一个职位如果具有这些特征，可以预期任职者会将他的职位视为重要的、有价值的和值得做的。同时，拥有自主性的职位会给任职者带来一种对工作成果的个人责任感，而如果职位能够提供反馈，则员工就会知道他的工作效果如何。

从激励的角度看，职位特征模型指出，要是一个人知道（对成果的了解）他个人（个人责任感的体验）在其关注（有意义的体验）的任务上完成得很好，那么，他会获得一种内在的激励。职位愈是具备这三个条件，员工的动力、绩效和满意度就会愈强，而缺勤和离职的可能性就会愈小。具有高度成长需求的进取型员工，面对核心要素特征高的职位，在心理状态上要比那些只有低度成长需求的躺平型员工有更高程度的体验。而当这种心理状态存在时，相比躺平型员工，进取型员工能做出更为积极的反应。

职位的核心要素可以采用“激励潜力总分”进行评估，可以看出，得分高的职务，必须在使人们体验到职位意义的三个要素上至少取得一个高分，同时必须在自主性和职位反馈上都保持高分。激励潜力总分高的职务，会对动力、绩效和满意度产生积极影响，并使员工缺勤和离职的可能性降低。激励潜力总分的计算公式为

$$\text{激励潜力总分}=\frac{\text{技能多样性}+\text{任务完整性}+\text{任务重要性}}{3}\times\text{自主性}\times\text{职位反馈} \quad (2\text{-}1)$$

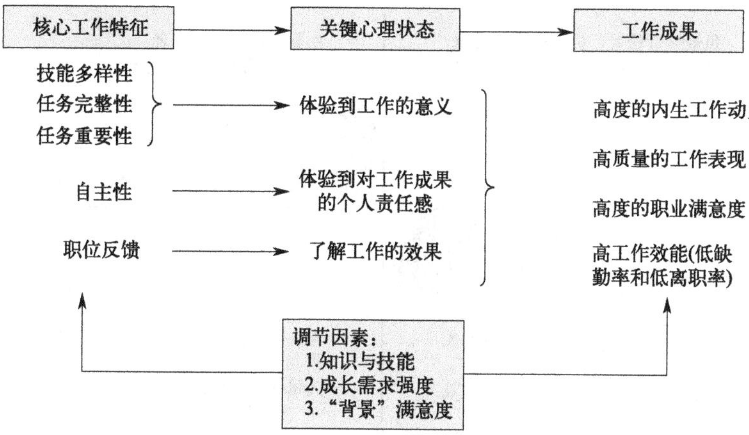

图 2-2　职位特征模型示意图

2.1.4.2　高绩效职位设计

有些职位是常规性的，另一些职位则是非常规性的。有些职位需要多样的、变化较大的技能；另一些只要求使用范围较窄的技能。有些职位限定员工遵循非常严格的程序；另一些则对员工如何工作给予充分的自由。有些职位以团队的方式工作可取得更好的效果；另一些职位让个人单独做可以做得更好。所以，职位因工作任务组合的方式而异，而不同的组合则创造了多种职位设计选择。

（1）职位专业化　最初，职位设计都比较简单，即工作通常划分为细小的、专业化的任务，职位可能变得过于专业化。随着社会的发展，分工越来越细，专业化要求也越来越高，工作时间长了可能就会引起员工厌倦，导致工作效率下降。

（2）分工　核心业务工作流程（纵向）确定后，各部门就要围绕决策进行分工（横向），可采用 RACI 责任分配矩阵模型（图 2-3)。RACI 责任分配矩阵模型是一个广泛应用于项目管理的模型，用于明确角色和责任，可以帮助项目团队在各阶段更好地理解他们的角色和责任，从而提高项目的效率和成功率。该模型既能提供清晰度（它清晰地定义了谁负责何事，谁拥有决策权，谁需要被咨询，以及谁需要被通知，这有助于防止工作的重叠和遗漏)，又能提高效率（当每个人都明确自己的角色和责任时，他们可以专注于自己的任务，从而提高项目的效率)。它还能加强团队合作，明确每个团队成员的责任，有助于加强团队合作和沟通。

（3）职位轮换　为避免职务专业化及其缺陷，采取的常见措施是进行职位轮换，避免产生厌倦。实际操作中有两种类型的职位轮换：纵向的和横向的。纵向轮换指的是升职或降职。但一般谈及职位轮换，都指的是横向的职位轮换。

横向的职位轮换可以有计划地予以实施，即制订培训计划，让员工在一个职位上从事两三个月时间的工作，然后再换到另一职位，以此作为培训手段。横向轮换也可以根据具体情况来进行。比如，混凝土企业中质检员和搅拌机操作员、外检员和内检员、外检员和调度等岗位之间轮换；或者当工作进度安排需要这样做时也可以转换。即员工职位可以处于不断变换的状态中。

职位轮换拓宽了员工的工作领域，给予了他们更多的工作体验。另外，丰富的工作体验也使得员工对组织中的其他工作有了更多的了解。

当然，职位轮换也不是没有缺点的。给一个员工新的职位，这会增加培训成本，还

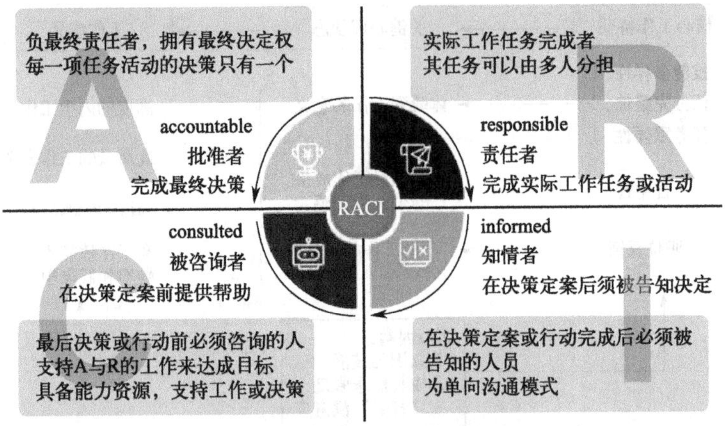

图 2-3 RACI 责任分配矩阵模型

会导致生产效率下降。较大范围的轮换规划，可能造成大量的员工被安置在不合适的工作岗位上。尽管这样的规划有可能带来显著的长期效益，但组织需要有良好的对策以处理日常工作中出现的问题。经验表明，对员工进行非自愿的职位轮换，可能导致旷工和事故的增加。

（4）职位扩大化　增加员工任务的横向多样性的另一种措施是职位工作任务扩大化。这一方案使工作范围增大，也就是增加了一个职位所完成的不同任务的数目。

（5）职位丰富化　即增加工作任务深度，让员工有更大的自主权、更高的独立性和更强的责任感去从事一项完整的工作。当员工重复地完成一项单一的、常规的、任务划分得很细的工作时，随着时间的增长，失误率就会增大，这时就需要进行职位丰富化再设计。

可以看出，职位专业化强调的是任务划分细化；职位扩大化则相反，它通过扩大工作任务范围而使之得到横向扩展。与职位扩大化相似，职位丰富化也扩展了工作内容，但它是纵向扩展，即通过给予员工更大的对其工作的自主权，从而增加工作任务的深度。

（6）职位再设计　职位特征模型为管理者从事职位设计提供了具体的指导，如图 2-4 所示。

① 合并任务。管理者应当将现有的过细分割的任务组合起来，形成一项新的、内容广泛的工作。这将使技能多样性和任务完整性得到提高。

② 形成自然的工作单位。管理者应当将任务设计成一项完整的、具有同一性的、有意义的工作。这可使员工产生这项工作“归属于我”的感觉，鼓励员工将他们的工作视为意义重大的而不是无关紧要甚至令人生厌的工作。

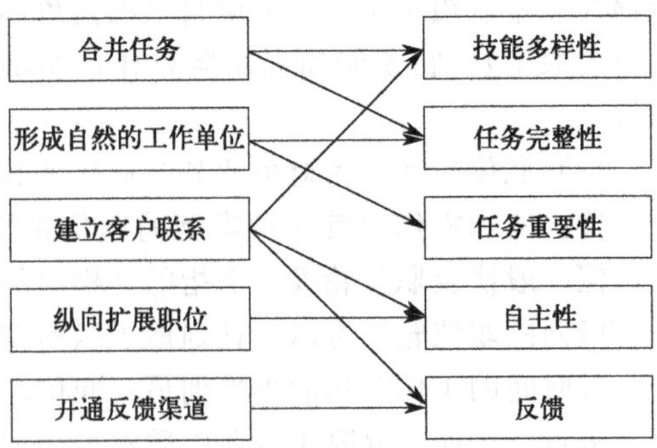

图 2-4 职位再设计指南示意图

③ 建立客户联系。顾客是产品或服务的体验者。如有可能，管理者应当建立起员工与客户之间的直接联系，以提高员工的技能多样性、自主性并增加职位反馈。

④ 纵向扩展职位。纵向扩展职位可使员工产生责任感，并掌握以往保留在管理者手中的控制权。它将使职位的“作业”与“控制”之间的分离部分结合，从而提高员工的自

主性。

⑤ 开通反馈渠道。通过增进反馈，员工不仅能了解他们所从事的工作做得如何，还能知道他们的绩效是提高了、降低了还是保持在一定水平上。从理想的角度来说，员工应当在他们做工作的时候就得到直接的反馈，而不是非经常性地从管理者那里得到一些反馈。

职位设计选择的最后一项内容是工作时间安排，可以根据职位特点选择标准工作时间、弹性工作时间或综合工时等，必要时可以采取临时工等补充措施。

2.1.5 有效组织架构的特点

实践表明，一个生产企业的有效组织架构应具备以下特点：

① 明确权利、义务。要清楚地规定部门、车间、班组等每个员工的权利和义务。员工的权利和义务是彼此相符合、相互平衡的。

② 最大限度分解职责。职责要最大限度地分解，直至每一名员工承担一个职能。

③ 明确权力路线。权力路线是被明确标记出来的，也就是每一个人自己的工作结果对某一个领导负责。

④ 职能范围的限定。选择、加工信息，做出管理决策和将决定传递给执行者的职能，要在规定的和估计的可能范围内进行。

⑤ 横向联系和下放决定权。在各环节之间，在所有必要的场合下，建立直接的横向联系。管理的决定权，要尽可能下放到基层。“让听得见炮声的人来指挥战斗。”只有这样，才能避免知情者无权决策和决策者不知情的被动局面。

⑥ 简化组织。在出现各种复杂情况的条件下，组织都应朝着简化的方向变革。

总之，明确组织架构、职权分工和从属关系，才能真正实现人尽其才，才能有效发挥组织效能。

2.1.6 预拌混凝土企业组织架构

预拌混凝土管理也是一个系统工作，主要包括市场营销、原材料采购、混凝土配合比设计、设备组织、生产调度、计量拌和、开盘鉴定、试验检验、运输交付、跟踪回访和货款结算等具体环节。管理内容主要涉及商务管理、原材料管理、设备管理、技术管理、质量管理、生产过程管理、运输管理、服务管理以及财务管理等。因此，为保证混凝土供应与质量，搅拌站需建立一个完善的组织架构。

搅拌站在日常生产管理过程中，需统一指挥、多部门协调合作才能准确、及时、高效地完成生产供应任务，因此在进行组织架构设置时应遵循任务与目标原则、专业分工和协调原则、统一指挥原则、有效管理原则、责权利相结合原则、集权与分权相结合原则、稳定性和适应性相结合原则。

根据组织架构设置原则，结合搅拌站管理的实际情况，宜采用直线职能型组织架构，其优点是既保持了直线型架构统一指挥的优点，又吸收了职能型架构分工细密、注重专业化管理的长处，从而有助于提高管理工作的效率。

根据直线职能型组织架构的特征，搅拌站实行经理负责制，通常设置总经理一名、副经理三名和总工程师一名，下设经营部、生产部、设备部、材料部、试验室、技术质量部、行政部、财务部等，典型的预拌混凝土公司组织架构图如图 2-5 所示。相关职位的主要具体工作如下：

① 总经理：负责搅拌站的全面管理工作，分管财务部。

② 生产经理：负责搅拌站的生产管理和安全管理工作，分管生产部、设备部。

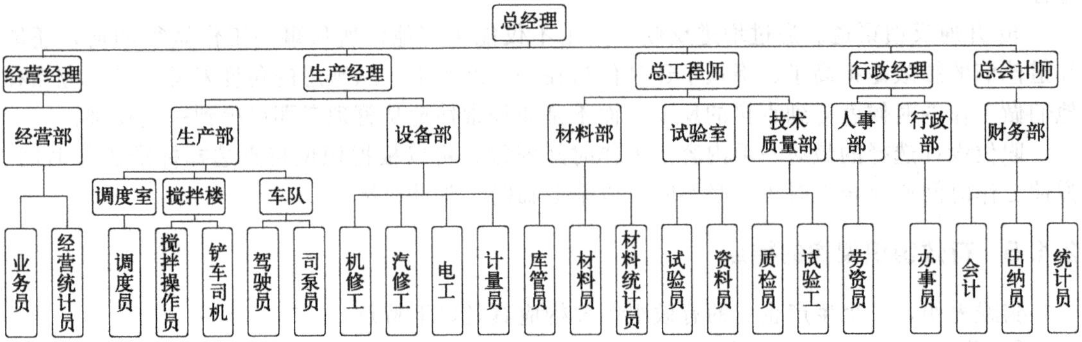

图 2-5　典型的预拌混凝土公司组织架构图

③ 经营经理：负责搅拌站的混凝土销售管理、货款结算回收等工作，分管经营部。

④ 行政经理：负责搅拌站的行政后勤管理，分管行政部、人事部。

⑤ 总工程师：负责搅拌站的技术质量管理，分管材料部、试验室和技术质量部。

⑥ 总会计师：负责搅拌站的财务会计、经济核算管理工作，分管财务部。

当然，上述具体分工可以根据企业需要进行调整。

2.2 工厂平面布置

预拌混凝土企业在选择厂址时要充分考虑当地发展规划、市场前景、运距范围和环境影响等，依据市场调研结果及市场需求区域，确定合理的供应半径及厂区位置。从广义上讲：要求交通便利，紧邻货源地，临近市政道路，便于运输车辆进出；从狭义上讲：就是根据厂区所处的环境，选择最佳的布局和进出方案。从成本控制角度来看，一是要考虑原材料汽运、水运等方式的运输成本，尽可能地减少二次倒料，缩减成本。二是要远离居民区和耕地，土地属性要满足绿色环保、“三废”排放要求。三是水、电供应充足、方便。尽量靠近市政水源，利于生产，也有利于生活污水排放。尽量靠近高压线和变压器，合理地设置变压器，充分利用当地的用电政策降低用电成本。

厂址选好后，就要根据生产过程进行厂区平面布置，合理利用场地。合理的布局决定了今后的日常运营费用，布局不合理会造成日后的翻建改造、额外费用增加。确定一种建材工业产品的生产过程首先要确定该产品的工艺流程，然后再进行生产结构设计以实现这个工艺流程。生产结构设计又称生产过程的空间组织，它是企业内部各生产单位和设施，以及专业化形式和在空间的相对位置所构成的有机整体。

2.2.1 工艺流程

广义的生产过程是从生产技术准备至生产出成品的全部过程；而狭义的生产过程是指从原材料投入生产至生产出成品的全部过程。相对而言，预拌混凝土产品的生产过程比较简单，工艺流程较短，工序也较少。建材工业产品的生产过程的基本组成如下。

① 生产技术准备过程，是指工业产品在投入生产前进行全部生产技术准备工作的过程。它一般包括：产品设计、工艺设计、工艺装备的设计和制造、材料和工时消耗定额的制定与修订、劳动组织和生产线的建立与调整，以及新产品的试制、试验等。

② 基本生产过程，是直接对原材料进行加工使之成为产品的过程。实现基本生产过程的各个单位一般被称为基本车间。典型的预拌混凝土工厂的基本车间可分为原料存储车间和搅拌车间。

③ 辅助生产过程，是指为保证基本生产过程正常进行所需要的各种辅助性生产活动过程。

④ 生产服务过程，是指为保证基本生产过程和辅助生产过程正常进行所需要的各种生产服务活动过程。如原材料、半成品、成品、配备件的供应、保管、运输、检验以及废弃物处置等过程。

其他还有为基本生产过程提供附属材料（如包装材料）的附属生产过程，利用边角余料和废料制造不属于企业专业方向的产品的副业生产过程等。

2.2.2 工厂平面布置的方法

工厂和外部区域之间的相对位置关系由厂址的选择来确定。工厂平面布置要确定工厂内部各种建筑物、构筑物和工艺设备的相对位置，包括工厂总平面布置、车间布置和设备布置。

工厂总平面布置也就是工厂的总体安排，它是根据已选定的厂址地形，对组成工厂的各个部分（包括基本生产车间、辅助生产车间、各种设施等）进行合理布置，并相应地确定运输方式和运输线路等。工厂总平面布置首先可选用平面的、立体的、带不同颜色的、按一定比例的多种形式的纸模型进行布置，先安排主要生产车间和某些因有特殊需要而决定其位置的部分，然后安排主要过道的位置，最后再根据各组成部分的相关程度，确定其他辅助部门和次要过道的位置。布置时可采用生产活动相关图布置法。这种方法首先绘制生产活动相关图，以表明工厂各组成部分之间的关系，并确定各部分与其他单位的接近程度，分为 A（绝对必要）、E（特别重要）、I（重要）、O（一般）、U（不重要）和 X（不能接近）6 种，分别以 6、5、4、3、2、1 评分，计算关系积分；先安排积分最高的部分，再按 AEIOUX 的顺序进行布置。也可用物料流向图布置法，即按照原材料、在制品、成品等物资在生产过程中总的流动方向绘制物料流向图，计算各组成部分的搬运量，使得全厂搬运总量最小，特别是非相邻部分之间搬运量最小。这种方法特别适用于物料运量很大的建材企业。工厂总平面布置只是对工厂各组成部分进行总体安排，确定其相互位置。至于各组成部分内部如何布置，那就是车间布置和办公室布置的问题了。

车间布置的重点应放在主要设备的布置上，主要有两种形式：一是按对象专业化形式布置，即把为制造某种产品所需的不同类型的设备，按加工顺序进行布置，这种形式适用于大量生产，布置出的结果往往是产生一条完整的流水作业线；另一种形式是按工艺专业化形式布置，即把同类型的设备布置在一起，因此这种形式又称为机群式布置，它适用于单件或成批生产。也可根据需要将以上两种方式结合使用进行混合布置。

设备布置中，一般采用平面布置法，即仿照设备外形用厚纸板按一定比例做成样板，在平面图上进行布置，寻求使物料运输路线最短和总运量最小的方案。这可利用“从至表”(零件从一个工作地至另一个工作地的搬运次数的汇总表)，按各种零件的工艺路线计算总搬运次数及运距，不断调整设备布置使之优化。在布置过程中可提出几种方案进行技术经济评价。评价方法主要有优缺点比较法（列出各方案的优缺点，按最优、次优、一般、较差、极差五个等级评分，得分最高者为最佳方案）、经济效益比较法（按一定的技术经济指标计算各方案的经济效果，如将单位面积的投资费用与单位面积的产量或收益进行比较等，从中选择一个最佳方案）、要素比较法（列出评价方案的要素，如满足生产工艺要求的程度、将来扩建改建的难易程度、物料流通和搬运的效率、所需的投资费用和生产经营费用及维修费用等，然后从中选出最佳方案），等等。

经过模型试验、方案比较，确定出最佳方案后，就可到现场实地布置，并根据具体条件对原设计方案进行必要的修正。

2.2.2.1 工厂总平面设计的内容

① 平面布置。合理划分生产区域、辅助生产区域、行政区域和生活居住区域，确定它们之间的相对位置以及各区域中建筑物、构筑物在平面上的相对位置。

② 竖向布置。确定建筑区域之间的相对标高及各建筑物、构筑物的设计标高。

③ 土方工程。进行土石方工程量的平衡计算，平整建厂场地。充分利用地形地貌，尽可能减少土方工程量。

④ 运输设计。进行厂内外铁路、公路、道路、码头的设计。

⑤ 管线综合。统筹安排电缆、电线、给排水管道、生产管道及热力管道等地上、地下各种管线。

⑥ 排水设计。全厂区域内雨水排除的设计。

⑦ 绿化布置。合理安排各区域的绿化布局。

2.2.2.2 工厂总平面设计的原则、要求

土地是最重要的资源，因此节约用地是工厂总平面设计最基本的原则。具体原则和要求如下。

(1) 原则

① 立体原则。结合选定厂址的实际情况，在满足生产要求、做到经济合理、降低造价的前提下，应尽量采用多层的立体布置，这样可以充分利用空间、场地，节约面积，减少投资，节约用地。

② 最短距离原则。满足工艺流程的要求，保证生产过程的连续性，使生产线最短、最方便，原材料、半成品和成品的运输路线尽可能短，避免往返运输和作业线交叉，使布置达到时间短、费用低、便于管理的效果。

③ 单一流向原则。布置应使生产流程尽量不存在迂回曲折和平面反复交叉现象，即尽量按生产流程的顺序布置，减少运输费用与时间。按工艺流程布置的比较好的布置形式有：直线形（I形）、直角形（L形）、环形（O形）、马蹄形（U形）、蛇形（S形）等。

④ 为生产经营服务原则。按照生产、生活、运输、卫生和防火等要求，合理划分区域，分区布置。一般可划分为主要生产区、辅助生产区、仓库区、厂前区、生活区等。而且，生产经营协作密切的组成部分应相互就近，优先布置；而辅助生产和生产服务的工作区域可因地制宜灵活布置。布置时将对环境有烟、尘、噪声等污染的车间布置在厂区下风方向。例如，烟囱的布置要求在厂区下风方向，而厂前区、生活区均应布置在厂区上风方向并要考虑到与城市环境相适应。

(2) 要求

① 动力供应设施应靠近负荷中心。如总变电站、配电站要靠近耗电集中的车间，以利于布置电缆。

② 运输设计应综合考虑料场和厂外交通，工厂物流与人流应避免交叉，以及过程产品的竖向与水平运输等。

③ 结合竖向布置，充分考虑环境保护。结合地形、地质、气象等自然条件，使工厂整体与环境协调，尽量减少或避免破坏城乡环境，做好“三废”综合治理和绿化布置。

④ 弹性原则。综合考虑近期建设和远期发展，既避免过早占用土地，又给工厂发展留有余地，使后续工程建设方便。

⑤ 安全原则。建筑物或构筑物的布置应符合防火、卫生规范要求及各种安全要求，同

时需满足地上、地下工程管线敷设和交通运输的要求。

2.2.2.3 工厂总平面设计的技术经济评价

工厂总平面设计是一个系统工程设计，它的一般技术经济指标包括：厂区面积、建筑面积、厂区建筑系数、厂区利用系数、道路长度、铁路长度、围墙长度、绿化面积等。建筑系数和利用系数可按式(2-2) 和式(2-3) 进行计算：

$$建筑系数=\frac{Z+I}{G}\times 100\% \tag{2-2}$$

$$场地利用系数=\frac{Z+I+T+D}{G}\times 100\% \tag{2-3}$$

式中 G——企业厂区占地总面积，m^2；

Z——建筑物及构筑物占地面积，m^2；

I——露天仓库、堆场、操作场占地面积，m^2；

T——铁路、道路、人行道占地面积，m^2；

D——地上、地下工程管线占地总面积，m^2。

厂前区也可与厂区分别计算；露天堆场系数也可单独计算；利用系数中也可不包含“D”值。

2.3 管理与控制

企业管理靠什么？靠的就是职能部门。企业的日常管理通常围绕“人、财、物、信息”四大“流”进行（图 2-6)，其中最重要的三大职能系统：一是骨骼系统，人力资源，即干部梯队；二是血液系统，资金流，即财务会计；三是神经系统，IT 系统，即流程管理，属数据流。一件事情，无论计划做得多么完善，如果没有合理的制度和严谨的流程，如果没有令人满意的控制系统，在实施过程中仍然可能出现各式各样的问题。经验表明，管理不能寄希望于管理者的人品，而是更应该建立良好的管理机制，即处理好“利益有顺序、过程要分工、机会须均等和付出有回报”等具体问题。企业管理与控制水平的高低可以采用人均年产值的大小进行综合评估。

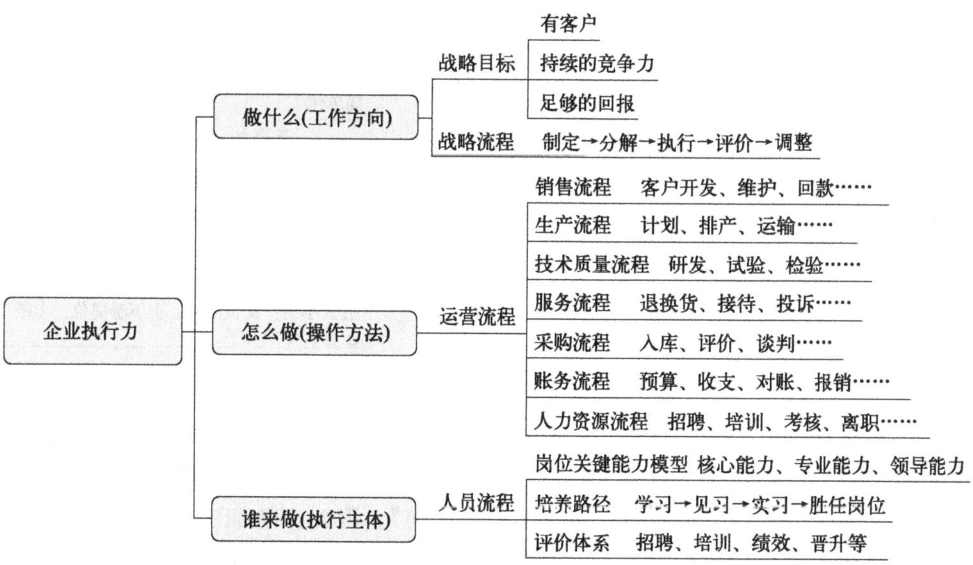

图 2-6 日常管理主要流程示意图

2.3.1 管理制度、流程和机制

制度所描述的通常是应该怎么做、必须怎么做的问题，是企业价值观、使命和期望的具体体现。而流程通常规定的是应该由谁来做、由哪个部门或岗位来做，以及如何做、先做什么后做什么的步骤问题。在制度、流程存在的前提下，机制确定了内部运行方式、合作关系，以及完成工作的规则、方式方法等，也就是通常讲的“游戏规则支配了利益”的博弈：制度、流程、机制，三者缺一不可。

流程是对做事路径、程序、步骤等简明扼要的设置与概括，一般会以图形表现，也称流程图。流程及流程图旨在简单明了地告知执行者在执行任务时的实施路径、所要走的步骤与顺序、所要协调与配合的人或者部门、由谁决策、向谁请示等。流程是标准的体现之一，也是保障组织运转次序、提高工作效率的工具与手段之一。流程的核心目的与作用是在分工、分责、分权的基础上提高工作的协作、协同效率和达到理想的产出效果，解决的是企业运营效率的问题。通过好的流程，企业可以实现规范化向规模化的转变。

管理流程的建立要体现四个要素：

① 目标：这个流程到底要解决什么问题；

② 方法：用什么方法来解决这个问题；

③ 机制：用什么机制来规范目标员工行为；

④ 领导力：用什么领导行为来让员工将这些新的行为变为习惯。

比如，目标：培养员工具备以“客户成功”为目标的心态；方法：通过奖金来鼓励这种心态的形成；机制：通过第三方的客户反馈结果，算出“客户成功”指数，这个指数是与员工的奖金挂钩的；领导力：每年都会选出在“客户成功”方面表现得很好的员工，除了奖金之外，领导层还会找机会表扬，并在培养人才方面多加关注。而且，企业要定期检查管理流程，及时进行迭代设计（图 2-7），确保其内容能够与时俱进，否则就会变为官僚机制。流程设计思维导图见图 2-7。

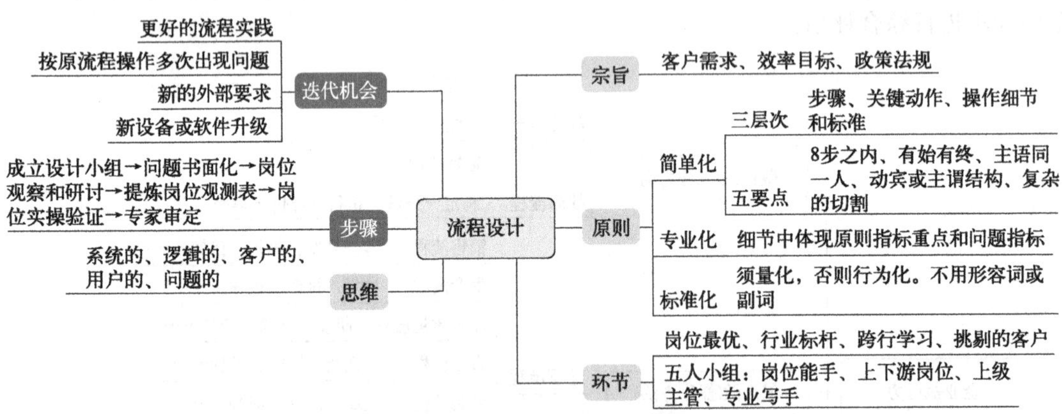

图 2-7 流程设计思维导图

目前在很多企业里，实现流程管理需要改变一些管理习惯：一是打破职能习惯，二是培养系统思维习惯，三是形成绩效导向的企业文化。受古代官制品位等级制的影响，企业职能部门很大程度上秉承了“自利取向”而非“服务取向”。因此，各职能部门特权膨胀，职能导向侧重于对职能的管理和控制，部门之间的职能行为往往缺少完整的有机联系，工作完成的时间标准一般是由该部门的主管领导临时确定的，这就加大了主管领导的工作量；又因标

准不确定，导致整体工作效率大幅降低，因此必须打破职能壁垒。流程导向侧重的是目标和时间，即以顾客、市场需求为导向，将企业的行为视为一个总流程上的流程集合，对这个集合进行管理和控制，强调全过程的协调及目标化。每一项工作都是流程的一部分，是流程的一个节点，节点的完成必须满足整个流程的时间要求。时间是整个流程中最重要的标准之一，因此，在流程约束的前提下，各工序的活动都串联在一个时间轴上，这就要求每个部门都需要系统地思考问题，而不是只考虑自己。每个岗位都必须养成系统思考的习惯，重视顾客需求的价值，“人人都有一个市场，人人都面对一个市场”。在流程导向中激励员工，共同追求流程的绩效，激励每个员工参与流程再造和管理方式改变，以免流程管理只流于形式。

（1）流程与制度的关系　流程和制度都是企业管控体系中不可或缺的部分，二者之间既有区别，又有联系。流程强调如何将输入有效地转化为输出，说的是做事的路径和方法，强调“如何去把一件事情做得更好”。而制度强调不能做什么，是约束性条款，强调“做了某一事情的后果和处理方法”。制度更多的是针对局部而制定的规则，彼此之间会有重叠，但不存在上下游或者层级的关系。如果把企业分块的制度堆积起来，将覆盖到企业管理与业务运作的每个角落。而流程针对的则是全局，整个企业的价值链可以作为总流程，其内部又可以根据不同的分类原则分成诸多子流程。然而，流程和制度又可以说是同一个事物的两个侧面，彼此之间具有密切的联系，并不相互隔离，也无法互相取代。如果制度不能反映流程，就像失去了灵魂，它的执行会出现问题。所以制度无法执行时，往往是它所包含的流程有问题。如果频繁出现这种情况，就说明这个制度是不合理的，而不合理的地方往往是它相关的流程与实际情况不符。

流程与制度是企业管理的核心内容，其本质是一致的。当制度的编写具体到了业务的每个步骤，以文字或者图片的形式将业务的前后逻辑和关系都描述清楚了，那也可以称其为流程。当流程以管理手册的形式呈现出来，并且作为管理要求在企业中强制推行，即流程制度化，那同样也可以称为制度。因此，流程与制度的内涵完全没有区别，都是企业的管理文件，是企业管理的核心。

（2）机制与制度的关系　生产企业的机制以经营为主题，以激励机制为主要内容，解决的是企业的动力和活力问题。制度以管理为主题，以人力资源管理为主要内容，解决的是企业的能力和效力问题。

机制与制度有着本质的区别。制度是要求成员共同遵守的且按一定程序办事的规程或行动准则。机制是指企业构成要素之间相互联系、相互作用的关系与功能，也即复杂系统结构中各个组成部分相互联系、相互制约、相互作用的联结方式，以及通过它们之间的有序作用而完成其整体目标、实现其整体功能的运行方式。机制由价值链、流程、组织、能力、管控模式、激励与考评等要素组成，需要制度、保障、激励来保驾护航。好的机制要解决好利益顺序、过程分工、机会均等和付出回报等关键问题。

机制与制度密不可分。虽然机制不等于制度，但机制却离不开制度，制度也离不开机制。制度的实质就是对人们相关的行为进行调控、约束和限制。比如生产一台机器，制度是将各个零件组成机器的程序和准则；机制就是使这些零件连接在一起，形成一个整体，促使机器运转起来的工作原理。作为在某项制度管辖范围内的具体的人，则自发倾向于绕开或突破制度的约束和限制。这样，表面上制度是建立起来了，实际上仍然很难发挥其应有的作用，甚至形同虚设。这是因为虽然有制度，但没有形成执行机制，也就是说人们还不能自动地趋向于制度的目标。所以，一项制度制定之后，要想使制度的作用真正地发挥出来，就必须努力促使其形成相应的机制。

2.3.2 控制

控制，是指监视各项活动以保证它们按计划进行并纠正各种重要偏差的过程。所有管理者都应承担控制的职责，即便其部门完全按照计划工作着。这是因为管理者在对已经完成的工作和计划所达到的标准进行比较之前，他并不知道他部门的工作进行得正常与否。一个有效的控制系统可以保证各项行动完成的方向是朝着组织目标的。控制系统越完善，管理者实现组织目标就越容易。对于制造业企业来说，控制通常关注进厂原材料、关键过程及最终产品和服务。

尽管计划可以制定出来，组织结构可以调整得非常有效，员工的积极性也可以调动起来，但是这些仍然不能保证所有的行动都按计划执行，不能保证管理者追求的目标一定能达到。因此控制是重要的，因为它是管理职能环节中的最后一环。然而，控制作用的价值依赖于它与计划和授权的关系。如果形成一种有效的控制系统，授权的优点就可以充分发挥。

2.3.2.1 控制焦点

管理者控制人员、财务、作业、信息和组织绩效等五个主要方面。

(1) 人员　管理者是通过他人的工作来实现其目标的。为了实现组织目标，管理者需要而且也必须依靠下属员工。因此员工按照管理者所期望的方式去工作是非常重要的。为了做到这一点，管理者最简明的方法就是直接巡视和评估员工的表现。在日常工作中，管理者的工作是观察员工的工作并纠正出现的问题。比如，日常的巡检纠偏。管理者对员工的工作进行系统化的评估是一种非常正规的方法（行为控制手段见表 2-3）。

表 2-3　行为控制手段

序号	行为控制手段	内容
1	甄选	识别和聘用价值观、态度和个性符合管理者期望的人
2	目标	当员工接受了具体的目标，这些目标就会指导和限制他们的行为
3	职务设计	职务设计的方式在很大程度上决定着人们可从事的工作、工作的节奏、人们之间的相互作用等
4	定方向	给员工定方向，规定了何种行为是可接受的或不可接受的
5	直接监督	监督人员亲临现场可以限制员工的行为和迅速发现偏离标准的行为
6	培训	正式培训中向员工传达期望的工作方式
7	传授	老员工非正式和正式的传达方式向新员工传递了“该知道和不该知道”的规则
8	正规化	正式的规则、政策、职务说明书和其他规章制度规定了可接受的行为和禁止的行为
9	绩效评估	员工会以使各项评价指标看上去不错的方式行事
10	组织报酬	报酬是鼓励期望行为和消除不期望行为的一种手段
11	组织文化	通过制度规范、仪式活动、故事传承、高层表率、沟通形式等方式，体现企业的价值观、信念和行为准则等

(2) 财务　每个企业的首要目标是获取一定的利润，为此，管理者借助于费用控制。比如，管理者可以仔细查阅每季度的收支报告，以发现多余的支出。也可以通过“财务三大表”（资产负债表、利润表和现金流量表）进行几个常用财务指标的计算，以保证有足够的资金支付各种费用，保证债务负担不至于太重，并且所有的资产都得以有效利用。

财务控制，如预算控制是控制成本的一种重要手段，也是一种控制工具。财务预算为管理者提供了一个比较与衡量支出的定量标准。还可以利用人均营收、人均利润等数据分析运营效率能力，表 2-4 中列出了企业常用的一些财务比率指标，管理者可以通过分析这些指标评估企业的运营状况。同时，也可通过能源消耗或碳排放分析评估管理和生产效率。

表 2-4　常用财务比率指标

目的	比率	计算公式	备注
偿债能力分析	净运营资本	流动资产－流动负债	对比企业连续多期的值，进行比较分析
	流动比率	$\frac{\text{流动资产}}{\text{流动负债}}$	检验组织偿付短期债务的能力，应 2∶1 以上
	速动比率	$\frac{\text{流动资产－存货}}{\text{流动负债}}$	对流动性的一种更精确的检验，1∶1 较安全
	现金比率	$\frac{\text{货币资金＋交易性金融资产}}{\text{流动负债}}$	与行业平均水平相比并进行分析，应在 0.2 以上
	现金流量比率	$\frac{\text{经营活动现金流量}}{\text{流动负债}}$	
	资产负债率	$\frac{\text{全部负债}}{\text{全部资产}}$	比值越高，组织的杠杆作用越明显，风险越大。应＜0.6
	现金流量利息保障倍数	$\frac{\text{经营活动现金流量}}{\text{利息费用}}$	倍数越大，利息支付越有保障
	经营现金流量债务比	$\frac{\text{经营活动现金流量}}{\text{债务总额}}$	比率越高，偿还债务总额的能力越强
	利息收益倍比	$\frac{\text{纳税付息前利润}}{\text{全部利息支出}}$	倍数越大，利息支付越有保障
	产权比率	$\frac{\text{全部负债}}{\text{股东权益}}$	比率越低，企业偿债越有保证，贷款越安全
	净资产收益率	销售净利润率×资产周转率×权益乘数	用权益乘数衡量，表明企业的资本结构。应＞0.2
	权益乘数	$\frac{\text{总资产}}{\text{净资产(权益)}}$	$=\frac{1}{1-\text{资产负债率}}$，用于衡量企业的财务杠杆水平。数值越大，说明企业总资产中债务资本的比例越高，财务杠杆越大
运营能力分析	应收账款周转率	$\frac{\text{年赊销额}}{\text{应收账款}}$	公司收回赊销货款的平均时间长度(比值)
	应收账款周转天数	$\frac{365}{\text{销售收入/应收账款}}$	与行业平均水平相比并进行分析
	存货周转率	$\frac{\text{销售收入}}{\text{产品平均存货}}$	比值越高，存货资产的利用率越高
	平均收账期	$\frac{\text{应收账款}}{\text{总赊销额/365 天}}$	公司收回赊销货款的平均时间长度(天)
	流动资产周转率(次数)	周转次数$=\frac{\text{销售收入}}{\text{流动资产}}$	用来评价企业资产利用情况。 与行业平均水平相比并进行分析，数值越高，表明企业资产周转速度越快，利用越好
	净运营资本周转率(次数)	周转次数$=\frac{\text{销售收入}}{\text{净运营资本}}$	
	非流动资产周转率(次数)	周转次数$=\frac{\text{销售收入}}{\text{非流动资产}}$	
	总资产周转率(次数)	周转次数$=\frac{\text{销售收入}}{\text{总资产}}$ 周转天数$=\frac{365}{\text{销售收入/总资产}}$	用于获取一定销售收入水平的资产越少，全部资产的利用效率越高。与行业平均水平相比并进行分析
盈利能力分析	销售净利率	$\frac{\text{税后净利润}}{\text{销售收入}}$	说明各种产品产生的利润
	资产净利率	$\frac{\text{税后净利润}}{\text{总资产}}$	度量资产创造利润的效率

续表

目的	比率	计算公式	备注
盈利能力分析	权益净利率	$\frac{\text{税后净利润}}{\text{股东权益}}$	比率越大，企业的盈利能力越强。营业利润率应＞20％
	总资产报酬率	$\frac{\text{利润总额}+\text{利息支出}}{\text{平均资产总额}}$	
	营业利润率	$\frac{\text{营业利润}}{\text{营业收入}}$	
	成本费用利润率	$\frac{\text{利润总额}}{\text{成本费用总额}}$	
盈利质量分析	全部资产现金回收率	$\frac{\text{经营现金净流量}}{\text{平均资产总额}}$	与行业平均水平相比并进行分析
	盈利现金比率	$\frac{\text{经营现金净流量}}{\text{净利润}}$	比率越大，企业盈利能力越强，其值一般应大于1
	销售收现比率	$\frac{\text{销售或劳务收到的现金}}{\text{主营业务收入净额}}$	数值越大表明销售收现能力越强，销售质量越高
发展能力分析	股东权益增长率	$\frac{\text{本期股东权益增加额}}{\text{股东权益期初余额}}$	对比企业连续多期的值，分析发展趋势。营业收入增长率应＞10％
	资产增长率	$\frac{\text{本期资产增加额}}{\text{资产期初余额}}$	
	营业增长率	$\frac{\text{本期营业收入增加额}}{\text{上期营业收入}}$	
	净利润增长率	$\frac{\text{本期净利润增加额}}{\text{上期净利润}}$	
	营业利润增长率	$\frac{\text{本期营业利润增加额}}{\text{上期营业利润}}$	

（3）作业　一个企业的成功，在很大程度上取决于它生产产品或提供服务的效率和效果。生产或服务的转换过程就是作业，作业控制是日常管理活动的主要内容。作业控制主要包括：监督生产活动以保证其按计划进行；评价购买能力，以尽可能低的价格采购满足质量和数量要求的原材料；监督组织的产品或服务的质量及其稳定性；保证所有的设备得到良好的维护等。

（4）信息　企业要建立信息管理系统，使它能在正确的时间，以正确的数量，为正确的人提供正确的数据。不精确的、不完整的、过多的或延迟的信息将会严重阻碍管理者的行动。

（5）组织绩效　为了维持或改进一个组织的整体效果，管理者应该关注组织绩效。而且与之关联的顾客和委托人在选择生意对象时也会对此进行判断。

衡量组织绩效并没有一个单一的衡量指标。产量、生产率、效率、利润、员工士气、适应性、稳定性，以及员工的旷工率等都是衡量组织绩效的重要指标，但是其中任何一个单独的指标都不能单独衡量组织绩效。

评价组织绩效主要通过以下三种方式。

① 组织目标法。以组织最终完成其目标的结果来衡量其绩效，而不是以实现目标的手段来衡量。组织的目标包括：利润最大化、回款率超预期、有效地培训员工、提高员工收入等。

② 系统方法。主要集中考虑那些对生存有影响的因素，即目标和手段。系统方法的主要优点在于防止管理层用未来的成功换取眼前的利益；而且，当组织的目标非常模糊或难以度量时，系统方法仍然是可行的。

系统方法采用的指标有：市场份额、收入的稳定性、员工旷工率、资金周转率、用于研究和发展方面的费用的增长情况、组织内部各部门的矛盾冲突情况、员工的满意程度，以及内部交流的通畅程度等。值得注意的是，系统方法强调影响组织长期生存和兴旺发展的因素的重要性，而这些因素对短期行为可能并不是特别重要。

③ 战略伙伴法。组织的关键伙伴是顾客、政府部门、金融机构、证券分析师、工会等，企业获得他们的支持能得以持续地生存下去。

2.3.2.2 控制系统有效性评估

有效的控制系统具有一些关键特性。虽然这些关键特性（表2-5）在不同的情况下重要性不同，但仍可以通过这些特性对控制系统的有效性进行评估。

表2-5　控制系统的关键特性

序号	关键特性	表现
1	准确性	一个提供不准确信息的控制系统将会导致管理层在应该采取行动的时候却没有采取行动，或在根本没有出现问题的情况下却采取了行动
2	适时性	控制系统应该能适时地转移管理层的注意力，使之防止某一部门出现对组织造成严重伤害的行为
3	经济性	一个控制系统在运用过程中，从经济角度上看必须是合理的
4	灵活性	控制系统应该具有足够的灵活性以适应各种利益的变化，或利用各种新的机会
5	通俗性	一个不容易理解的控制系统是没有价值的。用简单的控制系统来代替复杂的控制系统。一个难以理解的控制系统会导致错误，会打击员工的积极性
6	标准合理性	控制的标准必须是合理的且能达到的。如果标准太高或不合理，它将不会起到激励作用。控制标准应该是一套富有挑战性的、能激励员工表现得更好的标准
7	战略高度	管理层应该控制那些对组织行为有战略性影响的因素。控制内容应该包括组织中具有关键性的工作、作业和事件。控制的重点应放在容易出现偏差的地方，或放在偏差造成的危害很大的地方
8	强调例外	由于管理层不可能控制所有的工作，因此他们的控制手段应该顾及例外情况的发生。强调例外可以保证当出现偏差时管理层不至于不知所措。这也是对权力进行约束的一种控制手段，同时它还可以避免上级对日常工作的不必要检查
9	多重标准	多重标准具有双重效果。多重标准比单一标准难把握，但它可以防止工作中做表面文章现象的出现
10	纠正行动	有效的控制系统不仅可以指出显著偏差，而且还可以建议如何纠正这种偏差

2.3.3 预拌混凝土企业工作流程

预拌混凝土企业工作流程主要涉及：合同签订、生产前准备（物资、技术、设备等）、生产开盘、混凝土连续生产、出厂检验、运输交付和货款结算等过程，如图2-8所示。

（1）销售管理流程　混凝土的销售管理包括：前期沟通、招标文件评审、投标、合同评审与签订、混凝土生产供应、货款结算等过程，如图2-9所示。销售部门在收到招标文件或市场信息后，安排业务员与客户进行沟通，必要时进行实地考察。销售部门应组织相关部门对招标文件中的具体要求进行综合分析，准确评价招标人资信和自身的履约能力，确定是否投标。

投标时应严格按招标文件要求的程序及规定时间进行标书投递。

中标后由销售部门及时与客户签订合同，按照合同约定及时供应混凝土，并办理货款结算和回收。

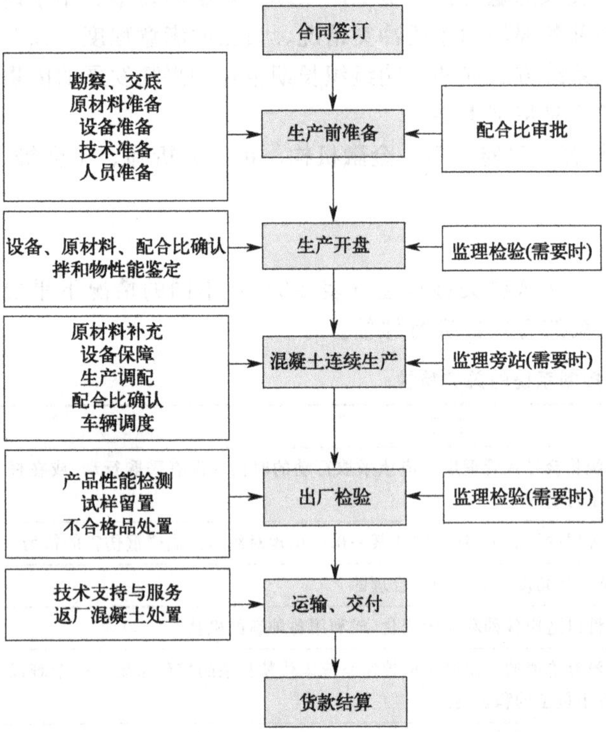

图 2-8 预拌混凝土企业工作流程示意图

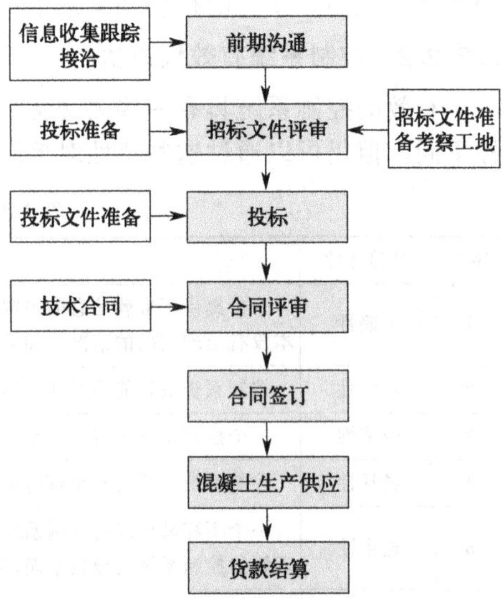

图 2-9 销售管理流程示意图

(2) 原材料管理流程 原材料管理是保证混凝土产品及工程质量的重要环节，主要包括合格供方评审、原材料采购合同签订、原材料进场、进场检验、原材料存储及标识、原材料使用以及不合格品的处理等方面，如图 2-10 所示。在选择原材料时，应从供方的资质、供应能力、产品质量、产品价格等方面进行评审，确定合格供方。

原材料的检验包括进场检验、批检、抽检与见证试验等方式。每批次原材料按照规定检测合格后方可使用。在检验过程中发现的不合格品按不合格品处置规定处置。

(3) 配合比管理流程 配合比管理是保证混凝土质量的核心环节，配合比的管理包括设计、试配、确定、审批、选用、调整、使用等方面，如图 2-11 所示。涉及的主要工作内容有：

① 试验室应按照有关技术规程规定，结合工程设计要求、施工工艺、原材料性能状况、搅拌站的工艺设备、生产技术管理水平及混凝土行业特点等进行配合比设计、试配；

② 在混凝土试配过程中，应进行混凝土各项技术性能的试验检测，确定满足设计要求的配合比，由试配负责人提交完整的试配报告，经过试验室主任审核、总工程师审批后使用；

③ 配合比首次使用前应进行试拌，验证拌和物性能是否满足使用要求；

④ 根据骨料含水率、砂含石率确定施工配合比，并且根据生产过程中的拌和物性能检测情况，调整施工配合比。

(4) 生产过程管理流程 加强混凝土生产过程管理的目的是保证生产供应正常有序进行，主要涉及生产任务下达、生产前准备、开盘鉴定、连续生产、运输、交付等过程，如图 2-12 所示。其主要工作内容如下。

① 生产部门根据施工浇筑任务单下达混凝土生产任务单，并组织生产前的准备工作。

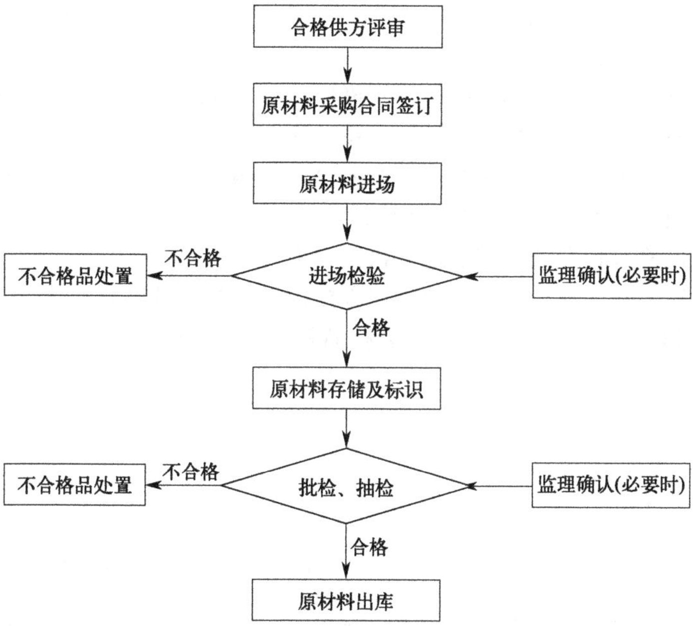

图 2-10　原材料管理流程示意图

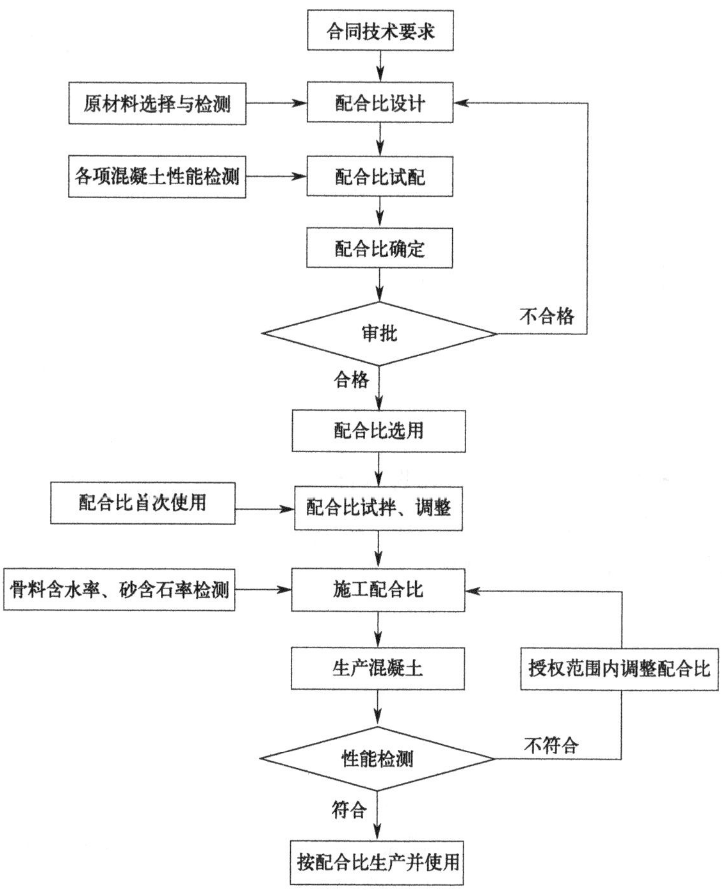

图 2-11　配合比管理流程示意图

技术质量部门按规定测定砂石含水率并确认配合比及搅拌参数的正确输入，对计量系统进行校核并确认检测器具准备就绪。

② 开盘鉴定时，应对原材料、配合比、搅拌参数、拌和物性能等内容进行确认。

③ 混凝土生产过程中，合理安排车辆，控制发车频率。

④ 混凝土拌和物出厂前应逐车检查，检查合格并签字确认后出厂。当发现不合格品时按照不合格品处置的有关管理规定进行处理。

⑤ 在混凝土运输过程中应协调交通，保证安全。

⑥ 混凝土运输至施工现场后，应与施工方授权人员共同对混凝土数量、质量进行确认，完成交付。交付过程中的返厂混凝土按不合格品处置的要求进行处置。

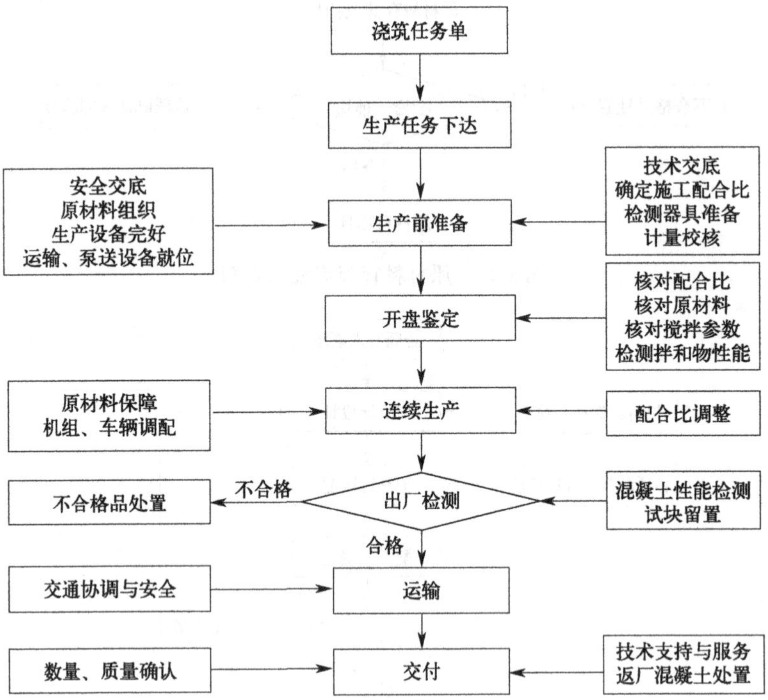

图 2-12　生产过程管理流程示意图

（5）拌和物不合格品处置流程　拌和物不合格品处置主要涉及：不合格品的检验评审、调整、再检验、跟踪验证等过程，如图 2-13 所示。其主要工作内容有：

① 拌和物出厂检测不合格或出现返厂混凝土时，根据不合格的原因及时进行检验评审，确定是否可以调整；

② 调整后的拌和物应进行再检验，合格后出厂，同时留置试件进行质量跟踪；

③ 对于不符合调整要求或调整后再检验不合格的进行报废处理。

（6）技术支持与服务流程　混凝土的技术支持与服务工作是混凝土搅拌站与施工方的一项非常重要的信息沟通工作，主要涉及浇筑前准备、浇筑时的技术支持、浇筑完成后的服务等过程，如图 2-14 所示。其主要工作内容有：

① 在浇筑混凝土前，搅拌站技术生产部门与施工方相互进行技术交底，并进行现场勘察，充分明确双方对技术、质量和施工工艺的要求；

② 在浇筑混凝土过程中，应配合施工方解决出现的相关问题，确保混凝土质量稳定、供应连续；

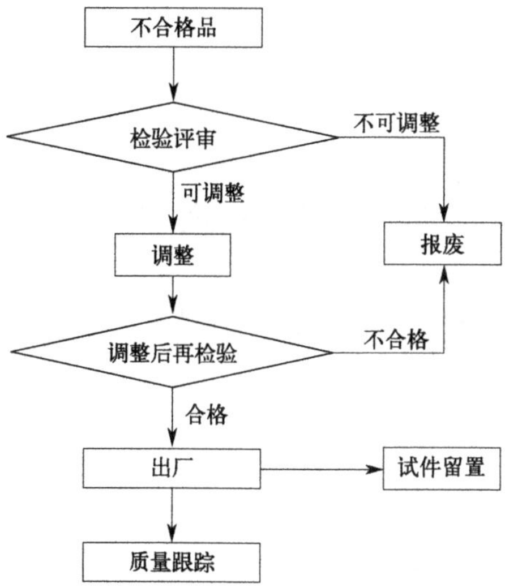

图 2-13　拌和物不合格品处置流程示意图

③ 在浇筑完混凝土后，搅拌站技术人员应到现场进行回访，对拆模后的混凝土结构进行实体检查，和施工方相关人员进行沟通，针对所发现的问题、投诉或质量隐患等进行调查分析并落实整改。

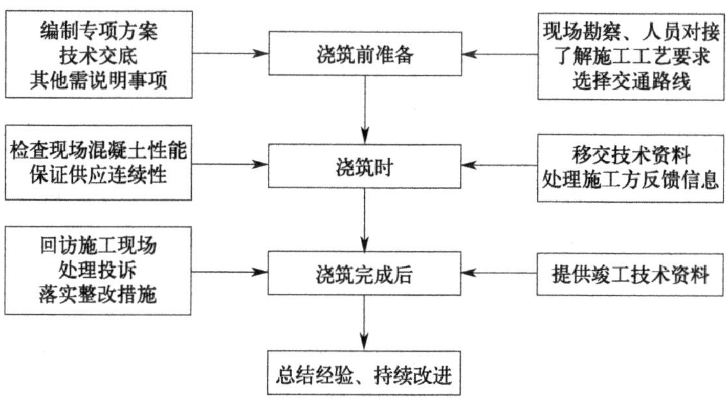

图 2-14　技术支持与服务流程示意图

第3章

预测、决策及数据分析

预测与决策是管理的两个重要组成部分，常言道："凡事预则立，不预则废。"管理的关键在于决策，而决策的前提是预测。预测是指对尚未发生或目前还不明确的事物，运用科学的方法和手段进行预先的估计和推测，即立足于过去和现在已知的情况，探索未来。决策是人们确定未来行动目标，并从两个以上的可行性方案中选择一个合理方案的分析判断过程。预测不是目的，是一种手段。正确的预测是科学决策的依据。预测与决策，既是科学又是艺术，预测与决策需要通过人们亲身的实践，凭借预测者和决策者不断积累的经验和技巧才能发展。作为一门科学，预测与决策有其自身的原理与方法，需要学习加以掌握。

3.1 预测

"怨在不舍小过，患在不豫定谋。"我们做任何事情，小至个人日常工作和生活，大到国计民生，都必须先调查研究，摸清情况，深思熟虑，有科学的预见、周密的计划，这样才能达到预期目标。对过去和现在的资料进行分析和研究并确定未来结果的可能性称为预测分析；进行预测分析所用的科学方法和手段称为预测技术；预测技术和预测理论结合为一个完整的体系，称为预测科学。

（1）预测的种类

① 按预测的内容分，可分为经济预测、社会预测、科技预测和军事预测等。

② 按预测的方法分，可分为依靠人的主观判断预测未来的定性预测和通过建立数学模型和计算机程序来计算结果的定量预测。

③ 按预测的时间分，可分为长期预测（5年以上）、中期预测（2～4年）和短期预测（1年以内）。

（2）预测的原则　为保证预测工作的科学、有效，应遵循以下基本原则。

① 连续原则：事物的发展具有一定的连续性，过去和现在事物中存在的某种规律，在将来的一段时期内仍将继续存在。事物的连续性表现在两方面：一是事物自身在较长时间内所呈现的数量变化特征保持相对稳定；二是因果关系结构基本上不随时间变化。正是根据这两方面的表现，才能用时间序列预测法建立时序模型进行外推预测，或用因果关系分析法建立的结构模型进行预测。

② 类推原则：许多事物在发展规律上常有类似之处，利用预测对象与其他已知事物的发展变化在时间上前后不同以及在表现形式上相似的特点，将已知事物发展过程类推到预测对象上，对预测对象的前景进行预测。

③ 相关原则：各种事物之间往往存在着一定的联系和影响，通过分析相关关系，可以

建立数学模型，比如回归模型。

④ 可测性原则：事物的发展都有一定的必然性和偶然性，而且在偶然性中隐藏着必然性。因此，预测者必须通过对事物发展偶然性的分析，揭示事物的必然发展规律。

“度之往事，验之来事，参之平素，可则决之。”要预测成功，关键在于对所预测问题的透彻了解，对既有历史数据资料的科学归纳和敏锐判断，对各种预测方法的深刻理解和灵活运用。

(3) 预测的程序

① 确定预测目标。预测是为决策服务的，要根据决策的要求确定预测目标。预测目标是指特定的对象。例如，某种产品的发展方向及其在某一时期的需求量等。

② 收集和筛选资料。要根据预测目标收集其范围以内各种因素及相互关系的资料，并对资料进行筛选，使其可靠、完整和具有代表性。另外，要随时对资料进行不断的补充。收集信息的最佳方式是调查。没有调查，没有发言权。调查方法主要有两类，一是文案调查法，二是实地调查法（包括询问调查法、观察法、实验法），也可以采取抽样调查和调查问卷等方式。

③ 选择预测方法。对不同的预测对象应采用不同的预测方法。选择预测方法时，主要考虑预测对象的种类和性质、对预测结果精度的要求、资料的可靠性和完整性，以及实现条件（人、财、物和时限等），合理选择预测效果好、经济又方便的预测方法。常见的预测方法如图 3-1 所示。

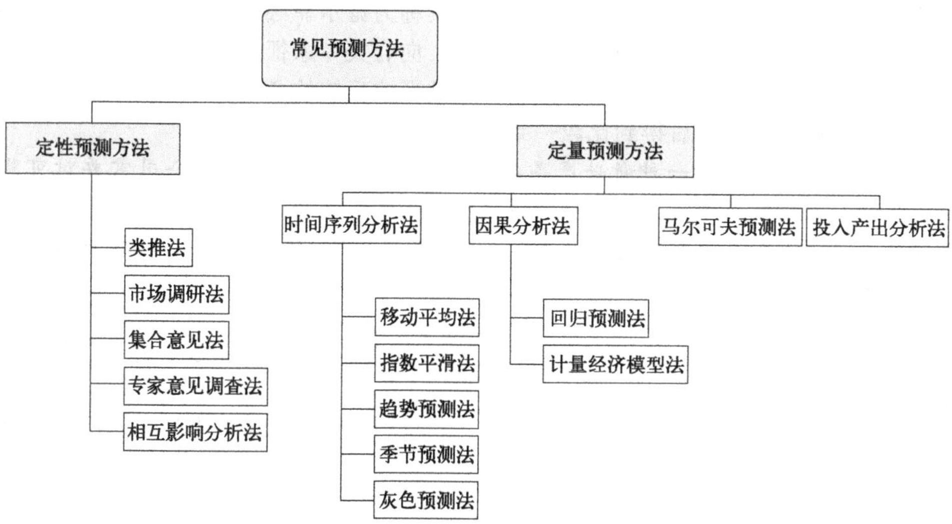

图 3-1　常见预测方法

④ 建立预测模型。预测模型是对预测事物过去和现在发展规律的模拟。预测模型可分为三类：

a. 归纳模式。从各个方面收集对同一预测目标的意见和资料，把其中一致的结论归纳在一起，这种模式称为定性分析。

b. 数学模式。将预测项目中的各个因素的内在联系用数学式子表达出来，这种模式称为定量分析。

c. 演绎模式。根据公认的原理和经验进行逻辑推理和数学演算，这种模式称为定性-定量分析。

⑤ 分析评价。对由模型得出的结论，必须进行分析评价，通过检验，才能应用。如运用各种形式召集有关专家和部门进行分析和判断，反复进行测算、研究、分析、对比，以提高预测的科学性。

⑥ 分析预测误差和改进预测模型。预测结论经过评价后，应把重点放在对误差的分析上，找出产生误差的原因，及时改进预测模型。

3.1.1 定性预测

定性预测主要依靠人的主观经验和综合能力，对未来事物的发展趋势做出判断。这种方法不可能提供确切的定量概念，而只能定性地估计某一事件的发展趋势、优劣程度和发生的概率，预测是否准确完全取决于预测者的知识和经验。定性预测一般用于预测精确度要求不太高、缺乏历史统计资料的事件。如对新产品销售情况的预测、对新技术发展趋势的预测等。

3.1.1.1 专家意见调查法

专家意见调查法就是通过向有关预测对象方面的专家进行调查，利用专家的知识和经验，对过去发生的事件和资料进行综合分析，对未来的发展做出判断。

专家意见调查法有个别征求意见和召开会议两种形式。前者能最大限度地利用个人的创造能力，但容易受个人知识、经验、偏爱、成见等主观因素的影响，难免有片面性。后者可通过座谈讨论来交换意见、互相启发、集思广益、取长补短，较快而全面地集中各方面意见，得出预测结论，但又容易屈服于权威和大多数人的意见，易受他人劝说影响以及不愿在公开场合修正已发表过的意见等。

为此，美国兰德公司完善了这一方法，又将其称为德尔菲法，它的具体做法是：由预测部门根据预测目标的性质，采用函询调查的方式，向有关专家征求预测意见，然后归纳整理他们的意见，得出各种预测意见和理由，用匿名的形式反馈给各个专家，再次征求意见。如此经过多次征询和筛选，最后得到比较一致的预测意见。

【例 3-1】 某公司研制出一种新兴产品，没有历史数据可以参考，公司需要对可能的销售量做出预测，以决定产量。于是该公司成立专家小组，并聘请业务经理、市场专家和销售人员等 8 位专家，预测全年可能的销售量。8 位专家提出个人判断，经过三次反馈得到结果如表 3-1 所示。

表 3-1 专家判断结果 单位：千件

专家编号	第一次判断			第二次判断			第三次判断		
	最低销售量	最可能销售量	最高销售量	最低销售量	最可能销售量	最高销售量	最低销售量	最可能销售量	最高销售量
1	500	750	900	600	750	900	550	750	900
2	200	450	600	300	500	650	400	500	650
3	400	600	800	500	700	800	500	700	800
4	750	900	1500	600	750	1500	500	600	1250
5	100	200	350	220	400	500	300	500	600
6	300	500	750	300	500	750	300	600	750
7	250	300	400	250	400	500	400	500	600
8	260	300	500	350	400	600	370	410	610
平均数	345	500	725	390	550	775	415	570	770

【解】 ① 算术平均法预测：在预测时，最后一次判断是综合前几次的反馈做出的，因此在预测时一般以最后一次判断为主。如果按照 8 位专家第三次判断的平均值计算，则预测这个新产品的平均销售量为

$$\frac{415+570+770}{3}=585(\text{千件})$$

② 加权平均法预测：将最可能销售量、最低销售量和最高销售量分别按 0.50、0.20 和

0.30 的概率加权平均，则预测平均销售量为

$$570\times0.50+415\times0.20+770\times0.30=599(\text{千件})$$

③ 中位数法预测：用中位数法计算时，将第三次判断的预测值（剔除重复的）按照高低依次排列，过程如下。

最低销售量：300，370，400，500，550。

最可能销售量：410，500，600，700，750。

最高销售量：600，610，650，750，800，900，1250。

中间项的计算公式为

$$\frac{n+1}{2}(n=\text{项数})$$

最低销售量的中位数为第三项，即 400；最可能销售量的中位数为第三项，即 600；最高销售量的中位数为第四项，即 750。

将最可能销售量、最低销售量和最高销售量分别按 0.50、0.20 和 0.30 的概率加权平均，则预测平均销售量为

$$600\times0.5+400\times0.2+750\times0.3=605(\text{千件})$$

3.1.1.2 相互影响分析法

用专家意见调查法所获得的结果，只能说明某一事件的现状、发生的概率和发展的趋势，而不能明确指出未来各种事件之间的相互关系。相互影响分析法是分析各个事件由相互影响而引起的概率变化情况，研究各个事件在未来发生的可能性的一种预测方法。其要点如下：

① 确定一系列事件 x_1，x_2，…，x_n 及每一事件发生的概率 $P(x_1)$，$P(x_2)$，…，$P(x_n)$。

② 用矩阵的形式描述各事件相互间的逻辑关系；用概率的变化表示各事件相互影响的强度［概率的变化指在事件 x_j 发生的条件下，事件 x_i 的条件概率 $P(x_i \mid x_j)$，i，$j=1$，2，…，n，$i\neq j$］。

③ 分析各事件相互影响作用的时间，考虑立刻和滞后发生影响的可能。

④ 根据各事件相互影响的结果，修正各事件发生的概率，做出预测。

事件 x_i（$i=1$，2，…，n）的修正概率为

$$\begin{aligned}P'(x_i)&=P(x_i)+\sum_{\substack{i=1\\i\neq j}}^{n}(\pm)P(x_ix_j)\\&=P(x_i)+\sum_{\substack{i=1\\i\neq j}}^{n}(\pm)P(x_i\mid x_j)P(x_j)\end{aligned}\tag{3-1}$$

式中，正号表示事件受到正影响，其概率增大；负号表示事件受到负影响，其概率减小。

3.1.2 定量预测

定量预测是根据一定的统计资料，按照时间或因果关系，运用各种数学方法对事物未来情况进行分析和判断。这种方法的优点是用数据说话，说服力强，准确度高，弥补了定性预测方法的不足。定量预测的常见方法主要有以下几种。

3.1.2.1 移动平均法

移动平均法是根据引进的新数据，不断修改平均值以进行预测，即假设预测期的数据与近几期实际数据有关，与以前数据无关。这种预测法可以消除季节性变动、周期性变动和随

机性变动的影响，降低数据变化的幅度，并使其呈现出比较平滑的变化趋势。移动平均法包括一次移动平均法、二次移动平均法和加权移动平均法等。

（1）一次移动平均法　一次移动平均法是将时间序列的数据按一定跨越期进行移动，逐个计算其移动平均值，取最后一个移动平均值作为预测值的方法。

一次移动平均法是直接以本期（t 期）移动平均值作为下期［($t+1$) 期］预测值的方法。它有三个特点：

① 预测值是离预测期最近的一组历史数据（实际值）平均的结果；

② 参加移动平均的历史数据的个数（即跨越期数）是固定不变的；

③ 参加移动平均的一组历史数据是随着预测期的向前推进而不断更新的，每当吸收一个新的历史数据参加移动平均的同时，就剔除原来一组历史数据中离预测期最远的那个历史数据，一次移动平均法的预测模型为

$$y_{t+1}=M_t^{(1)}=\frac{y_t+y_{t-1}+\cdots+y_{t-n+1}}{n} \tag{3-2}$$

式中　y_{t+1}——第（$t+1$）期的预测值；

$M_t^{(1)}$——第 t 期的一次移动平均值；

n——跨越期数，即参加移动平均的历史数据的个数。

对于式(3-2)，当 $n=5$ 时有

$$M_5^{(1)}=\frac{y_5+y_4+y_3+y_2+y_1}{5}$$

$$M_6^{(1)}=\frac{y_6+y_5+y_4+y_3+y_2}{5}$$

【例 3-2】 某企业 1 月份至 10 月份混凝土销售量见表 3-2，请预测 11 月份的销售量。

表 3-2　1 月份至 10 月份销售量及一次移动平均法计算结果　　单位：万 m^3

月份	销售量 y_i	$n=3$		$n=5$	
		$M_t^{(1)}$	$\|e_t\|$	$M_t^{(1)}$	$\|e_t\|$
1	4.39				
2	4.36				
3	4.89				
4	5.51	4.55	0.96		
5	6.06	4.92	1.14		
6	6.39	5.40	0.99	5.04	1.35
7	6.56	5.99	1.57	5.44	1.12
8	6.91	6.34	0.57	5.88	1.03
9	6.99	6.65	0.34	6.30	0.69
10	7.15	6.85	0.30	6.60	0.55
11		7.02		6.80	
合计			5.87		4.74

【解】 表 3-2 中，当跨越期数 $n=3$ 时：

$$M_3^{(1)}=\frac{y_3+y_2+y_1}{3}=\frac{4.89+4.36+4.39}{3}=4.55$$

$$M_4^{(1)}=\frac{y_4+y_3+y_2}{3}=\frac{5.51+4.89+4.36}{3}=4.92$$

⋮

$$M_{10}^{(1)}=\frac{y_{10}+y_9+y_8}{3}=\frac{7.15+6.99+6.91}{3}=7.02$$

当跨越期数 $n=5$ 时：

$$M_5^{(1)}=\frac{y_5+y_4+y_3+y_2+y_1}{5}=\frac{6.06+5.51+4.89+4.36+4.39}{5}=5.04$$

$$M_6^{(1)}=\frac{y_6+y_5+y_4+y_3+y_2}{5}=\frac{6.39+6.06+5.51+4.89+4.36}{5}=5.44$$

$$\vdots$$

$$M_{10}^{(1)}=\frac{y_{10}+y_9+y_8+y_7+y_6}{5}=\frac{7.15+6.99+6.91+6.56+6.39}{5}=6.80$$

从表 3-2 中可以看出，11 月份的销售量的预测值有两个数据，当 $n=3$ 时，为 7.02 万 m^3；当 $n=5$ 时，为 6.80 万 m^3。它们的预测误差大小，可以通过计算它们的平均绝对误差来判断。

当 $n=3$ 时，绝对误差为

$$|e_4|=|5.51-4.55|=0.96$$

$$|e_5|=|6.06-4.92|=1.14$$

$$\vdots$$

$$|e_{10}|=|7.15-6.85|=0.30$$

平均绝对误差为

$$\frac{\sum|e_t|}{n}=\frac{5.87}{7}=0.84$$

当 $n=5$ 时，绝对误差为

$$|e_6|=|6.39-5.04|=1.35$$

$$|e_7|=|6.56-5.44|=1.12$$

$$\vdots$$

$$|e_{10}|=|7.15-6.60|=0.55$$

平均绝对误差为

$$\frac{\sum|e_t|}{n}=\frac{4.74}{5}=0.95$$

由于 $n=5$ 时预测误差（0.95）明显大于 $n=3$ 时的预测误差（0.84），因此预测结果采用 $n=3$ 时的预测结果，即 7.02 万 m^3。

一次移动平均法一般适用于水平型变动趋势的时间序列的预测，不适用于明显的长期变动趋势和循环型变动趋势的时间序列的预测。如果有明显的长期变动趋势，应用一次移动平均法滞后性更大，预测误差也更大。对于有明显长期变动趋势的时间序列的预测，采用一次移动平均法是不适宜的，而要应用二次移动平均法。

（2）二次移动平均法　在线性趋势预测中，有时也用二次移动平均法，即将第一次的移动平均值再进行移动平均，二次移动平均的各数值的变化更接近直线。

如上所述，运用一次移动平均法求得的移动平均值，存在滞后偏差。特别是在时间序列数据呈现线性趋势时，移动平均值的变化总是滞后于观察值的变化。二次移动平均法，正是要纠正这一滞后偏差，建立预测目标的线性时间关系数学模型，求得预测值。同时它还保留了一次移动平均法的优点。二次移动平均法适用于时间序列呈现线性变化趋势的预测。

二次移动平均值的计算公式为

$$\begin{cases} M_t^{(1)}=\dfrac{y_t+y_{t-1}+\cdots+y_{t-n+1}}{n} \\ M_t^{(2)}=\dfrac{M_t^{(1)}+M_{t-1}^{(1)}+\cdots+M_{t-n-1}^{(1)}}{n} \end{cases} \tag{3-3}$$

式中 y_t——时间序列中第 t 期的观察值；

$M_t^{(1)}$——第 t 期的一次移动平均值；

$M_t^{(2)}$——第 t 期的二次移动平均值；

n——计算移动平均值的跨越期数。

二次移动平均法的预测模型为

$$y_{t+T}=a_t+b_tT \tag{3-4}$$

式中 T——第 t 期至预测期的时期数。

$$\begin{cases} a_t=2M_t^{(1)}-M_t^{(2)} \\ b_t=\dfrac{2}{n-1}[M_t^{(1)}-M_t^{(2)}] \end{cases} \tag{3-5}$$

【例 3-3】 根据例 3-2 某企业 1 月份至 10 月份的混凝土销售资料，用二次移动平均法预测 11 月份和 12 月份的销售量。计算结果如表 3-3 所示。

表 3-3 二次移动平均法计算结果 单位：万 m^3

月份	销售量 Y_t	$M_t^{(1)}(n=3)$	$M_t^{(2)}(n=3)$	a_t	b_t	理论预测值	预测误差绝对值
1	4.39						
2	4.36						
3	4.89	4.55					
4	5.51	4.92					
5	6.06	5.40	4.96	5.84	0.44		
6	6.39	5.99	5.44	6.54	0.55	6.28	0.11
7	6.56	6.34	5.91	6.77	0.43	7.09	0.53
8	6.91	6.65	6.33	6.97	0.32	7.20	0.29
9	6.99	6.85	6.61	7.09	0.24	7.29	0.30
10	7.15	7.02	6.84	7.20	0.18	7.33	0.18

【解】 具体步骤如下。

① 列表求出一次移动平均值和二次移动平均值，n 取 3，先求出一次移动平均值。对一次移动平均值再做移动，求出二次移动平均值（n 也取 3）。由式(3-3) 得

$$M_5^{(2)}=\frac{M_5^{(1)}+M_4^{(1)}+M_3^{(1)}}{3}=\frac{5.40+4.92+4.55}{3}=4.96$$

$$M_6^{(2)}=\frac{M_6^{(1)}+M_5^{(1)}+M_4^{(1)}}{3}=\frac{5.99+5.40+4.92}{3}=5.44$$

$$\vdots$$

$$M_{10}^{(2)}=\frac{M_{10}^{(1)}+M_9^{(1)}+M_8^{(1)}}{3}=\frac{7.02+6.85+6.65}{3}=6.84$$

② 求各期 a_t、b_t 的值。根据式(3-5) 得

$$a_5=2M_5^{(1)}-M_5^{(2)}=2\times5.40-4.96=5.84$$

$$\vdots$$

$$a_{10}=2M_{10}^{(1)}-M_{10}^{(2)}=2\times7.02-6.84=7.20$$

$$b_5=\frac{2}{n-1}[M_5^{(1)}-M_5^{(2)}]=\frac{2}{3-1}\times(5.40-4.96)=0.44$$

$$\vdots$$

$$b_{10}=\frac{2}{n-1}[M_{10}^{(1)}-M_{10}^{(2)}]=\frac{2}{3-1}\times(7.02-6.84)=0.18$$

③ 建立预测模型，计算预测值。

根据式(3-4) 得到本例题预测模型为

$$y_{10+T}=a_{10}+b_{10}T=7.20+0.18T$$

11 月份销售量预测值为

$$y_{11}=7.20+0.18\times1=7.38$$

12 月份销售量预测值为

$$y_{12}=7.20+0.18\times2=7.56$$

④ 分析预测误差，确定最后预测值。

首先，计算观察期内的理论预测值 y_{t+1}。

$$y_6=y_{5+1}=a_5+b_5T=5.84+0.44\times1=6.28$$

$$\vdots$$

$$y_{10}=y_{9+1}=a_9+b_9T=7.09+0.24\times1=7.33$$

其次，计算实际观察值 y_t 与理论预测值 y_{t+1} 的预测误差绝对值 $|y_t-y_{t+1}|$，它们分别是

$$|6.39-6.28|=0.11$$

$$|6.56-7.09|=0.53$$

$$\vdots$$

$$|7.15-7.33|=0.18$$

最后计算平均绝对误差：

$$\frac{\sum|e_t|}{n}=\frac{0.11+0.53+0.29+0.30+0.18}{5}=0.282$$

这说明预测误差比较小，11 月份销售量预测值为 7.38 万 m^3，12 月份销售量预测值为 7.56 万 m^3。

本例题应用一次移动平均法，11 月份销售量预测值仅为 7.02 万 m^3；而采用二次移动平均法，11 月份销售量预测值为 7.38 万 m^3。第二个预测值更符合实际情况。这说明二次移动平均法对预测长期变动趋势的时间序列具有更高的科学性、合理性。

需要说明的是，观察期内 a_t、b_t 值是有所变化的，这样就保留了事物客观存在的波动。因此，二次移动平均法不仅可以用于短期预测，也可用于近期预测。

3.1.2.2　指数平滑法

指数平滑法是一种权数特殊的加权平均法。它的优点是可以减小预测时所用的数据量，比移动平均法更简便，因而被普遍应用。指数平滑法的预测理论模型为

$$F_{t+1}=\alpha Y_t+(1-\alpha)F_t \tag{3-6}$$

式中　F_{t+1}——第 $(t+1)$ 期的预测值；

Y_t——第 t 期的实际观察值；

F_t——第 t 期的预测值；

α——平滑系数 $(0\leqslant\alpha\leqslant1)$。

不同的 α 会对预测结果产生不同的影响。一般而言，当时间序列有较大的随机波动时，宜选较大的 α，以便能很快跟上近期的变化；当时间序列比较平稳时，宜选较小的 α。选择

α 时，还应考虑预测误差，可以用误差均方来衡量预测误差的大小，可选择几个 α 进行预测，然后找出最小的预测误差所对应的 α 值作为 α 的最终取值。

（1）一次指数平滑法　其计算公式为

$$F_t^{(1)}=\alpha x_{t-1}+(1-\alpha)F_{t-1}^{(1)} \tag{3-7}$$

式中　$F_t^{(1)}$——预测期一次指数平滑值；

$F_{t-1}^{(1)}$——前一期一次指数平滑值；

x_{t-1}——前一期实际值；

α——平滑系数，$0\leqslant\alpha\leqslant1$。

由式(3-7) 可知：

$$F_{t-1}^{(1)}=\alpha x_{t-2}+(1-\alpha)F_{t-2}^{(1)}$$
$$F_{t-2}^{(1)}=\alpha x_{t-3}+(1-\alpha)F_{t-3}^{(1)}$$
$$\vdots$$
$$F_t^{(1)}=\alpha x_0+(1-\alpha)F_0^{(1)}$$

逐项代入公式，则

$$F_t^{(1)}=\alpha x_{t-1}+\alpha(1-\alpha)x_{t-2}+\alpha(1-\alpha)^2x_{t-3}+\cdots+\alpha(1-\alpha)^{t-1}x_1+(1-\alpha)^tF_0^{(1)}$$

所以说指数平滑法是分别以 α，$\alpha(1-\alpha)$，$\alpha(1-\alpha)^2$，…对过去各期实际数据进行加权平均的方法。较近期的权数较大，而离现在较远的各期，权数呈指数形式减小。在此，平滑系数 α 的选择往往起决定性作用。α 的大小应根据过去的预测值和实际值比较而定。如果差异较大，则 α 应取较大的值；当差异较小时，α 应取较小的值。当 $\alpha=1$ 时，$F_t^{(1)}=x_{t-1}$，即预测值为前一期实际值；当 $\alpha=0$ 时，$F_t^{(1)}=F_{t-1}^{(1)}$，即预测值为前一期预测值。一般 α 的取值在 0.01～0.30 之间。

（2）二次指数平滑法　是对由一次指数平滑法得到的数据再做一次指数平滑。它一般不直接用于预测，而用于修正线性变化趋势的滞后现象，其公式如下：

$$F_t^{(2)}=\alpha F_t^{(1)}+(1-\alpha)F_{t-1}^{(2)} \tag{3-8}$$

如果认为时间序列的最后几项数据是某直线上的点，并认为未来时期的数据也按该直线趋势变化，则可用下面直线方程对任意期进行预测：

$$Y_{t+T}=a_t+b_tT \tag{3-9}$$

式中　Y_{t+T}——第 $(t+T)$ 期的预测值；

t——目前的时期数；

T——由 t 算起的预测期的时期数。

其中，$a_t=2F_t^{(1)}-F_t^{(2)}$，$b_t=\alpha\div(1-\alpha)[F_t^{(1)}-F_t^{(2)}]$。

【例 3-4】 某混凝土集团 2015 年至 2020 年的产品实际销售量如表 3-4 所示。

表 3-4　某混凝土集团 2015 年至 2020 年的产品实际销售量

年份	2015	2016	2017	2018	2019	2020
实际销售量/万 m^3	1414	1588	1724	1990	1941	2380

若 2014 年的预测值用前三年的销售量平均值代替，即

$$F_{2014}^{(1)}=F_{2014}^{(2)}=\frac{1414+1588+1724}{3}=1575.33(\text{万 m}^3)$$

① 用一次指数平滑法预测 2021 年的销售量（$\alpha=0.3$）；

② 用直线方程预测 2025 年的销售量。

【解】 计算结果见表 3-5。

表 3-5 计算结果

年份	x_t(实际销售量)/万 m³	$F_t^{(1)}$/万 m³	$F_t^{(2)}$/万 m³
2014	—	1575.33	1575.33
2015	1414	1529.93	1560.81
2016	1588	1545.25	1556.15
2017	1724	1598.88	1568.97
2018	1990	1716.22	1613.15
2019	1941	1783.65	1664.31
2020	2380	1962.56	1753.79

① 2021 年的预测销售量为

$$F_{2021}^{(1)}=\alpha x_{2020}+(1-\alpha)F_{2020}^{(1)}=0.3\times2380+(1-0.3)\times1962.56=2087.8(\text{万 m}^3)$$

② 预测 2025 年的销售量：

由于：

$$a_{2020}=2F_{2020}^{(1)}-F_{2020}^{(2)}=2\times1962.56-1753.79=2171.33$$

$$b_{2020}=\alpha\div(1-\alpha)[F_{2020}^{(1)}-F_{2020}^{(2)}]=0.3\div(1-0.3)\times(1962.56-1753.79)=89.47$$

所以，预测方程为

$$Y_{2020+T}=a_{2020}+b_{2020}T=2171.33+89.47T$$

于是，预测 2025 年销售量为

$$Y_{2025}=Y_{2020+5}=a_{2020}+b_{2020}T=2171.33+89.47\times5=2618.68(\text{万 m}^3)$$

3.1.2.3 趋势预测法

(1) 一元线性回归法　是指成对的两个变量数据分布大体上呈直线趋势时，运用合适的参数估计方法，求出一元线性回归模型，然后根据自变量与因变量之间的关系，预测因变量的趋势。

设预测对象为因变量 y，具有因果关系的相关因素为自变量 x，给定 n 对样本数据 (x_1, y_1)，(x_2, y_2)，…，(x_n, y_n)，依据这些数据绘出散点图。当走向大致趋于一条直线时，可以建立回归直线方程为

$$y=a+bx \tag{3-10}$$

式中，a、b 为回归系数。当 b 的符号为正时，表示两个变量是正相关的；当 b 的符号为负时，表示两个变量是负相关的。a、b 都是待定参数，可以用最小二乘法求得，即

$$\begin{cases} b=\dfrac{n\sum x_i y_i-\sum x_i\sum y_i}{n\sum x_i^2-(\sum x_i)^2} \\ a=\dfrac{\sum y_i}{n}-b\dfrac{\sum x_i}{n} \end{cases} \tag{3-11}$$

(2) 多元线性回归法　经济领域中有许多问题，一个变量往往受多个因素的影响。例如，一个企业的生产量受到市场需求、资金、原材料等投入量的影响；商品的销售量受到商品本身的价格、消费者及其他因素的影响。因此，需要建立多元回归模型进行预测。多元回归预测与一元回归预测的原理基本相同，只是计算上复杂一点而已。这里仅介绍线性模型。

假定通过分析可知，因变量 y 与自变量 x_1，x_2，…，x_n 之间具有线性因果关系，则多元线性回归方程为

$$y=b_0+b_1x_1+b_2x_2+\cdots+b_kx_k \tag{3-12}$$

其中，参数可由下列方程组解出：

$$\begin{cases} \sum y=nb_0+b_1\sum x_1+b_2\sum x_2+\cdots+b_k\sum x_k \\ \sum x_1y=b_0\sum x_1+b_1\sum x_1^2+b_2\sum x_1x_2+\cdots+b_k\sum x_1x_k \\ \vdots \\ \sum x_ky=b_0\sum x_k+b_1\sum x_kx_1+b_2\sum x_kx_2+\cdots+b_k\sum x_k^2 \end{cases} \tag{3-13}$$

当自变量超过3个时，一般要用矩阵运算，借助计算机使用一般统计软件，可直接解出参数。

(3) 二次曲线回归法　当现象的发展趋势为抛物线形态时，可选用二次曲线方程预测。二次曲线方程的一般形式为

$$y=a+bx+cx^2 \tag{3-14}$$

其中，参数 a、b、c 可由下列方程组解出：

$$\begin{cases} \sum y=na+b\sum x+c\sum x^2 \\ \sum xy=a\sum x+b\sum x^2+c\sum x^3 \\ \sum x^2y=a\sum x^2+b\sum x^3+c\sum x^4 \end{cases} \tag{3-15}$$

(4) 指数曲线回归法　如时间序列的各期环比发展速度大体相同，即发展近似为等比速度，则可以用指数曲线作为趋势线。指数曲线方程为

$$y=ab^x \tag{3-16}$$

式中，a、b 为未知常数。

① 若 $b>1$，增长率随着时间 x 的增加而提高；

② 若 $b<1$，增长率随着时间 x 的增加而降低；

③ 若 $a>0$、$b<1$，趋势值逐渐降低到以0为极限。

a、b 的求解步骤与方法如下。

① 采取“线性化”手段将其化为对数直线形式，即对方程两边取对数：

$$\lg y=\lg a+x\lg b$$

令 $y'=\lg y$，$a'=\lg a$，$b'=\lg b$，则 $y'=a'+b'x$。

② 求出 a' 和 b' 后，再取其反对数，即得 a 和 b。

比如，混凝土冬期施工时，利用成熟度预测强度的发展就是指数曲线回归法的应用。

3.1.2.4 季节变动预测法

季节变动是时间序列普遍存在的一种变动规律。时间序列中各项发展水平的发展变化，是由许多复杂因素共同作用的结果。如表3-6所示，影响因素归纳起来大体有四种：长期变动、季节变动、循环变动和不规则变动。

表 3-6　影响因素

种类	特点描述
长期变动	是指现象在一段较长的时间内，普遍的、持续的、决定性的基本因素的作用，使发展水平沿着一个方向逐渐向上或向下变动。它是时间序列的主要构成要素。认识和掌握事物的长期变动，可以把握事物发展变化的基本特点
季节变动	是指现象受季节的影响而发生的变动，即现象在一年内或更短的时间内随着时序的更换，呈现周期重复的变化。季节变动中的“季节”一词是广义的，它不仅仅是指一年中的四季，而且还指任何一种周期性的变化。季节变动的原因，既有自然因素，又有社会因素。季节变动是一种极为普遍的现象，它是气候条件、节假日等各种因素作用的结果
循环变动	是指现象发生的周期比较长的涨落起伏变动，多指经济发展兴衰交替变动。循环变动不同于长期变动，它不是朝着单一方向的持续运动，而是涨落相间的交替波动；它也不同于季节变动，季节变动有比较固定的规律，而循环变动没有固定的规律
不规则变动	是指时间序列数据在短期内由偶然因素而引起的无规律的变动。例如，战争、自然灾害等偶然因素所导致的变动

上述各类影响因素的作用结果是时间序列的变化，有的具有规律性，如长期变动和季节变动；有的不具有规律性，如不规则变动及循环变动。把这些影响因素同时间序列的关系用一定的数学表达式表示出来，就构成了时间序列的分解模型。

(1) 无趋势变动的季节模型　对于不含趋势变动、只含季节变动的时间序列，采用季节模型进行预测，其模型方程为

$$y=\bar{y}f \tag{3-17}$$

式中　$\bar{y}$——时间序列的平均水平；

f——季节指数，其值为历年同季（月）平均数/已知年份季（月）总平均数。

(2) 含趋势变动的季节模型

① 季节型叠加趋势预测模型。时间序列既有季节变动，又有趋势变动，而且每年出现的季节变动幅度不随市场现象的趋势变动而变化，可建立如下模型：

$$Y=a+bt+D_i \tag{3-18}$$

求解时，先确定趋势直线方程，求得趋势值 $F_t=a+bt$；再确定季节增量。

$$\begin{cases} d_t=Y-F_t \\ D_i=\dfrac{d_t+d_{t+T}+\cdots+d_{t+(m-1)T}}{m} \end{cases} \tag{3-19}$$

式中　t——月度或季度，$t=1$，2，…，12（月度），或 $t=1$，2，3，4（季度）；

m——已知时间序列数据季节周期数。

② 季节型交乘趋势预测模型。时间序列既有季节变动，又有趋势变动，而且每年出现的季节变动幅度随市场现象的趋势变动而加大，可建立如下模型：

$$Y=(a+bt)f_i \tag{3-20}$$

求解时，先确定趋势直线方程，求得趋势值 $F_t=a+bt$；再计算季节指数。

$$\begin{cases} S_t=\dfrac{Y}{F_t} \\ f_i=\dfrac{S_t+S_{t+T}+\cdots+S_{t+(m-1)T}}{m} \end{cases} \tag{3-21}$$

【例3-5】 某混凝土公司销售量季度资料如表3-7所示。试用季节型叠加趋势预测模型和季节型交乘趋势预测模型分别对2025年各季度销售量进行预测。

表3-7　混凝土销售量数据及计算结果

时间	销售量 y/万 m^3	t/万 m^3	ty/万 m^3	t^2/万 m^3	F_t/万 m^3	$d_t(=y-F_t)$/万 m^3	$S_t\left(=\dfrac{y}{F_t}\right)$/%
(1)	(2)	(3)	(4)	(5)	(6)	(7)	(8)
2022年1季度	31	1	31	1	32.1	−1.1	96.6
2022年2季度	38	2	76	4	32.9	5.1	115.5
2022年3季度	31	3	93	9	33.7	−2.7	92.0
2022年4季度	34	4	136	16	34.4	−0.4	98.8
2023年1季度	30	5	150	25	35.2	−5.2	85.2
2023年2季度	41	6	246	36	36.0	5.0	113.9
2023年3季度	36	7	252	49	36.8	−0.8	97.8
2023年4季度	40	8	320	64	37.6	2.4	106.4
2024年1季度	34	9	306	81	38.4	−4.4	88.5
2024年2季度	41	10	410	100	39.2	1.8	104.6
2024年3季度	39	11	429	121	40.0	−1.0	97.5
2024年4季度	42	12	504	144	40.7	1.3	103.2
合计	437	78	2953	650	437		

【解】① 求趋势值，将表中数据代入式(3-11) 可得

$$\begin{cases} b=\dfrac{12\times 2953-78\times 437}{12\times 650-78^2}=0.7867 \\ a=\dfrac{437}{12}-0.7867\times\dfrac{78}{12}=31.3031 \end{cases}$$

则趋势方程为

$$y=a+bt=31.3031+0.7867t$$

将各个 t 值分别代入方程，即可求出各个趋势值 F_t。

② 求季节指数。由式(3-19) 可得

$$D_1=\frac{-1.1-5.2-4.4}{3}=-3.57$$

$$D_2=\frac{5.1+5.0+1.8}{3}=3.97$$

$$D_3=\frac{-2.7-0.8-1.0}{3}=-1.5$$

$$D_4=\frac{-0.4+2.4+1.3}{3}=1.1$$

由式(3-21) 可得

$$f_1=\frac{96.6\%+85.2\%+88.5\%}{3}=90.1\%$$

$$f_2=\frac{115.5\%+113.9\%+104.6\%}{3}=111.3\%$$

$$f_3=\frac{92\%+97.8\%+97.5\%}{3}=95.8\%$$

$$f_4=\frac{98.8\%+106.4\%+103.2\%}{3}=102.8\%$$

③ 分别将 $t=13$、$t=14$、$t=15$、$t=16$ 代入趋势方程进行外推，即可求出 2025 年 1 季度至 4 季度的趋势值，与季节指数相加或相乘可得预测值。

用季节型叠加趋势预测模型，由式(3-18) 可得预测值：

$$Y_1=(31.3031+0.7867\times 13)+(-3.57)=37.96$$

同理，可得 $Y_2=46.29$，$Y_3=41.60$，$Y_4=44.99$。

用季节型交乘趋势预测模型，由式(3-20) 可得预测值：

$$Y_1=(31.3031+0.7867\times 13)\times 90.1\%=37.42$$

同理，可得 $Y_2=47.10$，$Y_3=41.29$，$Y_4=45.12$。

3.1.2.5 马尔可夫预测法与灰色预测法

(1) 马尔可夫预测法　是俄罗斯数学家马尔可夫在 1907 年提出的。依据马尔可夫链的基本原理，利用某一变量的现状和动向去预测该变量未来的状态及动向，预测未来某一特定时期可能产生的变化，以便采取相应的对策。马尔可夫预测法的特点是：立足现在，展望未来。

事物的发展状态总是随着时间的推移而不断变化。人们要了解事物未来的发展状态，不但要看到事物现在的状态，还要看到事物过去的状态。马尔可夫认为事物未来的发展状态只与事物现在的状态有关，而与事物以前的状态无关。例如，A 产品明年是畅销还是滞销，只与今年的销售情况有关，而与往年的销售情况没有直接的关系。后者的这种情况就称为马尔可夫过程，前者的情况就称为非马尔可夫过程。

马尔可夫过程的重要特征是无后效性。事物第 n 次出现的状态，只与其第（$n-1$）次的状态有关，与以前的状态无关，即过去对未来无后效，现在对未来有影响。时间和状态都是离散的马尔可夫过程称为马尔可夫链。在实际应用时，结合状态转移矩阵和稳态概率矩阵进行预测。

（2）灰色预测法

① 无论是现代控制理论还是经典控制理论，都依赖正确且精确的数学模型，否则难以取得满意的结果。然而，在现实生活中，有许多情况不大可能求得精确的数学模型。模糊控制虽然能够对一些无法构造数学模型的系统进行控制，但与经典控制理论、现代控制理论一样，它们所研究的对象系统必须是白色系统（信息完全明确的系统），而事实上，信息总是不完全明确的，有时很难把一个系统的内部参数说清楚、说齐全。于是，我国学者邓聚龙提出并发展了灰色系统理论，运用一般系统论、信息论和控制论的观点和方法解决了生产、生活和科学研究中的大量实际问题。灰色系统，即信息不完全的系统。如果用“黑”表示信息缺乏，用“白”表示信息完全、明确，则“灰”即表示部分信息已知、部分信息未知。具体体现在：构成系统的因素不完全明确；系统内部因素相互关系不完全清楚；系统的结构不完全知道；系统的行为或作用原理不完全明了；系统的边界不完全清楚。

② 灰色预测通过鉴别系统因素之间发展趋势的相异程度，即进行关联分析，并对原始数据进行生成处理，生成有较强规律性的数据序列，然后建立相应的微分方程模型，从而预测事物未来发展趋势。

3.2　决策

“决情定疑，万事之基。”决策，即决定一个对策，在两个或多个可供选择的方案中做出判断和选择。企业经营管理的所有决策几乎都与产量、成本、利润有关。例如，某种产品生产多少才能盈利，企业能否接纳新增业务，是否应购置新的设备或进行技术改造，某种亏损产品是否应淘汰，目前企业经营状况如何，等等。这些问题都可以通过对本量利的分析进行决策。应注意，决策是有成本的，它是机会成本的一种体现。若决策失误，企业将付出巨大的试错成本。

（1）决策的条件

a. 要有明确的目标。这是做好决策的前提，目标不准或有错误，则很难正确决策。

b. 有适用的效用函数和两个以上可供选择的可行性方案。每个可行性方案应具备能实现的预期目标，能进行各种影响因素的定性和定量分析，能大体预测无法控制的因素实现的概率等。

c. 要对决策变量和自然状态变量进行因果分析和综合评价。因为每个可行性方案都可能对目标的实现发挥某种积极的和某种消极的作用或影响，所以要进行综合分析与评价，确定每个方案的经济效果和可能带来的潜在问题，以便比较各个可行性方案。

d. 制定决策规划，确保决策过程本身符合必要性、有效性、合理性和经济性。

（2）决策的种类

a. 按决策的重要性可分为战略决策（属高层决策）、管理决策（属中层决策）、业务决策（属基层决策）。

b. 按决策问题出现的重复程度可分为程序性决策和非程序性决策。

c. 按决策目标和决策方法的不同可分为计量决策和非计量决策。

d. 按决策所处的条件可分为确定型决策、风险型决策和非确定型决策。

（3）决策的原则

a. 微观决策与宏观决策相一致的原则。

b. 外部需要与企业能力相结合的原则。

c. 个人决策与集体决策相结合的原则。

d. 可靠性与灵活性相结合的原则。

e. 勇于创新、敢于负责的原则。

（4）决策的基本步骤　决策是管理的核心。决策系统是一个提出问题、分析问题和解决问题的完整的动态系统。因此，决策必须遵循正确的决策程序和思维方式（表 3-8）。决策的基本步骤如下。

表 3-8　决策过程中的不同思维方式对比

序号	决策步骤	完全理性	有限理性
1	提出问题	确定一个重要的、相关的组织问题	确定一个反映管理者利益和背景的、可见的问题
2	确定决策标准	确定所有的标准	确定有限的一套标准
3	给标准分配权重	评价所有标准并依据它们对组织目标的重要性进行排序	建立一个简单的评价模型并给标准排序；决策者自身的利益强烈影响排序
4	制定方案	创造性地制定各种广泛的方案	制定有限的一系列相似方案
5	分析方案	依据决策标准和重要性评价所有方案；每一方案的结果是已知的	从希望的解决方法出发，按照决策标准对每个方案进行分析、讨论和评价
6	选择方案	最大化决策：获得最高经济成果的方案（依据组织目标）	满意决策：寻找方案直到发现一个满意的、充分的解决方法
7	实施方案	由于决策是最大化单一的、明确的组织目标，所以所有组织成员将会接受此方案	对政治和权力的考虑将会影响决策的接受和执行
8	评价	依据最初的问题客观评价决策成果	对决策结果的评价只有消除评价者个人利益才能客观；不管先前的失败和不顾追加资源配置仍难以成功的事实，逐步升级先前承诺的资源配置

a. 提出问题，确定目标。提出问题是指提出必须解决的已经发生和将要发生的生产技术、经济问题，摸清问题的背景、环境及原因，找出关键所在。目标是决策的出发点与归宿，目标必须明确、合理，要在需要与可能的基础上，分清必须达到的目标和期望达到的目标。应当在优先保证实现必须达到的目标的基础上，争取实现期望达到的目标。

b. 确定标准及其指标权重。收集资料，分析环境，根据需要解决的问题或目标，确定解决问题过程中与决策有关的因素（即决策依据的标准）。同时，为了在决策中恰当地考虑标准指标的优先权，必须明确其对决策影响的重要程度，即权重。

c. 拟定可行方案。可行方案是指具备实施条件、保证决策目标实现的方案。拟定可行方案的过程就是发现、探索的过程，也是淘汰、补充、修订、选取的过程。应当有大胆设想、勇于创新的精神，又要细致冷静、反复计算、精心设计。有些复杂的问题，可邀请有关专家共同商定。

d. 对方案进行评价和优选。对每一方案的可行性要进行充分的论证，在论证的基础上作出综合评价。论证要突出技术上的先进性、实现的可能性以及经济上的合理性，不仅要考虑方案所带来的经济效益，也要考虑可能带来的不良影响和问题，从多方案中选取一个较优的方案。

e. 方案的实施与反馈。决策的正确与否要以实施的结果来判断，在方案实施过程中应建立信息反馈渠道，将每一局部过程的实施结果与预期目标进行比较。若发现差异，则应迅速纠正，以保证决策目标的实现。

3.2.1 确定型决策

确定型决策是在事物的客观自然状态为已知，相应的收益或损失可以确定的情况下做出的决策。主要方法有：价值分析法、本量利分析法等。常用的是本量利分析法。

3.2.1.1 成本规则

成本规则就是以成本最小化为决策准则。假如某企业根据生产计划，一年内需要外购某种原料的数量为 Q，现在需要确定每批采购量和采购次数，使得采购费用和库存费用最低。该决策问题的数学模型为

$$C=C_p+C_s \tag{3-22}$$

$$C_p=C_1\times n=C_1\times\frac{Q}{q} \tag{3-23}$$

$$C_s=C_2\times v=C_2\times\frac{Q}{2} \tag{3-24}$$

式中 C——采购与库存总费用；
q——每批采购量；
C_p——采购费用；
C_s——库存费用；
C_1——每次采购成本；
n——采购次数；
Q——原料总需求量；
C_2——单位原料的库存费用；
v——平均库存量。

为使采购与库存总费用最低，式(3-22) 两边对 q 求导数，并令其为 0，解得

$$q=\sqrt{\frac{2QC_1}{C_2}} \tag{3-25}$$

式(3-25) 的二阶导数大于 0，说明 q 为总成本最小时的最佳采购批量。而最佳采购次数 $n=Q/q$。

【例 3-6】 某混凝土公司，每年需要 300 条轮胎，每次购买轮胎的采购成本为 500 元，轮胎单价为 1500 元，库存成本为单价的 10%。计算最佳采购批量及最佳采购次数。

【解】 根据式 (3-25)，最佳采购批量为

$$q=\sqrt{\frac{2QC_1}{C_2}}=\sqrt{\frac{2\times300\times500}{1500\times10\%}}=44.7\approx45(\text{条})$$

最优采购次数为

$$n=Q/q=300/45=6.7\approx7$$

上述结果表明，每年进货 7 次，每次采购 45 条轮胎，此种采购策略是最佳的。这时的采购与库存总费用达到最小值：

$$C=C_p+C_s=C_1\times\frac{Q}{q}+C_2\times\frac{Q}{2}=500\times\frac{300}{45}+1500\times10\%\times\frac{45}{2}=6708(\text{元})$$

3.2.1.2 盈亏平衡点的确定

盈亏平衡分析法又称为本量利分析法，它是通过对产量、成本和利润的综合分析，建立

关于三者之间关系的数学模型，目的是掌握企业经营的盈亏界限，确定企业的盈亏平衡产量和最优生产规模，使企业获得最大的经济效益。一项投资或经营项目的盈亏主要取决于销售收入和成本。当总收入大于总成本时将盈利，否则将亏损。假定企业的产量等于销售量，并将成本分为两个要素：固定成本和可变成本。当已知产品的销售价格时，便可确定盈亏平衡点。如图 3-2 所示，销售收入线 OB 与成本线 AC 的交点即为盈亏平衡点 E，按该点的产量生产，企业就既不亏损，也无盈利。

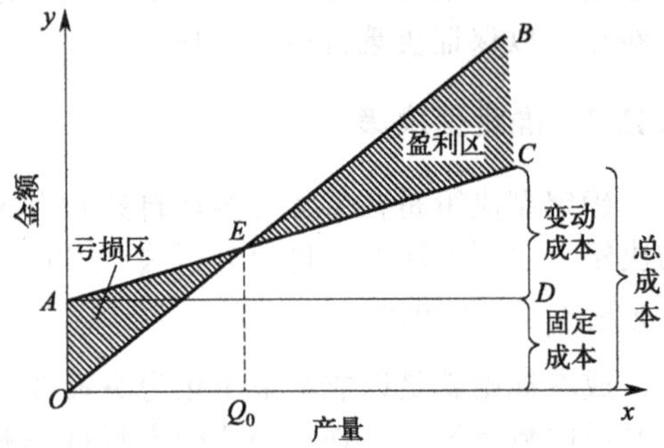

图 3-2　盈亏平衡示意图

由此，可建立计算盈亏平衡点的数学模型。设某产品的产量为 Q，销售单价为 P，单位产品的变动成本为 V，固定成本为 F，则平衡点的产量 Q_0 应使销售收入与成本相等，即 $PQ_0=VQ_0+F$。于是，平衡点的产量 Q_0 为

$$Q_0=\frac{F}{P-V} \tag{3-26}$$

上式中，分母（$P-V$）表示企业每出售一件产品所能得到的净收益，也称单位产品边际利润。如果单位产品边际利润为正值，则表示企业生产的该产品除可收回变动费用外，还有一部分可补偿已支出的固定费用。因此，即使某产品的销售单价低于总成本，但只要它大于变动成本，企业生产该产品还是有意义的，至少可以减少亏损。如果单位产品边际利润为负值，则销售收入不足以收回变动费用，因此，若该产品生产越多，则企业亏损就越多。

固定成本是在一定时期内不随产品数量的增减而变化的费用，通常包括企业管理费、车间经费、折旧及其他固定运行费用，一般可按年计算其总量。变动成本是指随产品数量增减而变化的费用，主要包括原材料费用、燃料动力费、废品损失费、计件工资费用及其他变动费用。

Q_0 是掌握盈亏界限的重要参数，一般来说其值越小，表明经营状况越好。盈亏平衡分析模型是企业经营决策和投资项目决策中经常使用的定量分析模型，十分简便、有效。

【例 3-7】 某混凝土企业，单位产品变动成本为 350 元/m^3，售价 410 元/m^3，每年固定费用 1600 万元。试计算盈亏平衡点的产量。若该企业现有的生产能力为 60 万m^3/a，每年能获得多少利润？为达到经营规模，拟购置一条生产线扩大生产，每年需增加固定费用 100 万元，但可节约变动费用 10 元/m^3，同时降低售价 5%以扩大销售，此方案是否可行？

【解】 由式（3-26），可计算出盈亏平衡点的产量为

$$Q_0=\frac{1600}{410-350}=26.7(\text{万m}^3)$$

由于企业现有生产能力为 60 万m^3/a，每年可获得利润为

$$I=-1600+(410-350)\times 60=2000(\text{万元})$$

由于新建生产线使企业固定费用增加为 1700 万元，产品售价降为 389.5 元/m^3，变动成本降为 340 元/m^3，因此扩建后新的盈亏平衡点产量为

$$Q'_0=\frac{1700}{389.5-340}=34.3(\text{万m}^3)$$

此时，企业若保持现有的 60 万m^3/a 的产量，每年可获得利润为

$$I'=-1700+(389.5-340)\times 60=1270(\text{万元})$$

即在不扩大产量的情况下，新方案使利润下降 730 万元。若保持原有利润 2000 万元，企业的产量应该达到：

$$Q=\frac{2000+1700}{389.5-340}=74.7(\text{万m}^3)$$

因此，只有销售量超过 74.7 万m^3 时，新方案才是可行的，否则应保持原方案。

3.2.1.3 经营安全状况分析

经营安全率是反映企业经营状况的重要指标，它可以表示经营安全状况。经营安全率是安全销售额与实际销售额的比值，其计算公式见式（3-27）。安全销售额是实际销售额超过盈亏平衡点销售额的余额。安全销售额越大，实际销售额紧缩的余地就越大，经营就越安全。安全销售额太小，实际销售额稍微降低，企业就可能亏损。

$$\text{经营安全率}=\frac{\text{安全销售额}}{\text{实际销售额}} \tag{3-27}$$

经营安全率在 0～1 之间：越接近 0，越不安全；越接近 1 越安全，盈利的可能性越大。判断经营安全状况的标准如表 3-9 所示。

表 3-9 经营安全状况判断标准

经营安全率	>30%	>25%～30%	>15%～25%	>10%～15%	10%以下
经营状况	安全	比较安全	不太好	要警惕	有危险

当经营安全率低于 20%时，企业就要做出提高经营安全率的决策。提高经营安全率有两个途径：第一，增加销售额；第二，将盈亏平衡点下移。盈亏平衡点下移有三种办法：降低固定成本；降低变动成本；增加固定成本，降低变动成本，使总成本降低。

【例 3-8】 某混凝土公司本期财务信息为：销售额 31900 万元，变动成本 22600 万元，固定成本 7000 万元，利润 2300 万元。下期目标利润为 3000 万元，固定成本因增加新设备而增加 17%，变动成本率不变。问经营安全率为多少？

【解】 下期利润目标 3000 万元，固定成本为 7000×(1+17%)=8190(万元)，则

$$\text{目标销售额}=(3000+8190)\div(1-\frac{22600}{31900})\approx 38383(\text{万元})$$

$$\text{盈亏平衡点销售收入}=8190\div(1-\frac{22600}{31900})\approx 28093(\text{万元})$$

$$\text{经营安全率}=\frac{38383-28093}{38383}\approx 26.8\%$$

3.2.1.4 净现值规则

净现值是指某备选方案未来现金流入的现值与未来现金流出的现值之间的差额，它是考查方案盈利能力的一个动态指标。计算时所有未来现金流入和流出，都按预定贴现率测算为现值，然后再计算它们的差额。净现值的计算公式为

$$\text{NPV}=\sum_{i=0}^{n}\frac{\text{CI}_t-\text{CO}_t}{(1+i)^t} \tag{3-28}$$

式中 NPV——净现值（net present value）；

n——投资方案涉及的年限；

t——时间（第 t 年）；

CI_t——第 t 年的现金流入量；

CO_t——第 t 年的现金流出量；

i——预定的贴现率（折现率）。

如果投资总量均发生在 $t=0$ 时刻，则式(3-28)可以写成：

$$NPV=\sum_{i=1}^{n}\frac{R_t}{(1+i)^t}-C_0 \tag{3-29}$$

式中 R_t——第 t 年的净现金流量；

C_0——投资方案的净现金投资总量。

式(3-29)表明，净现值是指预期净现金流量的总现值与净现金投资总量之间的差额。净现值为正，说明该投资方案可以采用；反之，则放弃该投资方案。

【例 3-9】 某企业有A、B两个投资方案，净现金投资总量 C_0 均为1000万元，风险贴现率分别为10%和15%，预期净现金流量见表3-10。试判断哪个方案更好。

【解】 根据表3-10和净现值公式，计算出方案A、B的净现值分别为

$NPV_A=500\times0.909+400\times0.826+300\times0.751+100\times0.683-1000=78.5$(万元)

$NPV_B=200\times0.870+400\times0.756+500\times0.658+600\times0.572-1000=148.6$(万元)

由于两种方案的NPV均为正值，所以两种方案都是可以接受的。但考虑到 NPV_B 大于 NPV_A，方案B对企业的价值更大，故选择方案B。

表 3-10 投资方案 A 与 B 的有关数据

时间	预期净现金流量 R_t/万元		风险贴现率的现值系数 $1/(1+i)^t$	
	方案A	方案B	方案A（贴现率为10%）	方案B（贴现率为15%）
第1年	500	200	0.909	0.870
第2年	400	400	0.826	0.756
第3年	300	500	0.751	0.658
第4年	100	600	0.683	0.572

3.2.1.5 内部收益率规则

内部收益率（internal rate of return，简称IRR）是使未来收益的现值总额与投资量的现值总额相等的贴现率，即投资项目在使用期内累计净现值为零时的贴现率。备选方案的IRR越高，对收益贴现得越多，就越能够平衡最初支出，该方案就越具有吸引力。在多个备选方案中，内部收益率超过资金成本（或必要报酬率、目标利润率）最多的方案为最优方案。

内部收益率的计算方法通常有试算法、插入法（逐步测试法）和图解法。试算法的公式为

$$NPV=\sum_{i=1}^{n}\frac{R_t}{(1+i)^t}-C_0=0 \tag{3-30}$$

即

$$\left[\frac{R_1}{1+i}+\frac{R_2}{(1+i)^2}+\cdots+\frac{R_n}{(1+i)^n}\right]-C_0=0 \tag{3-31}$$

也就是说，净现值为零时的贴现率，就是内部收益率。

【例 3-10】 假定有A、B两种投资方案，投资额均为3000万元。方案A每年的现金流量分别为：2000万元、1000万元、500万元、300万元、0万元；方案B为：300万元、500万元、1000万元、1500万元、1000万元。使用期均为5年，试比较A、B两种投资方案的内部收益率。

【解】 方案A、B的内部收益率试算结果（节选）如表3-11所示。从表中可以看出，

当贴现率为 10%时，净现值最大，均为正值；贴现率为 20%时，净现值最小，均为负值。当方案 A 贴现率为 15%时，净现值接近 0；方案 B 贴现率为 10%时，净现值比较接近 0。所以，方案 A 的内部收益率约在 15%，方案 B 的内部收益率约在 10%。方案 A 比较优越。

表 3-11 内部收益率试算表（节选） 单位：万元

项目	$i_1=10\%$		$i_2=15\%$		$i_3=20\%$	
	方案 A	方案 B	方案 A	方案 B	方案 A	方案 B
未来收益现值总额	3229	3078	3001	2656	2784	2294
投资额	3000	3000	3000	3000	3000	3000
净现值	229	78	1	−344	−216	−706

用试算法计算内部收益率时，所取的贴现率试算值越多、越密，其试算结果就越精确。但是试算值太多将会大大增加计算量。为此可以先用试算法进行粗略估算，然后再用插入法进行比较精确的计算。具体做法是：先估计一个贴现率，用此贴现率计算净现值。如果计算出的净现值为正数，则再估计一个略高一点的贴现率；如果计算出的净现值为负数，则估计一个略低一点的贴现率。如此反复，直至相邻的两个贴现率所确定的净现值分别是正值和负值，且在零的附近。在这两个相邻的贴现率之间用插入法求得净现值为零时的贴现率，即为所求的内部收益率。

3.2.2 风险型决策

风险型决策也叫随机型决策或概率型决策，是一种常见的决策，其特点是自然状态变量有两种或两种以上可能出现的状态，具体哪种状态会发生是不确定的，但每一种自然状态发生的概率是可以估计的。在这种情况下，决策者无论选择何种决策方案，都会承担一定的风险，因此称这种决策为风险型决策。企业中投资、产品开发、技术改造等问题都可以通过风险型决策解决。

风险型决策应具备以下几个条件：具有明确的决策目标；有两个或两个以上的备选方案；存在两种或两种以上的自然状态；各种自然状态出现的概率是可估计的（称为主观概率）；可以计算出不同备选方案在不同自然状态下的效用函数值（简称效用值）。

3.2.2.1 最大可能法

根据概率论知识，在一次随机试验中，概率最大的事件最有可能发生。因此在有多个状态的风险型决策问题中，可以按照这一准则来进行决策，即选择发生概率最大的状态，而不必考虑其他状态。这样就把一个风险型决策问题变成了确定型决策问题，即根据这个确定的自然状态进行决策，选择损益值最大的方案。

【例 3-11】某混凝土公司预测原材料将大幅度涨价且供应紧张。公司有租用场地提前存放和什么也不做并接受未来涨价两种方案。租用场地需花费 7 万元；单价上涨折合现有场地存放量估算原材料成本增加 10 万元。又知无论如何，都需支付预付款，资金成本 3 万元。此外材料价格上涨的概率为 0.7，持平不上涨的概率为 0.3。公司应当如何决策？

【解】该决策问题有两种备选方案：什么也不做 x_1；租用场地 x_2。有两种自然状态：价格上涨 θ_1，持平不涨 θ_2；且 $p(\theta_1)=0.7$，$p(\theta_2)=0.3$。各方案在不同状态下的损失如表 3-12 所示。该公司要在两种备选方案 x_1 和 x_2 中做出决策。由表 3-12 易见，$p(\theta_1)=0.7$ 为状态概率中最大者，故只考虑 θ_1 这一状态。该状态下最小损失值（即最大的损益值）是 −10 万元，它所对应的租场地方案 x_2 即为最优方案。

表 3-12　本例损益值　　单位：万元

市场状态	涨价情况	θ_1：涨	θ_2：持平不涨
	概率	$p(\theta_1)=0.7$	$p(\theta_2)=0.3$
备选方案	x_1：什么也不做	−13	−3
	x_2：租场地	−10	−10

在风险型决策问题中，当各自然状态中某一状态较其他状态出现的概率大得多，而且其他每个状态下各方案的损益值差别不大时，可采用最大可能法。

3.2.2.2 期望值法

期望值法是以目标函数的数学期望为基础，将不同方案在不同状态下的期望损益值进行比较，选择期望损益值最大或期望损益值最小的方案作为最优方案的决策方法。期望值法的计算式如下：

$$f(x)=\max_{x}\sum_{j=1}^{q}p(\theta_j)f(x,\theta_j) \tag{3-32}$$

式中　$f(x)$ ——期望损益函数；

x——决策变量；

θ_j——自然状态变量；

$p(\theta_j)$ ——状态 θ_j 的概率；

$f(x,\theta_j)$ ——在状态 θ_j 下选择方案 x 时的损益值。

【例 3-12】 某混凝土企业要确定下一计划期内的冬贮水泥订货量。根据历史经验，混凝土销售情况有畅销、销量一般、销量较低三种情况，相应的概率分别为 0.3、0.6、0.1。冬贮水泥订货可以采用大量、适量、少量三种订货方案，相应的经济效益如表 3-13 所示。试用期望值法确定产品的合理订货量，使企业获得最好的收益。

表 3-13　本例以最大期望损益值为目标的决策数据分析

变量		损益值/万元			期望损益值/万元
自然状态	产品销售情况	θ_1：畅销	θ_2：销量一般	θ_3：销量较低	
	概率	$p(\theta_1)=0.3$	$p(\theta_2)=0.6$	$p(\theta_3)=0.1$	
备选方案	x_1：大量进货	20	13	7	14.5
	x_2：适量进货	16	16	9	15.3
	x_3：少量进货	10	10	10	10.0

【解】 根据期望值法的决策规则，可以计算出每一方案下的期望损益值：

$$f(x_1)=0.3\times20+0.6\times13+0.1\times7=14.5$$

$$f(x_2)=0.3\times16+0.6\times16+0.1\times9=15.3$$

$$f(x_3)=0.3\times10+0.6\times10+0.1\times10=10.0$$

根据计算得出方案 x_2 “适量进货” 为最佳决策方案。

本例也可以采用“机会损失”为决策目标，选择期望机会损失最小的方案为最优方案。这里的机会损失是指进货不足或过量造成的损失。例如，在产品销售情况很好的状态下，却由于订货量不足选择了方案 x_3，造成了机会损失，其值为 20−10=10(万元)。其他损失可以此类推，即用表 3-13 中的每列中的最大损益值减去该列中其他各方案的损益值。各方案机会损失值如表 3-14 所示。

表 3-14 本例以机会损失值为目标的决策数据分析

变量		机会损失值/万元			期望机会损失值/万元
自然状态	产品销售情况	θ_1：畅销	θ_2：销量一般	θ_3：销量较低	
	概率	$p(\theta_1)=0.3$	$p(\theta_2)=0.6$	$p(\theta_3)=0.1$	
备选方案	x_1：大量进货	0	3	3	2.1
	x_2：适量进货	4	0	1	1.3
	x_3：少量进货	10	6	0	6.6

可得出最佳决策方案是适量进货 x_2。在此方案下，期望机会损失最小值。这个决策结论与以最大期望损益值为决策目标所得出的结论相同。

【例 3-13】 企业设备预防保养问题是企业设备管理中常见的一个风险型决策问题。设备需要定期进行全面的保养和维护。若保养太频繁，修理费用减少，但维护成本会增加；反之保养周期过长，故障频频发生致使维修成本大大增加。两者之间需要权衡，选择一个最佳的保养周期，使每年单位机器成本最低。这是企业设备管理所面临的决策问题。假设企业现有混凝土罐车 50 台 ($n=50$)，且修理一台故障罐车的成本 $c_1=4300$ 元，而每台罐车每次保养费成本 $c_2=700$ 元。另外在第 t 年每台罐车损坏的概率为 p_1，在第 t 年罐车损坏的台数为 n_1，根据经验 p_t 的值如表 3-15 所示。

表 3-15 不同使用时间下罐车损坏的概率

使用时间 t/年	1	2	3	4	5
损坏概率 p_t	0.05	0.07	0.10	0.13	0.18

试计算过多长时间对罐车保养一次将使每年单位车辆维修成本最低。

【解】 设维修时间间隔为 x 年。当 $x=T$ 时，每年单位罐车维修成本为

$$C(T)=\frac{1}{nT}(c_1\sum_{t=1}^{T}n_t+c_2n) \tag{3-33}$$

因此每年单位车辆维修期望成本为

$$E[C(T)]=\frac{1}{nT}(c_1\sum_{t=1}^{T}E[n_t]+c_2n) \tag{3-34}$$

n_t 为随机变量，已知它服从二项分布规律，$E[n_t]$ 为第 t 年内损坏车辆的台数的均值，所以，$E[n_t]=np_t$，并可得

$$E[C(T)]=\frac{1}{T}(c_1\sum_{t=1}^{T}p_t+c_2) \tag{3-35}$$

若要使 $E[C(T)]$最小而求得最佳保养周期 T^*，则必须满足下列条件：

$$E[C(T^*-1)]\geqslant E[C(T^*)] \tag{3-36}$$

且

$$E[C(T^*+1)]\geqslant E[C(T^*)] \tag{3-37}$$

对 T 由小到大逐步计算 $E[C(T)]$，直至满足式(3-36) 和式(3-37)，计算结果列在表 3-16 中。计算表明，每隔 3 年对所有车辆进行一次全面的保养和维护，可使每年单位车辆的维修成本最低，即最优方案为 $T^*=3$ 年。

表 3-16　本例 $E[C(T)]$计算结果

T/年	p_t	$\sum_{t=1}^{T} p_t$	$E[C(T)]$/元
1	0.05	0.05	915.00
2	0.07	0.12	608.00
3	0.10	0.22	548.67
4	0.13	0.35	551.25
5	0.18	0.53	595.80

3.2.2.3　决策树法

决策树法是用树形图来表达决策问题的一种方法。该方法多用于风险型决策，特别有利于多层决策，它可以使一个复杂的多层决策问题简单明了，因而是决策中一种很有价值的方法。但是如果备选方案和自然状态较多时，决策树就会过于庞大和复杂，这时用决策表和决策矩阵就比较方便。根据所决策的问题是否具有阶段性，可将决策树法分为单级决策树法和多级决策树法。

（1）单级决策树法　单级决策又称为单阶段决策。单级决策树法的决策规则和期望值法完全相同，只是表现形式不同。前者用树状图形的形式，后者用表格形式。

【例 3-14】 以例 3-12 情况为例，有关数据和决策信息如表 3-13 所示，据此可以画出单级决策树（图 3-3）。

某一方案的期望损益值的计算和期望值法完全相同。

决策树从左至右展开，在最后的概率分枝末端标上损益值，再用逆推法将各概率分枝末端的损益值分别乘上概率后求和成为客观状态点的期望损益值。将期望损益值标在方案分枝末端的客观状态点旁，然后比较各方案分枝末端的期望损益值，根据所求问题选取和舍弃方案。若求最大值问题则选取期望损益值最大的方案分枝，其余剪去；若求最小值问题则选取期望损益值最小的方案分枝，其余剪去。

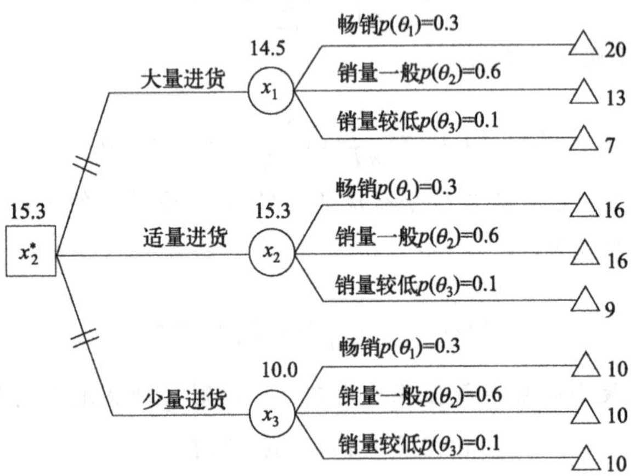

图 3-3　单级决策树

□表示决策点，从它引出的分枝叫方案分枝或决策枝，每个决策枝代表一个方案。

○表示每个方案的客观状态点，从它引出的分枝叫机会分枝或状态枝，其上方的数字表示该方案的期望损益值，在每条分枝上标明自然状态及其概率。

△表示结果节点，旁边的数字是每个分枝在各种自然状态下的损益值。

// 表示剪枝。

【解】 方案 x_1（大量进货）所对应的期望损益值为

$$f(x_1)=0.3\times20+0.6\times13+0.1\times7=14.5$$

同理，计算其他方案的期望损益值。然后把计算所得的期望损益值填在该方案的机会点上。接下来将机会点上的 3 个期望损益值加以比较，其中方案 x_2（适量进货）的期望损益值最大，于是将此最大期望损益值 15.3 填在决策点上方。而后在方案 x_1 和方案 x_3 的决策枝上画上“∥”，代表剪去这两种方案分枝，选择方案 x_2 作为最优方案。

根据例 3-14 可知，用决策树法进行决策的步骤如下：根据已有信息画出决策树；计算各方案的期望损益值；根据各方案期望损益值的大小进行方案选择。

(2) 多级决策树法　一个决策问题，如果需要做两次或两次以上决策，才能产生最优的决策方案，实现决策目标，那么这种决策叫作多级决策，又称为多阶段决策。对这一类决策问题可以采用多级决策树法。

【例 3-15】 某企业设备技术落后，产品成本较高，需要更新。现在打算对该工艺加以改进，取得新工艺的途径有两种：自行研制生产，估计其成功的可能性是 0.6，失败的可能性是 0.4；同其他企业合作引进新的生产工艺，合作成功的可能性为 0.8，失败的可能性是 0.2。不论是自行研制还是技术引进，在生产规模上都可考虑两种方案：产量不变、增加产量。如果自行研制和技术引进都失败，则仍采用原工艺进行生产，并保持原产量不变。另外，估计今后 5 年该产品的销路有三种状态：θ_1（好）、θ_2（中）、θ_3（差）。其概率分别为 $p(\theta_1)=0.4$、$p(\theta_2)=0.5$、$p(\theta_3)=0.1$，各状态下的损益值如表 3-17 所示。试用决策树法来确定最优方案。

表 3-17　多级决策问题的有关数据

变量			损益值/元		
自然状态	产品销售情况		θ_1(好)	θ_2(中)	θ_3(差)
	概率		$p(\theta_1)=0.4$	$p(\theta_2)=0.5$	$p(\theta_3)=0.1$
生产方案	技术引进 x_1	产量不变 $x_{1\text{-}1}$	15000	5000	−20000
		增加产量 $x_{1\text{-}2}$	25000	5000	−30000
	自行研制 x_2	产量不变 $x_{2\text{-}1}$	20000	0	−20000
		增加产量 $x_{2\text{-}2}$	60000	−25000	−30000
	采用原工艺生产 x_3		10000	0	−10000

【解】 采用二级决策树方法进行分析。第一级决策是引进其他企业成熟的工艺，还是自行研制新的生产工艺。第二级决策是在技术引进或自行研制成功后，决定生产量是维持不变还是增加。其中，第二级决策不是在第一级决策实施以后再决定，而是在进行第一级决策时，就需要将后面几级决策的路径事先想好。根据表 3-17 中的数据，可画出如图 3-4 所示的二级决策树。

从决策的时间顺序来看，第一级决策是决定技术引进还是自行研制，第二级决策要以前者为基础决定要不要增加产量，但是在求解多级决策问题时顺序正好相反，即先考虑后级决策，再考虑前级决策。具体过程见图 3-4。最终，决策者在第一级决策中选中“技术引进”方案 x_1。第二级决策要看第一级决策实施情况而定，如果第一级决策失败，则取“采用原工艺生产”方案 x_3；如果第一级决策成功，则取“增加产量”方案 $x_{1\text{-}2}$。

比较期望值可知，同时更新和扩产的方案是较优的方案。

在不确定性分析方法中，还有矩阵法。矩阵决策法是期望值法的另一种形式，它是通过矩阵形式来分析和选择最优方案，其决策规则与期望值法相同。其特点是对多种自然状态、多种方案的优选和分析更加简便、易行，尤其便于计算机处理，因此，在经济管理决策中得到广泛的应用。

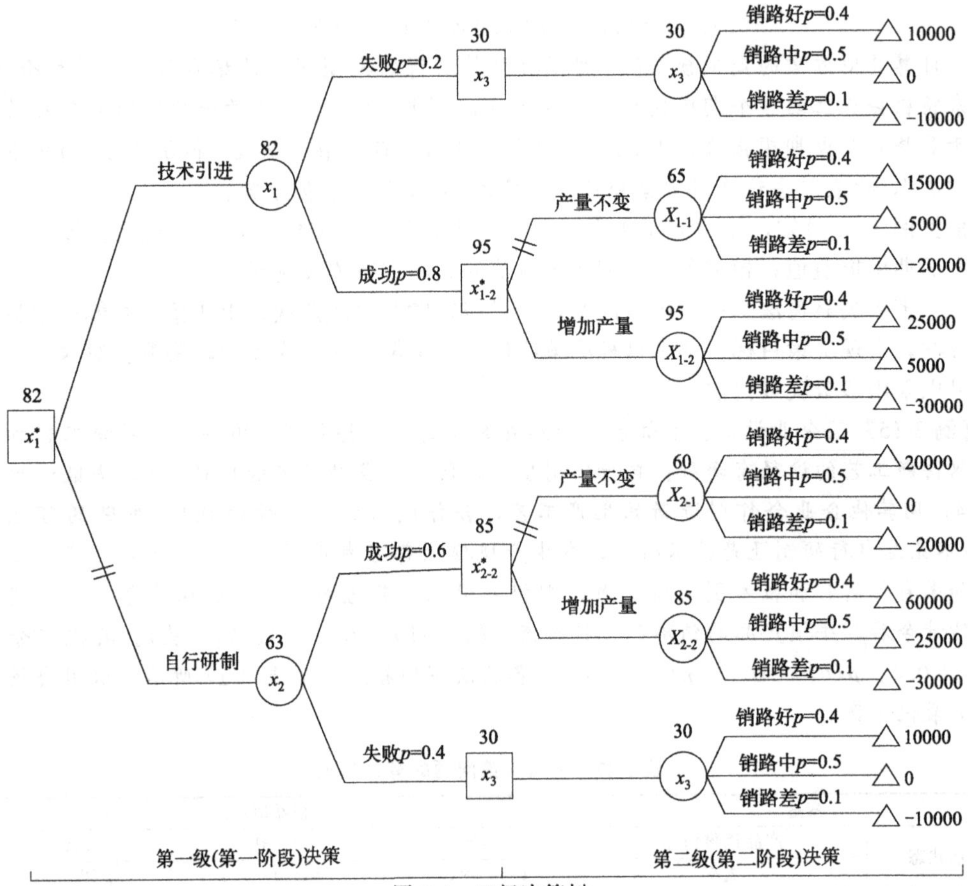

图 3-4　二级决策树

在实际工作中，会采用灵敏度分析法分析决策方案的稳定性和可靠性。这是因为常用的期望值法对各自然状态的概率值及各种状态的损益值的依赖性很强，但这些数值通常不容易准确估计，因此期望损益值也就不十分准确，而这些数据的变化对选择最优方案又有一定的影响，所以有必要考察自然状态的概率和后果损益值的数据变动是否影响最优方案的选择，通过分析找到最优方案变动的临界点，从而帮助决策者更好地做出决策。因此，应将概率值和损益值在可能发生误差的范围内做几次不同的变动，并反复进行计算，以了解期望值变化的大小以及是否影响到最优方案的选择。一般来说，若最优方案不随数据的微小变动而改变，即不敏感，则这个方案是比较稳定的，可靠性高，决策风险较小；若最优方案随着数据的微小变动而改变，即十分敏感，则这个方案是不稳定的，还应进一步深入分析。这一方法也称为稳定性分析或敏感性分析。

3.2.3　不确定型决策

不确定型决策是在事物的各种客观自然状态发生的概率无法估计的情况下所做的决策。例如，一种全新的产品在面市之前，由于缺乏相关历史数据，对该产品销售前景的概率就无法估计。在这种情况下要决定这种新产品的生产数量，就是一种不确定型决策。另外，由于时间紧迫等原因而无法收集和分析状态概率信息的决策也属于不确定型决策。

不确定型决策相对于风险型决策来说，由于相关概率无从知道，因此所做出的决策在很大程度上取决于决策者的决策经验、决策偏好、对自然状态的判断、心理素质和对风险的态度等因素，决策结果带有较强的主观性。对同样的决策问题，不同的决策者可能会采取不同的决策规则，并得到不同的决策结果。

3.2.3.1 最大最大收益值法

最大最大收益值法也称乐观决策法。它首先在每个方案中选取一个最大收益值，然后选定所有最大收益值中最大者的方案为最优方案。显然，这是比较冒险的方法，风险小、损失不大或把握较大的问题才可以采用此方法。

运用乐观决策法的决策者自信、爱冒险，对未来抱有乐观的态度，认为不管自己采取哪种方案，将来总会发生对该方案有利的自然状态。因此，其决策规则是先在每个行动方案对应的各种后果中选取损益值最大的后果，然后比较这些后果的损益值，选取其中的最大者所对应的方案作为最优方案，即决策规则为“最大-最大规则”（max-max 规则），可表示为

$$f(x^*)=\max\{\max_x f(x,\theta)\}=\max f_m(x) \tag{3-38}$$

【例 3-16】 一个新建的预拌混凝土公司需决定搅拌车运输供应能力，以便满足顾客的订单需求。由于该公司开业不久，确切的日最高需求量未知，但预计有 4 种情况：$\theta_1=2000$，$\theta_2=2500$，$\theta_3=3000$，$\theta_4=3500$。而这些情况出现的概率未知。假设有 4 种供应方案（如全部自购车辆、临时租赁、长期租赁、整体外包）x_1，x_2，x_3，x_4。以成本最低为决策目标，供应能力过剩或不足都将使成本增大。不同情况下的成本数据如表 3-18 所示。请作为决策者采用乐观决策法进行决策。

表 3-18 本例有关分析数据

变量		成本 $c(x,\theta)$/万元				$f_m(x)$/万元
自然状态变量(需求量)/m^3		$\theta_1=2000$	$\theta_2=2500$	$\theta_3=3000$	$\theta_4=3500$	
备选供应方案	x_1	5	10	18	25	−5 *
	x_2	8	7	8	23	−7
	x_3	21	18	12	21	−12
	x_4	30	22	19	15	−15

注：* 表示本列数据中的最大值。

【解】 采用乐观决策法进行决策（注意：将成本值转换成损益值需加负号），即

$$f(x^*)=\max\{\max_x f(x,\theta)\}=\max\{-5,-7,-12,-15\}=-5$$

也可以直接用成本目标进行计算，这时需将式(3-38) 中求损益值最大改成求成本最小，即

$$c(x^*)=\min\{\min_x c(x,\theta)\}=\min\{5,7,12,15\}=5$$

所以最优供应方案为 x_1。

3.2.3.2 最大最小收益值法

最大最小收益值法也称为悲观决策法。它首先在每个方案中选取一个最小收益值，然后选定所有最小收益值中最大者的方案为最优方案。这是一种最保守、最保险的决策方法，对于那些把握很小、风险很大的问题，采用此方法是可取的。

运用悲观决策法的决策者往往比较保守、谨慎，对未来抱有悲观的态度，凡事做最坏的打算。他们觉得不管自己采取哪种方案，将来总会发生对该方案不利的自然状态。因此，其决策规则是先在每个行动方案对应的各种后果中选取损益值最小的后果，然后比较这些后果的损益值，选取其中的最大者所对应的方案作为最优方案，即决策规则为“最大-最小规则”（max-min 规则），可表示为

$$f(x^*)=\max\{\min_x f(x,\theta)\}=\max f_m(x) \tag{3-39}$$

【例 3-17】 某市混凝土市场需求发展很快，某企业拟对混凝土搅拌车运输规模进行决策。经过分析，提出 4 个规模水平作为备选方案，对混凝土运输方量的前景估计了 4 种状态。决策目标为损益值最大。该问题的有关数据如表 3-19 所示。

表 3-19 本例决策分析数据

变量		损益值 $f(x,\theta)$/万元				$f_m(x)$
自然状态变量(混凝土方量)/m^3		θ_1	θ_2	θ_3	θ_4	
备选规模方案	x_1	36	25	19	16	16
	x_2	28	41	24	30	24 *
	x_3	18	37	52	45	18
	x_4	−5	30	45	60	−5

【解】 若采用悲观决策法进行决策，则

$$f(x^*)=\max\{\min_{x} f(x,\theta)\}=\max\{16,24,18,-5\}=24$$

所以该企业应将持有车辆发展到方案 x_2 的规模。

3.2.3.3 乐观系数法

乐观决策法和悲观决策法分别是从最好和最差两种极端的情况出发，决策方法以及所做出的决策有些偏激。事实上，人们在决策过程中既不会认为未来将一帆风顺，也不会表现出极度的悲观情绪，往往采取折中的态度，只是悲观或乐观的程度有所差异。

乐观系数法就是基于这种思路产生的一种决策方法。它是对上述两种方法的折中，用一个权重来表示乐观的程度，称为乐观系数，记作 α。其决策规则为

$$f(x^*)=\max\{\alpha \max_{x} f(x,\theta)+(1-\alpha)\min_{x} f(x,\theta)\} \tag{3-40}$$

显然，若 $\alpha=1$，则是乐观决策法；若 $\alpha=0$，则是悲观决策法。因此，乐观决策法和悲观决策法都是乐观系数法的特例。α 的取值将影响决策的结果。到底取何值要根据决策者的偏好和判断而定。若决策者自身比较乐观或当时的情况较为乐观，则 α 取得大一点；反之，α 则取得小一点。若决策者的偏好中等，或当时的情况测不准，则可取 $\alpha=0.5$。

【例 3-18】 某建材厂最近设计了一批新产品，准备安排生产投放市场，并根据产品品种、生产能力、设备状况和技术工人等因素制定了 5 种生产方案：x_1，x_2，x_3，x_4，x_5。产品的销售情况可分为 4 种状态：θ_1，θ_2，θ_3，θ_4。这 4 种销售前景的概率无法测知。每种决策后果的损益值如表 3-20 所示。应当采取哪种生产方案？

【解】 表 3-20 分别用乐观决策法、悲观决策法和乐观系数法三种方法对该不确定型决策问题进行了分析。

表 3-20 本例决策相关数据

变量		损益值/万元				乐观决策法	悲观决策法	乐观系数法		
自然状态：销售情况		θ_1	θ_2	θ_3	θ_4			$\alpha=0.5$	$\alpha=0.7$	$\alpha=0.3$
备选生产方案	x_1	4	5	6	7	7	4 *	5.5	6.1	4.9 *
	x_2	1	4	6	10	10 *	1	5.5	7.3 *	3.7
	x_3	5	7	3	5	7	3	5.0	5.8	4.2
	x_4	3	7	8	9	9	3	6.0 *	7.2	4.8
	x_5	2	6	5	4	6	2	4.0	4.8	3.2

① 乐观决策法。用乐观决策法所得到的最佳方案是 x_2。由表 3-20 可见，当发生状态 θ_4 时，方案 x_2 的损益值 $f(x_2, \theta_4)=10$，是这种状态下的最优值；但是当发生状态 θ_1 时，方案 x_2 的损益值 $f(x_2, \theta_1)=1$，是很差的。因此，由乐观决策法求出的最佳方案显

得“过于乐观”。

② 悲观决策法。用悲观决策法所得到的最佳方案是 x_1。由表 3-20 可见，不论发生哪种状态，方案 x_1 的损益值 $f(x_1, \theta)$ 都不是最大的，有时还比较低。因此，由悲观决策法求出的最佳方案显得“过于保守”。

③ 乐观系数法。直观观察表 3-20 可以发现，方案 x_4 的损益值对于每一种状态都比较接近该状态下的最大值，是一种比较好的方案，而 $\alpha=0.5$ 的乐观系数法的决策结果正是方案 x_4。可见乐观系数法有它的合理性。当 α 较大时，表明决策者偏乐观。例如，$\alpha=0.7$ 时，所得结果和乐观决策法相同。而当 α 较小时，表明决策者偏悲观。例如，$\alpha=0.3$ 时，所得结果和悲观决策法相同。

3.2.3.4　最小最大后悔值法

最小最大后悔值法也称为机会损失分析法。如果决策者选定方案后，出现的客观自然状态比原来预料的要好，则企业便会失去机会，决策者将会为此而感到后悔。换句话说，以上几种方法仅仅从决策表或损益矩阵的横向看某方案在各状态下损益值的大小，将来一旦发生某个状态，选择其他各方案也必定发生这种状态，不可能选不同方案发生不同状态。因而既要从横向看某方案的损益值，也要纵向看其他方案的损益值，应当寻找在不同状态下都比较好的方案。因此，要从纵向看某一损益值与最好方案损益值的差距，而且同时从横向和纵向看损益值还可以充分利用信息。

根据这一思路，首先确定某一状态下损益值最大的方案，当这一状态发生而又没有选择这一方案时，实际损益值与最大损益值之差实际上就是该方案在该状态下的机会损失，即在决策时，应先算出各种客观状态下各方案的后悔值（即各客观状态下的最大收益值与各方案收益值之差)，然后选出各方案后悔值中的最大后悔值，构成后悔值矩阵，选定最大后悔值中最小者的方案为最优方案。将各种情况综合起来看，按这种方法决策可以保证在任何情况下收益较大，损失较小。

最小最大后悔值法的决策步骤如下：

① 从损益矩阵中找出每列中最大的损益值，即每种自然状态下的“理想值”。

② 用每列中的各损益值分别减去该列中的理想值，就得到了后悔值 $\tilde{f}(x_i, \theta_j)$，即

$$\tilde{f}(x_i, \theta_j)=f(x_i, \theta_j)-\max f(x, \theta_j) \tag{3-41}$$

式(3-41)中：$i=1, \cdots, r$；$j=1, \cdots, q$。

可见，后悔值 $\tilde{f}(x_i, \theta_j) \leqslant 0$，而理想值的后悔值等于 0。计算出所有的后悔值后，损益矩阵就转化为后悔矩阵，即

$$\widetilde{\boldsymbol{F}}=[\tilde{f}(x_i, \theta_j)]_{r \times q} \tag{3-42}$$

③ 最小最大后悔值法的决策规则是对后悔矩阵使用悲观决策法的“最大-最小规则”，即 $\max\{\min[\tilde{f}(x_i, \theta_j)]\}$。

在例 3-18 中，损益矩阵为

$$\boldsymbol{F}=\begin{bmatrix} 4 & 5 & 6 & 7 \\ 1 & 4 & 6 & 10^* \\ 5^* & 7^* & 3 & 5 \\ 3 & 7^* & 8^* & 9 \\ 2 & 6 & 5 & 4 \end{bmatrix}$$

其中，带 * 号的损益值为每一列的理想值。由此可得后悔矩阵为

$$\widetilde{\boldsymbol{F}}=\begin{bmatrix}-1 & -2 & -2 & -3^{*}\\ -4^{*} & -3 & -2 & 0\\ 0 & 0 & -5^{*} & -5^{*}\\ -2^{*} & 0 & 0 & -1\\ -3 & -1 & -3 & -6^{*}\end{bmatrix}$$

其中，带 * 号的后悔值为每一行的最小值，即

$$\min_{\theta\in\Theta}\widetilde{\boldsymbol{F}}=[-3-4-5-2^{*}-6]^{\mathrm{T}}$$

其中，带 * 号的后悔值为该向量中的最大值，即$\min\limits_{x\in X}\widetilde{f}(x)=-2;x^{*}=x_4$。可见最佳方案是 x_4。

从以上内容可以看出，乐观决策法和悲观决策法只利用了每一个方案的 q 个状态的损益值数据中的 1 个数据，乐观系数法和最小最大后悔值法也只利用了 2 个数据，显然信息的利用很不充分。而等可能法则充分利用了所有的数据，所以这种方法既简捷，又相对合理。

等可能法，是指决策者认为各自然状态发生的概率是相等的，本质上是一种特殊的期望值法。当决策者没有任何理由说明某一自然状态比另一状态有更多发生机会时，只能认为各状态发生的机会均等，即各状态的发生是等可能的，这就是概率论中的“理由不充分原理”。这时，决策者可以计算各方案的期望损益值，在这些期望损益值中选择最优值，它所对应的方案即为决策方案。

由以上内容可知，对于不确定型决策问题，采用不同的决策规则，其结果可能不同。由于没有统一的客观评判标准，决策者的主观态度在决策中起到了很大的作用，因而决策的风险很大。所以最好还是设法估计出自然状态的主观概率，以此作为依据采用风险型决策方法比较科学。

3.2.4 集体决策

“群策群力”，组织中的许多决策，尤其是对组织的活动等有极大影响的重要决策，是由集体制定的，如委员会、审查组、研究小组或类似的组织等。研究表明，管理者 40%或更多的时间花费在各种会议上。毫无疑问，这些时间的大部分都用于确定问题，确定解决问题的方案以及决定如何实施方案。事实上，将决策制定过程的每个步骤中的任一步分派给某个群体去完成都是可能的。

(1) 集体决策的优点

a. 提供更完整的信息。一个群体将带来个人单独行动所不具备的多种经验和不同的决策观点。

b. 产生更多的方案。因为群体拥有更多数量和种类的信息，他们能比个人制定出更多的方案。例如，一个由工程、会计、生产、营销和人事代表组成的群体，将制定出反映他们不同背景的方案。

c. 提高对某个解决方案的接受性。许多决策如果让受到决策的影响或实施决策的人们参与了决策制定，他们将更可能接受决策，并更可能鼓励他人也接受它。群体成员不愿违背他们自己参与制定的决策。

d. 提高合法性。群体决策制定过程是与民主思想相一致的，因此人们觉得群体制定的决策比个人制定的决策更合法。拥有全权的个体决策者不与他人磋商，这会使人感到决策是独裁和武断的。

(2) 集体决策的缺点

a. 消耗时间。成员之间的相互影响常导致低效，结果造成群体决策总要比个人决策花更多的时间。

b. 少数人统治。一个群体的成员永远不会是完全平等的。他们可能会因经验、易受他人影响的程度、语言技巧、自信心等因素而不同。这就为单个或少数成员创造了发挥其优势、驾驭群体中其他人的机会。支配群体的少数人，经常对最终的决策有过分的影响。

c. 屈从压力。在群体中要屈从社会压力，导致所谓的群体思维。它抑制了不同观点、少数派和标新立异以取得表面的一致。群体思维削弱了群体中的批判精神，损害了最后决策的质量。

d. 责任不清。群体成员分担责任，但实际上谁对最后的结果负责却不清楚，成员的责任都被冲淡了。

当然，可以通过头脑风暴法、名义群体法、德尔菲法和电子会议法等改善集体决策。

总的来说，集体决策趋向于更精确。一般而言，群体能比个人做出更好的决策。当然这不是说所有的群体决策都优于个人决策，而是群体决策优于群体中平均的个人所做的决策。

3.3 数据分析

数据分析是指用适当的统计分析方法对收集来的大量数据进行分析，将它们加以汇总和理解并消化，以求最大化地发挥数据的功能，发挥数据的作用。数据分析是为了提取有用信息和形成结论而对数据加以详细研究和概括总结的过程。“计国事者，则当审权量。”在实际工作中，数据分析能够帮助管理者进行判断和决策，以便采取适当策略与行动。例如，企业的高层希望通过市场分析和研究，把握当前产品的市场动向，从而制订合理的产品研发和销售计划，这就必须依赖数据分析才能完成。

3.3.1 数据分析步骤

企业日常生产经营中利用数据分析的作用主要是对现状、原因及预测进行分析。

现状分析，简单来说就是告诉管理者过去发生了什么。具体体现在：第一，让管理者知道企业现阶段的整体运营情况，通过各个经营指标的完成情况来衡量企业的运营状态；第二，让管理者知道企业各项业务的构成，并了解企业各项业务的发展及变动情况，对企业运营状况有更深入的了解。现状分析一般通过日常通报来完成，如日报、周报、月报等形式。

原因分析，简单来说就是某一现状为什么发生。

预测分析，简单来说就是将来可能会发生什么。在了解企业运营现状后，有时还需要对企业未来发展趋势做出预测，为制定企业运营目标及策略提供有效的参考与决策依据，以保证企业的可持续健康发展。预测分析一般通过专题分析来完成，通常在制订企业季度、年度等计划时进行，其开展的频率没有现状分析及原因分析高。

数据分析的第一步就是明确分析的目的和思路，即要考虑数据变化的本质、从哪些角度分析、用什么方法、如何有效表达、是否达到目的、说服力如何等问题。分析目的明确后，就要梳理分析思路，搭建分析框架，并把分析目的分解成若干个不同的分析要点，即如何具体开展、角度、分析指标等。具体步骤如图 3-5 所示。

3.3.2 数据分析模型

数据分析主要以营销、管理等理论为指导，结合实际业务情况，搭建分析框架，这样才

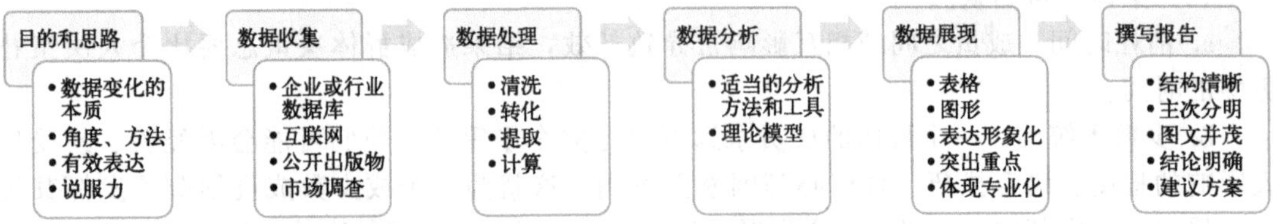

图 3-5 数据分析步骤示意图

能确保数据分析维度的完整性，以及分析结果的有效性及正确性。比如，PEST 模型、4P 模型、SWOT 模型、波特五力模型、5W2H 模型、生命周期模型、逻辑树模型、金字塔模型、SMART 模型等。当然，这些模型也可以相互嵌套使用。例如，用逻辑树模型搭建分析框架，而下一层级的问题可以从 4P 模型的角度分析，也可以用 5W2H 模型分解问题。在具体分析时可根据实际情况灵活选择使用。

（1）宏观管理方面 PEST 模型是从公司战略角度对外部宏观环境（包括影响行业和企业的各种宏观力量）进行分析。不同的行业和企业有其自身特点和经营需要，虽然具体内容有所差异，但在政治、经济、技术和社会这四大主要外部环境影响因素方面基本是相似的，如图 3-6 所示。该模型能够帮助企业从各个方面比较好地把握宏观环境的现状及变化的趋势，有利于企业对生存发展的机会加以利用，及早发现并避开环境可能带来的威胁。企业在年度经营规划中，通过 PEST 模型可以全面地识别出宏观环境方面的机会与威胁，并据此对战略规划和经营策略做出调整。应注意，PEST 模型只是一种思维框架，其价值更多地在于为企业战略制定者提供一种对趋势、机会和挑战的判断依据，而非结论。

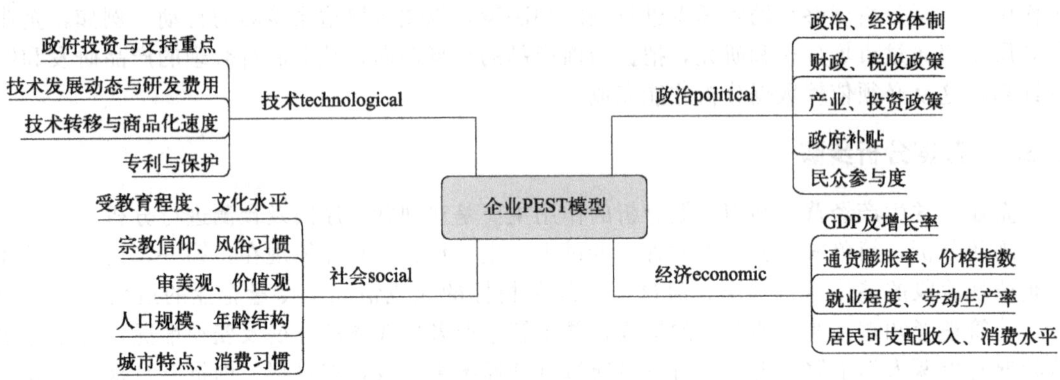

图 3-6 企业 PEST 模型示例

（2）行业赛道选择方面 波特五力模型法，是指将供应商议价能力、客户议价能力、潜在竞争者进入能力、替代品替代能力、行业内部竞争能力等作为竞争主要来源的一种竞争力分析方法（图 3-7）。五种能力的不同组合变化最终影响行业利润潜力的变化。波特五力模型用于竞争战略的分析，可以有效地分析企业自身的竞争环境，也是企业制定竞争战略（包括采购策略）时经常使用的战略分析工具。

（3）公司竞争能力分析方面 SWOT 模型是一种战略分析工具，分析内容包括企业的优势、劣势及面临的机会和威胁，经常用于企业内部战略制定、竞争对手分析等场合（图 3-8）。个人也可以使用 SWOT 模型分析自身技能、优劣势及外部环境的机会和威胁，以便找到行动方向。SWOT 分析实际上是对企业内外部条件各方面内容进行综合和概括，进而分析组织的优劣势、面临的机会和威胁的一种方法。通过 SWOT 分析，可以帮助企业找出

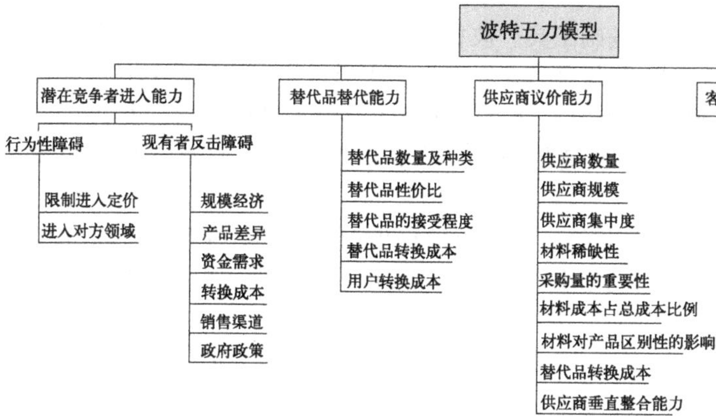

图 3-7　波特五力模型及其影响因素示意图

自身优势，整合资源，把资源和行动聚集在自己的强项和有最多机会的地方，也能让企业的战略变得明朗。优劣势分析主要是着眼于企业自身的实力及其与竞争对手的比较，而机会和威胁分析将注意力放在外部环境的变化及对企业的可能影响上。应注意，仅有 SWOT 分析就进行战略决策显得整体颗粒度不细，思维深度不够。

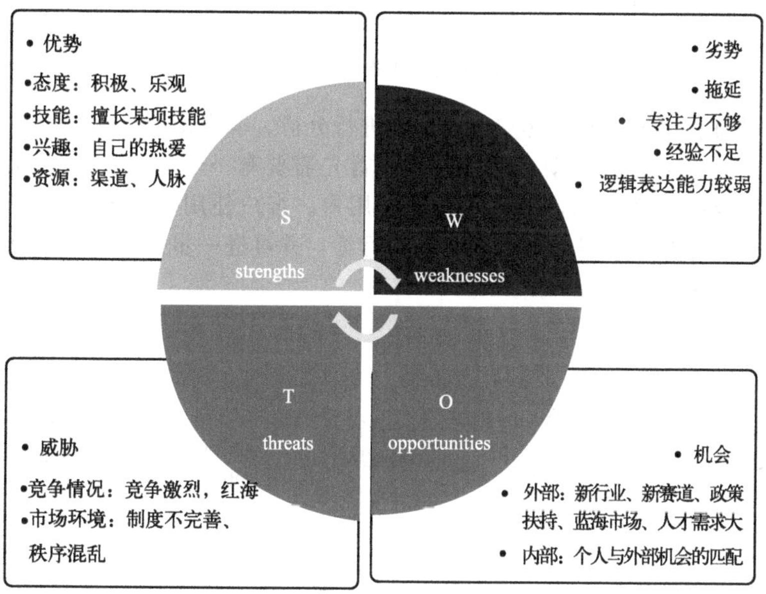

SWOT	劣势W	优势S
机会O：如……	利用机会，克服弱点	发挥优势，利用机会
威胁T：如……	减少弱点，回避威胁	利用优势，回避威胁

图 3-8　SWOT 模型示意图

上述模型各有应用特点。PEST 模型主要用于分析企业外部总体环境的机会与威胁，用于选择投资地域，是企业与环境分析的基础工具。波特五力模型主要分析一个行业的基本竞争状况，用于确定一个特定地区之后，分析某行业吸引力的主要因素，即根据具体标准选择投资行业或赛道。SWOT 分析主要是基于内外部竞争环境和竞争条件的态势分析，可以对研究对象所处的情况进行全面、系统、准确的研究，从而根据研究结果制定相应的发展战略。

(4) 产品营销方面　4P 模型是随着营销组合理论的提出而出现的，主要用于公司整体经营情况分析等。营销的影响因素高达几十个，但这些要素可以概括为 4 大类，即产品、价格、渠道和促销，如图 3-9 所示。

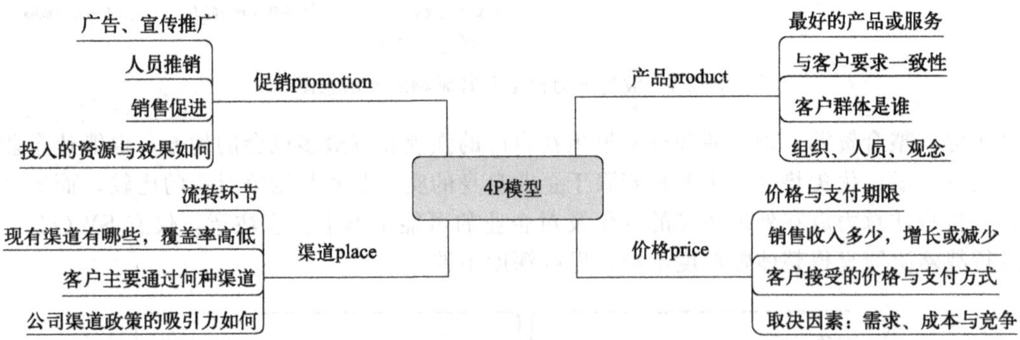

图 3-9　4P 模型在业务分析中的应用示例

注意，营销过程中要及时对客户使用行为进行分析。客户使用行为是指客户为获取、使用产品或服务所采取的各种行动。用户对产品首先需要有一个认知、熟悉的过程，然后试用，再决定是否继续消费使用，最后成为忠诚用户。客户使用行为的完整过程，如图 3-10 所示。通过考察用户数据，可以还原用户使用行为，并可进一步推断用户的使用心理等，判断产品的价值和未来发展趋势。

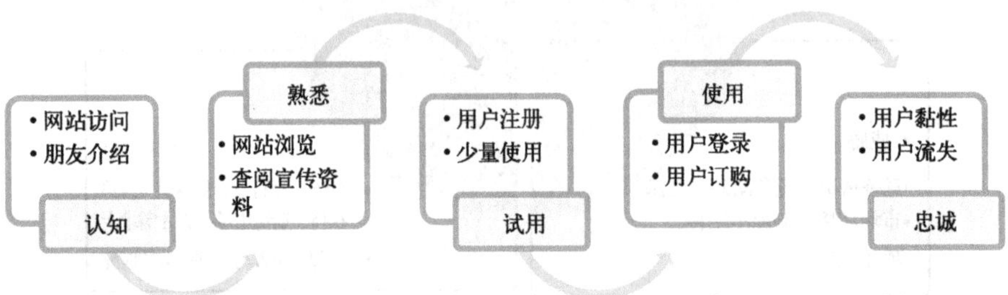

图 3-10　客户使用行为的完整过程

(5) 问题分析与目标制定方面

① 5W2H 模型提供了一个结构化的问题解决框架和思路，能够系统地识别问题、分析问题并制定解决策略。5W2H 分析法，是一种最基本的思考问题和解决问题的方法，它是以 5 个 W 和 2 个 H 开头的英语单词或短语进行提问以此拆解、分析复杂问题，即何因（why）、何事（what）、何人（who）、何时（when）、何地（where）、如何做（how）、何价（how much），以此构成分析框架，如图 3-11 所示。它适用于工作、生活中的很多问题，有利于更快、更准确地抓住问题的本质并找出解决问题的方法。

② SMART 模型法是一种经典的目标设定方法，它要求目标是明确的、可衡量的、可

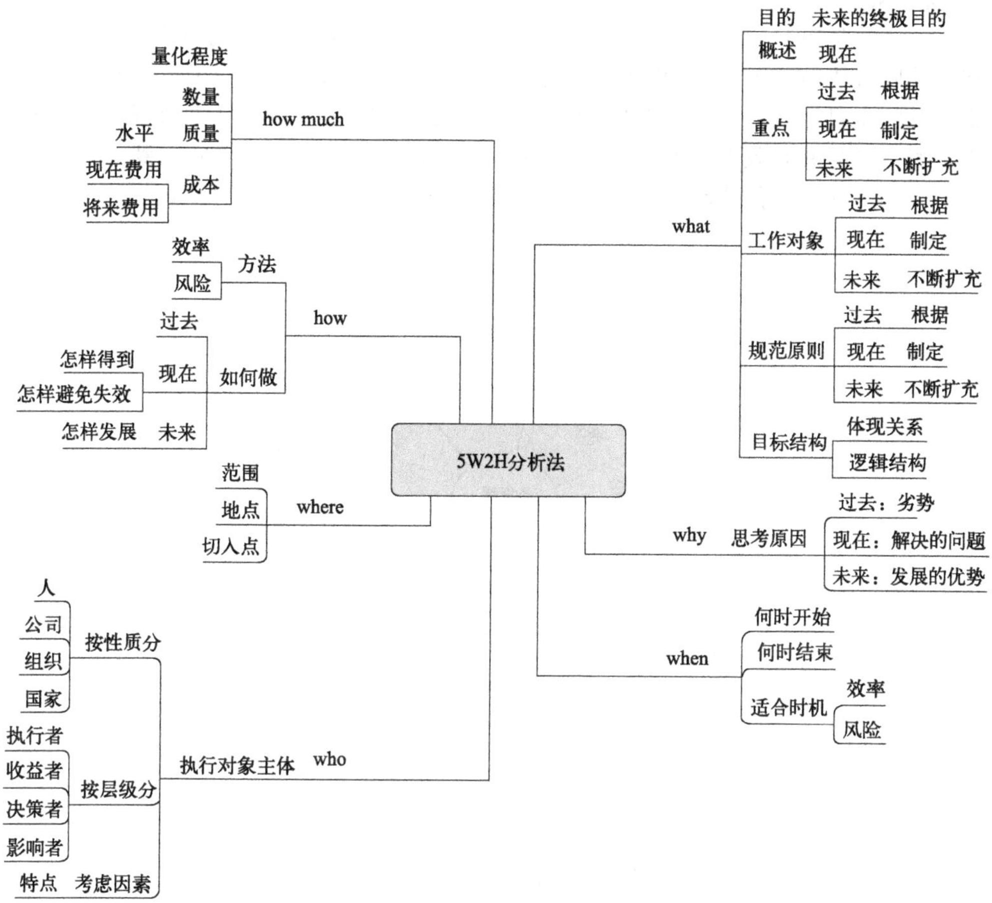

图 3-11　5W2H 分析法示意图

实现的、现实的（有相关性的）、有时限的（有明确截止日期的），满足这五个条件，是目标实现的前提。SMART 模型如图 3-12 所示。一个目标要设置三级，即底线目标（温饱线，80％的人能完成）、挑战目标（财富线，50％的人跳一下够得着，带来增量）和冲刺目标（明星线，20％的人努力奋斗才能实现，也是晋升依据）。

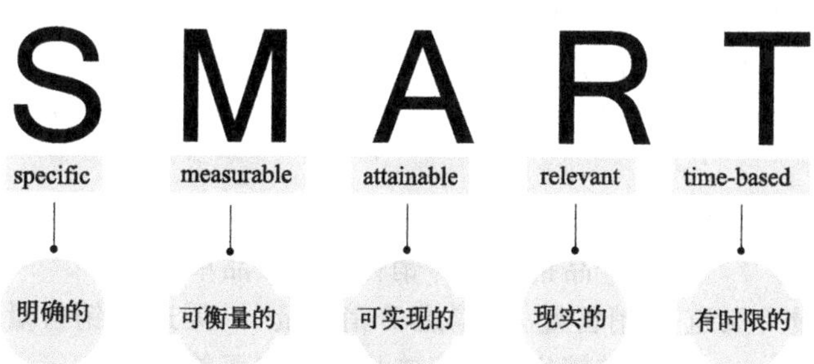

图 3-12　SMART 模型

还要提出的是，麦肯锡 7S 模型也比较常用，适用场景广泛，可以为企业整体规划或诊断、外部标杆分析与组织复盘等活动提供分析框架。该模型要求企业在发展过程中必须全方位考虑七要素。这七个要素分硬件（strategy 战略、system 制度、structure 结构）和软件

（skill 技能、staff 员工、style 风格、shared values 共同价值观）两个维度。硬件部分相对容易改变，往往是组织变革切入点与常用杠杆。软件部分是组织内涵与核心，需要一定时间的沉淀。共同价值观是企业的 DNA，也是最难改变的核心部分。通过借鉴该模型，管理者能够识别在特定目标之下哪些要素是需要进行调整的，但无论变革哪一种要素，比如组织结构重新规划、产品兼并收购、制度重新修订以及人员岗位调整等，都应做到七要素相互协同、匹配，相互强化，保持动态平衡。麦肯锡七步法示意图如图 3-13 所示。

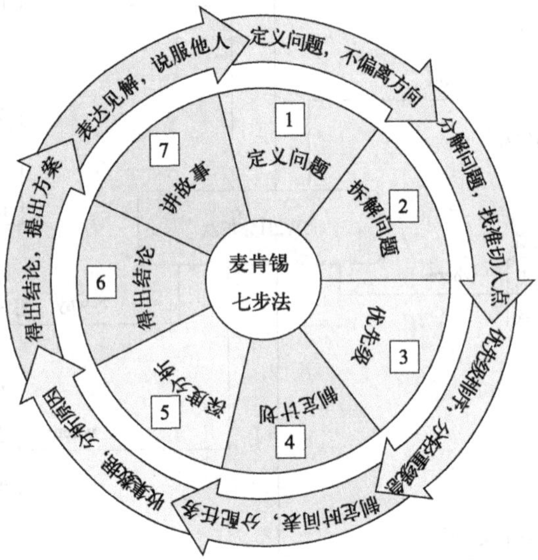

图 3-13　麦肯锡七步法示意图

3.3.3　数据分析方法

数据分析最核心的价值，是对业务的深入洞察和理解，进而为业务提供问题的解决方案。所以，要实现有价值的数据分析，不仅需要数学和统计学背景，更需要对业务的深刻理解。优秀的数据分析，往往来自对业务的观察、思考和理解，也来自对产品的认知、看法和判断，这些都是无法量化的东西。从业务中来，到业务中去。为此，需要重点学习与业务分析相关领域的知识，如经济学、心理学、营销学，以及财务和企业管理方面的知识。在实际工作中，根据数据分析的不同目的，采用不同的数据分析方法。

（1）公式拆解法　又称因素分解法，就是针对某个指标，用公式从多个维度层层拆解该指标的影响因素。

比如：分析某产品的销售额较低的原因，用公式法拆解。

某产品销售额＝销售量×产品单价

销售量＝渠道 A 销售量 ＋ 渠道 B 销售量 ＋ 渠道 C 销售量＋ …

渠道销售量＝点击用户数×下单率

点击用户数＝曝光量×点击率

第一层：找到产品销售额的影响因素。某产品销售额＝销售量×产品单价，分析是销售量过低还是价格设置不合理。

第二层：找到销售量的影响因素。分析各渠道销售量，对比以往，分析是哪些过低了。

第三层：分析影响渠道销售量的因素。渠道销售量＝点击用户数×下单率，分析是点击用户数低了，还是下单率过低。如果是下单率过低，需要看一下该渠道的广告内容针对的人群和产品实际受众符合度高不高。

第四层：分析影响点击用户数的因素。点击用户数＝曝光量×点击率，分析是曝光量不够还是点击率太低。点击率低需要优化广告创意，曝光量则和投放的渠道有关。

公式拆解法是对问题进行层级式解析，在拆解时，对因素层层分解，层层剥尽。

（2）对比分析法　任何事物都是既有共性特征，又有个性特征的。只有通过对比，才能分辨出事物的性质、变化、发展、与别的事物的异同等个性特征，从而更深刻地认识事物的本质和规律。因此，人们历来就把对比作为认识客观世界的基本方法。

所谓对比分析法，是指将两个或两个以上的数据进行比较，分析它们的差异，从而揭示这些数据所代表的事物发展情况和规律性。常用的数据，有的是直接描述事物的变量，如长度、数量、高度、宽度等；有的是比率数据，如增速等。数据分析中各项数据指标没有好坏之分，就看选什么作为参照物。

对比分析法可分为静态比较和动态比较两类。静态比较是在同一时间条件下对不同总体指标的比较，如不同部门、不同地区、不同企业的比较，也叫横向比较，简称横比。动态比较是在同一总体条件下对不同时期指标数值的比较，也叫纵向比较，简称纵比，如同比、环比、定基比等。

从维度上看，常见的有：竞争对手对比、类别对比、特征和属性对比、转化对比、前后变化对比等。

对比法是一种挖掘数据规律的思考方式，它可以与任何思维技巧结合，如多维对比、象限对比、假设对比等。通常从多个角度对比，以免得出狭隘、片面的结论。

（3）矩阵关联分析法　又称象限法，是将事物（如产品、服务）的两个重要属性（或指标、维度）作为分析的依据，进行分类关联分析，找出解决问题的方法。如：以属性 A 为横轴，属性 B 为纵轴，构成四个象限，进行交叉分类分析。当有 2 个指标时，每个指标有高低之分，可得出 4 个类别。可视化后，就是二维坐标，每个类别分别落到四象限中的一个象限里（图 3-14）。若有 3 个指标，则得出 8 个类别。可视化后，就是三维坐标，划分出 8 个象限。其本质是通过对两种及两种以上维度的划分，运用坐标的方式表达出想要的价值。由价值直接转变为策略，从而进行一些落地的行动。

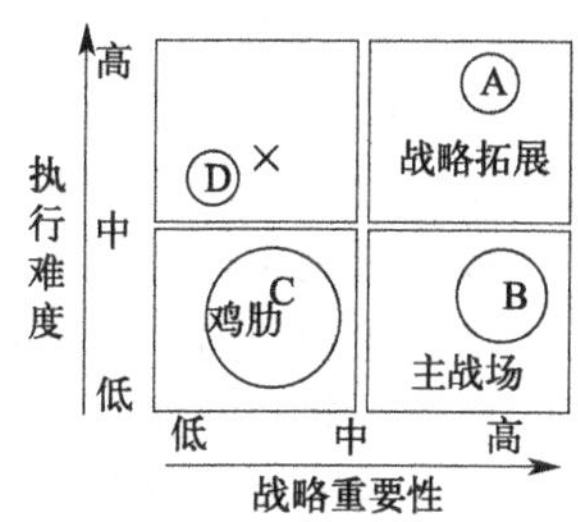

注：○面积代表净利

图 3-14　项目优先级分析多维图谱

象限法是一种策略驱动的思考方式，对分析对象进行划分后，每个类别的对象实施不同策略。划分依据主要有：中位数、平均数或者经验值。常用于战略分析、产品分析、市场分析、客户管理、商品管理等。这种方法的优势主要有：可以找到问题的共性；可以建立分组优化策略。例如，在 RFM 客户管理模型中按照象限将客户分为重点发展客户、重点保持客户、一般发展客户、一般保持客户等不同类型。给重点发展客户倾斜更多的资源，比如 VIP 服务、个性化服务、附加销售等。给潜力客户销售价值更高的产品，或以一些优惠措施来吸引他们回归。

（4）二八法　也叫帕累托法则，又叫 ABC 分析，即：少数项目贡献了大部分价值。二八法是抓重点分析，适用于任何行业。在数据分析中，则可以理解为 20％的数据产生了 80％的效果，需要围绕这 20％的数据进行挖掘。找到重点，发现其特征，然后思考如何让其余的 80％向这 20％转化，增强效果。这也说明虽然指标很多，但往往某些指标更有价值，为此，要确定关键指标，并关注关键指标。

一般地，二八法会用在产品分类上，去构建ABC模型。把产品或业务分为A、B、C三类，用于分清业务的重点和非重点，反映出每类产品的价值对库存、销售、成本等总价值的影响，从而实现差异化管理。

（5）漏斗法　即漏斗图（图3-15），是一种流程化的思考方式，常用于新用户的开发，以及购物转化率等与流程有关的数据分析。漏斗法通过对比分析各流程间的转化率，可以很快发现业务流程中存在问题的环节。

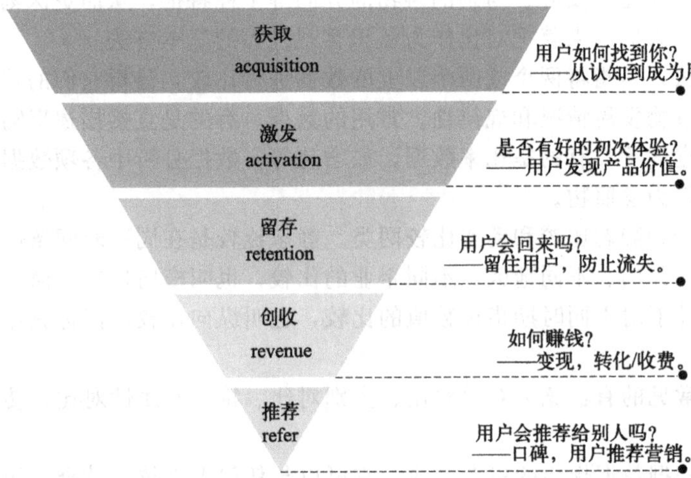

图3-15　漏斗图

图3-15是经典的黑客增长模型，又称AARRR模型（即acquisition、activation、retention、revenue、refer），是指用户的获取、激活、留存、创收以及推荐。这是产品运营中比较常见的一个模型，结合产品本身的特点以及产品的生命周期位置，来关注不同的数据指标，最终制定不同的运营策略。注意，单一的漏斗分析是没有用的，不能得出什么结果，要与其他方法相结合，如多维、对比等，比较不同流程的转化率，比较不同维度的转化率。

（6）杜邦分析法　是财务分析的一种方法，它是利用各主要财务指标间的内在联系，对企业财务状况及经济效益进行综合分析评价的方法，用来评价公司盈利能力和股东权益回报水平，从财务角度评价企业绩效（图3-16）。其特点是采用金字塔结构，将若干个评价企业经营效率和财务状况的比率按其内在联系有机地结合起来，形成一个完整的指标体系，并最终通过权益收益率来综合反映。其基本思想是将企业净资产收益率逐级分解为多项财务比率乘积，这样有助于深入分析、比较企业经营业绩。

杜邦分析法通常用净资产收益率（return on equity，简称ROE）作为衡量企业业绩的最终评估指标，并以此为指标建立逻辑树并进行指标拆解，以分析企业收入、负债、营运能力等信息。ROE受三个指标的影响，即销售净利率、资产周转率、经营杠杆，也可用这三个指标进行计算，ROE＝销售净利率×资产周转率×经营杠杆，如图3-17所示。正是这三个指标导致不同企业、不同投资人产生了截然不同的收益率。

需说明的是，销售净利率代表企业盈利能力，指的是企业卖1元商品能从中获取多少利润。企业盈利能力越强，ROE越高。资产周转率代表企业资产营运能力，指的是企业利用1元的总资产能带来多少销售收入。资产周转越快，ROE越高。经营杠杆代表企业的负债经营能力，经营杠杆越高，ROE越高。

（7）假设法　在缺少可参考数据的时候，可利用假设法来进行分析。根据假设、验证、

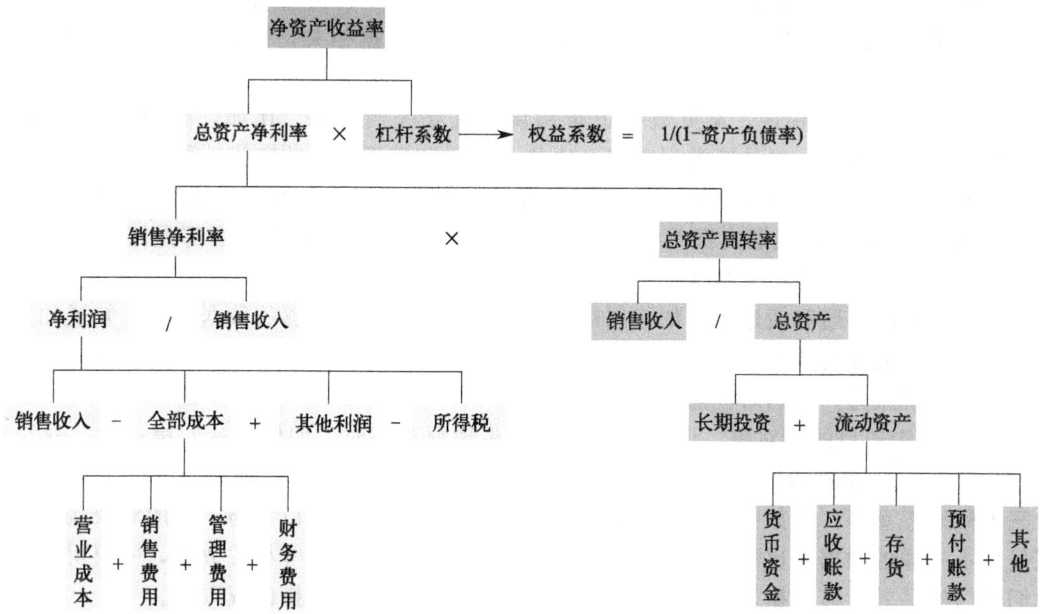

图 3-16　杜邦分析法示意图

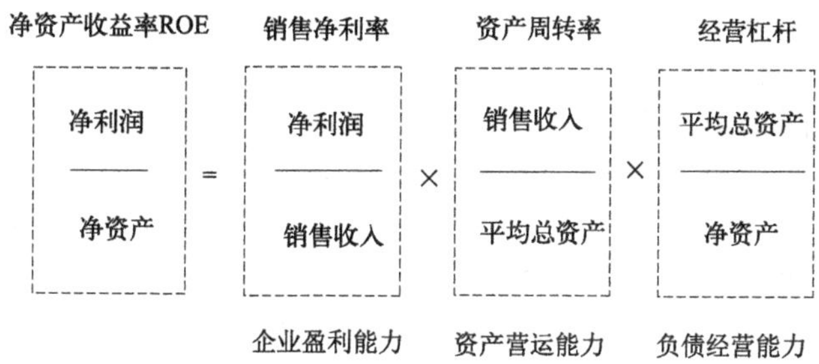

图 3-17　部分财务指标分析示意图

判断来得出结果。假设法，不仅仅是针对前提，也可以假设概率、比例等。假设什么，有赖于对业务的熟悉程度，以及合理的逻辑推断。

(8) 综合评价分析法　其基本思想是将多个指标转化为一个能够反映综合情况的指标来进行分析评价，比如，采用指数法、线性加权的模型，对不同地区的社会发展水平、企业经济效益进行评价等。在进行分析时，先确定评价指标体系，接着收集相关数据，然后确定各个指标的权重，再对经处理后的指标进行汇总计算，最终根据综合评价分值得出结论。

3.3.4　数据分析思维

企业管理常用到数据，只有从数据分析思维的角度对数据进行充分分析，才能发现问题本质，找到解决方法。一个优秀的管理者，在具有数据素养、数据表达能力的同时，也应能够从数据中看到问题本质。从另一个角度来说，个体学习与成长的关键，不单是知识等信息量的增加，更重要的是思维能力的提升。

(1) 具备基本的数据素养

① 掌握基本的统计学概念。常用的基础概念有：平均值、中位数、百分位数、众数、

离散程度、方差、标准差，等等。比如：均值，即平均数，优势是均值跟所有数据都相关，劣势是容易受到极端值影响；中位数，只跟排在中间的数据相关，优点是不受极端值影响，缺点是缺乏敏感性。

② 避免数据逻辑错误。常见数据逻辑错误一是相关当因果。比如，有研究结果表明：颜值高的人收入也高。二是感觉当事实。比如，万科和海天酱油的市值，哪个比较高呢？实际上两者差不多。三是局部当整体。比如，拼多多刚进入市场时的广告说“3 亿用户”，很多人都说：“不可能，我朋友圈几千个好友，都没人用。”事实是朋友圈都是跟我们相似的人，这个抽样并不代表整个整体。

（2）数据的沟通和表达　即如何用数据讲故事。如果具备足够的数据素养，知道如何呈现数据，同时能够把数据表达出来，那么就能在故事当中融入足够有说服力的数据，故事自然变得很有说服力。表达时注意的要点如下：

① 理解沟通目的和对象。说服一个客户购买理财产品时，如何表达？第一种：这个理财产品有 10%的概率会亏。第二种：这个理财产品有 90%的概率能赚。当然是后者，客户听完大概率愿意买，但如果是前一种说法，他可能会很恐惧。所以，与不同的对象沟通，应该呈现不一样的数据。比如，高层可能关心公司整体营收、盈利等相关数据，中层可能关心他们部门的绩效考核数据，而主管可能更关注某个活动、某个举措的成败等。

② 选择合适的数据表达类型。用更加合适的数据图表类型，比如：散点图（适合相关）、折线图（适合趋势）、横的和竖的条形图（适合对比）、瀑布图（适合演变）、热力图（适合聚焦）、雷达图（适合多指标）、词云图（适合看分布），等等。

③ 符合数据可视化原则。在如今的数据时代，数据的可视化非常重要，如果只是罗列数字，那就跟文字信息没什么差异了。数据可视化的几个原则：阅读门槛别太高，不要过多颜色，突出关键信息，文本与数据呼应。

（3）数据分析形成洞见　当知道了数据的基本概念，且能将数据表达出来，这其实就已经具备了基本的数据思维。但需要进阶的是，如何从数据当中形成洞见。具体步骤如下。

① 找到关键数据指标。日常所做的每个任务、每份工作，都应该有数据指标来衡量。

比如，人力资源经理的重要工作就是为公司储备和保留优秀人才，这就需要一些指标来衡量，比如关键人才的流失率是不是降低了，比如人才招聘的速度是不是加快了，比如人效是不是提升了，等等。

② 掌握足够的分析方法。有了数据指标之后，就可以采用不同的方法进行分析。以人力资源工作为例说明如下。

a. 分类分析。比如，分成不同部门、不同岗位层级、不同年龄段来分析人才流失率。

b. 矩阵分析。比如，公司有价值观和能力的考核，那么可以把考核结果做成矩阵图，可以看到能力强且价值观匹配的员工、能力强但价值观不匹配的员工、能力弱但价值观匹配的员工、能力弱但价值观不匹配的员工各占多少比例，从而知晓公司的人才健康度。

c. 漏斗分析。比如，记录招聘数据、投递简历、通过初筛、通过一面、通过二面、通过终面、接下职位聘书、成功入职、通过试用期，这就是一个完整的招聘漏斗，从数据中可以看到哪个环节还可以优化。

d. 相关分析。比如，各个区域分公司的人才流失率差异较大，那么可以把各个分公司的员工流失率，跟区域分公司的一些特性（地理位置、薪酬水平、福利水平、员工年龄、管理人员年龄等）要素进行相关性分析，找到最能够挽留员工的关键因素。

e. 逻辑树分析。比如，近期发现员工的满意度有所降低，那么就进行拆解，满意度和薪酬、福利、职业发展、工作氛围有关，然后薪酬分为基本薪资和奖金，这样层层拆解，找出满意度各个影响因素里面的变化因素，从而得出洞见。

f. 趋势分析。比如，人才流失率过去 12 个月的变化趋势。

g. 行为轨迹分析。比如，跟踪一个销售人员的行为轨迹，从入职，到开始产生业绩，到业绩快速增长，到疲惫期，到逐渐稳定。这个过程能够帮助管理者更好地判断一个销售人员的心理节奏，从而更好地进行管理。

对于预拌混凝土等类似生产型企业来讲，可以根据评估需求进行相关指标的数据分析，常见的数据指标体系如图 3-18 所示。

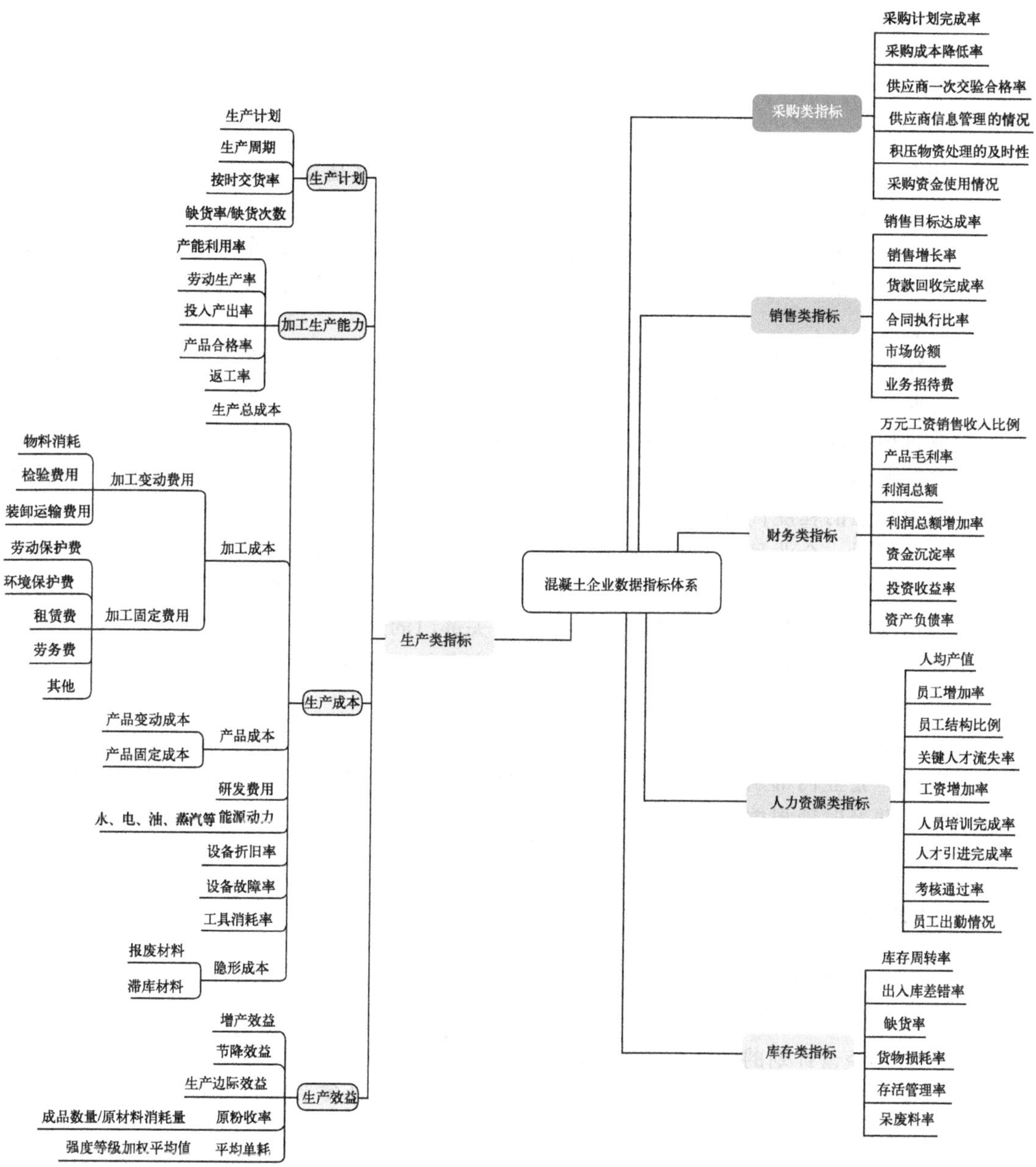

图 3-18　预拌混凝土企业数据指标体系示意图

第4章 经营和计划、目标

21世纪是一个充满竞争的时代，企业生存的最大武器就是竞争。在这场较量中，对竞争方法、竞争手段以及竞争策略的管理，将成为决定企业胜败的关键因素。对于一个销售产品的生产型企业来讲，营销是龙头。没有成功的营销，就没有成功的企业。市场营销活动是企业利润实现的最终手段，在市场同质化极强的产品竞争中，营销的成败往往决定了整个企业经营的成败。

所谓经营，就是商品生产者（企业）以市场为对象，以商品生产和商品交换为手段，为了实现企业目标，使企业的外部环境和内部条件达到动态平衡的一系列有组织的活动。

企业目标的确定要体现出上级部门和员工的要求。广义的企业经营活动的主要目标包括：一定时期内企业生产经营活动准备达到的销售、生产、利润等技术经济指标；应变能力和竞争能力加强的程度；员工技术文化水平提高的程度；员工生活改善的程度以及企业的改造方向等。同时，企业目标也受到企业外部环境和内部条件的制约。企业的生存和发展是以外部环境为条件的，这些外部环境主要有：生产力水平、科技发展水平、资源条件、市场动态、竞争情况、国家政策、法规和税制、上级有关部门的规定等。企业内部条件是指企业所拥有的客观物质条件和主观工作情况，包括：生产条件、技术装备水平、科技力量、员工素质、应变能力、竞争能力和管理水平等。

企业目标、外部环境、内部条件，这三个因素互相促进，互相制约，互为因果，且经常变化。其中，企业内部条件是首要的，又是最活跃的因素。企业经营归根到底要适应和服从外部环境，并及时地根据外部环境的变化来调整企业内部的条件和工作，必要时，调整自己的目标，以达到三者动态平衡。

4.1 经营的任务、思想与理念

经营的基本职能是经营决策与计划。经营决策是对企业总体活动以及各种重要经营活动的目标、方针、策略所做出的抉择，体现在经营（决策）方案上。经营方案是经营行为的整体规则，它是经营计划的依据。经营计划是根据经营方案对企业重大生产经营活动及其所需的各种资源（人、财、物），从时间上和空间上进行具体的落实和统筹安排，同时它还具有调整经营目标、修正经营方针、协调经营策略的重要作用。

经营决策的正确与否，直接影响着经营计划的质量和完成程度。经营计划是经营决策的落实结果，同时，在计划的制订和执行过程中，当发现企业外部环境和内部条件发生变化时，可根据实际情况调整和修改决策，甚至重新决策，其中包括重新进行战略、策略、方针以及经营目标的决策。

（1）经营的任务　经营的任务，归根结底是研究产品生产过程和流通过程的统一问题。为此，必须充分分析企业外部环境（主要是市场因素），认真研究企业的内部条件。在此基础上，制定企业的经营目标，求得企业的不断发展，谋取企业的最佳效益。其具体任务是：

a. 调查和预测市场需求的变化，确定企业的产品方向，满足社会需要，做好经营决策和经营计划工作。

b. 发现和创造有利于企业生存和发展的机会，重视产品开发，扩大市场面并提高市场占有率。

c. 提高企业应变能力和竞争能力，研究经营策略，以在竞争中取得优势。

d. 协调整个企业的生产经营活动，提高全体员工的素质，以实现企业的战略目标，保证经济效益的实现。

经营为生产管理创造前提条件，生产管理按照经营决策所规定的目标、方针、策略和经营计划的要求，对企业内部条件进行合理、有效的组织、指挥、监督、控制和调节，运用科学的管理方法，组织均衡生产，提高生产效率，缩短生产周期，节约物资消耗，保证产品质量，以不断降低成本和增加盈利。

（2）经营的思想与理念　经营思想是企业从事经营活动、解决各种经营问题的指导思想。企业经营思想是在一定时期、一定环境和一定条件下，在企业生产经营目的的影响下形成的，是随着社会发展而发展的。在实施过程中，多数制造企业的习惯做法是以经营代管理，就是划小经营单位，搞承包制。然而真正的正规化的大企业，实施的是大分工、大合作、大利润。

经营思想是企业经营的灵魂。我国现阶段是有计划的市场经济，价值规律对社会经济发展起着一定的调节作用。为此，企业的经营思想应按照商品生产、商品交换的市场客观规律办事，树立新型的市场营销观念，建立并完善营销体系（图 4-1），具体内容如下。

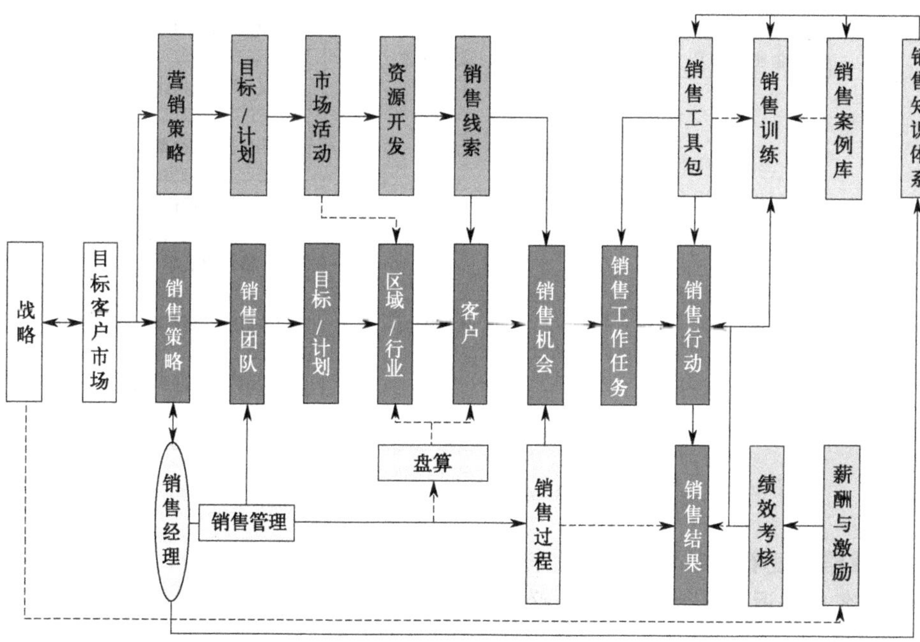

图 4-1　营销体系示意图

a. 以顾客为中心，以销定产，以需定产，为顾客服务；

b. 以满足顾客的需要来争取较高的市场占有率；

c. 企业必须重视社会公益事业和环境保护；

d. 企业应是顾客的顾问、参谋。

把商品转化为货币并取得盈利，是企业扩大再生产所必需的。因此，提高经济效益、增加盈利同样也是企业重要的经营思想。同时，也应认识到，伟大的企业一定是由使命和价值观驱动的，而非单纯追求利润。

4.2 竞争优势及策略、价格制定与产品开发

一个企业要具有较强的竞争能力，必须同时具备生存、适应和发展的能力（图 4-2）。生存能力是一个企业能够正常运营的必要条件，可用反映企业资产、人才和人均技术装备水平的指标进行评估。适应能力指企业适应市场变化的能力。发展能力体现企业面向市场扩大再生产的潜力。

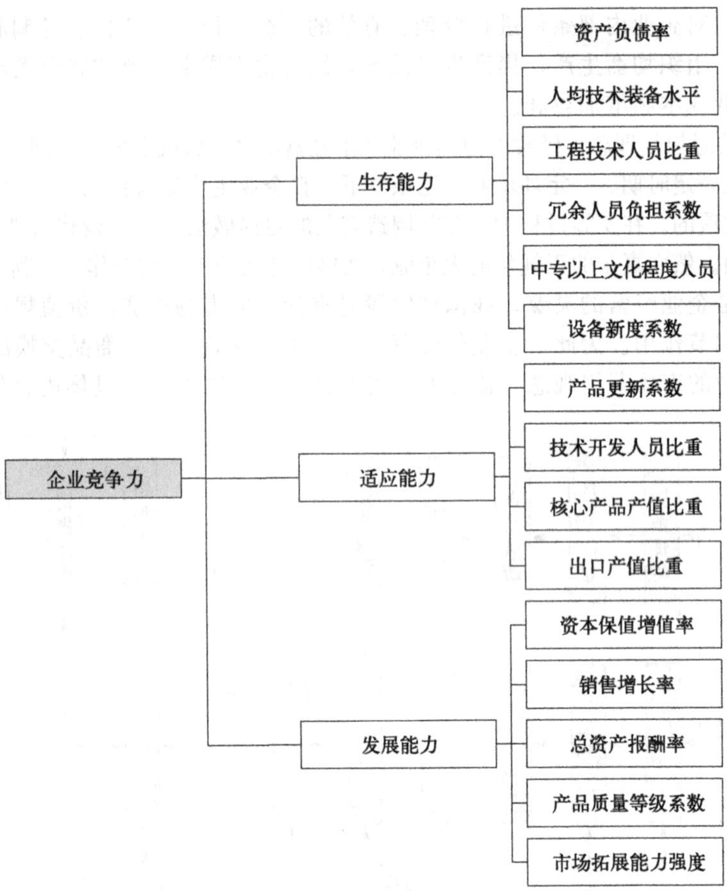

图 4-2　企业竞争力评价指标体系结构示意图

从经营战略角度看，对于一个企业来说，要么产品领先（高毛利），要么运营卓越（高周转），要么客户贴近（高聚焦），企业必须在这三者中的某一个方面具有竞争优势。一般来讲，仅一个方面优秀的企业在同行中的表现就比较突出了。经营要实现增量成长、突破现有资源与能力的局限、实现突破性的成长，就要有激活的经营机制和灵活的竞争策略，激活组织中的每个价值创造要素，激发人的价值创造潜能，发挥管理者的个性、想象力和创新力。对人才不是以控制为中心，而是尽可能释放人的天性，通过信任承诺，授权赋能，让每个人的价值创造效能放大，使每个人在组织中都能超水平激发潜能，全员经营，创造出更大

价值。

4.2.1 竞争优势

竞争优势是一个相对概念，当它能够通过提供较低的价格或者较高的利益使顾客获得更大的价值，它就具备了竞争优势。根据相对优势原理，一个好的差异化产品能够创造显著的竞争优势。产品要想品牌化，必须与众不同。某产品（品牌）在市场上的“位置”取决于与竞争者产品（品牌）相比较后顾客的认知、印象和情感等复杂因素。有时，品牌是顾客自我身份的一种认知，是客户的一种体验。因此，企业要辨别目标市场上现存竞争对手及其产品的特色和地位，并决定自己产品的发展方向。对于同质化严重的预拌混凝土行业来说，企业更要明确自身的市场定位、市场竞争路线。

为获得竞争优势而进行的目标市场定位主要包括以下步骤：首先要确定企业可以从哪些方面寻求差异化；其次是找到企业产品独特的卖点；最后要开发总体定位战略，即明确产品的价值方案。

（1）寻求差异化　企业的竞争优势来源于两个主要方面：成本领先或者差异化。产品定位就是从差异化开始的，与顾客接触的全过程都可以进行差异化，可以从以下五个方面实施：

① 产品差异化。产品的差异化可以体现在产品的诸多方面，如表 4-1 所示。

表 4-1　产品差异化的类别

序号	差异化类别	具体内容
1	形式	产品在外观设计、尺寸、形状、结构等方面新颖、别致
2	特色价值	对产品基本功能的某些增补和率先推出某些有价值的新特色无疑是最有效的竞争手段之一。企业往往要在用高成本为顾客定制特色组合和使产品更加标准化而降低成本之间进行决策
3	性能质量	产品的主要特点在运用中可分为低、平均、高和超级等不同的水平
4	一致性	产品的设计和使用与预定标准的吻合程度的高低。一致性越高，则意味着买主越可以实现预定的性能指标
5	耐用性	产品在自然或苛刻的条件下预期的使用寿命。对于技术更新不快的产品，耐用性高，无疑增加了产品的价值
6	可靠性	在一段时间内产品保持良好状态的可能性。许多企业通过减少产品缺陷，提高可靠性和质量稳定性
7	可维修性	产品一旦出现故障进行维修的容易程度。标准化的零部件、一定的维修支持等都会使产品更受欢迎
8	风格	产品给予顾客的视觉和感觉效果。独特的风格往往使产品引人注目，有别于乏味、平淡的产品

② 服务差异化。技术进步使得产品的差异化越来越困难，于是，服务差异化日益重要，主要体现在订货方便、交货及时、施工安装、专业技术支持、客户培训与咨询，以及维修养护等增值服务方面。

③ 渠道差异化。通过设计分销渠道的覆盖面、建立分销专长和提高效率，企业可以取得渠道差异化优势。

④ 人员差异化。培养训练有素的人员，是企业（尤其是服务性行业）取得强大竞争优势的关键。

⑤ 形象差异化。形象是公众对企业及其产品的认识与看法。企业或品牌形象可以对目

标顾客产生强大的吸引力和感染力，促使其形成独特的感受。有效的形象差异化需要做到：建立一种产品的特点和价值方案，并通过一种与众不同的途径传递这一特点；借助可以利用的一切传播手段和品牌接触点（如标志、文字、媒体、气氛、事件和员工行为等），传达触动顾客内心感受的信息。

（2）寻求独特的“卖点” 任何产品都可以进行各种程度的差异化。但并非所有差异化都是有意义的。有效的差异化才能够为产品创造一个独特的卖点，即给顾客一个鲜明的购买理由。有效差异化遵循的基本原则是：

① 重要性。该差异化能使目标顾客感受到让渡价值带来的较高利益。

② 独特性。该差异化竞争者难以提供，或者企业以一种与众不同的方式提供。

③ 优越性。该差异化明显优于顾客通过其他途径而获得的相似利益。

④ 可传播性。该差异化能被顾客看到、理解并传播。

⑤ 排他性。竞争者难以模仿该差异化。

⑥ 可承担性。顾客有能力为该差异化付款。

⑦ 盈利性。企业将通过该差异化获得利润。

值得注意的是，企业在产品定位时应该尽量避免以下常犯错误：

① 定位不足。指企业差异化设计与沟通不足，顾客对企业产品难以形成清晰的印象和独特的感受，认为它与其他产品相比没有什么独到之处，甚至不容易被顾客识别和记住。

② 定位过分。指企业将自己的产品定位得过于狭窄，不能使顾客全面地认识自己的产品。

③ 定位模糊。指企业设计和宣传的差异化主题太多或定位变换太频繁，致使顾客对产品的印象模糊不清。混乱的定位无法在顾客心目中确立产品鲜明、稳定的位置，必定失败。

需要说明的是，成本领先和产品差异化是企业运用较多的两种竞争战略。具体操作时，生产规模的经济特点越显著，则成本领先战略的作用要大于产品差异化战略，此时选择成本领先战略可以有效提高竞争力。同理，若产品交叉弹性越大，则产品差异化战略的作用将大于成本领先战略。对于预拌混凝土企业来说，通常以成本领先为主，产品差异化为辅。

4.2.2 竞争策略

所谓市场竞争，是指商品生产者使自己生产经营的商品在市场上与同行业商品进行比赛和争逐，争得用户和社会承认，从而及时实现商品价值的一种经济活动。市场竞争主要分三种：卖方之间争夺销路、市场的竞争；卖方与买方之间讨价还价的竞争；买方之间争夺货源的竞争。

由此可知，竞争策略主要有：

a. 创新策略，又叫占先策略。就是企业根据顾客不断增长的需求，努力开发新产品，抢先上市占有市场。采取这种策略，企业要有一定实力，敢担风险。

b. 优质策略，又叫名牌策略。就是企业通过不断提高产品质量、创立名牌产品，在市场竞争中夺取优势。

c. 快速策略，又叫主动策略。就是企业尽量用“快速”方法来适应市场需要，设计快，投产快，上市快，销售快，转产快，分秒必争，占得时间，赢得效益，争得市场竞争的主动权。

d. 廉价策略，又叫薄利策略。薄利多销，要做到这点，企业必须改善经营、降低成本，创造廉价条件。

e. 信誉策略。就是企业开展创建名牌、优质服务等活动，树立产品和企业的信誉，在顾客心目中产生信任感，提升市场竞争地位。

f. 服务策略。就是企业做好产品的售前、售后服务工作，为顾客提供方便，取得顾客好感和信赖。

g. 联合策略。就是企业在专业化、协作化的基础上，通过联合上下游相关资源以提高市场竞争力。在改革深化的形势下，这也是企业经营的必由之路。

市场竞争策略多种多样、千变万化。总之，要做到“扬长避短，发挥优势”，随机应变。企业缺少客户，实际上是营销思路、竞争策略出了问题。企业常见经营策略及其对生产作业的影响，如表 4-2 所示。混凝土企业在实际经营过程中，常常是多种策略组合：有的项目以低价（甚至低于总成本，但高于可变成本）换取现金流，有的项目以适度垫资换取较大市场以保证摊销产量，有的项目以技术领先优势创造较大利润，等等。

表 4-2　常见经营策略及其对生产作业的影响

常见经营策略	常见经营策略对生产作业的影响
1. 以低价格商品或服务进行竞争	阻止竞争。 拓宽市场。 需要更长的生产周期和更少的产品变化。 需要专用设备和设施
2. 以高质量产品进行竞争	往往会实现更高的单位产品盈利，或者以更小的销售总量得到更多的盈利。 需要更加精良也更加昂贵的设备或原材料。 需要更熟练的技术工人，从而要支付更高的工资和进行更多的培训
3. 强调用户服务	需要更多、更好的服务人员及服务用设备与配件。 需要对用户需求或偏好做出更快的反应，需要更高效、更准确的信息系统及更精心的协调。 需要更大的库存投资
4. 更快速、更频繁地推出新产品	需要更通用的设备和人员。 导致研究与开发成本更高。 导致再培训成本更高及生产机具的安装更频繁。 每种产品的销售总量下降，这将失去一些学习曲线效应可带来的产品改进机会
5. 努力实现绝对增长	需要接受一些有更低盈利率的项目或产品，从而降低投资收益率。将人才分散用于各薄弱环节，而不是集中使用优势力量
6. 实行纵向一体化（引入产业链竞争）	使公司能够控制更长的生产链。 在某些生产环节可能实现不了规模经济。 可能需要超出企业现有能力的更高的投资、技术和技能
7. 为灵活生产而储备生产能力	提供更大的生产能力，以满足高峰需求。当需求预测偏低时可迅速实施应变计划。 需要对储备性生产能力进行投资。 提供迅速扩大生产的能力，因为扩张通常需要一定的生产准备期
8. 集中生产	可导致规模经济。 可在一家主要用户或供应商附近建立工厂。 缺点：一次罢工、火灾或洪水等便可能使整个生产过程陷于停顿
9. 分散生产或服务	可以接近多地区市场。 需要更复杂的协调网络：可能需要昂贵的数据传输系统及一些人员和设备在各地的重复设置。 如果每处只生产一种产品，各种产品都必须从一地被运往其他各地。 如果各处均生产整个系列的产品，那么便可能不会实现规模经济
10. 强调提高机械化、自动化及使用机器人的水平	需要巨额投资。 降低灵活性，可能会影响劳资关系。 使设备维护更为重要

续表

常见经营策略	常见经营策略对生产作业的影响
11. 强调员工聘用关系的稳定性	提供员工所需要的安全感，从而提高其忠诚度。 有利于吸引和留住优秀员工。 可能需要重新审视自制还是外购这一决策，并利用人员储备、高产品库存及外包生产等方式应对需求波动

由产业微笑曲线（图 4-3）可知，制造业的利润主要来自研发、专利、营销和品牌服务等。销售量的增长是利润产生的关键因素之一，具体地，在对混凝土销量问题进行分析讨论时，也可以采用议题树的方式逐级展开（图 4-4），同时也就产生了问题解决路线图，这有利于找到每个关键驱动因素。从图 4-4 中也可以看出，要想提高企业盈利水平，就要开源节流，一方面要增加销售收入，一方面要降低成本。

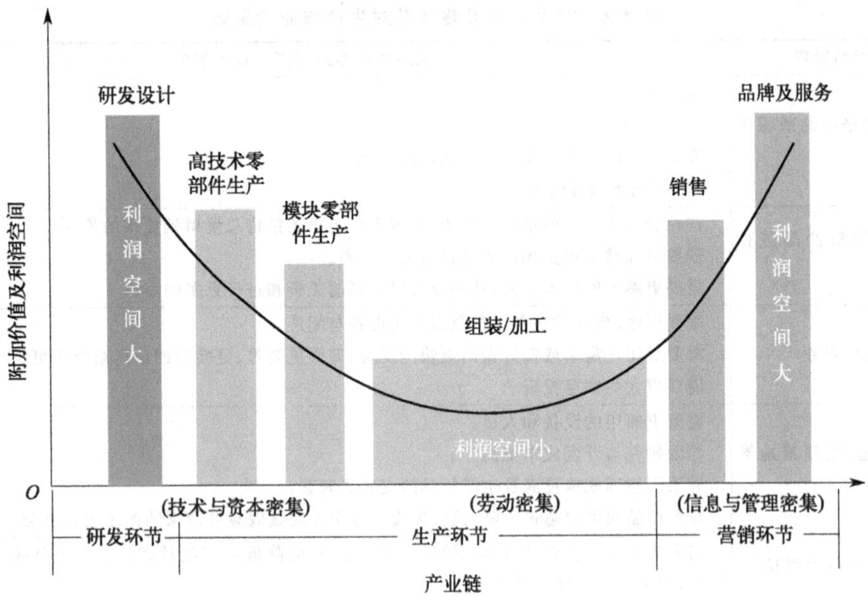

图 4-3　产业微笑曲线示意图

4.2.3　价格制定

价格是市场营销组合的一个因素，它传递了公司预期的产品或品牌的价值定位。定价策略是复杂的，涉及多个因素：企业成本、顾客需求、竞争者、营销环境，以及政策与社会因素等。常见的错误定价方法有：确定成本，然后加上行业的传统利润，没有根据市场变化及时调整价格；没有根据不同产品、市场细分、分销渠道和购买情况实行差别定价等。对于任何企业来说，有效地制定和实施定价策略需要全面理解顾客的价格心理，并掌握一套系统化方法来设置、调整和改变价格。

4.2.3.1　顾客心理定价

简单地说，价格应按照市场情况和顾客接受程度来制定，而不是仅仅依据成本。顾客是“价格接受者”，他们接受价格的“票面价值”或是其既定价值。顾客通常会积极处理价格信息，会通过以前的购买经验、正式信息渠道（广告、销售电话和宣传册）、非正式信息渠道（来自朋友、同事）、销售点或在线资源等因素来理解价格。

购买决策是基于顾客的心理价位和他们所感知的当前实际价格。顾客可能会有一个价格

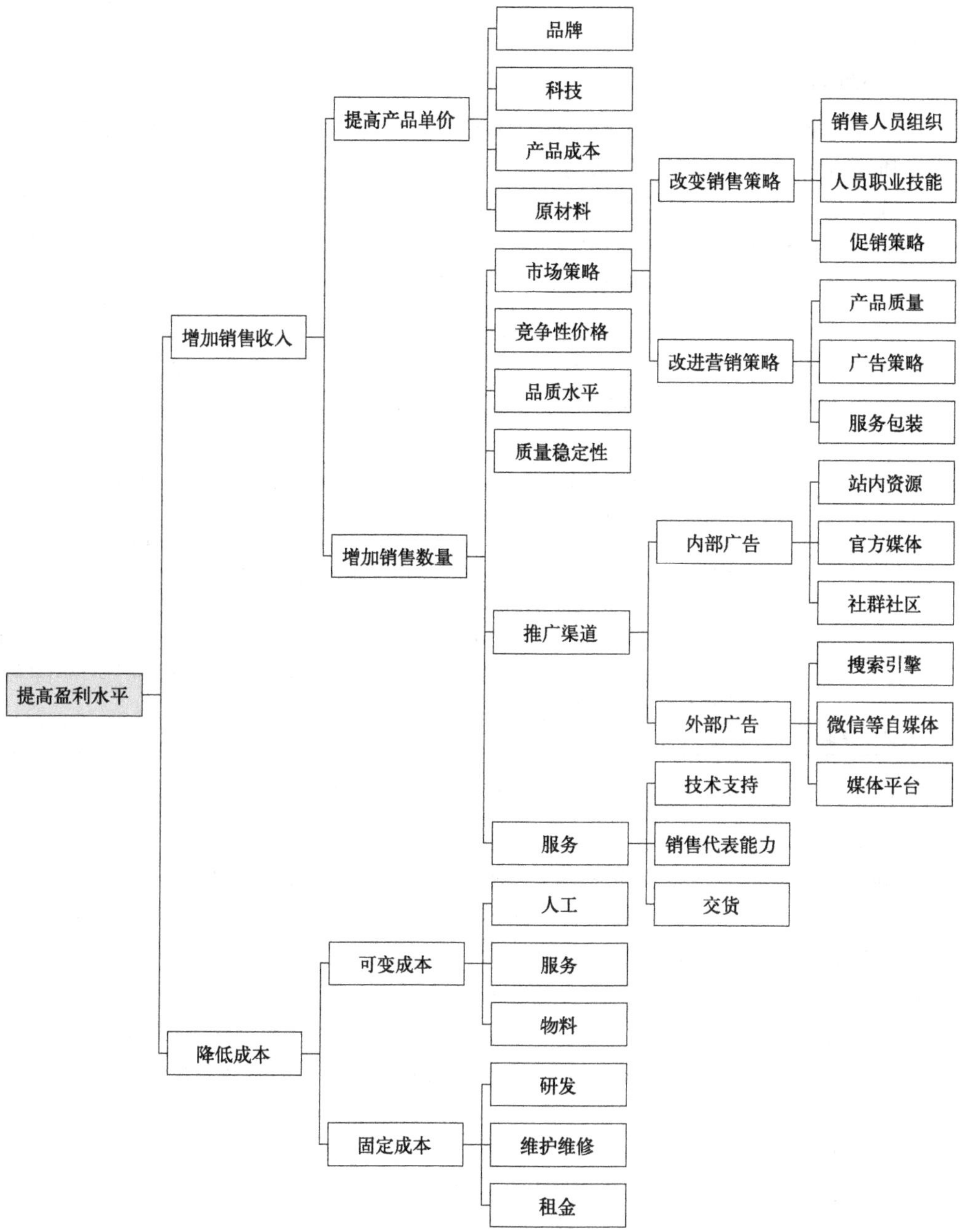

图 4-4 企业盈利水平议题树示意图

下限，低于这个价格就表示产品太次或质量较差。同时，顾客会有一个价格上限，高于这个价格会使他们望而却步或认为不值得花这么多钱。不同的顾客以不同的方式解释价格。通常需要考虑三个主要方面，即参考价格、价格-质量推断和价格尾数。

参考价格的来源是较多的，且卖方经常试图对其加以操纵。顾客可能使用的参考价格主要来自公平价格（顾客认为产品值多少钱）、典型价格、最近一次支付的价格、顾客愿意支付的上限价格和下限价格、竞争者的历史价格、预期的未来价格以及平常的折扣价格等。

许多顾客都认为价格暗示着质量。价格高的产品被认为拥有较高的质量，质量高的产品也被认为有一个高于其实际价值的标价。

销售者认为价格不应以整数结尾。尾数通常会对顾客产生心理暗示作用，如心理价格折扣、价格记忆等。

4.2.3.2 价格制定步骤

当企业参与新合同竞标、研发一种新产品或有新的分销渠道时，就必须制定价格，必须对其产品质量和价格进行定位。价格制定主要有如下六个步骤。

（1）选择定价目标　公司首先应该根据市场竞争环境和自身情况确定市场供应品的定位。公司的目标越清晰，就越容易制定价格。公司主要有五大目标，即：生存、当前利润最大化、市场份额最大化、市场获利最大化、产品-质量领导地位（表4-3）。

表4-3　价格制定目标的类型与适用条件

目标	适用条件
生存	产能过剩、竞争激烈或顾客需求变化时，只要价格能高于可变成本和部分固定成本，公司就可维持
当前利润最大化	评估不同价格下的需求和成本，选择能产生最大的当前利润、现金流或投资回报率的价格
市场份额最大化	公司认为销量越高，产品单位成本越低，长期利润越高。因此制定了最低价格，认为市场对价格是高度敏感的。其适用条件是：市场对价格高度敏感，低价可以促使市场增长；随着生产经验的积累，可使生产成本和分销成本降低；低价可以减少实际和潜在的竞争
市场获利最大化	推出新技术的公司开始时将价格定得很高，然后随时间推移逐渐降价。当有竞争力的对手采用低价策略时，这种策略是致命的。其适用条件是：有足够的购买者，并且当前需求量很大；小批量生产的单位成本不会高到无法从交易中获得好处；很高的初始价格不会吸引更多的竞争者进入该市场；高价能传达高档的产品形象
产品-质量领导地位	产品或服务被认为具有很高的质量、品位和地位，价格虽高，但没有超出顾客的购买能力

不管定价目标是什么，相比于那些只是让成本或市场决定其价格的企业，将价格作为战略工具的企业能够获得更多利润。

（2）确定需求　价格通常和需求成反比关系：价格越高，需求越低。

首先，评估价格敏感度。一般来说，顾客对价格低的或不经常购买的产品较不敏感。以下情况也会降低敏感度：替代品或竞争者较少；顾客还未注意到价格变高；不能轻易地比较替代品的质量；顾客认为提高价格是有道理的；费用的一部分由另一方承担；该产品被认为具有更高的品质、声誉和独特性。要注意生产企业常常提供各种各样的服务以使产品差异化，这只是将服务视为促销的手段，却没有为此收取任何费用。销售者可以制定比竞争者更高的价格，只要它能够使顾客相信只是收取了最低的成本。

其次，要估计价格与需求曲线。通过调查，找出不同价格下有多少顾客愿意购买。也可以进行价格试验，或者对历史价格、销量和其他因素进行统计分析，这些数据可以是纵向的（时间序列），也可以是横向的（来自同一时间的不同地区）。

再次，要明确需求价格弹性。营销人员需要知道需求对价格变化的反应或弹性是多少，即当价格发生小的变化时，如果需求量变化幅度很小，称需求缺乏弹性；如果需求量变化幅度很大，则说明富有弹性。需求价格弹性越高，则价格降低1%带来的销量增长也越大。如果需求富有弹性，销售者将考虑降低价格以获得更多的总收入，但前提是生产和销售更多产品的成本不会成比例地增长。价格弹性取决于预期价格变化的幅度和方向。当价格变化很小时，弹性可以忽略不计；当价格变化很大时，弹性表现显著。降价和涨价时的弹性可能会不一样，而且可能存在价格无差异区间的问题。

最后，长期需求价格弹性可能会和短期需求价格弹性不一致。当价格提高时，顾客可能会更换供应商，过一段时间有可能又会换回来。在这里，长期需求比短期需求更具有弹性。

研究表明，顾客在经济困难时期往往对价格更敏感，但这并非适用于所有类别商品。研究发现：所有产品、场所和时间段的平均价格弹性为－2.62，也就是说，价格降低1%会导致销售增长2.62%；耐用消费品的价格弹性比其他产品高；处于导入期或增长期的产品价格弹性比处于成熟期或衰退期的产品价格弹性高；通货膨胀实际上会提高需求价格弹性，尤其在短期内效果显著。

（3）估计成本 公司希望制定的价格，不仅能够涵盖生产和销售成本，还可以为其付出的努力和承受的风险提供合理的利润。企业的成本有两种形式：固定成本和可变成本。固定成本是不随产量或销售收入变化的成本，比如，租金、水电、利息、工资等费用。可变成本随产量的变化而变化，比如，混凝土所用的水泥、砂石等原材料和运输成本，这些成本对于每一单位产量虽然是固定的，但被称为可变成本是因为总可变成本随产量而变化。总成本指的是一定产量下，可变成本和固定成本之和。平均成本是该产量水平下的单位成本，它等于总成本除以产量。管理人员希望制定的价格至少能涵盖一定产量下的总生产成本。

为了更好地定价，管理人员需要明确在不同的产量水平下成本是如何变化的。比如，如果每天生产的混凝土方量很少，那么单位成本将会提高；当日产量达到某一值（如3000m^3）时，由于固定成本被分摊到更多的产品上而使平均成本降低；当日产量超过某一峰值（如5000m^3）时，短期平均成本可能会提高（边际收益递减），因为效率变低了，租赁设备增加，车辆等待时间较长，互相妨碍，设备也更容易被损坏。因此，一定的产量对应一个最优的规模。累计产量的增加，以及生产经验的累积，导致平均成本降低。平均成本随着生产经验的累积而降低，其变化曲线称为经验曲线或学习曲线。应注意经验曲线定价法也存在风险。

售价必须考虑企业的每一项成本元素——设计成本、策划成本、生产成本和销售成本，并降低成本，以使最终成本保持在目标成本范围内。期望利润水平就是营销人员应该达到的目标成本。要注意降低成本不能太过，否则会对品牌承诺和价值传递产生不良影响。

（4）分析竞争者的成本、价格和可能的价格反应 在由市场需求和企业成本所决定的价格范围内，企业必须考虑竞争者的成本、价格和可能的价格反应。如果企业所提供的产品具有最相似竞争者所没有的特征，那么就应该评估该特征对顾客的价值，并将其加到竞争者的价格上。如果竞争者的产品具有本企业产品所不具备的特征，企业就应该从它自身价格中减去这一价值。这时，企业可以决定制定比对手更高、相同或是更低的价格。

（5）选择定价方法 确定顾客的需求水平、成本函数和竞争者的价格后，企业就可以开始制定价格了。制定价格时需要重点考虑的三个因素：成本是价格的下限；竞争品的价格和替代品的价格为定价提供了参照点；顾客对产品特性的评价是价格的上限。公司应选择一个将这三个考虑因素中的一种或多种包含在内的定价方法，同时，也应让顾客有一个可以说服自己接受该价格的理由。目前，主要有以下几种定价方法。

a. 成本加成定价法。它是最基本的定价方法，它是以产品全部成本作为定价基础，在产品的单位成本基础上增加一定的百分比（期望利润率）作为利润，产品价格就等于单位成本加利润。如建筑公司的竞标价格是根据总工程成本加上正常利润估算的，律师和会计常根据他们的时间和成本加上正常利润来定价。具体计算公式如下：

$$单位成本=可变成本+\frac{固定成本}{销售量}$$

$$加成价格=\frac{单位成本}{1-期望利润率}$$

注意，成本加成定价法一般也不能对价格做出合理的判断。任何忽视当前需求、感知价值和市场竞争的定价方法都不可能制定出最优价格。只有当加成价格带来预期销量时，成本加成定价法才能发挥作用。

尽管如此，成本加成定价法仍然很常见。首先，销售者计算成本比估计需求要容易得多，将价格和成本联系在一起，销售者可以简化定价。其次，当行业内所有的企业都采用这个方法定价时，价格会趋向相似，价格竞争也会较少。最后，许多人认为成本加成定价法对买方和卖方都更加公平，当买方的需求增加时，卖方不会趁此哄抬价格，同时卖方也可以得到正常的投资回报。

b. 目标收益定价法。在目标收益定价法中，企业将制定能实现其目标投资回报率的价格。公共事业需要获得正常的投资回报，就经常采用这种方法。可采用下式计算：

$$目标收益价格=单位成本+\frac{期望回报率\times投入的资金}{销售量}$$

注意，实际的销售量和价格，还取决于价格弹性和竞争者的价格。因此，生产企业需要考虑并估计它们对销量和利润的可能影响。生产企业也应寻找方法降低固定成本或可变成本，因为较低的成本会降低其盈亏平衡点销量。

c. 感知价值定价法。越来越多的公司开始以顾客的感知价值作为定价基础。感知价值由几个因素构成，主要是品牌、原材料、包装和科技，也包括购买者对产品性能、交付渠道、质量保修、客户支持，以及一些软属性（供应商的声誉、可信度和受尊重程度）的印象。公司必须实现其所承诺的价值，而顾客也必须感知这一价值。企业可以采用其他营销组合的因素，如广告、互联网和客户相关方推介等来传达和提升购买者心中的感知价值。企业可以通过管理者判断、同类产品的价值参照、专题小组访谈、调查、试验、历史数据分析和联合分析等方式来确定其产品的价值。

确保顾客正确评估产品或服务的价值是至关重要的，比如，顾客相信新拌混凝土的易泵性及稳定性良好，能降低堵泵概率，采用这种品质的混凝土后施工综合成本（如质量风险、窝工和工期）较低，混凝土价格就能够溢价或扩大市场份额。又比如，特殊混凝土的价格，应当从专业技术角度告知顾客成本变化的具体构成，以提高顾客接受这种变化的合理性。当然，就算一个公司宣称它的产品能提供更高的总价值，也并不是所有的顾客都会认可或积极回应，总有一部分顾客只关注价格的高低。当然也存在一个特定的客户群体（即典型的细分市场）更加关心质量。

感知价值定价法的关键在于提供比竞争对手更多的独特产品价值，并向潜在购买者展示这一点。因此公司需要充分了解顾客的决策制定过程。例如，购买者没有参考竞争者产品的某一性能并进行比较而导致关注不足，他们往往倾向于价格最低的产品。这时，企业就应该将这一性能转化为顾客预期指标进行表述或引导，以此作为溢价依据。

d. 价值定价法。即通过相对低价提供高质量的产品或服务赢得忠实顾客。价值定价法不是简单地制定低价，它要求企业重新安排经营活动，降低成本却不牺牲质量，吸引大量注重产品价值的顾客。

e. 随行就市定价法。即企业以竞争者的价格为基础进行定价，比如，在一些钢铁、水泥、化肥等由少数企业垄断的行业，所有的企业一般都收取相同的价格。小企业“跟随领导者”，它们会根据市场领先者的价格变化调整自己的价格，而不是根据自身的需求或成本变化。一些企业会提供一定的优惠或折扣，但是会保持一个固定的价格差。随行就市定价法十分普遍。当成本难以估计或竞争者的反应不明确时，企业会认为维持市价是个好方法，因为它是行业集体智慧的体现。

要注意的是，由于恶性竞争，有时混凝土的市场价格会低于总成本，此时就需要决策是否接单。如果企业产量还未达到盈亏平衡点，而且市场价格又大于可变成本，虽然价格低于总成本，但此时仍可以接单（综合评估投入和资金风险后），以减少总亏损。

（6）确定最终价格　在确定产品的最终价格时，公司必须考虑一些其他因素，包括其他营销活动、公司定价政策、收益-风险分担以及定价对其他各方的影响。比如，相对于竞争者的质量和广告支出，它们的主要影响表现为：一是具有相对平均质量但广告预算较高的品牌能获得溢价。顾客愿意为知名产品支付更高的价格。二是具有相对高的质量和相对高的广告预算的品牌能制定高价。相反，质量最低、广告预算最少的产品售价最低。三是对市场领先者来说，高价和高广告支出之间的正相关关系在产品生命周期的后几个阶段最明显。

4.2.3.3 调整价格

公司一般不会只设定一个单一的价格，而是会制定一个考虑了区域需求、成本差异、细分市场要求、购买时间、订单量、交货频率、货款支付、担保、服务合同和其他因素的定价系统。由于存在折扣、折价、促销等活动，公司几乎不可能从销售的每一单位商品中获得等量的利润。

常见的上调价格情况：一是地理位置影响运输成本；二是当顾客缺少足够的硬通货支付货款而采用其他商品来冲抵货款时，如金融工具支付、易货贸易、补偿贸易等形式的对销贸易。

公司也经常会以折扣和折让的方式调整标价，如：预付货款、大订单和反季节销售等。折扣主要有：直接折扣价格、数量折扣、季节折扣等形式。折扣可能令人怀疑公司的标价本身就包含"让利优惠空间"，就会降低产品或服务的感知价值，甚至会自毁形象。一些产量过剩的公司经常会提供折扣，但是会侵蚀企业品牌价值，因为提供折扣追求了短期销量目标，却有可能损害公司的长期利润。有实力的独特品牌利用价格折扣应对价格战是个错误，除非可以通过折扣得到相应的回报，比如签订更长期的合同或者进行大宗买卖等。

（1）促销　公司可以运用多种定价方法以刺激顾客进行早期购买，如：亏本出售定价法、特殊顾客定价法、现金回扣、低息贷款、较长付款期限、担保服务合同和心理折扣（故意给产品定一个高价，然后大幅度降价出售）等。促销定价通常是"零和博弈"。

（2）差别定价　公司经常会调整基础价格，以适应顾客、产品、地区等方面的差异。当公司以两个或两个以上的价格出售同一服务或产品，而不同价格的同一产品或服务彼此之间的成本差异小于价格差异时，就存在价格歧视。

（3）发起和应对价格变化　在一些情况下，企业必须降价。比如，产能过剩，企业需要更多的市场份额，但是却无法通过加大营销力度、改进产品或其他方法得到。但是，为了留住顾客或打败竞争者而采取的降价行为经常会导致顾客要求进一步的价格优惠，并使得销售者接受这一要求。降价策略还可能引发一些其他问题：

a. 低质量困境。顾客会认为产品的质量低。

b. 脆弱的市场份额困境。低价策略能够赢得市场份额却得不到顾客的忠诚。这些顾客今后可能会转向价格更低的企业。

c. 浅口袋困境。价格高的竞争者和低价者相比，价格高的竞争者更具有持久力，因为他们有更多的现金储备。

d. 价格战困境。竞争者以更低的价格回应，从而引发价格战。

e. 顾客经常会对价格变化的动机产生疑问而产生负面影响，比如，销量不佳、财务困境、价格未来会更低或质量降低等。

当然，提价可能带来较高的利润。提升产品单价是指增加客户对产品的感知价值。引起产品提价的主要原因是成本增加。当公司的供应量无法满足所有的顾客时，它就会采用提高售价、限量供应或二者兼用的方法。主要有以下几种提价方式：

a. 延迟报价。公司在产品完成或出售前并不制定最终的价格。

b. 自动调整条款。企业要求顾客支付交货前由于成本变化带来的全部或部分的价格增加。

c. 分开计价。公司维持原价不变，但对原来的产品的一个或几个部分的服务另外收费。

d. 减小折扣。

涨价时，公司应该避免给人留下“敲竹杠”的印象。因此，通过产品定制、差异化和宣传等手段明示差异就变得至关重要了。比如，提前通知顾客等。长期项目的合同中应该包含以认可的价格指数（如当地信息指导价等）为基础的自动调整系数。

另外，公司必须预测竞争者的价格变化并及时做出适当应对，必须分析竞争者的意图和新价格可能的持续时间。

4.2.4 产品开发

产品开发是把科学技术研究成果转化为现实生产力的重要途径，包括新产品的开发和老产品的整顿。新产品的开发主要是针对全新产品、换代新产品、改进新产品和地域性新产品等。老产品整顿主要涉及：积极发展、开辟新市场、提升销量；维持成熟工艺技术；提高产品质量；通过改革提升销量；淘汰转产等。企业看似产品毛利低，没有盈利产品，实际上是企业没有品牌，本质上是企业缺少发展定位。

4.2.4.1 产品开发的必要性评估

当分析是否需要开展一项业务、开发产品或服务时，可以采用“波特五力模型”等不同工具进行分析。比如，在进行竞争对手集中度（即其数量和位次排列）调查分析时，首先是竞争对手能力的调查，如资金多少、生产规模大小、技术水平高低、产品质量优劣、服务方式好坏和市场占有率高低等；其次是竞争对手发展新产品的动向调查，包括新产品发展方向、进程、特性、运用的新技术和上市后的竞争趋势；最后是潜在竞争对手的调查。调查这些情况是为了判断本企业在竞争中所处的地位，正确估计自己的竞争实力，明确主要竞争对手，以采取相应的对策，做到“知己知彼，百战不殆”。业务决策框架思维导图见图 4-5。

4.2.4.2 产品生命周期

产品生命周期是指产品从进入市场到退出市场的周期性变化过程。产品的生命周期不是指产品的使用寿命，而是指产品的市场寿命。产品生命周期可以分为四个阶段。

a. 导入期：新产品刚进入市场的时期。往往表现为销售量增长缓慢，由于销售量低，产品的开发成本又高，所以新产品在导入期只是一个成本回收的过程，利润一般是负的。

b. 成长期：产品已开始为大批购买者所接受的时期。往往表现为销售量的急速上升。由于销售量的上升，规模效应开始显现，产品的单位成本下降，于是新产品的销售利润也就开始不断增加。

c. 成熟期：由于该产品的市场已趋于饱和，或已出现强有力的替代产品的竞争，销售量增速开始趋缓，并逐步趋于下降。由于此时为维持市场而投放的销售费用开始上升，产品的利润也开始随之下降。

d. 衰退期：由于顾客的兴趣转移，或替代产品已逐步开始占领市场，产品的销售量开始迅速下降，直至最终退出市场。

产品生命周期的规律是否适用于所有产品，在理论上是有争议的。

4.2.4.3 产品生命周期各阶段的策略

在产品生命周期的变化过程中，企业正确判断曲线上的转折点，以便区分产品生命周期

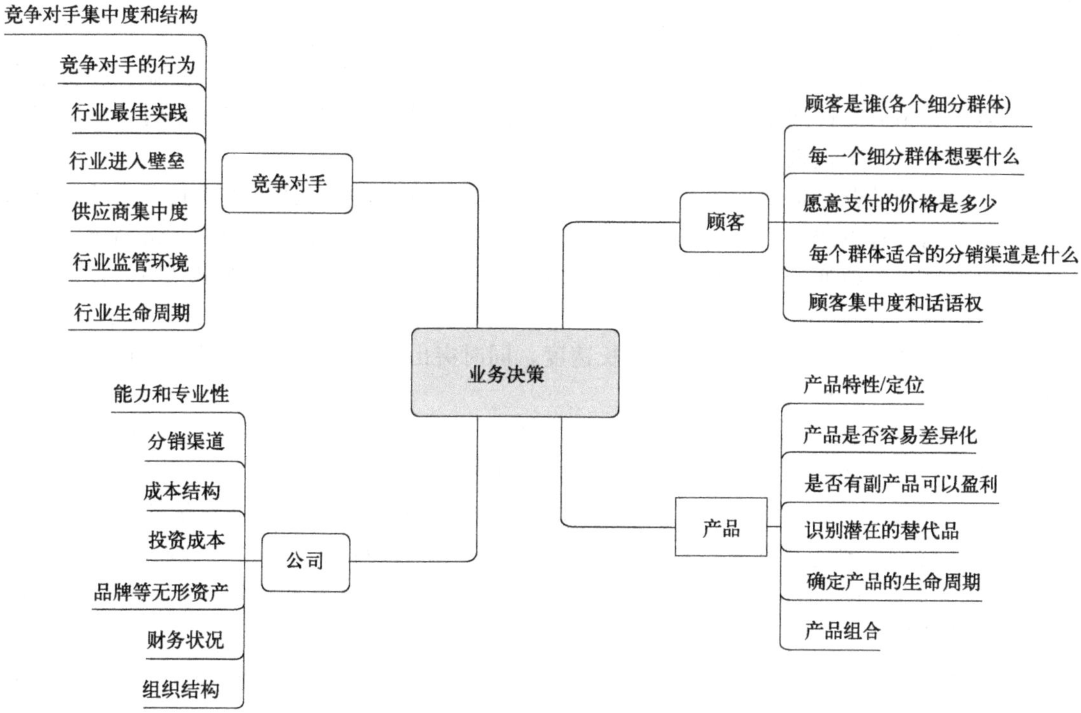

图 4-5　业务决策框架思维导图

的阶段，具有极其重要的意义。当然，这也是一个十分困难的问题，事先判断是很难做到的。一般可以用以下两种方法来大致划分某产品的生命周期阶段。一是类比。通过相类似产品的生命周期曲线来分析、推断另一产品的生命曲线走向。如：参照水泥的销售变化情况来推断混凝土的销售轨迹。二是以各年实际销售量变化率为变量的动态分布曲线进行衡量。

（1）导入期的营销策略　新产品在刚刚推出市场时，销售量增长缓慢，往往可能无利甚至亏损，原因是：生产能力未全部形成，工人生产操作尚不熟练，次品率、废品率高，增加了成本。加上顾客对新产品有一个认识过程，不会立刻都接受它。该阶段企业的基本策略应当是突出一个“快”字，以促使产品尽快进入成长期。一般可选择以下几种策略：

① 快速获取策略。企业以高价格高促销的方式推广新产品。快速获取策略适用的市场环境是：绝大部分的顾客还没有意识到该新产品；知道它的人有强烈的购买欲望而不大在乎价格；产品存在着潜在的竞争对手；企业想提高产品的声誉。

② 缓慢获取策略。企业以高价格低促销的方式推广新产品。主要目的是获取最大的利润。高价可迅速收回成本，加大利润，低促销又可降低营销成本。缓慢获取策略适用的市场环境是：市场规模有限；大多数顾客已对该产品有所了解；购买者对价格不是很敏感；潜在的竞争对手少。

③ 快速渗透策略。企业以低价格高促销的方式推广新产品。这一策略的目的是获得最高的市场份额。所以新产品的定价在一个低水平上确定，以求获得尽可能多的顾客的认可。同时，通过大规模的促销活动把信息传给尽可能多的人，刺激起他们的购买欲望。快速渗透策略适用的市场环境是：市场规模大；顾客对该产品知晓甚少；购买者对价格敏感；潜在竞争对手多且竞争激烈。

④ 缓慢渗透策略。企业用低价格低促销的方式推广新产品。使用该策略的目的：一方面是以低价避免竞争，促使顾客尽快接受新产品；另一方面以较低的促销费用来降低经营成

本，确保企业的利润。缓慢渗透策略适用的市场环境是：产品的市场规模相当庞大；顾客对价格比较敏感；产品的知名度已经较高；潜在的竞争压力较大。

以上导入期可以使用的四种策略，并不是说企业只能选择其中的一种。企业应该从整个生命周期过程中的总体战略去考虑，灵活地交替使用。同时，在实施上述策略时，还要配合一些其他策略（如渠道策略等）一并使用，才能取得好的效果。

（2）成长期的营销策略　新产品经受住了市场的严峻考验，就进入了成长期，这一时期的特点是：销售量直线上升，利润也迅速增加。由于产品已基本定型，废品、次品率大大降低，销售渠道也已疏通，所以产品经营成本也急剧下降。产品的销售呈现出光明的前景。在这一时期的后期，由于产品表现了高额的利润，促使竞争对手逐步加入，竞争趋于激烈化。这一时期，企业应尽可能维持销售的增长速度，同时突出一个“好”字，把保持产品品质优良作为主要目标，具体策略有：

① 改进产品品质。从质量、性能、式样、包装等方面努力加以改进，以对抗竞争产品，还可以从拓展产品的新用途着手以巩固自己的竞争地位。

② 扩展新市场。使产品进一步向尚未涉足的市场进军。在分析销售业绩的基础上，仔细寻找出产品尚未到达的领域，重点努力，同时，扩大销售网点，方便顾客购买。

③ 提升企业与产品的地位。广告宣传由建立产品知名度逐渐转向建立产品信赖度，增加宣传产品的特色，使其在顾客心目中产生与众不同的感觉。

④ 调整产品的售价。产品在适当的时候降价或推出折扣价格，这样既可以吸引更多的购买者参加进来，又可以阻止竞争对手的进入。在这一时期，企业往往会面临高市场占有率和高利润的抉择。因为两者似乎是矛盾的，要获取高的市场占有率势必要改良产品、降低价格、增加营销费用，这会使企业的利润降低。但是如果企业能够维持住较高的市场占有率，在竞争中处于有利的地位，将会有利于今后的发展，放弃了眼前的利润，将可望在成熟期得到补偿。

（3）成熟期的营销策略　这一阶段的基本策略突出一个“优”字。应避免消极的防御，而要采取积极的进攻策略，突出建立和宣传产品的特定优势，以增加或稳定产品的销售量。具体做法有：

① 扩大市场。市场销售量＝某产品使用人数×每个使用者的使用率。从此公式可以知道，要增加销售量就要在两个乘数上下功夫。一是增加使用人数。企业可以通过下列两种方法来增加使用人数：争取尚未使用者，争取竞争对手的顾客。二是提高使用率，企业同样可以采用两种方法：促使使用者增加使用次数，增加产品每次的使用量。

② 改进产品。改进产品是为了吸引新的购买者和扩大现有的使用者的队伍规模。企业通过对产品的改良，使顾客对产品产生新鲜感，从而带动产品的销售。改进产品也是对付竞争对手的一个有效措施。产品的改进主要在质量、性能、特色、式样上下功夫。

③ 改进营销组合。企业的营销组合不是一成不变的东西，它应该随着企业的内外部环境的变化而做出相应的调整。产品的生命周期到了成熟期，各种内外部条件发生了重大的变化，因而营销组合也就要有一个大的调整。这是为了延长产品的成熟期，避免衰退期的提前到来。实际上，企业要使前面两个策略取得成功，不依靠营销组合的改进也是很难做到的，所以改进营销组合是和扩大市场、改进产品相辅相成的。

（4）衰退期的营销策略　这一时期的特征是销售额和利润开始快速下降，企业往往会处于一个微利甚至无利的境地。在衰退时期，企业的策略应建立在“转”的基础上。一方面，产品的衰退是不可避免的，因此，到了这时，企业应积极地开发新产品，有计划地使新产品的衔接圆满化；另一方面，针对市场形势，既保持适当的生产量以维护一部分市场占有率，又要作好撤退产品的准备。这时，企业应逐渐减少营销费用，如把广告宣传、销售促进等都降到最低的水平，以尽量使利润不致跌得太厉害。

4.3　合同管理与应收账款的控制

4.3.1　合同管理

（1）合同风险防控　企业签订合同会存在法律风险，这是行为人在合同实施过程中做出的具体法律行为不规范导致的。所有导致法律风险的行为都具有不规范性，如：规章制度的不确定性、不完善性以及内部监控活动的不规范性等情况。任何企业都应强化法律风险管理意识，完善法律风险管理体系和风险防范制度，做到事前防控。无论是采购合同还是销售合同，商务谈判前，都要对签约主体的适合性、民事能力大小、资信好坏等进行评估，签订合同时要对合同签章进行审查，尽可能做到采用合同范本或经律师审核。合同风险控制易忽视的几点主要有：无合同不交易；合同主体要适合；有行动必留痕；慎用、善用公章；慎用授权书；注意定金条款；担保条款要明确；履行减损义务，适时使用不安抗辩权等。

对于混凝土企业来说，由于行业市场竞争激烈，管理水平参差不齐，从业人员素质不高、流动性大等诸多原因，内部管理漏洞百出，应收账款多，合同风险高（图 4-6）。因此，要严格审查销售合同基础性条款，尤其要关注行业合同控制要点（表 4-4）。首先，明确混凝土单价（该单价是否包含税金、运输费、泵送费等），以及特殊外加剂的具体计价方式。由于原材料市场波动会直接影响混凝土成本，因此，在合同文本中避免签订固定价格，通常采用与水泥等主材价格或政府信息指导价相结合的浮动价格。其次，为规范混凝土供应责任，应明确供应间隔、技术要求、质量责任等条款。再次，要约定定期结算和付款机制。一般保证合同每月至少有一次对账，且对账数量约定以发货单载明的数量作为计算依据，尽量避免按图结算等易发生纠纷的计量方式。对账后的付款应当约定每月的具体付款日期，以及尾款的最迟付款日期，尽量避免出现“工程结束后付清尾款”“工程验收合格后付清尾款”等不可控的方式。在付款与开发票的顺序上，根据法律规定及交易习惯，先付款后开票，或两者同时进行，尽量避免先开发票后付款的约定。对收款凭证应做出明确约定，一般以盖有混凝土企业财务专用章的收据为准。最后，确定保障合同履行的制约性条款。建筑市场工期拖延、付款延迟等现象比比皆是，如果销售合同存在一定的垫资比例，可以约定该合同实际供应混凝土数量与合同签约量的相应系数，如合同履行完毕未达到该标准，则应做出适当比例的违约罚则约定等。最后，在纠纷处理机制上应选择短平快的处理方式。一般不主张采用仲裁管辖的约定，尽量选择本地法院管辖约定，如合同履行地、合同签订地、原告住所地、标的物所在地人民法院等。

表 4-4　混凝土销售合同控制要点

要点	具体明确的内容	要点	具体明确的内容
有效收货签收人	合同中明确具体授权人	付款形式	现金、承兑、金融工具
结算计量方式	明确小票、重量、图纸	尾款结清时间	避免“封顶”“验收合格后”等不确定日期
结算时间	至少每月一次，且有具体时间	收款凭证	明确发票或有财务专用章的收据
付款比例与时间	具体比例，每月具体日期	诉讼地点	明确合同履行地、交货地等

总之，混凝土企业销售管理要以规范化、个性化、合同化为指导思想构筑法律风险防范体系，建立以制度、流程、表单、文本为体现形式的法律风险防范机制。

（2）合同评审　为规避合同风险，企业承接的每份混凝土销售合同（含标书、订单）均应在投标或接受合同、订单之前，采取适宜的方式进行评审，主要包括投标前对标书的评

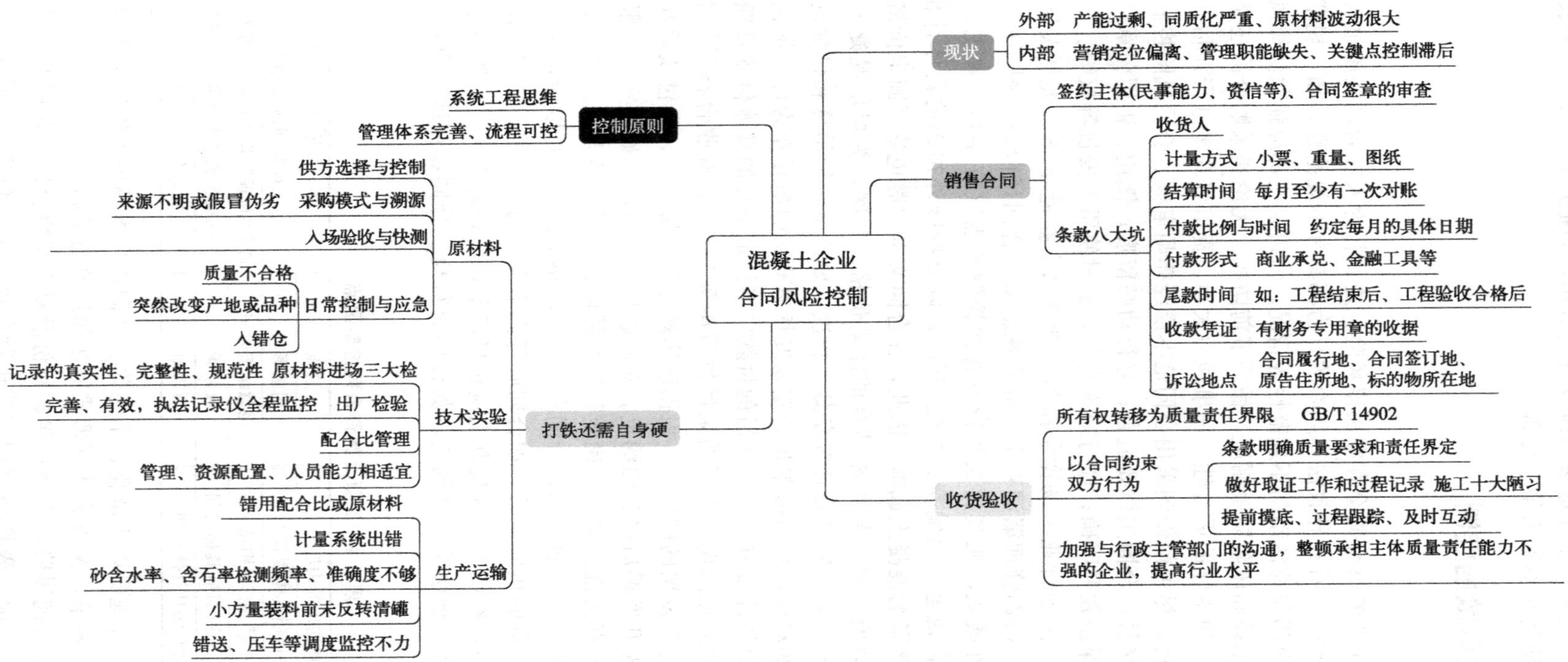

图 4-6 混凝土企业合同风险控制思维导图

审，接受合同、订单之前对合同、订单的评审和合同更改前的评审。企业通常都会把销售合同谈判、拟定、评审、履行、修订、解除、归档等各环节纳入日常管理。

评审时应对以下内容作出综合性评价：

① 合同对产品的各项要求是否满足规定，是否明确、适宜，与以前表述不一致的合同或订单的要求是否已得到满足；

② 全面分析顾客委托的任务、意图和要求，确认是否有能力满足合同要求；

③ 针对顾客的特殊要求，提出解决问题的对策；

④ 价格是否合理，付款方式是否适宜；

⑤ 双方权利和义务是否恰当，合同条款是否合法。

常见的评审方式主要有：

① 会议评审。比如，对于所承接的混凝土销售合同，在每一次供应量超过 $5000m^3$ 时，经营部门要组织技术、试验、质量控制、物资和生产调度等部门（必要时法务人员参会），在总经理或主管领导的主持下召开评审会议，分别就价格、付款方式、生产供应能力、技术质量保证能力等方面开展讨论，最后由总经理在综合各部门主管意见的基础上，给出是否承接该合同的结论性意见。

② 审批方式评审。对于供应量 $5000m^3$ 以下的合同，如果合同条款中资金支付、生产供应、质量要求等内容均为一般常见情况，经营部门的主管可自行决定是否承接合同。若承接该合同，则经营主管在合同台账上签字作为合同评审流程痕迹。

进行合同评审时，经营部门应做好合同评审的各项组织、协调工作。在以口头方式接到订单而对具体要求没有书面说明的情况下，经营部门应将口头的要求整理成书面文件，并让顾客对要求的具体内容加以确认，以确保双方理解一致（界面友好型客户端 APP 可以解决这一问题）。

在日常的经营管理过程中，合同签订后，经营部门要对合同进行编号，并建立、填写合同台账，妥善保存。

另外，合同执行过程中，如果顾客改变对混凝土的技术质量要求，应再次评审。经营主管与顾客就合同有关条款的修订达成一致意见后，形成记录，并将修订信息及时、正确地传递给相关部门。

为了进一步提高市场占有率或出于战略层面的考虑，在合同评审过程中也会对客户进行分级。激烈的市场竞争使得客户资源争夺成为企业成功的关键因素。正确的客户分级能够帮助企业有效分配营销资源，针对性地加强客户联系、改善客户关系、提高客户忠诚度，使得企业获得核心竞争力。通常采用 RFM 模型，利用层级分析法对客户的相对价值大小进行分析、排序，以便企业能够准确地认识客户价值、合理分配资源，采取相应的差异化服务措施，如给予 VIP 客户优先权，包括优先开盘、及时供应、物资保证等。

具体实施时，混凝土企业可将 RFM 模型的评价参数调整为客户在一定时间范围内的购买数量、付款频率（周期）和交易价格（利润率）这三个指标来描述该客户的价值状况。用 R 表示客户一定时间内的累计购买数量，值越大，客户的价值越高。F 表示客户的付款频率，F 值越大，说明付款行为越好。M 表示交易平均价格，是对一段时间内利润的度量，M 值越大，客户的价值也越高。比较各类客户的 R、F、M 均值与总 R、F、M 均值，单个指标对比有大于（等于）或小于均值两种可能结果。如果单个类别客户的均值大于（等于）总均值，标记“↑”，反之则标记“↓”。这样一共划分为 8 种类型（图 4-7）。可以看出，平均交易价格高、付款周期短的客户是企业的重要利润来源，属于重要保持客户；购买量大但付款周期长的客户是企业的重要发展客户。

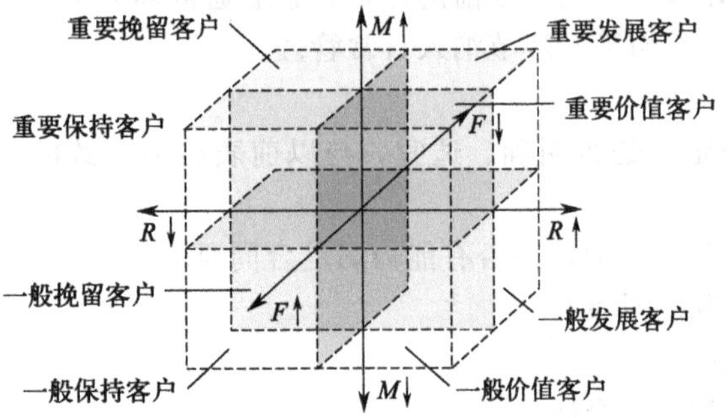

R	F	M	客户类型
↑	↑	↑	重要价值客户
↑	↑	↓	一般价值客户
↑	↓	↑	重要发展客户
↓	↑	↑	重要保持客户
↑	↓	↓	一般发展客户
↓	↑	↓	一般保持客户
↓	↓	↑	重要挽留客户
↓	↓	↓	一般挽留客户

图 4-7 依据 RFM 模型指标客户分类结果示意图

4.3.2 应收账款的控制

企业表面上看没有利润，实际上不单单是缺少盈利产品，可能是缺乏对应收账款的控制。应收账款的有效控制是企业经营管理的重中之重。应收账款是指企业因赊销产品或劳务而形成的应收款项。应收账款是企业流动资产的一项重要组成部分，它是企业在销售产品或提供劳务中采用赊销方式，允许购货方或接受劳务方延缓付款时间而形成的尚未收回、被对方占用的一种流动资产。

受行业特性影响，混凝土企业应收账款具有高风险、低流动性、长滞留、高回收成本等特点。混凝土企业应收账款控制存在着两难局面：一是应收账款若放得太松，直接影响企业资金状况，不能按期收回，导致大量的呆账甚至死账；二是应收账款若管得太死，会使混凝土业务量流失，进而影响企业的销售。

（1）应收账款产生的原因　企业在正常的生产经营过程中，逐渐会产生应收账款，这是一种正常的经营行为，主要目的是增加销售量、减少库存、增强竞争力。本质上，应收账款可以看作是企业为了扩大销售规模和提高盈利水平而进行的投资，其管理目标就是追求利润。而且通过应收账款也可以建立良好的客户关系。应收账款在本质上是商业信用。信用交易是在相互信任的基础上进行的，这本身就是一种良好的客户关系的表现。对于信用好、实力强的客户以提供额度作为优惠条件，为保持长期稳定的客户关系提供了保障，增加了交易的机会。

由于多方面原因，应收账款数额可能会越来越大，大量资金被长期占用。持有应收账款需支付收账成本，并且可能会发生坏账损失。若应收账款管理不善，不但会增加企业的现金流出，而且长期过高的应收账款会造成企业流动资金短缺，使企业的营运能力和偿债能力陷入危机，严重时会导致企业无法正常经营。

预拌混凝土企业应收账款数额长期居高不下的原因是多方面的，如：市场的竞争、企业缺乏必要的信用管理政策、激励机制设计不合理、对账结算滞后严重、应收账款监控不力、管理方法落后等。但主要表现在两个方面：一是行业特殊性和不良竞争。混凝土企业设立的准入门槛较低，预拌混凝土企业较多，供大于求的矛盾突出，恶性竞争长期存在。加之商业金融、信用手段的推行，应收账款数额普遍明显增大。而且市场的恶性竞争与垫资的行业特点，导致企业资金投入量大。二是企业内部管理有漏洞。比如，风险防范意识低，为争夺市场份额，垫资现象严重；管理方法不当，管理重点滞后，应收账款控制和销售管理分离，仅仅将应收账款管理的重点放在“事后”，造成收账效果不理想；应收账款管理方法落后，缺乏应收账款的现代管理制度，在账款回收工作上缺少更专业化的方法。

（2）控制目标和措施　从本质上说，预拌混凝土企业应收账款控制的目标是制定合理的应收账款信用政策，并在这种信用政策所增加的销售盈利和预计要担负的成本之间做出权衡。而企业应收账款控制的重点就是根据企业的实际经营情况和客户的信誉情况制定合理的信用政策，这是企业财务管理的一个重要组成部分。根据“没有现金流量的利润不是利润”的原则进行应收账款控制，其重点为监督、跟踪、预警和决策，活动要点如表4-5所示。

表4-5 应收账款控制活动要点

活动	要点
监督	合同合规性；授信合规性；授信模型（资信评估方式）、授信权限等
跟踪	单个合同；应收账款回款情况；逾期账款的催收处理（催款函、诉讼）等
预警	逾期金额、逾期时间两者出现其一时预警；出现导致客户付款能力下降的突发事件时预警；发现违规情况时预警
决策	控制应收账款规模、加速应收账款回收、降低呆坏账和法律风险

预拌混凝土企业应收账款的控制需要两手抓：一是企业内部进行经营、财务和法务等部门的联动控制；二是针对管理薄弱点（比如，应收账款责任主体模糊、事前控制和事后管理缺失，以及事中缺乏跟进等）制定统一的标准和流程进行管理控制。由此可见，对应收账款实行事前、事中和事后的全过程控制尤为重要。事前防范要注重信用信息搜集与管理，通过内外部信息，进行信用评级，对客户群梳理、分级，从而寻找合适的合作伙伴；事后防范管理工作主要是对拖欠账款加强管理，降低企业风险，应该加强预警机制，采取相应措施；事后处理应按照逾期账款处理流程进行：业务部门催收→报告信用决策机构→法务部门提起诉讼→财务部门确认或核销。

混凝土企业应收账款应该实行事前、事中和事后的全过程控制，确保企业经营利润的最终实现。具体内容如下：

① 明确管理职责。树立责任担当意识，确立经营目标，完善各部门基本管理职能和制度。企业在进行经营活动前充分了解交易信息，对市场负责，对企业负责。

② 前期控制。对目标市场进行细分，及时、深入、细致地做好客户的资信调查，按老客户、新客户、财务数据不易获得的客户等进行设置，建立客户档案，为信用评价提供相对完整和科学的依据，有效降低日益激烈的市场竞争所带来的经营风险。对信用限额的执行情况进行定期检查和分析，强化赊销审批。

③ 销售过程中跟踪控制。完善销售业务内部分工，各部门间相互制约、相互监督。加强合同评审工作，提高合同履行质量。将销售、结算和回款等各个环节有机地结合，提高产生应收账款的关键环节的控制力。企业财务、法务及销售部门应该形成常规化共同协作有效机制。

④ 后期控制。企业应建立和完善应收账款内部控制制度。提升营销人员的风险意识，完善销售业务过程管理流程，对销售人员进行赊销业务培训。成立清欠工作组，加大催收力度。相关部门负责开展应收账款控制工作，定期讨论研究变动情况及有效措施。销售部门应根据不同的信用档案情况实施不同的应收账款控制及催收政策；并将应收账款的清收工作分解到每个销售人员身上，并制订切实可行的收款计划，进行业绩考核。

需提出的是，许多混凝土企业担心应收账款催讨过急容易让顾客反感，以致影响下次业务能否承接。其实对于不按合同履行、所签合同如同虚设、长期拖欠应收账款的，即使有下次合作的机会，也应慎重决策。

总之，企业要根据成本效益原则，制定合理的信用政策，控制应收账款规模，实行应收账款的全过程控制，从而规避经营风险，防患于未然。

4.4 计划、目标的制定

计划包括：明确企业的目标；制定全局战略以实现目标；设计一个全面的体系以综合和

协调各种活动。因此，计划既明确了目标，也涉及实现目标的方法。

计划是一种协调过程，可以指明方向，减小变化的冲击。可以分为正式的和非正式的，战略性的和作业性的，短期的和长期的，具体性的和指导性的，等等。

(1) 计划的制定　计划的制定和有效性与多个因素有关。一是组织层次。多数情况下，基层管理者的计划主要是作业计划，而高层管理者的计划更具有战略导向。二是组织的生命周期。计划的时间长度和明确性均与组织的不同阶段相适宜，并适时做出调整。如：企业刚起步时，计划是指导性的；成长期时，是短期的、具体的计划；成熟期时，需要长期、具体的计划；衰退期时，则是短期的、指导性的。三是环境的不确定性程度。不确定性越大，计划更应当是指导性的、短期的。四是未来许诺的期限。相对来说，计划对于太长的期限和太短的期限都是无效的。

(2) 目标的制定　现代化企业普遍采用目标管理。目标是计划的基础，是管理决策的方向，也是衡量实际工作绩效的标准。目标管理计划主要包括四个要素：明确目标、参与决策、规定期限和反馈绩效。目标的制定要符合 SMART 原则，其典型步骤和设计合理性检验内容分别如表 4-6 和表 4-7 所示。要足够重视员工参与这一要素，它既是员工自主性扩大的体现，又是人性尊严的认可，也有助于目标活动的实施。

表 4-6　目标制定的典型步骤

步骤	内容
1	制定组织的整体目标和战略
2	在经营单位和部门之间分配主要的目标
3	各单位的管理者和他们的上级一起设定本部门的具体目标
4	部门的所有成员参与设定自己的具体目标
5	管理者与下级共同商定如何实现目标
6	实施行动计划
7	定期检查目标的进展情况,并向有关单位和个人反馈
8	基于绩效的奖励将促进目标的成功实现

表 4-7　目标设计合理性检验

序号	内容
1	目标是否包括工作的主要特征
2	目标数目是否太多,是否需要合并
3	目标是否可以量化考核,或者应实现流程化
4	目标是否表示了数量、时间、成本和质量四个方面
5	目标是否具有挑战性
6	目标是否安排了优先次序
7	目标是否包括改进工作的目标、个人发展目标
8	目标是否与其他部门的目标协调
9	能否将这些目标传达给需要这些目标的人
10	短期目标是否与长期目标相一致
11	目标依据的假定或条件是否已经查清楚
12	目标表达是否准确、清楚
13	目标能否随时提供反馈
14	所掌握的资源是否足以支持目标的实现
15	是否考虑给予那些想实现个人目标的人提出他们自己目标的机会
16	按目标分派给下属的责任是否能控制

目标管理通常要达到两个核心目的：激励和控制。通过设定目标对整个组织的行为进行控制。在日常工作中，目标管理的关键是“定目标、追过程、拿结果”，因此，不能只有时间点到了才去检查，不能只跟进时间点而不跟进关键细节，但也不必事事都关注到。混凝土企业在日常管理过程中，可以根据相关数据体系内容，针对不同的岗位制定相应的目标指标。

另外，面对当今竞争日趋激烈的存量市场，企业为了增大市场占有率，第一步就是要获取尽可能多的客户信息；第二步是对其进行筛选，通过分析完整的客户信息，了解客户的真实需求，尽可能地面谈，直接沟通；第三步就是对符合企业经营条件要求的客户进行拜访，通过沟通、谈判直至成交、签约，以实现既定的经营目标。本质上讲，这是对销售工作流程的细分，不同的工作流程可以安排不同能力和水平的人员具体实施。从人员管理角度看，这么做也解决了经营人员能力参差不齐的企业难题。

4.5　战略管理

通常认为，战略是从全局出发，将组织的主要目标、政策和行动次序整合成一个有机整体的一种模式或者计划。战略思维的根本特征是从全局而不是从某个局部来思考和处理实践活动各方面、各阶段之间的关系，以把握规律，取得最佳实践效果。因此，战略思维能力也是构成综合决策能力和驾驭全局能力的基础。运用战略思维，需要正确处理好全局与局部、长远与当前、重点与非重点、机遇与挑战、目标与手段的关系，要用联系和发展的观点看问题，善于把握矛盾、处理矛盾，促进矛盾向有利方面转化。

对企业来说，战略管理，解决的是企业核心竞争力的问题，以实现获客、创造持续竞争优势和获取足够回报等三个方面的战略目标。核心竞争力的建立和培育对确立企业的市场领导地位和竞争实力是极为重要的。为此，企业必须站在战略的高度上从长计议。企业靠什么成长，无非是资源及核心能力，这就需要企业在战略成功的关键要素及要点上集中配置资源并培育核心能力，尤其是在核心能力的培育上要设置提前量，要提前集中投入。企业自己需要审查经营的业务、所拥有的资源和能力，观察市场需求和技术演变的发展趋势；通过企业的创新精神和创新能力，准确地识别本企业的核心竞争力的发展方向，并界定构成企业核心竞争力的技术有哪些。战略是选择，企业最高管理者要抓关键人、关键事，想清楚不做什么，决定哪些方面必须加大投入、多花钱，哪些方面必须不顾一切地加大投入。即便有风险也要加大投入，这时决策的基准就不是少花钱、如何节流，而是敢于投入，敢于赌未来。

需要注意的是，核心竞争力有三个基本特征：一是核心竞争力提供了进入多样化市场的机会；二是核心竞争力应当为最终产品中顾客重视的价值作出关键贡献；三是核心竞争力应当是竞争对手难以模仿的能力。显然，这三个特征都反映出核心竞争力的最关键要素是从顾客需求的角度定义企业的核心竞争力。不符合顾客需求、不能为顾客最重视的价值作出关键贡献的能力不是核心竞争力。核心竞争力首先应当是深入理解和准确把握市场和顾客需求的能力。所以说，当企业通过实现市场和顾客价值得到了效益，企业就必须通过内部管理进一步提高效率，这样内外结合可构成既有企业自身特色又符合外部市场需求的差异竞争优势。因此，可以认为企业核心竞争力同样是一种以企业资源为基础的能力优势，而且是异质性战略资源，如技术、品牌、企业文化、营销网络、人力资源管理、信息系统、管理模式等，只有在这些方面进行强化，突出企业管理的关键流程，建立互补性知识与技能体系，才能使企业获得持续性差异竞争优势。

简而言之，战略管理就是为得到核心竞争力所做的独特管理努力。在企业核心竞争力要素的整合过程中，需要相关的机制与环境条件加以支持。为此，企业要制订战略计划，聚焦于一个理想的愿景，亦即组织在未来3～5年甚至更长时间里应该成为什么以及能够成为什么，并建立起一种态势，选择适宜的途径实现目标。战略管理可以提高企业的效率，但更重要的是它可以使企业的经营更富有成效，可以使企业更加主动而不是被动地进行决策。一个精心制定的战略有助于组织根据其内部的优势和劣势、预期的环境变化和对手的反应来将组织资源配置成一种独特而可行的态势。比如，市场渗透战略可以利用增加销售人员、增加广告支出和赠券等措施提高在特定区域的市场份额。战略管理需要创造充满活力的创新激励机制等。对于许多企业而言，质量构成了企业战略的最基本的要素。比如，混凝土企业战略可以着眼于“服务顾客”，将企业“发展为行业标杆”。常见战略见表4-8。

表 4-8 常见战略

类型	战略名称	定义与内涵
一体化战略	前向一体化	获得分销商或零售商的所有权或对其加强控制
	后向一体化	获得供方公司的所有权或对其加强控制
	横向一体化	获得竞争者的所有权或对其加强控制
加强型战略	市场渗透	通过更多的营销努力提高现有产品或服务的市场份额
	市场开发	将现有产品或服务打入新的地区市场
	产品开发	通过改造现有产品或服务，或开发新产品或服务增加销售量
多元经营战略	集中化多元经营	增加新的但与原业务相关的产品或服务
	混合式多元经营	增加新的与原业务不相关的产品或服务
	横向多元经营	为现有用户增加新的不相关的产品或服务
防御型战略	收缩	通过降低成本等对企业进行重组，以扭转销售额和盈利的下降
	剥离	将分公司或组织的一部分售出
	清算	为实现其有形资产价值而将公司资产全部分块售出
合资经营	合资经营战略	两家或更多的发起公司为合作组成独立的企业
一般性战略	成本领先战略	一体化战略的主要目的就是获取成本领先的收益。但须与差异化战略结合使用
	差异化战略	不同的战略会导致不同程度的差异化。差异化不一定会带来竞争优势
	专一经营战略	将经营目标集中于特定消费群体、特定区域市场或特定规格产品
多样组合	组合战略	同时采用两种或多种战略

应注意，企业存在的真正意义是为客户创造价值，通过客户价值最大化实现企业利润合理化，再通过持续投入，不断为客户创造价值，实现利他、多赢、可持续的组织竞争力。对于产品生产企业来说，一个有效的战略必须同时关注顾客驱动的质量和卓越的运营绩效，而不只是传统的财务和市场目标。

4.5.1 战略管理的层次和步骤

（1）战略管理的层次　公司的战略主要分三个层次：一是公司层战略。明确组织应当拥有什么样的事业组合，以及每一种事业在组织中的地位。二是事业层战略。它回答在每一种事业领域里应当如何竞争的问题。三是职能层战略。它回答如何支撑事业层战略的问题。

战略管理通常要遵循几个原则，即适应环境原则、全过程原则、整体优化原则、全员参与原则和反馈控制原则。战略计划的特点主要有：

一是最高管理层、员工甚至顾客或供应商都积极参与制订战略计划、确立目标并确定行动计划过程。例如，全面质量管理需要将质量原则融入业务计划过程中，为此，最高领导层同时又是最高质量管理团队。员工参与不仅可以发挥员工所掌握的顾客和过程的知识的作用，还能极大地促进战略的实施，也有助于企业更好地理解顾客的需要。

二是在战略制定和战略展开方面都有系统化的计划体系。系统化是事物的基本属性。应用系统化的过程有助于优化资源的使用，确保获得训练有素的员工，平衡长期和短期的要求。例如，公司将其使命、愿景、主要改进机会以及其他一些关键计划作为其战略计划过程的输入。根据这些要素制定出每个组织单位的总战略、主要改进机会和关键的举措。通过项目管理以及定期的评审和改进来完成战略的部署。

三是收集和分析各种内外部信息作为战略计划过程的输入。有效的战略计划取决于对关键因素的清晰理解，包括顾客和市场的需要和期望、竞争环境和竞争能力、财务和社会风险、人力资源和其他运营方面的能力和需求，以及供应商、合作伙伴的能力和需求等。

四是将短期行动方案与长期战略目标和组织面临的挑战相协调，并在整个组织中进行沟通，通过测量来追踪进展情况。沟通要保证战略在三个层面上有效展开，即组织层面、过程层面和个人工作层面。而且战略计划团队要定期召开会议来报告每项行动方案的进展情况，并根据组织目标来评审结果指标。

五是根据战略目标和行动计划来制订人力资源计划。计划实施必须考虑组织的变革和必要的人力资源变动，如：新的培训计划、工作的重构和薪酬措施等。

（2）战略管理的步骤　首先，组织在对大势做出判断的基础上，找到自己的使命。其次，因为有了强烈的使命感，就会比别人看得更远，知道所要达到的终局，也就有了愿景。接着，因为有了愿景，就知道要到哪里去，也就明确了大致的战略方向。然后，大的战略方向有了，组织上下就会形成战略共识，并明确阶段性的战略意图。最后，有了阶段性的战略意图，就可以根据当前的战略环境，制订计划，并采取行动。战略管理过程，是一个战略计划实施和评估的过程，如图 4-8 所示。

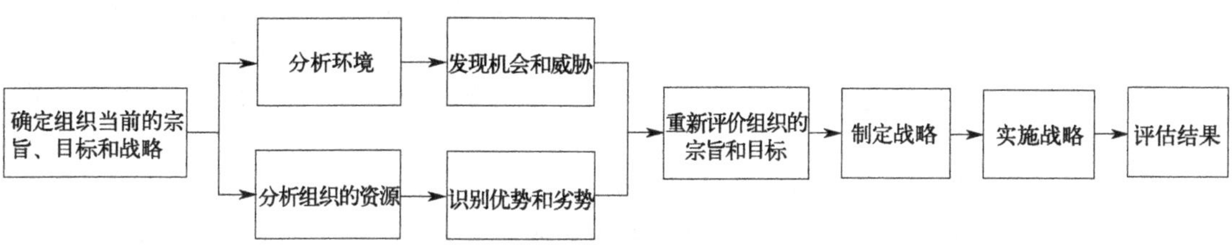

图 4-8　战略管理过程示意图

公司当前的宗旨、目标和战略取决于公司的使命、愿景和指导原则。

公司的使命规定了其存在的理由，它回答了“我们为什么要从事这一事业”这一问题。在使命的陈述中，一般包括对组织所提供的产品和服务的定义，提供这些产品和服务所使用的技术，市场的类型，最重要的顾客需要，将公司与其他公司相区别的独特的能力或技能。

公司的使命指引着公司不同部门战略的制定。它是公司日常运营决策的前提条件，设定了战略选择的界限。此外，它决定着不同绩效指标之间以及长短期目标之间的平衡。最后，它激发员工将自己的努力指向组织的整体目标。

愿景描述了组织将往何处去以及将要变成什么，它描述出一种不会自然而然达到的未来状态。愿景是对组织战略的基本特征的一个清晰的表述。对员工来说，它应该简练、突出、清晰而有激励性。它应当同顾客的需要相联系，并表达出实现使命的总的战略。例如，混凝土公司的使命可以很简练——做最好的，并持续改进。

另外，在不确定的、多变的环境下，组织的行动必须随机应变，计划也必须随时调整。随机应变与计划调整是为了更好地实现阶段性的战略意图，朝着要去的大的战略方向行动。所有这一切，都是为了实现使命。从使命到行动，再回到使命，就形成了一个完美的闭环。

当然，其中的变化与调整不再是无目的、无方向的随波逐流，而是使命和战略意图指导下的灵活应变。这样就能真正做到变与不变的统一。灵活应变就会为组织上下所接受，并且变成组织文化的组成部分。所以组织的信仰与使命越坚定越好、越清晰越好，而实现组织战略目标的手段与路线越灵活越好、越敏捷越好。坚定的使命与灵活的路线相结合，是所有优秀组织的共同特点。

4.5.2 战略制定

(1) 明确目标和任务　每个企业都有其独特的存在目的和理由。这一独特性反映在其目标和任务之中。任务既可以体现企业的竞争优势，又可以表现出其竞争劣势。制定明确的企业目标与任务是战略制定者最为重要的职责。

一个好的任务和目标，应明确企业的用户、产品或服务、市场、技术、对生存的关切、宗旨、自我认知、对公众形象的关切及对员工的关心。这些要素构成了评价和编写目标、任务的实用框架。作为战略管理的第一步，目标和任务为所有计划活动指明了方向。

制定和传播明确的企业目标、任务是战略管理中容易被忽视的任务之一。没有一个明确的目标与任务，企业的短期行为可能会有损于企业的长远利益。企业通常每年对目标与任务进行一次审查。

(2) 内部分析和外部环境分析

① 内部分析。很多企业仍只是依据是否盈利来判断企业的经营状况，而越来越多的成功企业通过更全面的内部分析来寻找其竞争优势。所有企业都只能在某些职能领域方面具有优势与弱点，没有一家企业在所有的领域都具有同样的优势和弱点。建立目标和战略的出发点，便是要利用内部优势和克服内部弱点。内部分析时，需要收集和吸收有关企业的文化、管理、营销、财务会计、生产作业、研究与开发，以及网络信息系统运行等方面的信息。比如，财务会计方面，在损益表的基础上，可以进一步分析财务比率（见表 2-4），并将不同时期的数据进行比较。

② 外部环境分析。外部环境分析可以明确企业所面临的主要机会与威胁，从而可以使管理者用适当的战略，利用机会、回避威胁或减少这些威胁的影响。外部因素主要涉及经济因素，社会、文化、人口和环境因素，政治、政府和法律因素，技术因素和竞争因素等。不同的产业在不同的时期会遇到不同的关键影响因素，与供应商的关系常常也是关键影响因素之一。

(3) 战略决策　分析与直觉为战略决策提供了基础。战略决策中的行为、文化和政治因素永远是重要的。通常可以通过 SWOT 矩阵、SPACE 矩阵、BCG 矩阵、IE 矩阵及 QSPM 矩阵等方法提高战略决策的质量。

4.5.3 战略实施与评价

对于战略实施来说，最重要的管理问题是建立年度目标、制定政策和配置资源。分步分阶段实施，“小步快跑”，“三年小循环、五年大循环”。

(1) 年度目标　年度目标对战略实施非常重要，原因在于：它是配置资源的基础；它是评价管理者的主要尺度；它是监测运作过程，使其向实现长期目标方向前进的工具；它突出了公司、分部和各功能部门的工作重点。企业应当投入相当多的时间和努力，以保证年度目标恰当合理、与长期目标一致并支持企业战略的实施。年度目标可以作为指引企业成员的行动、方向和努力的准则，也是企业运作的标准。年度目标是激励企业员工并使他们提高自我认知的重要动力。年度目标应符合 SMART 原则。

(2) 政策 实施企业战略，需要有具体政策来指导日常工作。政策是战略实施和目标实现的工具，政策为奖励和惩罚员工在各种管理活动中的行为确定了标准、约束与极限。政策还明确了在追求企业目标时可以做什么和不可以做什么。政策使员工和管理者知晓企业期望他们做什么，从而提高战略被成功实施的可能性；政策为管理控制活动提供了基础，并可协调各组织间的关系，还可以减少管理者用于决策的时间；政策明确了谁应该做什么工作；政策还将决策权力适当地委派给各个需解决各自不同问题的层级。多数企业都有自己的用于指导员工行为的政策手册。

(3) 资源 任何资源配置计划的真正价值都在于引导企业目标的实现。战略管理使资源能够按照年度目标所确定的优先顺序进行配置。将资源（即财力资源、物力资源、人力资源及技术资源）分配到特定分部或部门并不意味着战略可以被成功地实施。企业最高管理层也应解决几种常见的负面影响问题：过度保护资源，过于强调短期财务指标，企业内政治、战略目标不明确，缺乏足够的知识等。

为了提高组织与员工之间的战略沟通效果，通常采用战略地图将企业战略可视化，以图文形式把战略目标逐层分解为各部门都可以理解的语言及实现路径（图 4-9）。要形成闭环战略管理，比如，经营工作的闭环战略管理可按照图 4-10 实施。战略实施中的其他主要管理问题还包括：将企业组织结构与战略相匹配，企业改组和流程再造，将业绩和报酬挂钩，建立有利于变革的企业环境，管理企业内的政治关系，形成支持经营战略的企业文化，调整生产作业过程及管理人力资源，等等。

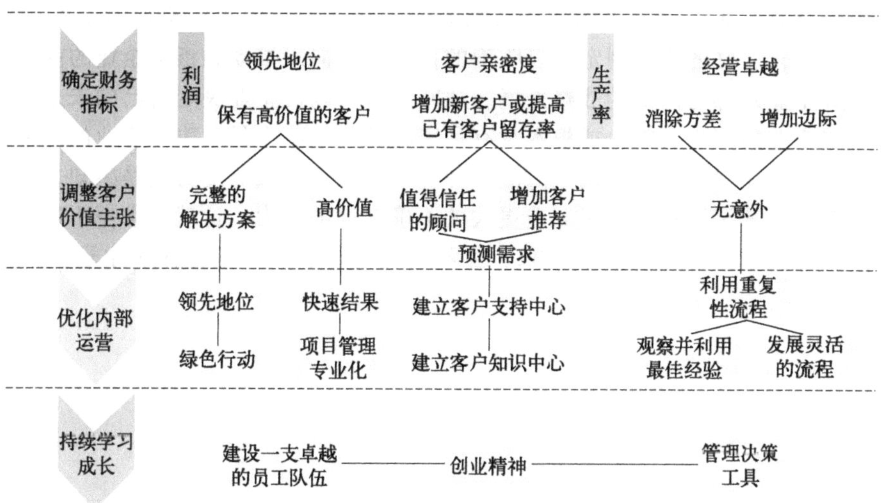

图 4-9 战略地图示例

应注意，有效的战略评价可以使企业在发展时利用内部优势，在崛起时利用外部优势，识别并抵御威胁，以及在内部弱点对企业造成危害之前对其进行弥补。及时的评价可以使管理者对潜在问题防患于未然。战略评价包括三项基本活动：考察企业战略的内在基础；将预期结果与实际结果进行比较；采取纠正措施以保证行动与计划一致。在很多企业中，战略评价仅仅是对企业绩效的评估。如：企业资产是否有所增加，企业盈利是否有所增长，销售额是否有所提高，生产效率是否有所提高，利润率、投资收益及每股收益率又是否均有所提高，等等。他们的战略有可能是正确的，但这种推理方式会产生误导，因为对战略的评价必须从短期和长期两方面来进行。经营战略往往不会影响企业的短期经营效果，但到了发现战略失误时往往为时已晚。

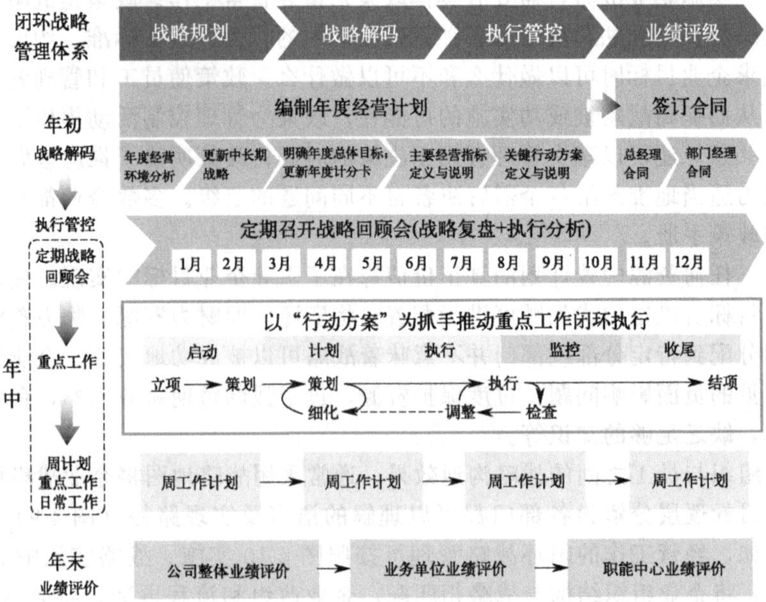

图 4-10 经营工作闭环战略管理示意图

在成功的企业中，战略制定者们都肯于花费时间来认真、系统地制定、实施和评价战略。战略决策会对企业产生显著的和持久的影响。错误的战略决策会给企业带来严重的后果，而且极难扭转。好的战略制定者以明确的目的和方向来推动和指引企业的前进，并不断地评价和改进企业外部与内部的战略处境。战略评价可以使企业决定自己的未来，而不是持续地由那些与企业的兴衰有很少或根本没有利害关系的外部力量来决定企业的未来。

兵无常势，水无常形。在不确定的战略环境中，最大的战略能力就是感知、驾驭和利用不确定性的能力，甚至包括给对手制造更大的不确定性的能力。这就要求把不确定性作为常态，并且主动地去塑造未来和创造未来。在不确定的环境中，创造未来永远比预测未来更重要。

第5章

过程与服务管理及预拌混凝土生产

现代企业的管理者首先要树立以顾客为中心的意识，并要有顾客思维。顾客的期望和需要驱动着企业竞争优势的发展，顾客满意度影响着企业市场份额的大小与增长。所以企业应该在整个价值链上识别影响顾客满意度的过程，并对它进行有效设计，因为“没有过程的改变，就没有结果的改变”。同时，在实际工作中，通过有效的管理系统控制并实施过程活动，这一系统主要包括：所有关键过程的文件化程序、设备和工作环境的明确规定、监视和控制关键质量特性的方法，以及工艺标准、保养活动等。

5.1 过程管理

从本质上看，企业的所有工作都是通过某种过程来完成的。总的来看，这些过程可以分为价值创造过程和支持过程。

价值创造过程，也称为核心过程，是对“企业运转”以及保持或获取竞争优势最为重要的过程。它们驱动着产品和服务的创造，对顾客满意度至关重要，对组织的战略目标有着主要的影响。价值创造过程通常包括开发设计、生产供应及其关键业务过程。开发设计过程包括所有将顾客要求、新技术以及以往的学习体现到产品规范中的活动，它规定了产品的适用性。生产供应过程创造或提供实际的产品，如制造、装配、配料、教学等。这些过程的设计必须确保产品符合规范（生产质量规定），还要经济、有效地进行生产。产品设计在很大程度上影响着生产的效率和服务战略的灵活性。因此，它必须与生产供应过程相协调。

支持过程是为价值创造过程提供基础，却不会直接增加产品和服务价值的过程，是对价值创造过程、员工和日常运营最为重要的过程。一般来说，价值创造过程由外部顾客需要驱动，而支持过程则由内部顾客需要驱动。产品的最终价值和顾客的感知质量，都取决于这两类过程。当然，某个过程，如订单录入，可能被某个公司认为是价值创造过程，但另一公司看来却是一个支持过程。

总的来说，过程管理一般包括三个方面的活动，即设计、控制和改进。

5.1.1 过程设计

过程的设计始于过程识别和对过程的文件化。对一个过程进行文件化涉及对其运行方式的描述，即“写你所做，做你所写”，文件化的内容包括过程流程图、标准操作程序和作业指导书等，再加上“管理手册”就组成了企业常见的三层次管理文件。一个良好的过程设计要通过确保满足内外部顾客的要求来防止出现工作质量问题，还要能够实现规定的绩效水平。

任何过程的绩效指标都应围绕一个平均水平上下波动。控制的本质就是消除导致不正常条件的因素以维持一个稳定的绩效水平，而改进则意味着将绩效提升到一个新的水平。

为了便于过程管理，过程必须是可重复的和可测量的。测量可以掌握重要的质量特性和绩效特性，能够揭示过程绩效的变化模式，从而获得对评估和控制有用的信息，实现持续改进。测量参照的是与顾客要求相关的标准或目标。过程设计方法通常包括以下步骤：

① 识别产品或服务：我在做什么？

② 识别顾客：为谁而做？

③ 识别供应商：我需要什么？从哪里获得？

④ 识别过程：需要完成哪些步骤或任务？每一步的投入和产出是什么？

⑤ 防止过程中的差错：如何能省略或简化步骤？采取什么样的措施防止差错？

⑥ 建立测量、控制以及改进的目标：如何评价过程？如何改进？

其中，步骤①～③回答了如下问题：该过程的目的是什么；该过程如何创造令顾客满意的产品；过程中的基本投入和产出是什么。步骤④找出了过程中需关注的活动、步骤和详细任务并据此进行过程设计。步骤⑤关注的是使过程有效率、有质量。步骤⑥保证了过程会被监视和控制以达到要求的水平，这个监视过程包括收集过程的测量数据或顾客的反馈，并使用这些信息控制和改进过程。

实际的过程设计就是以书面方式规范已确定的过程运作方式。通常用流程图的形式，列出生产产品或提供服务过程中的详细步骤。

5.1.2 过程控制

过程控制可以划分为三个步骤：首先，衡量实际绩效；其次，将实际绩效与标准进行比较；最后，采取管理行动来纠正偏差或不适当的标准。实际工作中，这些标准可以是一系列具体的工作衡量指标。通常认为，标准必须从计划中产生，计划必须先于控制。

（1）衡量　管理者首先需要收集必要的信息，然后进行衡量。

① 信息收集。管理者衡量实际工作绩效的信息来源通常有四种，即：个人观察、统计报告、口头汇报和书面报告。这些信息来源各有优缺点，但是将它们结合起来之后，可以大大增加信息的来源渠道并提高信息的可信程度。

个人观察提供了关于实际工作的最直接和最深入的第一手资料。通过观察得到的信息不同于阅读报告得到的信息。尤其是现场走动管理，可以获得面部表情、语调以及懈怠这些常被其他来源忽略的信息。

现在广泛使用了计算机和网络，因此统计报告用得也越来越多，包括文字、数据、图形和图表分析等。

口头汇报形式，如各种会议、一对一的谈话或电话交谈等。这种方式的优缺点与个人观察的方式相似。

与统计报告相比，书面报告显得要慢一些；与口头汇报相比，它显得要正式一些。但是这种形式常常比口头汇报的形式更精确和全面。此外，书面报告更易于分类存档和查找。

② 衡量的内容。企业衡量什么将会在很大程度上决定企业员工追求什么。

有一些控制准则是在任何管理环境中都可运用的，比如，员工满意度、营业额或出勤率等。但管理又是多样的。例如，企业经理可以用每日的产量、单位产品所耗费的工时、单位成品所耗费的资源或顾客退货的百分比等进行衡量。销售经理常常可用市场占有率、每笔合同的销售额，或每位销售员拜访的顾客数等进行衡量。而且有些工作和活动的结果是难以用数量标准来衡量的，但可以把它分解成能够用目标去衡量的工作。这时就需要管理者首先确定某个人、某部门对整个组织所贡献的价值，然后将其转换成标准。

(2) 比较　通过比较等数据分析方法可以确定实际工作绩效与标准工作绩效之间的偏差。偏差是在所难免的，为此，确定可以接受的偏差范围（包括大小和方向）是非常重要的。

(3) 采取管理行动　管理者可选择三种行动方案，即：不做改变；改进实际绩效；修订标准。

① 改进实际绩效。如果偏差是由于绩效不足所产生的，管理者就应该采取纠正行动。这种纠正行动的具体方式可以是：做出管理策略、组织结构、补救措施或培训计划等方面的调整，也可以是重新分配员工的工作，或做出人事上的调整。

管理者在采取纠正行动之前，首先要决定他或她是采取立即纠正行动，还是采取彻底纠正行动。所谓立即纠正行动是指立即将出现问题的工作纠正到正确的轨道上；而彻底纠正行动则首先要弄清工作中的偏差是如何产生的，为什么会产生，然后再从产生偏差的地方开始进行纠正行动，也就是采取预防措施。事实证明，一个有效的管理者，应及时对偏差进行认真的分析，并花一些时间永久性地纠正实际工作绩效与标准工作绩效之间的偏差。

② 修订标准。工作中的偏差也有可能来自不现实的标准，也就是说标准定得太高或太低，那么就要调整标准。当把标准降低时，可能会引起许多麻烦，所以如果标准是现实的，就应该坚持，不要轻易地降低标准。

5.1.3　过程改进

企业想在竞争激烈的市场中保持成功，就必须持续改进价值创造过程，所以过程改进是企业的一项重要的经营战略。

改进是管理层的主动工作，也是得到提升的重要机会，而不只是对问题和竞争威胁的反应。改进的机会有很多，如：明显减少制造缺陷或缩短运转周期时间；提高员工的士气、满意度；改进管理习惯；改进产品设计和质量指标，以更好地满足顾客需要；消除不必要的存货、运输、废品和返工，提高生产系统的效率等。

5.1.3.1　改善

改善，即渐进而有序地持续改进，这一理念涵盖了企业中的所有业务活动和所有人员。工作中常见的实施改善的方法有：摒弃常规化的固定思维；思考如何做某件事，而非为什么不能做；不追求完美无缺；不找借口，但质疑当前的做法；追求“群策群力”；通过培训，使员工贯彻持续地改进本职工作的理念等。

改善，要注重在较长一段时间内的小规模、渐进性和经常性的改进活动。一个成功的改善活动要求三点：实施习惯性行为、全员参与和培训。首先，实施习惯性行为将带来新的改进机会。诸如“踩点交接班”这样的准时制习惯性行为在表明工作质量不良的同时，还表明效率低下。其次，在改善中，所有的员工都要努力进行改进。最高管理层会通过有效地配置资源和促进改进的奖赏机制来对改进活动提供支持。中间管理层负责实现最高管理层的改进目标，包括：建立、优化及维持反映这种目标的操作标准；改进部门间的合作；增强员工对承担改进责任的意识；培养他们解决问题的能力。基层管理者可以把更多的注意力放在改进而不是监督上，这将有助于促进沟通以及更好地指导员工。最后，员工也要积极参与改进，包括进行小组活动、参加有关问题解决方法的培训、提升岗位操作技能等。

5.1.3.2　提高灵活性与缩短运转周期

灵活性是指迅速而有效地适应变化着的要求的特性。要在市场竞争中取得成功，就必须能够迅速地改变，必须具有灵活性。灵活性可能要求有一些特殊的策略，如模块化设计、通用零部件、通用生产线、对员工的特殊培训等，它还涉及外包、与关键供应商的协定和创新性的合作伙伴关系等。

运转周期是与灵活性形成互补关系的一个重要的经营指标。运转周期指的是过程完成一个循环所需的时间，比如混凝土罐车装卸料时间、出厂检验时间、原材料卸料时间等。要显著地缩短运转周期，不能只关注单个的子过程，还必须审视横贯整个企业的跨职能过程。通过这些活动，公司才能在组织层面上理解其工作，并致力于合作性的行为。

5.1.3.3 突破性改进

突破性改进是指非连续性的变革。突破性改进源自创新性和创造性的思维，这种思维常常受到挑战性目标或突破性目标的激发。

挑战性目标迫使企业以一种全然不同的方式来思考，它既鼓励持续性改进，也鼓励重大的改进。比如，当所确立的目标是实现10%的改进时，管理者或工程师通常通过较小的改进就能使之实现。然而，当目标是实现1000%的改进时，员工就必须具有创造性，要跳出现有框架进行思考，看似不可能的事情就能够实现，从而带来巨大的改进和高昂的士气。

挑战性目标要获得成功，就必须依赖于公司的战略。公司必须提供适当的帮助以促使员工完成任务。实现挑战性目标的突破性改进通常有两种方法，即标杆分析和再造。

(1) 标杆分析　也可理解为“对标”，与最佳公司的绩效进行对比，分析最佳公司是如何达到这种水平的，并以这些信息为基础来确定本公司的目标、战略和实施方法。标杆分析是企业为实现卓越绩效而对行业最佳惯行进行寻求的一种活动。最佳惯行指的是能产生杰出效果的方法，通常在技术或人力资源管理上有创新，并得到顾客或行业专家的认可。在确立和实现改进目标（尤其是挑战性目标）的过程中，常常借助于标杆分析。

他山之石，可以攻玉。通过标杆分析，企业能够发现自己与行业领先者的优势和劣势，并学会如何将最佳惯行融入自己的运营活动中。标杆分析能够帮助员工认识到别人能做到什么，从而激励他们完成挑战性目标。而且，它消除了因“重新发明车轮”而造成的资源和时间的浪费；它帮助企业识别与竞争对手的绩效差距，从而设定现实的目标；它能鼓励员工持续创新；也有助于敏捷应对顾客需求的变化。企业常见的标杆分析主要有竞争性标杆分析、过程标杆分析和战略性标杆分析等三种类型（表5-1）。典型的标杆分析过程如图5-1所示。

表5-1　标杆分析类型与特点

类型	特点
竞争性	研究同行业竞争对手的产品、过程或业务绩效，对比产品或服务的定价、技术质量、特点及其他的质量或绩效特征等
过程	关注关键的工作过程，旨在识别具有相似职能的公司的最佳惯行，无论这个公司处于哪个行业
战略性	审视组织应当如何竞争并探究实现竞争优势和市场份额领先的战略

(2) 再造　即对业务过程进行的根本的再思考和彻底的设计，以在成本、质量、服务和速度这些关键的绩效指标方面实现显著的改进。

因此，再造必须对业务过程提出如下的问题：我们为什么要做；为什么按照这种方式来做等。这样的提问经常会发现陈旧的、错误的或不合适的假设。彻底的再设计意味着废除现有的过程并重新设计，而不只是改进它，目标是获得绩效的巨大飞跃。例如，预拌混凝土出机不合格率通常较低，合格的都有一定共性，可以通过比对搅拌机的电流曲线对未出机的混凝土拌和物流变性能进行评估并做出反应，降低了出机不合格率和返工率；再通过图像分析软件等对出机混凝土质量做出初步甄别，异常的再进行人工复查，该出厂检验中只有部分车辆需要人工检验，与全部人工车检相比，节省了大量体力劳动和出厂检验时间。

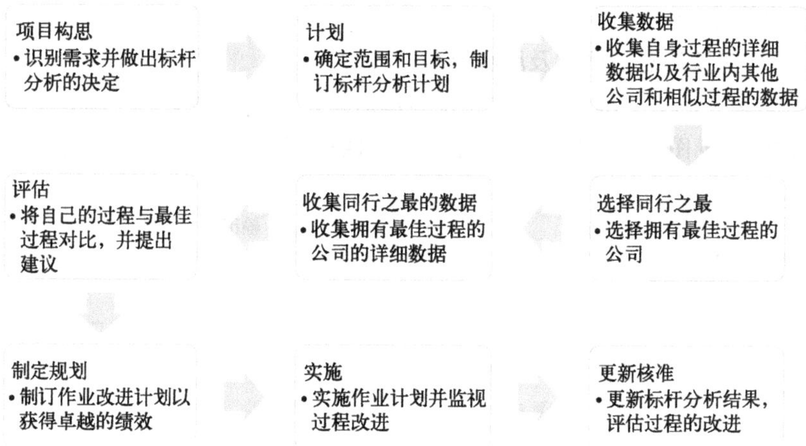

图 5-1　标杆分析过程示意图

成功的过程再造需要对过程进行彻底的理解，必须用创造性的思维来打破传统和假设，以及有效地使用信息技术。标杆分析能在很大程度上辅助过程再造。调查表明，没有标杆分析的再造可能会带来 5%～10%的改进，标杆分析则能将这个百分比提高到 50%～75%。

过程改进的方法与工具很多，比如常用的戴明环（PDCA 循环，图 5-2）、朱兰突破历程等，当然也可以采用流程图、运行图、控制图、检查表、直方图、帕累托图、因果图和散点图等工具。

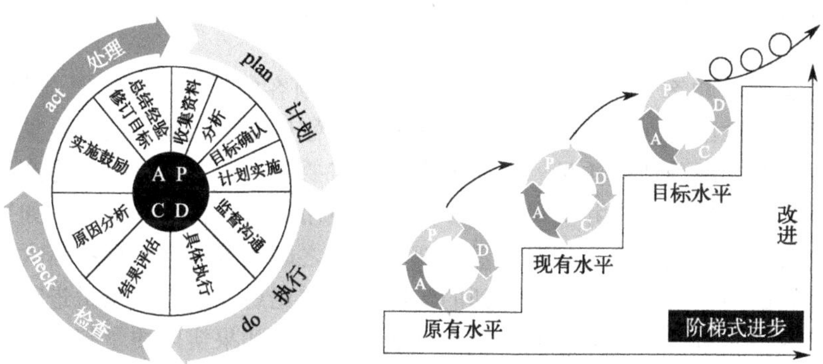

图 5-2　PDCA 循环示意图

5.2　服务管理

服务是一方能够向另一方提供的、基本上是无形的各种活动或作业，其结果不导致任何所有权的产生。它可以但不一定与某种实体产品有联系。服务是无形的、不可分的、可变的和易逝的。管理人员必须找到方法使无形服务有形化，提高服务提供者的生产效率，提高和规范所提供的服务的质量，并将服务供给与市场需求相匹配。

管理与服务的进步远远比技术进步更重要。没有管理，人才、技术和资金就不能形成合力；没有服务，管理就没有方向。卓越的服务通常来自战略理念、高层管理者的关注程度、较高的标准、服务绩效监控系统和顾客投诉系统，并通过基本服务和次要服务以及持续创新来实现品牌的差异化。

5.2.1 以顾客为中心

5.2.1.1 识别与创造满意的顾客及顾客服务

(1) 识别顾客　广义上讲，顾客不仅仅是指消费者，某种意义上，供方也须被看作是顾客，顾客-供方模型见图 5-3，该模型可以应用于组织层面、过程层面和执行层面。

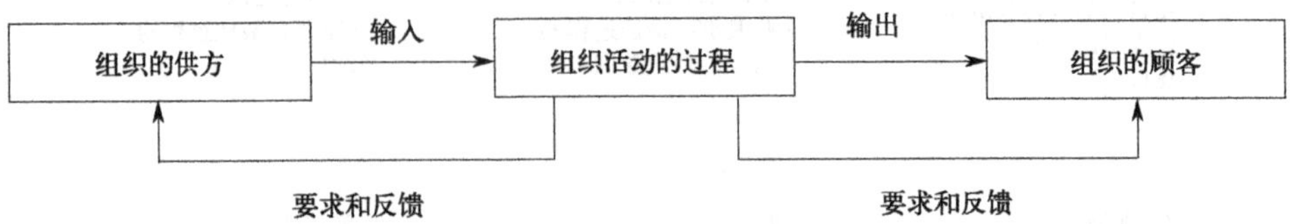

图 5-3　顾客-供方模型示意图

在组织层面上，企业和消费者都有着各种各样的外部顾客，他们也都有着独特的需要和期望。在过程层面上，企业内的部门和跨职能过程中拥有内部顾客，这些内部顾客为实现公司的使命作出贡献，他们依赖于部门或职能的产品或服务来最终服务于消费者和外部顾客。在执行层面上，每个员工接受他人的输入，并向内部顾客产出某种输出。这里的内部顾客可能是下一个工序的操作工等。

在个人、部门和职能间的这种自然的顾客-供方联系构成了横贯整个公司的“顾客链”，将个人、职能与外部顾客和消费者联系起来，体现出公司的价值链。如果一个企业认识到其顾客还包括员工和公众，它就会有意识地去维持一个有利于全体员工的福祉和成长的工作环境。比如，向员工提供诸如辅导性咨询、文化娱乐活动、非工作性教育、弹性工作时间等特殊的服务。

(2) 创造满意的顾客　图 5-4 所示的过程描述了顾客的需要和期望是如何转化为设计、生产和交付过程的输出的。真实的顾客需要和期望可称作期望质量。期望质量是顾客认为将会从产品中得到的主观预期的质量。企业识别这些需要和期望并将之转化为产品和服务的规范。实际质量是生产过程产出并交付给顾客的实际使用后的一种客观反馈。如果信息在工序传递过程中被丢失或者被误解，实际质量与期望质量之间就可能会出现相当大的差别。

顾客将他们的期望质量和他们所得到的实际质量对比后，就会对质量进行评价并形成感知质量。如果期望质量比实际质量高，顾客可能会不满。如果实际质量超过了期望质量，顾客就会满意，甚至有可能得到意外的惊喜。由于感知质量驱动着顾客的行为，所以企业应该尽其所能来保证实际质量和期望质量相一致。当感知质量与实际质量大不相同时，或者是由于宣传的影响，或者是由于此前的负面体验。为此，企业必须有一个顾客满意度测量系统，该系统能够从顾客的视角而不是组织内部的视角来看过程和产品，利用顾客的反馈来进行过程改进。应注意，顾客不满，不能全部归因于生产或服务缺陷或者员工的错误。如：顾客有时不能正确使用产品，或对产品的性能有不切实际的期望；营销部门有时会做出难以兑现的承诺，广告宣传有时也会具有误导性等。这些都有可能导致顾客不满。这些问题表明，企业必须更加重视影响顾客感知的整体体验，包括提供更好的使用手册、更恰当的产品信息（如服务指南、产品说明书、技术方案等）以及避免信息失真等。

(3) 顾客服务　混凝土企业的服务贯穿整个工程施工阶段。从双方业务合作接触开始，混凝土企业就应对合作对象进行调查分析、综合评估，并分类定型。第一次供应混凝土前，要安排调度和车队人员进行现场实地察看、运输路线的规划，充分做好“第一印象”工作。开始正式供应混凝土前，混凝土企业主管领导要带队组织商务、技术、生产、质量等各相关部门，到施工现场实地察看、召开见面会，与施工单位各对口部门负责人和监理等分别进行对接，以便准确地了解顾客要求，如工程施工标准、技术要求、重难点和工期等，也有利于及时、高效地解决施工过程中发生的问题。同时，混凝土企业也要及时地与施工方进行过程沟通，根据需要召开特殊结构施工专题会，并针对混凝土施工的重难点给出专业建议，以便编制操作性更强的施工方案，达到引导顾客进一步认知混凝土特点、好好施工、好好养护的目的，确保混凝土结构质量。在工程结构验收前，跟踪实体质量，及时处理相关质量隐患，事后要认真复盘、总结。另外，合作过程中要及时积极地处理发生的问题，更要定期进行质量和服务回访，尤其要关注调度、经营、技术、司机等关键岗位的工作质量，在降低过程问题处理成本的同时，逐步提高企业自身的服务质量和顾客认可度。

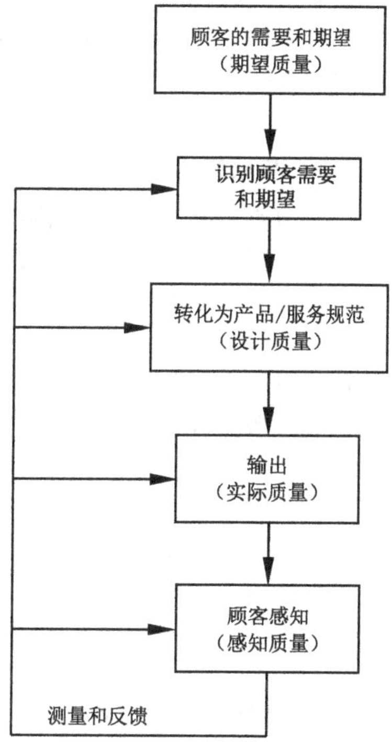

图 5-4　顾客驱动的质量循环示意图

5.2.1.2　顾客的需求

顾客的需求通常可以分为三类：

① 当然需求：预期的产品和服务需求。顾客会认为这是不言而喻应具有的特性，如果不具备这些特性，顾客就会不满意。

② 满意需求：顾客表述出的他们想要实现的需求。这些需求人们一般不会奢望，满足这些需求顾客会满意。

③ 魅力需求或欣喜需求：顾客不曾想到的、新的或具有创新性的需求。

在评价产品和服务的质量时，可以从多个质量维度考虑。研究表明，主要有五个关键维度影响着顾客的感知，如表 5-2 所示。

表 5-2　质量评价的关键维度

序号	维度	具体内涵	示例
1	可靠性	可靠、准确地提供所允诺事项的能力	在承诺的时间做出响应等
2	确信性	员工的知识、礼貌及其传达信任和信心的能力	回答问题的能力、打交道时的礼貌和愉悦等
3	有形性	有形的设施和设备、人员的外表	吸引人的设施，人员的形象，设计适当、易于阅读和理解的表格等
4	共情性	给顾客以关爱和特殊关照的程度	以通俗的语言解释技术术语，记住常客的姓名等
5	响应性	帮助顾客并迅速提供服务的意愿	快速解决问题，快速更换缺陷产品等

满足顾客的需求通常只是保证企业生存的最低要求。要想真正具有竞争力，企业就必须超越顾客的需求。通常可以通过客户访谈来明确客户的需求，通过明确、一致且可行的服务标准以及长期的过程计划来改进企业的关键过程，确保满足或超越顾客的需求。同时，根据每个项目结束时的反馈和主要客户的访谈进行满意度测量并推动改进。企业按照这种方式不断地创新和研究顾客的感知，确保顾客的需求得到满足。当然，顾客也会随着时间的流逝而对魅力需求和欣喜需求习以为常，从而使这些需求转变为满意需求。满意需求最终又会转变

为当然需求。顾客意见等信息，可以采用调查、投诉、意见簿、直接沟通、现场情报和互联网等多种方法加以收集。收集顾客意见信息后，要进行分类归并，以便管理者理解其中的关键主题，并据此给予反应。

应注意，了解内部顾客的需求与了解外部顾客的需求同样重要。

5.2.1.3 与顾客的关系

企业通常会努力促进与顾客之间的关系，从而提高顾客的忠诚度。顾客忠诚度是通过建立信任、与顾客交流以及有效地管理企业与顾客之间的交互作用和关系构筑起来的。为此，要选择合适的人采取正确的方法增进企业与顾客的关系，如：根据顾客的偏好提供差异化服务等。

应注意，在服务过程中，顾客的满意或不满意发生在真实瞬间。真实瞬间可能发生在与客服代表或服务人员直接接触时，或是发生在顾客浏览公司的信件、发票或其他的函件时。在真实瞬间，顾客通过比较他们的期望和实际结果而形成对服务质量的感知。

通常从以下五个方面进行顾客关系管理。

① 可达性和承诺。可达性表征了顾客与企业沟通的便利途径，即联系的难易程度。企业应确保顾客需求信息接收与传递的渠道畅通。为此，顾客需求信息第一接收人即为信息传递第一责任人。企业可以向顾客做出针对其主要关切的强有力的承诺，并不会附加其他条件。

② 选择和培养顾客界面员工。顾客界面员工，即对外窗口部门或岗位的员工，是非常重要的，他们的职责使得他们成为日常与顾客打交道的人，他们的言行直接影响企业的形象和品牌声誉。因此，公司必须仔细地选用顾客界面员工，并进行良好的培训，通过授权赋能他们能够满足甚至超越顾客的期望。

许多公司以招聘过程为起始点，选拔那些表现出建立良好顾客关系的能力和意愿的人员。如：应聘人应具有良好的人际关系和沟通能力等。公司也会确保顾客界面员工对其产品和服务有着充分的理解，从而能够回答任何问题，培养他们具有良好的倾听习惯和处理问题的能力，并有信心能够解决问题。

③ 顾客接触要求。顾客接触要求是组织规定的、可测量的顾客接触质量的绩效水平或期望，包括响应时间等。企业必须将这些要求传达至所有顾客界面员工。

注意，许多顾客界面员工要依靠内部顾客的支持。外部顾客满意的关键是首先使内部顾客满意。比如，技术人员的行为令销售人员满意时，销售人员在回答外部顾客问题时会轻松得多。

④ 有效的投诉管理。即使千方百计要使顾客满意，企业还是会遇到不满意的顾客。如果得不到有效处理，顾客的抱怨就会对企业产生负面的作用。调查表明：有 90%以上的顾客不满信息不会被企业知晓，而且企业每接到一次投诉都意味着有 26 个以上的顾客碰到了问题，其中有 6 个还很严重。对于提出投诉的顾客而言，如果其投诉得到解决，有 50%以上的顾客还会继续光顾；如果顾客感觉到问题解决得很快，这个数字会跃升至 95%。

企业应将投诉视为改进的机会，鼓励顾客投诉，使投诉更方便。通过有效地解决投诉，来提升顾客的忠诚度和保有率。同时，企业要培训顾客界面人员与愤怒的顾客打交道，客服人员必须仔细地倾听以判断顾客的情绪，要以同情的方式加以回应，确保真正搞清楚顾客的投诉，并应按照投诉处理流程（图 5-5）尽一切努力迅速解决问题。

投诉为产品和过程改进的创意提供了一个来源。投诉所产生的代价是巨大的，包括生意的丢失、投诉处理成本以及诉讼和赔偿等。为了有效地改进产品和过程，企业不能只满足于纠正问题，必须有一个系统的过程来收集和分析投诉数据并利用这些信息进行改进，通常是由跨职能的团队来分析信息，确定投诉的真正原因，并提出建议。

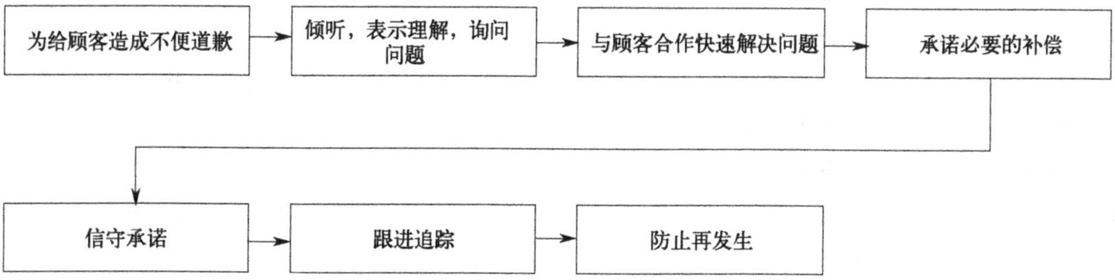

图 5-5　投诉处理流程图

⑤ 战略伙伴关系与联盟。由于企业更加聚焦于其核心能力，因此，对于非关键性的支持性过程，它们往往会寻求组织外部的协助。与外部合作供方可以发展为实现卓越和经营成功的重要战略伙伴或联盟。这种合作伙伴关系的好处包括：用自身不具备的对方的技术和分销渠道，在新投资和产品开发中分担风险，通过基于供方能力的早期设计建议来改进产品，通过良好的沟通减少运营成本。例如，混凝土公司常常采用第三方物流解决运输问题、建立特定骨料供应基地等。

5.2.1.4　测量顾客满意度

有效的顾客满意度测量系统不但能够获得顾客对产品和服务特征的评价结果，而且也能够据此分析与顾客未来的市场行为之间的关系。顾客反馈对于企业而言是至关重要的。通过反馈，企业能够了解顾客对其产品和服务的满意程度如何，也能知道顾客对竞争者产品和服务的感受。顾客满意度测量也能够识别出那些高度影响满意度的过程，区分运行不良的过程与运行良好的过程。企业根据顾客满意度指标可以实现以下目标：

① 了解顾客对企业在满足顾客需要方面做得如何的感知，识别引起不满和没有满足顾客期望的原因，识别顾客满意的驱动因素。

② 比较企业相对于竞争对手的绩效，用以支持计划改进活动和更好的战略行动。

③ 发现在产品和服务的设计与提供以及员工的培训和指导方面需要改进的领域。

④ 跟踪趋势以确定变革是否确实导致了改进。

顾客满意度的指标包括产品属性（如产品质量、产品性能、可用性和可维修性等）、服务属性（如态度、提前时间、例外情况处理、责任、技术支持等）、形象属性（如可靠性和价格等），以及总体的满意度指标。真正的顾客要求或需要是测量的基础。

最有用的顾客数据包括与主要竞争者的比较。企业常常依靠第三方来进行匿名调查，以确定谁是主要的竞争者并比较他们的产品和服务。

（1）设计顾客满意度调查　设计顾客满意度调查的第一步是明确其目的。所设计的满意度调查应该能够明确地向使用者提供具有决策所需信息的调查结果。管理人员、采购人员、最终用户还有其他一些人员都会受到公司的产品和服务的影响。例如，施工现场商务经理反馈的是关于混凝土销售过程的感知；物资经理提供的是结算过程的信息；劳务队提供的是混凝土施工过程中的产品性能、供应及时性和技术支持的反馈；等等。内部顾客的满意度也应及时测量，这有助于评价组织的优势和劣势。引起员工不满的原因常常也是导致外部顾客不满的原因，可采用员工意见调查等方式得到员工关于工作环境、收益、薪水、管理、团队活动、奖励与认可，以及公司的计划和价值观的反馈，当然，旷工、跳槽率、牢骚和罢工等也是满意度表现形式。

第二步是考虑由谁来进行调查。独立的第三方机构通常会让回答者觉得有更高的可信度，有利于确保结果的客观性。在完成了这些预备性的步骤之后，就必须确定抽样的范围，亦即抽取样本的目标群体。根据不同的调查目的，它可以是整个的顾客总体，也可以是某一个细分市场的顾客。

第三步是选择适宜的调查形式。常见的有：书面调查、面对面的访谈、电话访问等。书面调查的优点是：数据收集成本低、可自我管理、易于分析，有助于进行深度探究，使用时简明易懂；弱点是：回答率低导致偏差，要求的样本量很大，因测量的项目是预先确定的，故相应减小了有可能获得定性信息的范围。面对面的访谈和专项小组所要求的样本量要小得多，常常可以获得大量的定性信息，但其成本高。

注意，在调查中所提的问题必须措辞适当，以获得可采取行动的结果。所谓可采取行动，是指问题的回答应直接与关键业务过程相联系，以便明确改进什么。回答的内容最好还能够从成本-收益的角度进行转化表述，以便于确定改进的轻重缓急。应避免那些引导性的问题、包含多个主题的复合性问题、含糊不清的问题，避免使用回答者不理解的缩写和行话以及双重否定。如“你如何评价我们的服务?”这样的含糊问题，几乎不可能提供可采取行动的信息。“你如何评价我们技术支持的响应时间?”这是一个比较好的问题。再如“如果这是你的企业，你会采取什么不同的做法?”这样的开放式问题，常常会获得忠实的意见。

实际工作中，通常采用利克特量表（Likert scale）来对回答进行衡量（表 5-3)。5 分制利克特量表表现出了很高的可靠性，故常被采用：回答“5”表明公司做得很好；回答“4”表明顾客的期望得到了满足，但公司很容易受到竞争者的攻击；回答“3”意味着产品或服务刚好满足了顾客的期望，尚存在较大的改进空间；回答“1”和“2”表明有严重的问题。然而大多数类似量表都存在着回答偏差。

表 5-3 用于顾客满意度测量的利克特量表示例

很差	差	既不差，也不好	好	很好
1	2	3	4	5
非常不同意	不同意	无所谓同意不同意	同意	非常同意
1	2	3	4	5
很不满意	不满意	既无满意，也无不满意	满意	很满意
1	2	3	4	5

最后一步是设计报告格式和数据输入的方法。利用计算机数据库与各种统计分析工具，进行调查和数据分析。

(2) 分析和应用顾客的反馈　通过分析顾客满意度指标的趋势并将满意度数据与内部过程联系起来，企业可了解需要改进的领域及其进展情况。比如，企业可根据顾客满意度结果制订改进计划，也可以将年度奖金与顾客满意度结果挂钩。

确保测量适宜的方法之一是收集关键特性（如产品质量）的重要性和绩效表现两方面的信息。评估时可采用图 5-6 所示的二维矩阵方格图，正常情况下，公司希望其重要特性具有高绩效，但不希望在重要性低的特性上浪费资源，即：在不重要的属性上浪费资源实现高绩效是“过度”，在重要的属性上表现为不可接受的绩效会使公司处于不利的竞争地位。这种分析的结果有助于准确选择改进和削减成本的区域，并为战略计划活动提供有用的输入。也可以将竞争者的数据（或行业平均值）写在图上进行对比，以此来评价竞争的优势和劣势。

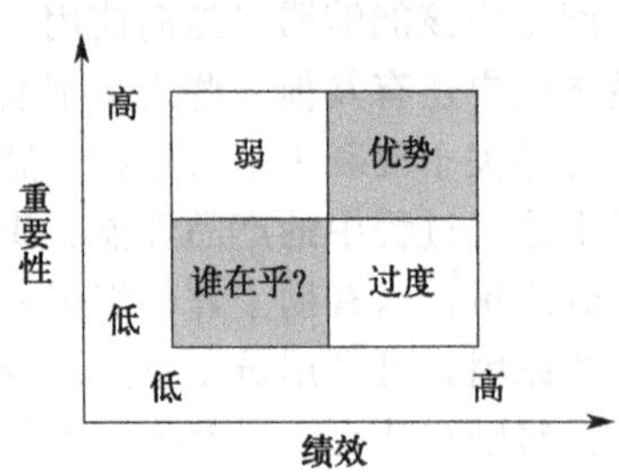

图 5-6 重要性-绩效二维矩阵方格图

确定和利用顾客满意度信息是企业的一个关键业务过程。

失败的原因主要有以下几个方面：

① 测量计划设计不当。

② 未能识别适当的质量维度。未掌握有关顾客的需要和期望的可靠信息，导致调查的内容只是公司认为重要的问题，而非顾客认为重要的问题。

③ 未能赋予各个维度适当的权重。其结果是在得分低但对顾客并不重要的维度上付出了较多的努力。应用“重要性-绩效分析”有助于将注意力集中在关键维度上。

④ 缺乏与主要竞争者的比较。质量与感知质量是相对比较而言的。没有适当的比较数据，竞争者的改进速度可能比组织所意识到的要快得多。

⑤ 未能测量潜在顾客和以前的顾客的满意度。若是不了解那些非顾客为什么不光顾本公司，或更为重要的，为什么顾客会离开本公司，组织就面临着市场份额被竞争者夺走的风险，就可能会走向“灭亡”。

⑥ 混淆了忠诚与满意。顾客满意和顾客忠诚所反映的是一个公司的未来。

5.2.2 服务质量管理

服务结果和顾客忠诚度受一系列因素的影响。如“熟悉业务的一线员工”和“一个电话解决问题”，是顾客最希望企业重视的关键问题。引起顾客流失的因素见表 5-4。

表 5-4　引起顾客流失的因素

因素	定价	服务接触失败	伦理问题	不便之处	核心服务失败	对服务失败的反应	自然转换	竞争
内容	高价格 价格提升 不公平定价 欺骗性定价	不够关心 态度差 不予理会 业务不熟	欺骗 强行推销 安全隐患 利益冲突	位置、时间 预订等待 服务等待	服务错误 账单错误 重大服务失败 法律纠纷	消极反应 没有反应 勉强反应	顾客迁移 停产歇业	对手服务更好

顾客期望在他们的服务体验和评估中起关键作用。企业必须通过了解每项服务的效果和影响来管理服务质量。优质的服务要求管理顾客的期望和引进自助服务技术。

为了提供最好的支持，企业要识别出顾客最重视的服务及其相对重要性，并采取差异化措施，提高服务质量（表 5-5）。服务包括售前服务（支持服务和价值延伸服务）和售后服务（修理维护服务等）。

表 5-5　提高服务质量的措施

措施	内容
倾听	通过主动倾听和有效提问，精准捕捉顾客深层需求，同理心回应以产生情感共鸣，建立信任，化解矛盾，优化服务体验
可靠性	可靠性是服务质量最重要的维度，是企业服务管理的重点
基本服务	服务企业必须交付最基本的服务，包括守信、倾听顾客意见、通知顾客并向顾客交付价值
服务设计	在对顾客的细节方面进行管理时，一定要有全面的服务意识
补救	为了及时地满足遇到服务问题的顾客的需求，服务企业应该鼓励顾客进行投诉（或者方便顾客进行投诉），企业则及时给出个性化的回应，并构建问题解决系统
使顾客惊喜	在满足顾客期望时，可靠性是最重要的，但可信性、响应性等过程维度在超越顾客期望方面却特别重要。例如，超乎寻常的礼貌、能力、投入和理解等，很可能会使顾客感到惊喜
公平	服务企业应该尽力展示公平，并让顾客和员工都感到公平
员工调查	营销者必须对员工进行调查，以使找到出现服务问题的原因以及解决问题的方法
服务导向的领导风格	服务质量来自整个组织的卓越领导力，来自完美的服务系统设计，来自信息和科技的有效利用，来自一种缓慢变化的、不可见的、非常强大的内部力量——企业文化

5.3 预拌混凝土企业生产运作

生产是人类顺应自然发展、创造社会生活的最基本的活动，是一切社会财富的源泉。生产作业管理堪称企业的命脉，因其创造出企业赖以生存的产品和服务，更与人们的种种需求息息相关。生产管理绩效的好坏对企业有着非常重要的意义，一个成功的生产管理人员必须具备丰富的生产作业管理知识和实际操作经验，这是生产活动合理、有序开展的条件，也是企业创造良好效益的基础。

混凝土的生产工艺流程相对简单，即：原材料进场→检验→存储→计量配料→搅拌生产→出厂检验→运输→交付。行业普遍共识是“用常见的材料和简单的工艺生产一种复杂的产品”，工艺虽然单一，但涉及的管理环节却是多方面的，主要涉及生产经营系统、技术质量系统、安全环境系统等多个管理体系。不仅需要销售、生产、材料、设备、技术、试验、质检等部门严格履行部门及岗位职责，还需要人员、材料、机械、车辆等多种资源的有机结合，如此才能有效地保证混凝土产品的质量和供应，这就需要混凝土企业建立并完善一系列运转顺畅、快捷高效、反馈及时的管理流程。

对于生产型企业的管理者来说，日常的具体工作就是要及时掌握组织运行情况（图 5-7），保证工作运行的正确方向，并适时给下属做出具体工作安排。管理者工作关键点分解示意图见图 5-8。

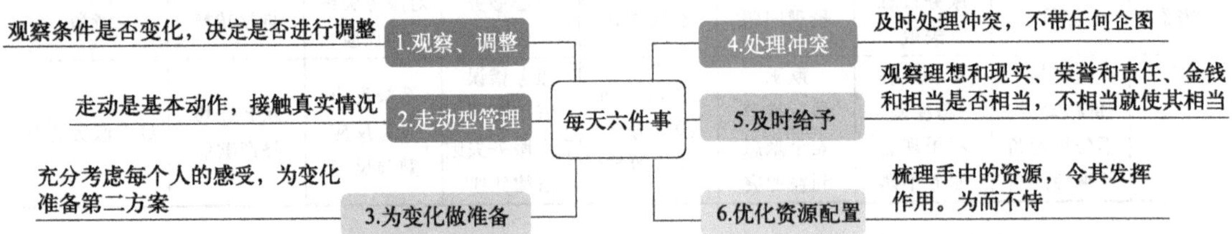

图 5-7 管理者日常的具体工作的内容

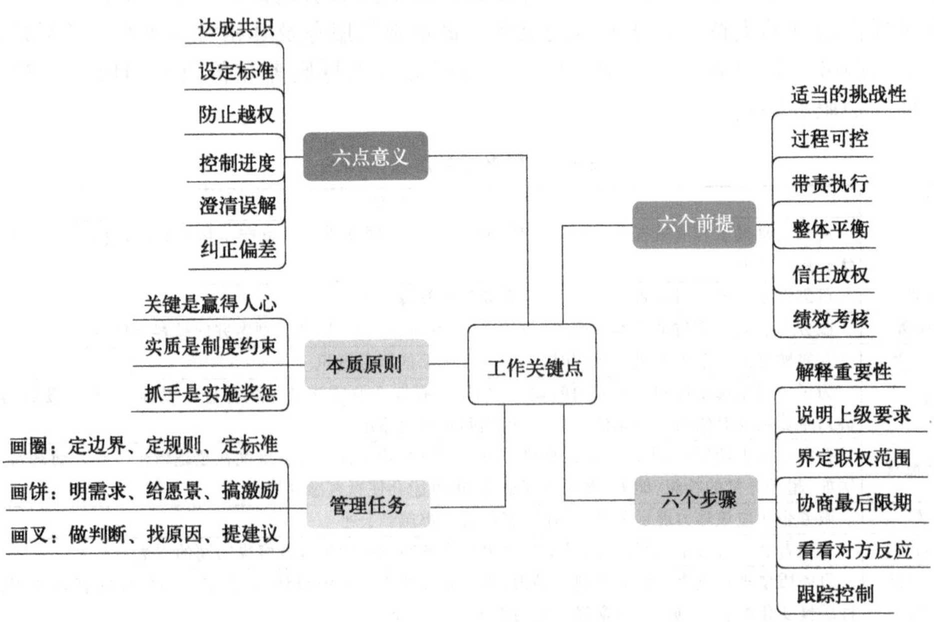

图 5-8 管理者工作关键点分解示意图

5.3.1　生产运作的任务

企业的生产运作任务包括将投入品转变为产品或服务的所有活动。工业企业的生产与作业过程是企业内部各种产品生产过程的总和，而且生产活动往往占据着企业人力与实物资本的最主要部分。因此，生产管理就成为企业实施总体战略的有力武器，其管理功能（表 5-6）的优劣意味着企业的成功与失败。与绝大多数产业一样，混凝土的生产或服务的主要成本发生于生产作业过程。生产作业管理就是对生产与作业过程进行规划、设计、组织和控制，具体内容如图 5-9 所示。

表 5-6　生产管理的五个基本功能

功能	内容简述
1. 生产过程决策	生产过程决策涉及实际生产系统的设计。具体决策内容包括对技术、设施的选择，工艺流程分析，设施布局，生产线的平衡，工艺控制及运输分析
2. 生产能力决策	生产能力决策决定企业的最佳产出水平——不能太多，也不能太少。具体决策内容包括预测、设施计划、综合计划、生产计划、生产能力计划及排队分析
3. 库存决策	库存决策涉及对原材料、在制品及产成品存量的管理。具体决策内容包括订货的内容、时间和数量及物料搬运
4. 人力决策	人力决策涉及对熟练及非熟练员工等人员的管理。具体决策内容包括岗位设计、工作考核、工作内容调整完善、工作标准及激励方法
5. 质量管理	质量管理的目的在于提供高质量的产品与服务。具体决策内容包括质量控制、抽样检查、测试、质量保证及成本控制

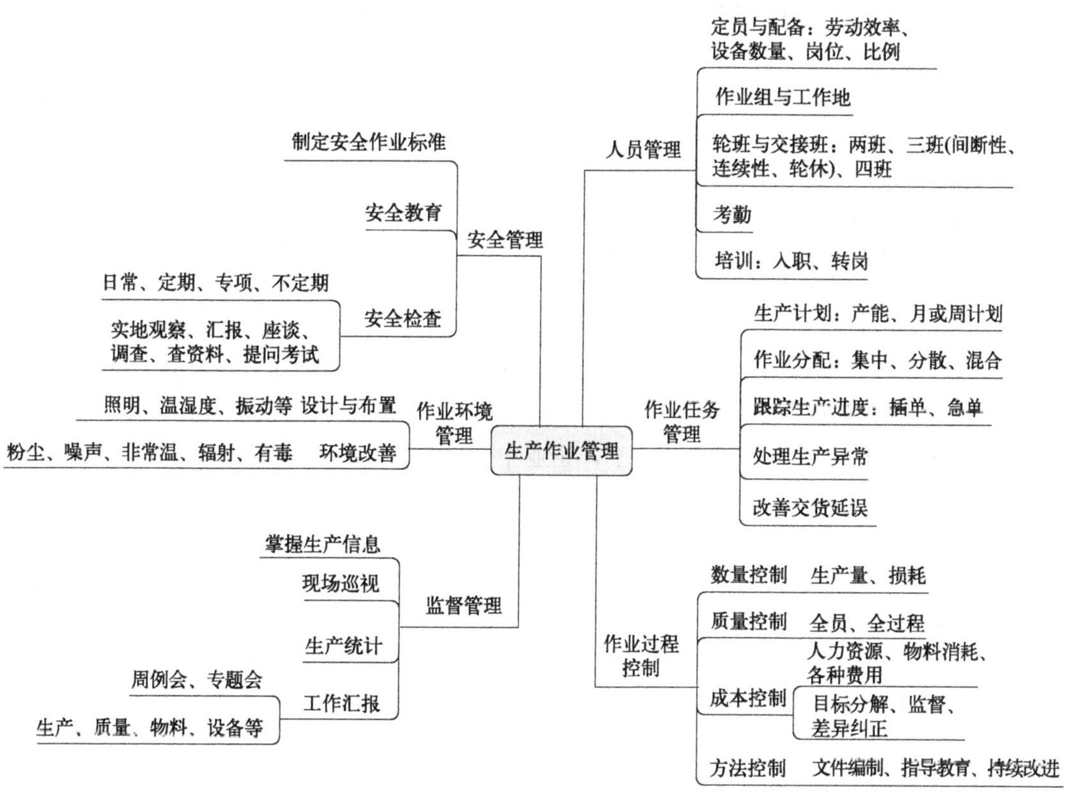

图 5-9　生产作业管理的具体内容

从生产类型看，预拌混凝土企业属于订货型、按一定流程成批生产的物质生产型企业。加之预拌混凝土时效性较强的特点，成本、质量、服务、交货期和新产品开发等方面就成为混凝土企业竞争优势的重要特征，这些都与生产管理状况密切相关。企业要想发挥这方面的优势，就必须优化生产管理方式，提高工作效率。

混凝土生产作业管理的目的之一就是保证生产供应正常、有序进行，具体工作流程如图2-12 所示，这些工作主要由生产部门组织协调，由生产调度岗位具体实施。

5.3.2 生产调度

生产调度就是组织执行生产作业计划的工作，是生产作业控制的主要手段。生产调度以生产作业计划为依据，生产作业计划通过生产调度来实现。

5.3.2.1 工作内容与原则

(1) 工作内容

① 按照生产作业计划组织日常生产活动，经常检查计划的执行情况，掌握各个工艺阶段的投入和产出，解决生产中出现的各种问题。

② 检查、督促和协调各生产部门及时做好各项生产作业准备工作，如工艺装备、资料文件、外协件、设备及运输工具等的准备。经常检查各项作业准备工作的进度情况，督促生产部门按时完成任务，发现问题及时协调并予以解决。

③ 根据生产需要合理调配劳动力，督促检查原材料、工具、动力等供应工作。

④ 对轮班、日、周或月计划完成情况做好作业统计和分析工作。

⑤ 组织好部门间的生产调度会议，协调部门之间及班组之间的生产进度，研究和制定克服生产中薄弱环节的措施，并组织有关部门予以实施。

⑥ 做好生产完成情况的检查、记录和统计分析工作。

(2) 工作原则

① 计划性原则。计划性原则是生产调度的最基本原则。生产调度必须围绕完成计划任务开展调度业务，以计划指导生产，调度的灵活性应服从计划性原则。

② 预见性原则。为了保证作业计划的完成，生产调度必须扭转忙于“灭火救急、堵漏洞、擦屁股”的被动做法，而且应该在漏洞发生之前，就预见到它的发生，并采取积极的措施加以防范，或缩小它的影响范围。这就要求调度人员不仅要熟悉本企业和客户的历史资料，还要善于分析、解决各种突发事件，做到预防为主。抓原料保加工，抓投入保生产，抓配套保装配，抓完成保计划，避免产生生产不均、资源浪费的被动局面。

③ 集中性原则。在市场经济条件下，企业中劳动者形形色色，生产情况千变万化，要保证生产工作的顺利进行，就必须加强横向和纵向的协调与领导。必须在生产主管领导的统一指挥下行使调度职权和发布调度命令，各级领导应维护调度职权。

④ 及时性原则。在执行生产作业计划过程中，必然会出现新的问题，调度部门要迅速地了解问题，机动、灵活地采取有力措施解决问题，以免造成生产间断和不必要的损失。

⑤ 群众性原则。生产调度工作必须贯彻群众路线。调度人员应深入基层，亲自掌握第一手资料，依靠并调动职工群众的积极性，集思广益，解决生产中出现的问题，保证完成生产任务。

5.3.2.2 如何做好生产调度工作

(1) 建立健全生产调度机构　具有强有力的调度机构是企业做好调度工作、实现生产指挥的必备组织条件。调度工作组织一般涉及三个岗位，即调度长、当班调度和现场调度。

企业通常设调度室，在调度长的领导下，调度室负责全厂的生产调度工作。当班调度工作往往与生产计划相结合，跟班作业。调度工作由当班调度（内调）和现场调度（外调）负责。

（2）建立健全调度工作制度

① 调度值班制度。调度值班又叫“调度跟班”或“倒班”，它是管理生产活动的需要，是生产活动连续和稳定的保证，是完成生产计划的必备组织条件。调度工作的任何间断，如同作战失去指挥和联络一般，将使生产系统的运转失去控制和协调而处于混乱状态，这对现代化生产企业来讲是不能允许的。

企业的倒班形式有“三班三运转”“四班三运转”等多种，生产调度人员按企业的倒班形式进行组织安排和人员配备，并使之相对稳定。

② 调度工作汇报制度。调度工作汇报制度是调度工作由下向上逐级汇报工作情况的一种工作制度，是信息传递的主要渠道和方式，常以电话或书面方式进行。企业可以按以下内容制定调度工作汇报制度。

a. 班、日生产汇报。各个生产岗位和生产环节都要定时对生产情况进行全面检查，记录有关工艺和设备运转参数，将规定上报的内容汇报给调度员，以便调度员进行综合汇总，掌握全面情况，协调生产活动；每班末或按规定，汇报综合生产情况、进度、消耗、库存以及存在的问题等；每日班组长要将一天的工作进行总结，统计完成情况、已解决和待解决的问题等，并向上一级领导汇报，随之形成生产日报或日志。

b. 周生产汇报。周生产汇报要针对一周生产计划的完成情况，对企业整个生产活动做出全面的综合总结；要运用生产统计资料，通过计算和分析，对各种技术经济指标的完成状态做出科学的数据表示；提出改进意见。在此基础上，做出下一周的生产计划安排。

c. 调度专题汇报。它是指在正常汇报的基础上，上级领导或调度部门对某项工作有要求（或遇到特殊情况，或遇典型事件，或执行临时性任务），须对某些情况进行特别了解的一种汇报制度。

进行专题汇报时，调度根据领导要求，对专题进行全面、深入的了解或必要的分析，写出完整的书面材料上报。但在专题汇报工作开始前，上级必须先向下级下达汇报提纲或说明具体调度事项，规定汇报期限，然后再指令专人进行汇报。

d. 巡回检查。就是按一定路线和一定的标准到各处来回查看。要求调度员必须深入生产现场、深入基层，按工艺走向和重要岗位的空间位置拟定一个巡检路线。巡检时，沿途对每个岗位的工艺过程、设备状况、劳动纪律、安全保障等进行监督和检查。

e. 事故汇报。一般事故可在定期汇报时汇报，重大事故或恶性事故必须及时上报。对事故不能按规定上报，有隐瞒、虚报或者故意延迟不报的，除按规定责成补报外，对责任者应给予严肃的批评或纪律处分，情节严重的，还要追究其法律责任。

③ 生产调度例会制度。召开生产调度例会是生产调度管理的重要工作内容，也是一种有效的工作方法。企业负责人应安排好调度部门的例行会议，重要会议更是要亲自组织参加。其实例会也是工作复盘的一种形式，通过复盘逐步提高管理水平（图 5-10）。日常的生产调度例会有如下几种。

a. 班前会。班前会是接班者在接班和上岗前的例行会议，又叫“班前碰头会”和“交接班会”。班前会主要是听取上一班调度员的工作介绍以及重要问题的调度情况，尤其是上级领导部门的有关重要指示精神及要求等。同时听取接班调度员对本班工作的安排和分工，传达上级领导的有关意图和本班调度的工作重点等。

b. 生产碰头会。每天接班后，各部门的生产负责人都到调度会议室碰头，同当班调度

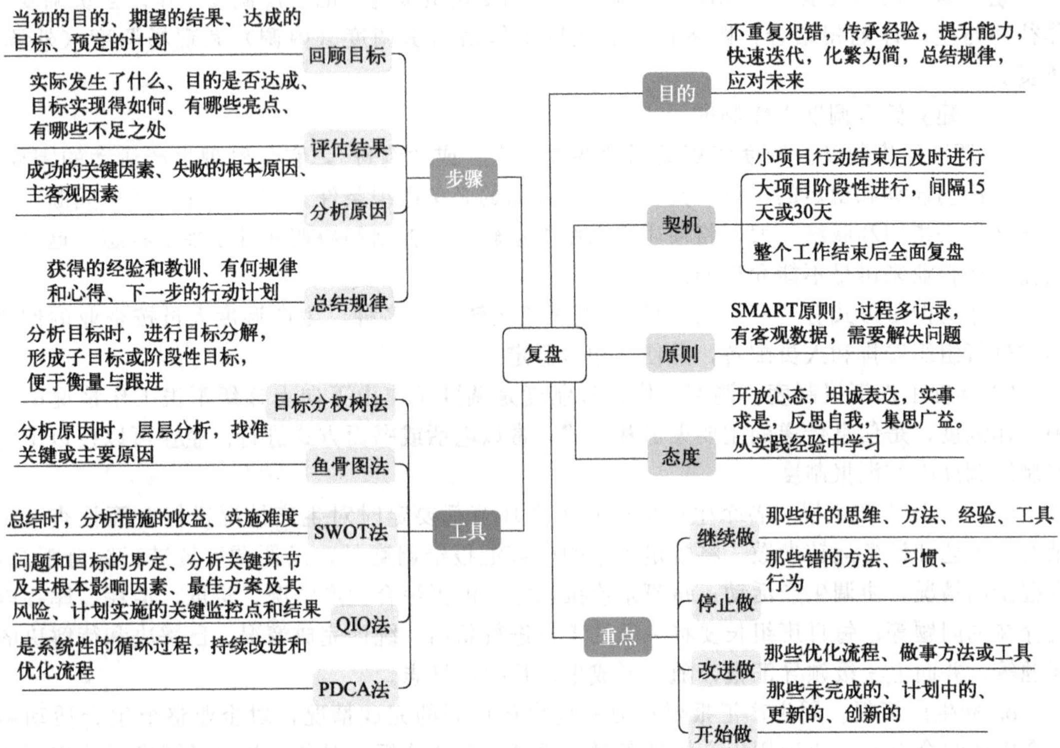

图 5-10　工作复盘的要点

作简单的情况介绍并提出要求，听取基层的一些反映，可作适当调整以促生产平衡。生产碰头会有话则长，无话则短，力争简洁、精练，一般不超过半个小时，会议大多在白班进行。

c. 生产调度会。生产调度会通常由生产副总主持，参加者有经理或站长、副经理或副站长、总工程师和企业其他主要领导，以及销售、设备、材料、车队、技术质量、安全等其他生产一线相关部门负责人。生产调度会的召开次数不一。

会议内容主要有以下三个方面：

一是听取生产调度长对有关生产活动的汇报，包括：一周或一月的生产作业进度；存在的问题和所要采取的措施；对某些部门或岗位的工作要求等。

二是听取各基层班组负责人的情况反映、提出的问题和要求，并针对这些情况的性质和对生产活动的影响，经过协商，责成有关部门或单位限期解决。

三是听取公司领导（或站领导）的信息通报和指导性意见以及新的生产指令和某些决定。将领导的指令和决定记录在案，作为本周（月）或指定时期内的调度工作重点，严格执行，监督并检查落实情况。

d. 事故分析会。事故分析会由调度长或事故发生时的当班的调度人员主持。会议的主要目的是查清事故原因、明确事故责任、确认事故性质、估算损失、吸取教训、制定预防措施等。参加事故分析会的人员应有事故发生部门的有关人员、调度指定人员和有关领导。

事故分析会要尊重科学，决不可凭主观臆断，要掌握大量的第一手资料，如实物、各种记录、照片、现场有关人员的录证等。会议内容要写成摘要或简报，上报和通报到各有关部门，达到教育全厂员工的目的。

e. 调度学习会。调度学习会由生产副总主持，内容主要是政治、业务学习，工作总结，经验介绍，检查劳动竞赛的情况等。目的是要不断提高调度人员的政治素质、业务水平和工作质量。

由于调度工作的轮班制，人员难以集中，调度学习会以每季度或每半年召开一次为宜，或根据企业生产松紧程度而定，或采取分别召开的方法，每次至少有两个轮班的调度人员参加。

④ 调度交接班制度。

a. 交接班工作要求：

（a）交班前，当班调度要对本班生产活动情况进行认真整理、分析和总结，填写好调度日志或交接班簿。

（b）接班者要认真听取上一班的情况介绍，并仔细审阅日志和记录。确认可以交班后，双方签字认可，才能离岗和上岗执行调度职责。

（c）当发生交接矛盾时，交班者必须按规定满足接班要求后，方可办理交接手续，在手续未办前，交班者承担调度责任。

b. 交接班注意事项：当班发生的问题和处理结果要做好记录，待办事项要交代清楚，做到“五交清”。

（a）交清当班任务完成情况，说明超、欠产的数值和原因。

（b）交清安全情况及各类事故的发生及处理结果。

（c）交清领导及上级部门的有关指示、要求及执行情况。

（d）交清正在处理和待处理工作的详细内容。

（e）交清下一班的生产任务和可能出现的问题。

⑤ 调度资料保管制度。调度资料，尤其是厂级调度的有关资料，如台账、报表、分析材料等，应作为文件档案妥善保管。

⑥ 调度工作评估制度。生产调度工作对生产作业活动来说非常重要，它的效果直接影响着整个生产作业活动，因此，企业负责人必须对生产调度工作的各个方面进行评估，综合考察整个工作活动的完成情况，发现问题立即查找原因，制定措施进行解决。具体评估内容如下：

a. 评估生产调度活动：能否经常深入生产现场发现问题并加以排除或解决；均衡率能否达到目标要求；生产准备工作计划能否完全落实；对企业重点工作和每日调度情况能否做到了如指掌；能否按要求写出生产任务完成情况的总结。

b. 评估生产协作活动：能否及时掌握协作单位的生产条件；是否能正确选择协作单位；协作单位质量是否稳定，能否按期按质交货；发现协作单位存在问题能否引起足够重视并及时采取措施加以改进。

c. 评估生产作业统计工作：检查各种统计报表是否有拖延报出或发生差错的情形；抽查统计工作是否违反制度要求。

d. 评估经济指标完成情况：总产值按月计划或季计划考核是否完成；计划品种产量实现率是否按月计划100%完成；协作计划实现率是否按月计划100%完成；备品备件是否按综合计划要求保质保量完成。

（3）把实现均衡生产作为主要目标　均衡生产是指产品在生产过程中，按照生产计划的进度，使每一个生产环节和每一个工地在同样的时间里充分负荷，按期、按量、按品种、按质量有节奏且均匀地生产产品或完成工作任务。避免机组空耗、车辆积压、忙闲不均等不良现象。

组织均衡生产是现代化生产的客观需要，它对充分挖掘生产潜力、建立正常生产秩序、全面提高经济效益有着十分重要的作用。不仅如此，均衡生产还有助于纠正生产上的前松后紧、忙乱突击的不良现象。均衡生产作为生产管理的一个重要原则，要求各级调度人员随时根据生产发展趋势，对各部门和各生产环节进行统筹兼顾，从人力、物力和财力多方面安排，达到均衡生产的目的。

① 把握好各生产环节之间的平衡。由于产品结构不同，产品所需加工时间、运输及施工部位、浇筑速度也不相同，产品与产品之间、生产环节之间、产品与生产环节之间形成了错综复杂的关系。任何一个环节出了问题，或任务不匹配，都会影响到其他生产环节的工作，影响生产、运输和浇筑过程，影响生产的节奏和均衡。为了保证生产系统的正常运行，调度人员必须做好以下几点：

a. 掌握各生产环节对所加工产品的生产能力、生产规模和生产特点的影响。

b. 掌握重点生产环节的变化情况。

c. 掌握各工程产品的施工和质量需求及相关人员联系形式，以及正常开盘、卡量或事故状态下应急处理的先后次序及其相互之间的影响。

d. 主动调度，按时查问各生产环节的工作状况并及时监督有关生产环节和重要岗位。

e. 深入各生产环节了解情况，调整生产安排，解决传递不畅等问题。

f. 掌握生产过程中主要和关键设备的运转、检修情况及有关的主要技术参数等。

g. 依据所获得的信息，经过分析、对比、协调，找出它们之间的协作规律，使各生产环节在产品的投入、运输、施工浇筑等方面达到最佳配合和平衡，从而稳定生产。

② 把握好各部门之间的平衡。部门之间的平衡是指主要生产车间同辅助车间和职能部门之间、辅助车间同职能部门之间、辅助车间之间、职能部门之间的平衡，其原则是：一切为了一线，一切为了生产。为做好此项工作，调度人员必须做到以下几点：

a. 调动辅助单位协作配合的积极性，在对生产活动的作用上，应同等看待各主要生产车间。安排工作任务时要恰当，解决问题时要协商，通过宣传和教育，使辅助部门或岗位树立“急一线之所急、干一线之所需”的为基层服务、为一线服务的指导思想，主动配合，积极工作，使整体生产活动达到协调。

b. 在解决全局性关键生产问题时，可通过调度命令，责成有关部门负责，限期解决。

c. 依靠领导和制度，即借助领导的支持和制度的威力，推动辅助车间和职能部门的工作，解决它们之间的工作纠纷。

d. 对老大难问题、重大平衡问题，通过调查研究、召开专题会议，调动各方面的力量共同努力解决。

e. 适当配置和充分利用各种调度技术设备。

调度技术设备是企业做好调度工作的物资保证。良好的调度技术设备，能够大大提高调度工作的准确性、及时性和效率。因此，要为其配备先进的通信、传递、监控和信息处理设备，使其成为上下贯通、左右协调、集中统一的现代化控制中心。常用的调度技术设备包括通信设备、资料传递设备、通信系统和远程视频监控设备。

5.3.3 生产作业人员

5.3.3.1 劳动定员

劳动定员是指为保证企业生产经营活动正常进行，在一定时期内和一定的技术组织条件下，按一定的素质要求，对配备各类人员规定的限额，也称“人员定额”或“用人标准”。

（1）劳动定员编制的原则

① 劳动定员水平要先进合理。劳动定员既要考虑现实的技术组织条件，又要充分挖掘劳动潜力，尽量采用先进工艺和技术装备以改善劳动组织和生产组织；既保证满足生产的需

要，又要避免人员的窝工浪费，尽量精减机构，减少不必要的人员，用提高生产效率和工作效率的办法来完成更多的任务。

② 合理安排企业各类人员比例关系。包括：直接生产人员和非直接生产人员的比例关系；生产员工中基本生产员工和辅助生产员工的比例关系；生产员工内部各工种之间的比例关系和管理人员、服务人员与全体职工的比例关系。避免造成忙闲不均、不协调、不衔接、窝工浪费现象，以保证用人的科学性和合理性。此外，随着科学技术的发展和企业经营管理要求的日益提高，企业中工程技术人员和管理人员的比例要逐步提高。

③ 保证职工的正常休息时间。企业在进行定员工作时，不能违反我国劳动法规，刻意增加劳动强度和延长工作时间，达到用人少、效率高的目的，要保证职工的正常休息时间。对于劳动强度大、操作紧张和高温、粉尘、有毒、有害的岗位，确定定员时要留有余地，以保护职工的健康和安全。

④ 定员标准既要相对稳定，又要不断提高。企业定员确定后，在一定时期内和一定的生产技术组织条件下，要有其相对应的稳定性，不要随意变动。但是随着企业生产经营目标的变动，技术的进步，劳动组织的改善，职工技术水平、业务素质的提高，定员标准也应作相应的调整，以适应企业发展的需要。

(2) 劳动定员的确定方法　定员工作要求做到先进合理，满足高效率、满负荷、充分利用工时的要求。如果是一个新建企业，在一开始就应做好这项工作。现代社会中，哪怕辞退一名多余的员工也不是一件得人心的事情，还会影响员工的情绪，使企业陷入两难境地。所以选择科学的劳动定员方法非常重要。

定员计算的基本原理是按生产工作量确定人数。劳动定额作为计算工作量的标准，在定员计算中起着重要作用。常用的几种定员方法如下：

① 按劳动效率定员。这种方法是根据计划规定的员工工作效率和员工的劳动定额来计算定员人数，适用于能够用劳动定额表现生产工作量的一切工作或岗位，特别是以手工操作为主的工种。

② 按岗位定员。这种方法是根据工作岗位的数量、岗位的工作量、操作人员的劳动效率、劳动班次和出勤率等因素来计算定员人数，按岗位定员的方法与生产量无直接关系，但与生产类型有关。它适用于发电厂、炼油厂、炼钢厂等；也适用于无法计算劳动定额的工种和人员，例如辅助工、机修工、后勤服务人员等。用这种方法定员很难找到计算公式。工作抽样是比较适合的一种方法，通过对操作人员实际的工作情况进行抽样，分析工作量是否饱满，如果工作量不足，可减少人员或者增加看管岗位。

③ 按设备定员。按设备定员是根据设备需要开动的数量、设备的开动班次和员工的看管定额等因素来计算定员人数的方法，适用于以设备操作为主的工种定员的确定。计算公式为

$$定员人数=需要开动的设备台数\times每台设备开动班次\div员工看管定额\times出勤率$$

④ 按经验比例定员。此方法是按企业职工总人数或某一类人员占总人数的某个比例来确定非直接生产人员和辅助人员人数。企业中的卫生保健人员、炊事人员、职工教育人员和某些辅助员工可以采用此法定员。使用的比例是经验数据，可以用工作抽样方法分析比例的准确性。

⑤ 按组织机构、职责范围和业务分工定员。这种方法是先确定组织机构和各职能科室，明确各项业务及职责范围以后，根据业务工作量的大小和复杂程度来确定定员，主要用于管理工作人员的定员确定。

以上五种基本定员方法，按劳动效率定员是基础。在定员工作中，可根据企业内部各部

门及各类人员的特点，灵活运用，也可以把几种方法结合起来加以运用。除此之外，还可以运用数理统计、概率推断等方法核算劳动定额来进行定员工作。

5.3.3.2 员工配备

员工配备，就是企业根据生产发展的需要，为各种不同的工作配备相应工种和等级的员工，达到人尽其才、人事相宜、高效率、满负荷的目的，保证劳动生产率的提高。

合理配备员工需要做到：使每个员工都能发挥各自的专长和积极性；使每个员工都有足够的工作量和一定弹性的工作范围，保证员工有充分的工作负荷；使每个员工都有明确的责任。员工配备是以劳动的分工协作为前提的。

（1）劳动分工　劳动分工是根据一定的生产技术条件，按照工艺过程、技术等级等标准，将生产工作划分为若干部分，再配备劳动力的过程。进行劳动分工时，要把技术上的可能性同经济上的合理性结合起来考虑。

进行劳动分工有利于劳动者快速提高劳动熟练程度，使其较快掌握业务和技术，而且有利于职工的培训。由于劳动分工带来生产效率的提高，因而产品成本中工资及其有关费用必然会降低，这些都会提高企业的经济效益，促进企业的发展。但在劳动分工过程中应注意：并非在任何情况下都是分工越细越好。在一定条件下，分工过细、过死，会造成人员和设备的负荷不足，增加不必要的协作关系，使管理工作复杂化。因此，企业劳动分工有一个经济性和合理性的界限。

（2）劳动协作　劳动协作就是把生产工作的许多组成部分，紧密地联系起来，组成统一的有机整体。

协作的形式可分为空间协作和时间协作两个方面。空间上的劳动协作形式有车间之间、车间内部、生产小组之间、工作地之间及工作组内部的协作；时间上的劳动协作主要是生产轮班的协作。

① 工作组。又称为作业组，是企业最基本的劳动组织形式，是在劳动分工的基础上，把为完成某项工作而相互协作的有关人员组织在一起的劳动集体。在作业组内，所有员工都有明确的分工和职责，并由组长负责领导全组的工作，保证全组工作的相互协调。

是否组织工作组，要根据企业的生产组织形式、生产技术条件和生产的客观需要来决定。通常在以下几种情形下可以考虑组织工作组：

a. 由于劳动对象和工艺过程完整性的要求，生产工作不能直接分配给某个员工单独进行，而必须由几个员工共同完成时，需要组织工作组，如机械产品的装配组、设备修理组。

b. 生产任务虽能分配给每个员工独立完成，但为了便于管理和相互学习，交流经验，共同提高，也需要组织工作组，如车工组、铣工组。

c. 为了使生产前的准备工作、辅助生产工作和基本生产工作紧密联系起来，加强相互间的协作配合，可组织综合性的工作组，如将修理工、运输工和基本生产员工组成一个工作组。

d. 当员工没有固定的工作地，或者没有固定的工作任务时，为了便于调动和分配员工的工作，可组织工作组，如厂内运输组、电焊组。

② 生产轮班。也称“工作轮班”，是指企业在生产作业工作日内，为保证作业活动协调、持续进行，组织不同生产班次进行生产作业的形式。企业各生产单位，根据工艺性质不同、生产任务多少，采用不同的轮班制度。

企业生产轮班制度，一般分为单班制和多班制。

a. 单班制，是指每天只组织一个班生产，员工都在统一时间上下班。它的组织工作相对较简单，主要是组织好不同工种之间的相互配合。有些生产单位由于工作班内工作量不均衡，开始工作只须少数人作生产准备，然后全组全面展开，工作结束又只须少数人做结尾工作。在这种情况下，为了充分利用工时，提高全班产量，可以组织一部分人提前上下班，一部分人稍后上下班。

b. 多班制，是指每天组织两班以上的工人轮换生产。多班制的形式很多，由于某些工艺特点，生产过程必须连续不断进行的，要组织三班或四班制；工艺过程可以间歇进行的，按生产任务要求也可以组织两班制或多班制生产。

两班制是每天组织早、中两班生产。员工一般是每周倒换一次班次，即这一周上早班，下一周上中班，再下一周又上早班。

三班制根据公休日是否组织生产，分为间断性三班制和连续性三班制两种形式。连续性三班制适用于生产过程不允许中断的企业，全年内除设备检修等时间外，每天都分早、中、晚三个班次生产，公休假日和法定节日也不间断。

四班制中常见的是四班三运转制（简称“四三制”），就是在三班制的基础上，增加一个班的劳动力，每天三个班在生产，一个班在轮休。替休员工是按照3∶1的比例进行配备，因此员工工作三个工作日后可以休息一天。四三制是我国目前最广泛采用的方法。

此外，还有四班六小时工作制和四班交叉作业制等。

5.3.3.3 交接班管理

(1) 交班管理

① 交班前的准备工作。

a. 一小时内不得任意改变负荷和工艺条件，生产要稳定，工艺指标要控制在规定范围内，生产中的异常情况得到消除。交班时应保持正确的工艺流程，并向接班人员交代清楚。

b. 检查设备是否正常运行，无损坏，无反常状况，检查液（油）位是否正常，清洁无尘。交班时应向接班人员移交完好的设备。

c. 认真做好原始记录，无扯皮，无涂改，项目齐全，指标准确。巡回检查情况、生产概况、设备仪表使用情况、事故和异常状况都记录在工作日志上。

d. 为下一班储备消耗物品，工具应摆放整齐，无油污，无损坏，无遗失，工作场地卫生、清洁。

e. 接班者到岗后，交班人要详细介绍本班生产情况；解释工作日志中写到的主要事情；回答提出的一切问题。

② 遵守交班的相关原则。

a. 遵守“十交”原则。交本班生产情况和任务完成情况；交仪表、设备运行和使用情况；交对不安全因素采取的预防措施和事故处理情况；交设备润滑和工具数量及缺损情况；交工艺指标执行情况和下一班的准备工作；交真实、完整的原始记录；交原材料使用和产品质量情况及存在的问题；交上级指示、要求和注意事项；交生产过程中“跑冒滴漏”情况；交岗位设备整洁和区域卫生情况。

b. 遵守“七不交”原则。接班者未到不交班；接班者没有签字不交班；生产不正常、事故没处理完不交班；设备或工艺有问题及没查清原因不交班；岗位卫生未做好不交班；记录不清、不齐、不准确不交班；车间指定本班的任务未完成不交班。

c. 遵守“二不离开”原则。班后会不开不离开；事故分析会未开完不离开。

(2) 接班管理

① 接班工作要点。

a. 接班人必须提前30分钟到岗。

b. 到岗后检查生产、工艺指标、设备记录、消耗物品、工器具和卫生等情况。

c. 提前20分钟召开班前会。

d. 经进一步检查，没有发现问题应及时交接班，并在操作记录上签字。

e. 接班后，岗位一切情况均由接班者负责；接班人应将上班最后一小时的数据填写记录并将工艺条件保持在最佳状态。

② 遵守接班原则。遵守“三不接”原则：岗位检查不合格不接班；事故没有处理完不接班；交班者不在岗不接班。

(3) 班前会管理

① 班前会的召集。

a. 交接班双方的值班组长、接班的全体人员必须参加。

b. 参会人员必须穿工作服、戴工作帽。

c. 提前20分钟点名。

② 班前会的内容。

a. 交班值班组长介绍上班情况。

b. 各岗位汇报班前检查情况。

c. 接班值班领导安排工作。

5.3.4 生产作业的现场监督

在企业进行生产作业的过程中，只有对生产现场实行有效的监督，才能保证生产各环节的有序进行。生产现场就是企业从事产品生产、提供生产服务、完成生产作业任务的主要场所。它既包括生产一线各基本生产车间的作业场所，又包括辅助生产部门的作业场所，如库房、试验室和锅炉房等。为了保证生产作业现场的各项生产活动能高效率、有秩序地进行，实现预定的目标任务，企业必须对现场进行监督、管理。

现场管理是指运用科学的管理制度、标准、方法和手段，对现场的各种要素，如人（操作者、管理者）、机（设备）、料（原材料）、法（工艺方法）、环（环境）、测（试验检测）、资（资金）、能（能源）、信（信息）等，进行合理有效的计划、组织、协调、控制，使他们处于良好结合状态，以达到优质、低耗、高效、均衡、安全、文明生产的目的。

现场管理的内容是多方面的，不但包括现场生产的组织管理工作，还包括落实到位的各项专业管理工作和管理基础工作。具体内容包括：

① 作业管理。包括改善作业动作以减少基本动作的次数，缩短作业时间，使作业时间和作业方法标准化等。

② 现场质量管理。加强生产现场工艺管理，搞好技术检验，保证生产出来的产品符合产品设计质量。

③ 现场计划与控制。编制生产作业现场计划、生产准备计划，同时督促计划的具体落实。

④ 现场成本控制。对产品制造过程中的物资消耗、劳动消耗和各种费用支出进行控制。

⑤ 现场安全管理。预测、分析和消除生产活动中的各种危险因素和有害因素，预防和控制事故、职业病，避免设备和财产遭受损失，推动生产活动的顺利进行。

5.3.4.1 8S管理

8S管理是在6S管理的基础上发展起来的。6S是指整理、整顿、清扫、清洁、安全和素养六个项目，简称“6S管理”。加上节约和学习，称为“8S管理”，源于日本，类似我国企业开展的“文明生产活动”。8S管理的最初对象是现场的“环境”，它对生产现场环境全局进行综合考虑，并制定切实可行的计划与措施，营造一目了然的工作环境，其最终目的是提升人的品质，养成良好的工作习惯：革除马虎之心，凡事认真（认认真真地对待工作中的每一件小事）；遵守规定；自觉维护工作环境，整洁明了；文明礼貌。

具体来说，整理，是指将工作场所内必要的东西与不必要的东西明确地、严格地区分开来，将不必要的东西尽快处理掉。这是开始改善生产现场的第一步。整顿，是指对整理之后必须留在现场的物品分门别类放置，排列整齐，同时明确数量，并进行有效的标识。通过上一步整理后，对生产现场需要留下的物品进行科学合理的布置和摆放，以便在最快的情况下取得所要之物，在有效的规章制度和流程下完成事务。清扫，即把工作场所打扫干净。清洁的内涵是将以上三项的做法制度化、规范化，并维持成果，使现场保持完美和最佳状态。安全，重视成员安全教育，每时每刻都有“安全第一”观念，防患于未然。素养，是指努力提高人员的素质，养成严格遵守规章制度的习惯，这是8S管理的核心。没有人员素质的提高，各项活动也不能顺利开展，开展了也坚持不了。所以，抓8S管理，要始终着眼于提高员工的素质。节约，所有员工在工作中都要有节约的意识，并付诸行动。学习，指员工要学习新技能、新知识，使员工的素质符合公司发展的要求。主要内容如表5-7所示。

表5-7 8S管理的具体推行要领与目的

名称	推行要领	目的
整理	①全面检查自己的工作场所(范围)，包括看得到和看不到的东西。对车间里各个工位或设备的前后、通道左右、厂房上下和工具箱内外等，包括车间的各个死角，彻底搜寻。 ②制定“要”和“不要”的判别基准。 ③将不要的物品清除出工作场所。 ④对需要的物品调查使用频率，决定日常用量及放置位置。 ⑤制定废弃物处理方法。 ⑥每日自我检查	①增加作业面积。 ②现场无杂物，道路通畅，提高工作效率。 ③减少磕碰，保障安全，提高质量。 ④消除管理上的混放、混料等差错事故。 ⑤减少库存量，节约资金。 ⑥改变作风，提高工作积极性
整顿	①确定物品放置顺序及放置场所。在确定物品放置场所时，不要使其变成其他物品的障碍，同时放置顺序要能够使物品容易取出。 ②规定物品放置方法，明确数量。可以以类别、形态决定物品的放置方法，如：产品按类别放置；机器按类别放置；清扫用具以挂式方法放置等。 ③画线定位。画线定位的方式有油漆画线、胶带定位等，同时还可以用不同颜色标记不同物品的摆放位置。 ④场所、物品标识。对放置场所和物品进行一对一标识	①使工作场所一目了然。 ②使工作环境整整齐齐。 ③消除找寻物品的时间。 ④消除过多的积压物品
清扫	①建立清扫责任区，明确每一区域的清扫负责人。 ②清扫过程中发现不良之处要立即进行整改。 ③调查污染源，予以杜绝或隔离。 ④制定清扫标准，由大家共同遵照执行	①消除脏污，保持职场内干净、明亮。 ②稳定生产品质。 ③减少工业伤害
清洁	①车间环境不仅要整齐，而且要做到清洁卫生。 ②不仅物品要清洁，而且员工本身也要做到清洁，如工作服要清洁，仪表要整洁，及时理发、刮须、修指甲、洗澡等。 ③员工不仅要做到形体上的清洁，而且要做到精神上的“清洁”，待人要讲礼貌，要尊重别人。 ④要使环境不受污染，进一步消除浑浊的空气、粉尘、噪声等，消灭职业病	通过制度化来维持成果，并显现“异常”

续表

名称	推行要领	目的
安全	①安全第一，预防为主。 ②全员参与，排除隐患，重视预防。 ③勿以善小而不为，勿以恶小而为之。 ④建立健全安全生产制度，时查时防，配有专职机构和人员。 ⑤规范安全标记，重点部位安全设施齐全并保持良好的可用状态，以实现工作现场无安全隐患。 ⑥对操作人员的操作技能进行训练	①建立起安全生产的环境，所有的工作应建立在安全的前提下，创造一个零故障、无意外事故发生的工作场所。 ②维护人身与财产不受侵害。 ③人、物互不受侵害
节约	①以自己就是主人的心态对待企业资源。 ②能用的东西尽可能地利用。 ③切勿随意丢弃。丢弃前要思考其剩余的使用价值。 ④少做无用功，减少动作浪费，提高作业效率。 ⑤增强时间管理意识	①减少企业的人力、成本、空间、时间、库存、物料消耗等。 ②养成降低成本的习惯。 ③培养作业人员减少浪费的意识
学习	①学习各种新的专业技术知识和技能技巧，从实践和书本中获取知识，同时不断地向同事及上级主管学习，不断地满足个人及公司发展的需求。 ②弥补知识面与技术面的薄弱，弥补个体能力的缺陷，提升整体的竞争力和应变能力	①学习长处，完善自我，提升自己的综合素质。 ②使员工更好地发展，从而带动企业产生新的动力去应对未来的竞争与变化。 ③使企业得到持续改善，培养学习性组织
素养	①持续推动前7S工作，并定期对照检查使之习惯化。 ②根据现场的实际情况制定全体员工共同遵守的有关规则、规定。 ③制定礼仪守则。 ④教育训练	①培养具有好习惯、遵守规则的员工。 ②提高员工文明礼貌水平。 ③营造团队精神

5.3.4.2 岗位巡回检查

巡回检查是保证生产稳定、正常、安全进行，及时发现生产中各种异常情况，杜绝各类事故发生的重要手段。

(1) 巡回检查内容

a. 检查各工艺条件的执行和变化情况。

b. 检查设备、管线、阀门的工作状况，检查有无异常情况。

c. 检查厂房以及门窗、玻璃的完好情况，检查有无不安全因素。

(2) 巡回检查要求

a. 车间根据生产技术部门规定的重点巡回检查点，结合车间实际情况，制定出车间各岗位的巡回检查路线。

b. 每个生产岗位的巡回检查路线，必须以图的形式在岗位作业区或控制室内展示出来。

c. 每个重点巡回检查点必须挂上巡回检查牌，牌上标明时刻。

d. 必须按所规定的间隔时间进行巡回检查，按巡回检查路线，在正点前后10分钟上岗检查。

e. 检查时必须认真、细致，发现问题及时处理，不能处理的问题要立即报告值班长或当班调度。

f. 每检查完一个点要留痕。

g. 认真做好岗位巡回检查记录，对发现的问题及处理情况做详细的记录。

(3) 巡回检查方法　实行“五字检查法”，即看、听、查、摸、闻。

看：看工艺条件是否稳定在正常的工艺控制范围之内，看周围环境是否有异常情况。

听：听设备、管线及周围是否有异常声音。

查：查设备、阀门、管线是否有跑、冒、滴、漏现象。

摸：摸设备、管线振动情况和温度情况。

闻：闻电器设备及生产现场是否有异常气味。

5.3.5　作业环境与安全

生产作业的环境与安全是企业生产作业正常、高效进行的有力保障。

5.3.5.1　生产作业环境的布置与改善

生产作业环境是指劳动者从事生产劳动的场所的安全卫生状况，包括生产工艺、设备材料、工位器具、操作空间、操作体位、操作程序、劳动组织、气象条件等。

生产作业环境的设计力求形成一个良好的、安全的作业环境，保证作业人员在作业环境中，不损害其作业功能，既能迅速、正确完成任务，又能在连续的工作中无疲劳感，并且在长期工作中，其作业环境对人体健康无任何不良影响。

生产作业环境设计主要包括照明与色彩、温湿度、噪声与振动、特殊工作环境等方面的设计。下面主要从照明、温湿度、振动三个方面来说明生产作业环境的设计。

(1) 生产作业环境布置

① 布置的一般要求。

a. 车间工艺设备的平面布置，除满足工艺要求外，还需要符合安全和卫生规定。

b. 有害物质的发生源，应布置在机械通风或自然通风的下风侧。

c. 产生强烈噪声的设备（如通风设备、振实设备等），如不能采取措施减噪，应将其布置在离主要生产区较远的地方。

d. 布置大型机器设备时，应留有宽敞的通道和足够的出料空间，并应考虑操作时材料的摆放。设备工作地点必须畅通无阻和便于存放材料、半成品、成品和废料。

e. 设备和工作必须适合于生产特点，使操作者的动作不致干扰别人。

f. 不允许工艺设备的控制台（操纵台）遮住机器和工作场地的重要部位。

g. 要合理布置各种加工设备，并制定安全距离，既保证操作人员具有一定的作业空间，又避免因设备间距过小而产生安全隐患。

② 确定照度。

a. 车间工作空间应有良好的照度，一般工作面不应低于 50lx。

b. 采用天然光照明时，不允许太阳光直接照射工作空间。

c. 采用人工照明时，不得干扰光电保护装置，并应防止产生频闪效应。除安全灯和指示灯外，不应采用有色光源照明。

d. 在室内照度不足的情况下，应采用局部照明。局部照明应使用 36V 的安全电压，其光源的色调，应与整体光源相一致。

e. 与采光照明无关的发光体（如电弧焊、气焊光及燃烧的火焰等）不得直接或经反射进入操作者的视野。

f. 需要在机械基础内工作（如检修等）时，应装设照明装置。

g. 照明器必须经常擦洗和保持清洁。

③ 改善工作地面状态。

a. 车间各部分工作地面（包括通道）必须平整，并经常保持整洁。地面必须坚固，能承受规定的荷载。

b. 作业范围内的地面，不允许存放与生产无关的障碍物，不允许有黄油、油液和水存在。经常有液体的地面，不应渗水，并设置排水系统。

c. 机械基础应有液体贮存器，以收集由管路泄漏的液体。贮存器可以专门制作，也可以与基础底部连成一体，形成坑或槽。贮存器底部应有一定坡度，以便排出废液。

d. 车间工作地面必须防滑。机械基础或地坑的盖板，必须是花纹钢板，或在平地板上焊防滑筋。

④ 符合人机工程学。

a. 工位结构和各部分组成应符合人机工程学、生理学的要求和工作特点。

b. 工厂应使操作人员舒适地坐或立，或坐立交替在机械设备旁进行操作。

c. 坐着工作时，要求工作座椅必须牢固，坐下时双脚能着地，座椅的高度可调并具有制动装置，机械工作台下面应有放脚空间，机械的操纵按钮离地高度和工作面的高度应方便操作人员工作。同样，站立工作时，工作台的设计要便于操作人员尽可能靠近，机械的操纵按钮离地高度和工作面的高度也应该合理。

（2）生产作业环境的改善　对于预拌混凝土企业来说，主要是做好粉尘、噪声和非常温等作业环境下的人体防护。

① 粉尘作业环境改善。粉尘是指生产作业中产生的金属和非金属微尘，如煤尘、水泥粉等。粉尘会导致严重的尘肺病，危害很大，因此企业必须进行粉尘作业防护。企业要制定完备的预防制度（表 5-8），并改进防尘技术。

表 5-8　粉尘作业预防制度

预防级别	措施
一级预防	①综合防尘。改革生产工艺、生产设备，尽量将手工操作变为机械化、密闭化、自动化和遥控化操作；尽可能采用不含或含游离二氧化硅低的材料代替含游离二氧化硅高的材料；在工艺要求许可的条件下，尽可能采用湿法作业；使用个人防尘用品，做好个人防护。 ②定期检测作业环境的粉尘浓度，使作业环境的粉尘浓度在国家标准规定的允许范围之内。 ③根据国家有关规定对员工进行就业前的健康体检，对未成年员工、女员工等不得安排其从事禁忌范围的工作。 ④加强宣传教育，普及防尘基本知识。 ⑤加强对除尘系统的维护和管理，使除尘系统处于完好、有效状态
二级预防	①建立专人负责的防尘机构，制定防尘规划和各项规章制度。 ②对新从事粉尘作业的员工，必须在作业前进行健康检查。 ③对在职从事粉尘作业的员工必须定期进行健康检查，发现不宜从事粉尘工作的员工，要及时调离
三级预防	对已确诊为尘肺病的员工应及时调离原工作岗位，安排合理的治疗或疗养，患者的社会保险待遇按国家有关规定办理

a. 工艺措施改进。改革工艺设备和工艺操作方法，采用新技术；避免选用危害较大的原材料或生产工艺路线；工艺设备和生产流程的布局应使主要工作地点和操作人员多的工段位于车间内通风良好和空气较为清洁的地方，有严重粉尘污染的工段应放在常年主导风向的下风侧。

b. 采用湿式作业。这是一种简便、经济、有效的防尘措施，在生产和工艺条件许可的情况下，应首先考虑采用。如将物料的干法破碎、研磨、筛分、混合改为湿法操作，在物料的装卸、转运过程中往物料上喷水，可以减少粉尘的产生和飞扬。在车间内用水冲洗地面、墙壁、设备外罩、建筑构件，能有效防止二次扬尘。

c. 密闭措施改进。密闭尘源，使生产过程管道化、机械化、自动化，是防止粉尘外逸的有效措施，还可以大大改善劳动条件，降低劳动强度，避免粉尘与人体直接接触，达到防尘目的。

d. 加强通风除尘。这是一种应用广泛、效果较好的技术措施。随着近年来技术水平的提高、各行业通风除尘设备的改进更新，通风除尘系统的应用也越来越广泛。

② 改善噪声作业环境。在生产劳动中，由于物体的碰撞、机器的转动、电磁性振动、

高压气流的喷出及爆破等均可产生噪声，噪声已经成为危险的污染源，因此企业要采取措施来防止噪声污染的扩散。

人体生活环境的理想分贝在15～35dB之间，令人烦恼的分贝界限是60dB。超过这个界限的声音，就会敲击人的大脑，破坏听觉神经细胞，使人疲劳、烦恼和精神紧张，损害健康并影响工作效率。噪声对人体的危害是多方面的，不仅对听觉神经细胞有损伤，而且对神经系统、心血管系统、消化系统等都会产生不良影响。

噪声的防护方法很多，而且在不断地改进。主要有：控制声源、控制噪声传播、加强个人防护。降低噪声的根本途径是对噪声源采取隔声、减振和消除噪声的措施。

a. 控制声源。噪声的控制采取单一的技术措施往往是不够的，必须从改革工艺结构、提高自动化程度等方面加以综合治理。在设计和制造过程中，应从根本上采取措施消除或减少噪声源。如把产生噪声的车间与其他厂房隔开，提高制造、安装的精度，减少轴承的摩擦等。

b. 控制噪声传播。主要措施是安装隔离屏、隔离间、隔声机罩、消声器等。在建筑工程上应用吸声阻尼材料，如玻璃棉、泡沫塑料、毛毡、栏板、阻尼浆、轻橡胶等。

c. 加强个人防护。在采取相应的消声措施后，噪声仍很强的情况下，个人防护是控制噪声危害的一个重要方面。接触噪声时，员工应佩戴防噪声护耳器，如耳塞、耳罩、防声帽等。

③ 改善非常温作业环境。空气的温度和湿度是热环境的两个主要因素，它们之间不仅可以互换，而且密切相关。人体在生理学上有一个最适宜温度，另外在主观感受上也有个舒适的温度范围。我国标准规定的室内合适温度为夏季24～28℃，冬季19～22℃。研究表明，人体感觉的舒适温度是：夏季19～24℃，冬季17～22℃。这与人类活动时人体消耗的热量有关。有关体力劳动和脑力劳动的最适宜温度见表5-9。企业的生产作业类型和性质各有不同，作业人员在高温和低温环境中作业较为常见，由于温度过高或过低，会对作业人员产生损害，所以企业应加强非常温作业的防护工作。

表5-9　体力劳动和脑力劳动的最适宜温度

干球温度/℃	实效温度/℃	体力劳动		脑力劳动（热量消耗约90kcal/h）
		重体力劳动（热量消耗约270kcal/h）	中等体力劳动（热量消耗约170kcal/h）	
20	18	很好	好	不喜欢
25	22	不舒适	很好	好
30	26	不喜欢	不舒适	不舒适

为了防止在高温作业中中暑，必须采取综合性防暑降温措施。

a. 技术措施。主要包括：

(a) 合理安排热源。在不影响生产工艺操作的情况下，尽量疏散热量；对于新建和扩建厂房，应合理布置热源，并采用水隔热、使用隔热材料等方法隔绝热源。

(b) 合理改革或设计工艺过程，改进生产设备的操作方法，改善高温作业的劳动条件，减少员工接触高温的机会。

(c) 通风降温。加强通风以排除对流热，可采用自然通风和机械通风两种方法。

b. 劳动组织与制度措施。主要包括：

(a) 合理安排劳动时间，实行工间休息制度或工间插入短暂的休息制度，以利于人体机能的恢复。

(b) 设立冷气休息室等。

(c) 在炎热季节露天作业，应合理调整作息时间，中午延长休息时间。

(d) 切实贯彻有关防暑降温的政策法令，加强宣传教育，切实遵守高温作业的安全规则与制度。

在冬季，生产车间的室内温度一般都比较低，为了防止员工操作受到寒冷的影响，必须采取一系列防寒防冻措施，最主要的是采暖。

5.3.5.2 生产作业安全管理

混凝土企业机械化程度高，涉及的机械设备较多，因此，企业要足够重视生产厂区、厂外运输和施工现场作业的安全生产管理，可以按照《预拌混凝土企业安全生产规范》(JC/T 2533) 标准的具体要求建立、实施相应的管理体系。

(1) 安全作业基准

① 安全定置。安全作业基准一般应包括以下内容：

a. 在工厂内的通道画线，不要将加工品、材料、搬运车等超出线外放置。

b. 设置工具架，用完后一定归回原处。

c. 不要把物品用一种不安全的方法放置。堆积时要遵守一定的高度限制规定，以避免倾倒。

d. 不要在灭火器放置处、消火栓、出入口、疏散口、配电盘等附近放置物品。

e. 注意处理易爆、易燃、易引起火灾的物品。

f. 不要随意把材料或工具靠放在墙边或柱旁，放置时，一定要做好防止倒下的措施。

g. 指定一个地方，把不良品、破损品及使用频率低的物品收起来。

② 员工安全保护。

a. 一定要穿干净的工作服。

b. 衣服一定要整齐，不整齐的衣服最危险。禁止光着上身，穿汗衫、半袖的衣服作业。

c. 厉行安全帽、安全靴的使用。

d. 工作手套不作其他用途使用。

③ 急救。

a. 常备急救用物品并标明放置位置。

b. 指定急救医生，并写明其地址、电话。

④ 安全设备。

a. 不可随便将安全装置取出或移动。

b. 发现安全装置或保护用具不良时，应立即向负责人报告，加以处理。

c. 戴上保护镜（护目镜）进行作业。

d. 执行会产生噪声的作业时，使用耳塞。

e. 在会产生粉尘的环境工作时，一定要戴上防护口罩。

⑤ 一般机械作业。

a. 定期检查机械，定期加油保养。

b. 遵守齿轮、输送带等有回转工具部分的加套工作规定。

c. 共同作业时，一定要有足够的默契或沟通的信号。

d. 在机械转动中与人谈话时要特别注意。

e. 确保加工工具、加工用品的管理。

f. 给发动机/机械加油或清洁时，一定要等其停止转动后再进行。

g. 停电时务必切断开关。

h. 故障待修的机器须明确标识。

i. 进行机械的清扫、检查、处理时，一定要把开关放在停止位置上再进行。

⑥ 火灾预防。

a. 绝对遵守严禁烟火的规定。

b. 除特定场所外，均不得未经许可动火。

c. 把锯屑、有油污的破布等易燃物放置在指定的地方。

d. 特别注意工作后对残火、电器开关等的处理。

e. 定期检查公司内的配线，确保正确使用保险丝。

f. 确定可吸烟的场所。绝对禁止在作业间抽烟。

g. 彻底管理稀释剂及石油类物品。

(2) 安全教育

① 安全教育形式。安全教育主要有三种形式：三级教育、特种作业教育和经常性教育。

a. 三级教育。对新入厂员工进行厂级教育、车间教育及岗位教育，这种企业安全生产教育制度即为三级教育。

一是厂级教育。厂级教育是对新入厂人员（员工和管理人员）或调动工作的员工以及到厂临时工、合同工、培训和实习人员等在分配到车间和工作地点以前，由厂级人力资源部门、安全部门进行的初步安全教育。

教育内容有：党和国家安全生产方针、政策及主要法规标准；各项安全生产规章制度及劳动纪律；企业危险作业场所安全要求及有关防灾救护知识；典型事故案例介绍，吸取的教训；个体防护用品的作用和使用要求及本厂安全生产的一般状况；一般机械电气安全知识、入厂安全须知和预防事故的基本知识等。时间应不少于8学时，经考试合格后，再分配到车间工作。

二是车间教育。车间教育是新员工或调动工作的员工在分配到车间后，进行的第二级安全教育。由车间主管安全的主任负责，由车间安全员进行教育。

教育内容有：本车间的生产概况、安全生产情况、本车间的劳动纪律和生产规则；安全注意事项，车间危险部位、危险机电设施、尘毒作业情况；必须遵守的安全生产规程，同类车间工伤事故介绍，吸取的教训等。时间应不少于4学时。

三是岗位教育。岗位教育是由班组长对新到岗位工作的员工进行的上岗前安全教育。

教育内容有：班组安全生产概况，工作性质和职责范围；岗位工种的工作性质，机具设备的安全操作方法，各种安全防护设施的性能和作用；工作地点的环境卫生及尘源、毒源、危险机件、危险物的控制方法；同类岗位工伤事故介绍，吸取的教训；有关个体防护用品的使用要求及保管知识，个人防护用具的使用方法，以及发生事故时的紧急救灾措施和安全撤退路线等。教育时间应不少于4学时，经考试合格后，领到安全操作证，方可独立进行操作。

没有经过三级教育或考试不合格者绝对禁止独立操作。

b. 特种作业教育。对接触不安全因素较多的特种作业人员，如电气、起重、焊接、司机、锅炉、压力容器等工种的员工，要进行专门的安全技术知识培训，办脱产或半脱产训练班，并经严格考试合格后才能准许操作，这种培训至少每年一次。

另外，在新工艺、新技术、新设备、新产品投产前也要按新的安全操作规程，教育和培训参加操作的岗位员工和有关人员。

c. 经常性教育。对员工应进行广泛的经常性安全教育，要在生产全过程始终坚持。坚持安全教育的方法是：班前布置、班中检查、班后总结，使安全教育制度化。对于重点设备或装置大修，应进行停车前、检修前和开车前的专门安全教育，安全技术部门应配合主管部门和检修单位，以确保安全检修。对重大危险性作业，作业前施工部门和安全技术部门必须按预定的安全措施和要求，对施工员进行安全教育，否则不能作业。

另外，还要进行必要的“脱产安全教育”“复工安全教育”等，以确保员工安全生产。

② 安全教育方式。为了提高教育效果，可采用启蒙的宣传方式，如班前班后安全喊话、宣传画、霓虹灯、警告牌、信号、色标、出版安全刊物、安全壁报巡回宣传、安全广播等一般安全教育形式。

a. 班前班后安全喊话。“班前班后安全喊话”活动是开展班组日常安全活动的有效形式之一。它能够提醒班组成员重视和关心安全生产。安全喊话可以按日或按周轮流，使每个员工既是教育者，又是受教育者。

安全喊话的内容有：当天生产任务的特点；周围作业环境情况的变化；表扬安全生产中的好人好事；提出存在的问题等。

b. 宣传画、霓虹灯、警告牌、信号、色标。运用得当的宣传画、霓虹灯、警告牌、信号、色标等，通过其对员工态度和行为的影响，在安全教育中有着一定的价值。在选择标语、宣传画时，应该记住其特有的目的；提醒员工们注意全厂共有的会引起事故的特性；给员工们灌输安全地进行工作的良好观念；提出有助于防止事故发生的行为模式；激发员工自觉地关心工厂的安全工作；提醒员工们注意特有的危险。

c. 出版安全刊物。定期出版安全刊物，是保证人们关心安全问题的一个重要手段。安全刊物可以使员工和各组管理人员及时了解到安全动态，尤其是当员工集中在一块或在现场工作时。安全刊物可以详细描述安全竞赛活动、工伤事故的案例等，它还可以对安全规程、制度进行一些必要的解释、宣传，提醒员工注意安全。

d. 安全壁报巡回宣传。安全壁报巡回宣传是直观教育的一种形式。它适合大型企业和作业分散的企业。这种直观教育常用在开展全企业性安全活动、安全竞赛以及安全规章制度宣传上。壁报制作要轻便灵活、放得稳、收得快、安全可靠。报面要层次清楚，文字简短清晰、画面逼真，起到巡回宣传的效果。

e. 安全广播。要充分运用广播这种宣传工具，它是扩大听觉教育的一种宣传方式。广播的内容要事先经过仔细的安排，文章短小精悍。对较长的文章可采用对话问答的方式，对较短的文章可以插在音乐节目之间进行广播。

总之，安全教育可利用各种教育形式和方式，以生动活泼的手段（如广告、演讲、竞赛、会议讨论、声像、文艺演出及学校正规教学）来实现安全生产这一严肃的课题。

（3）安全检查

① 安全检查的要求。

a. 检查标准。上级已制定标准的，执行上级标准。还没有制定统一行业标准的，就应根据有关规范、规定，制定企业标准，做到检查考核和安全评价有衡量准则，有科学依据。

b. 检查手段。尽量采用检测工具，进行实测实量，代替经验性的目测、估算，用数据说话，有些机器设备安全保险装置还应进行动作试验，检查其灵敏、可靠程度。

检查中如发现有危及人身安全的突发性事故隐患，应立即停止作业，迅速采取措施排除险情。

c. 检查记录。每次安全检查都应认真、详细地做好记录，特别是检测数据，这是安全评价的依据。同时，还应将每次对各单项设施、机械设备的检查结果分别记入单项安全台账，其目的是可以根据每次的记录情况对其进行安全动态分析，强化安全管理。

d. 安全评价。检查后，安全检查人员要根据检查记录认真地、全面地进行系统分析，定性、定量地进行安全评价。哪些项目已达标，哪些项目需要进行完善，还存在哪些隐患，要及时提出整改要求，并下达隐患整改通知书。

e. 隐患整改。这是安全检查工作中的重要环节。隐患整改工作包括隐患登记、整改、复查、销案。隐患应逐条登记，写明隐患的部位、严重程度和可能造成的后果及查出隐患的日期。有关单位、部门必须及时按“三定”（定措施、定人、定时间）要求，落实整改。负责整改的单位、人员完成整改工作后要及时向安全部门汇报。安全部门及有关部门应派人进行复查，符合安全要求后销案。

② 安全检查的主体及相关内容。为了安全和避免产生有害环境，应根据检查对象分别指定具体的负责人，经常地进行检查。

a. 经理、厂长巡视。经理每年至少对作业现场进行一次安全巡视。具体对安全卫生状态、设备的维护以及存在的问题等进行全面的检查、了解。

b. 特别巡视检查。根据企业具体情况，由安全委员会成员进行全面的安全巡视检查。这种检查根据制定的检查表进行，并涉及安全管理、安全技术、安全防护的各个方面，每年年终进行一次检查。

c. 管理者检查。管理者每月进行多次巡视检查，以了解、掌握作业现场的变化情况，以便及时研究对策。

d. 车间主任检查。车间主任每周进行一次巡视检查，对重大危险源或最危险点经常进行检查。

e. 安全员检查。对所负责范围内的场所进行日常巡视检查和指导纠正。

f. 班长安全检查。每班进行作业前，班长要对当班人员的精神状态、情绪进行询问，并对当班作业区域内及周围的危险点、重点危险源进行巡视。

g. 自主安全检查。作业人员在作业前对岗位及周围进行安全检查，并互相检查劳动防护用品的穿戴是否符合要求。作业中互相关照，注意相互提醒等。

h. 安全点检。安全点检是指作业者在作业进行前对操作的设备及其环境的检查。主要检查：温度、湿度、氧气量；尘、毒气体浓度；爆炸、易燃气体浓度；机器操作条件、工具材料堆放情况；楼梯扶手、栏杆的缺陷以及可能坠落和撞头的物体等。

安全点检是根据点检表进行逐一检查，可分为：每日安全点检、每周安全点检、每月安全点检、定期安全点检（半年一次）、每年安全点检。

③ 安全检查的类型。安全检查常采取日常、定期、专项、不定期四种类型，各种检查可单独进行，也可以相结合进行。

a. 日常检查。日常检查是以员工为主体的检查形式。日常检查是由各基层班组长或安全检查员督促做好班前准备工作和检查离班前的交接收整工作，督促本班组成员认真执行安全制度和岗位责任制度，遵守操作规程。各级主管人员应在各自业务范围内，经常深入现场，进行安全检查，发现不安全问题，及时督促有关部门解决。

b. 定期检查。定期检查一般包括周检查、月检查、季度检查、年度大检查和节日前检查。

(a) 周检查。周检查由各部门负责人深入班组，对设备保养、器材放置、设备运行和交换班的记录等进行检查，并了解是否存在不安全因素、隐患。

(b) 月检查。月检查由安全管理小组负责组织，主要目的是对安全工作进行全面检查，以便发现问题，研究、解决安全管理上存在的问题，把整改具体措施落实到部门、具体人，召开班（组）长会议，总结安全管理工作，进行安全教育。

(c) 季度检查。季度检查是依据本季度的气候、环境特点，有重点地检查生产。春季检查以防雷、防静电、防跑漏、防建筑物倒塌为重点；夏季检查以防暑降温、防台风、防汛为重点；秋季检查以防火、防冻、保温为重点；冬季检查以防火、防爆、防毒为重点。季度检查还可以同节日检查相结合进行，如与元旦、“五一”“十一”、春节等重大节日的安全保卫工作结合起来，在节日前进行。除检查目的和要求（如同月检查）外，要着重落实节假日的防火、值班、巡逻的组织安排工作。

(d) 年度大检查。年度大检查是一年一度的自上而下的安全评比大检查。

(e) 节日前检查。节日前检查是节日前对安全、保卫、消防、生产准备、备用设备等进行检查，以保证节日期间的安全。

c. 专项检查。专项检查一般分为专业安全检查和专题安全调查两种。它是对某一项危险性大的安全作业和某一个安全生产薄弱环节进行专门检查和专题单项调查。

专项检查或专题安全调查是不定期的，它们的提出是根据上级部门的要求、安全工作的安排和生产中暴露出来的问题。专业安全检查或专题安全调查有较强的针对性和专业要求，可检查难度较大的内容，发现问题后又可集中研究整改对策。专项检查是以安全人员为主，吸收与调查内容有关的技术和管理人员参加。

d. 不定期检查。不定期检查是指不在规定时间内、检查前不通知受检单位或部门而进行的检查。不定期检查一般由上级部门组织进行，带有突击性，可以发现受检查单位或部门安全生产的持续程度，以弥补定期检查的不足。不定期检查主要是主管部门对下属部门进行抽查。

④ 安全检查的方法。

a. 实地观察。深入现场靠直感，凭经验进行实地观察。如看、听、嗅、摸、查。看一看外观的变化，听一听设备运转是否有异常，嗅一嗅有无有毒气体放出，摸一摸设备温度有无升高，查一查危险因素。

b. 汇报会。上级检查下级，往往在检查前先听取下级自检等情况汇报，提出问题并当场解决；或者检查完一个单位或部门再开一个汇报会，检查组把检查出的问题向这个单位或部门领导通报，提出整改意见限期解决，并给予评价。

c. 座谈会。在进行内容单一的小型检查时，往往以开座谈会的方法，提请有关人员座谈讨论某项工作或某项工程的经验和教训，以及如何更好地开展和完成。

d. 调查会。在进行安全动态调查和事故调查时，可通过调查会的方法，把有关人员和知情者召集在一起，逐项调查分析，得出结论和评价，采取预防对策加以控制。

e. 个别访问。在调查或检查某个系统的隐患时，为了便于技术分析和找出规律，了解以往的生产运行情况，就需要访问有经验的实际操作人员，有的即使调离了本岗位，也要进行走访，使调查和检查工作得到真实情况及正确结论。

f. 查阅资料。要使检查监督工作做深、做细，便于对比、考察、统计、分析，在检查中必须查阅有关资料。从历史和现实看这个单位或部门的管理水平，执行法规、贯彻安全生产方针及上级指示做得好还是差，好的表扬，差的批评，实施检查监督职能。

g. 抽查考试和提问。为了检查某个部门的安全工作、员工素质、管理水平，可对这个部门的员工进行个别提问、部分抽查和全面考试，检验其真实情况和水平，便于部门之间评比。

5.4 预拌混凝土绿色生产

2020 年，国家提出了“碳达峰碳中和”的绿色发展战略目标，并相继出台了多项政策推动绿色发展。目前，北京、上海、江苏、广东、成都等省市结合建筑建材业的特点相继推出了预拌混凝土绿色发展的相关政策，并编制地方标准。绿色发展是预拌混凝土产业向高质量发展转型的重要内容，预拌混凝土企业向绿色生产模式升级势在必行。北京市地方标准《预拌混凝土绿色生产管理规程》（DB11/T 642）中对预拌混凝土绿色生产的定义是：采用先进技术和管理措施，实现资源节约和环境保护的混凝土生产运输活动。企业可以根据自身情况按照《预拌混凝土绿色生产及管理技术规程》（JGJ/T 328）的具体要求进行绿色建材产品等级认证。同时，可按照《预拌混凝土单位产品能源消耗限额》（GB 36888）进行单位产品能耗的计算与分析，按照相关标准对单位产品二氧化碳排放量进行计算、评价或编制碳足迹报告。

5.4.1 基本要求

各地对预拌混凝土绿色生产的具体要求虽不尽相同，但基本要求大致相同，主要包括以下几个方面：

① 厂区布置、生产工艺和关键设备应满足节能、节地、节水、节材、利废和环境友好的要求，生产区域整体封闭。

② 混凝土生产运输过程实现节能、环保、低排放的目标。原材料来源方便，成品运输距离适宜，车辆100%清洗清洁。生活热水100%使用可再生能源，鼓励在生产环节中使用可再生能源。周边有能承载大流量交通的道路和设施，满足生产需要，同时不影响周边环境。

③ 强化废弃物综合利用。加大固废利用量，生产性固体废弃物100%回收利用，生产性清洗废浆废水100%回收利用，非生产性污水经处理后100%回收利用，非生产性固体废弃物有序排放。

④ 生产、试验、质量检验、运输管理等环节实现信息化、智能化、可视化，满足智能制造要求。

⑤ 厂区绿化率（绿化面积/厂区总面积）应达到10%以上。

绿色生产需要的所有设施要完整、可靠。绿色生产关注的区域主要有：硬化地面、道路、备勤停车场、主生产区、罐车停车区、地磅计重区、进场清洗区、罐车接放混凝土口清洗和砂石分离区、罐车加水区、搅拌机下料区、排污清洗区、生产不可用污水处理区、生产可用废水废浆处理区、上料及储存区、日常维修保养区、混凝土调整及取样区；关注的设施主要有：封闭区域内空气交换及处理设施、粉尘收集设施、照明及采光设施等。

5.4.2 绿色生产技术

5.4.2.1 废水和废浆

（1）基本要求　预拌混凝土生产企业需配备完善的生产废水处置设施，其主要作用包括雨水收集、污水排放循环利用、生产性废浆废水循环利用、生活污水处理、固体沉淀物处理等。

① 生活污水不得直接用于生产混凝土。

② 经过沉淀处理后的生产废水用作混凝土拌和用水时，其水质应符合《混凝土用水标准》（JGJ 63）的规定，并经专用管道和计量装置输入搅拌主机。

③ 当采用压滤机对含有废浆的生产废水进行处理时，应设置生产废水回收利用装置，及时运输压滤后的固体并做无害化处理。

④ 当含有废浆的生产废水直接用作混凝土拌和用水时，应在初次使用之前均匀取样并检测静置24h后的水质。当水质符合标准《混凝土用水标准》（JGJ 63）的规定时，应

通过均化装置控制含有废浆的生产废水的匀质性，并通过试验确定其在混凝土中的掺量。实际生产时，应及时检测含有废浆的生产废水的固含量，并将其计入配合比中的粉体颗粒总量。

(2) 具体措施

① 道路区域要求道路平整，行车无颠簸，无积水的隐患，有合理的排水坡度，雨水、清洗水等能快速排除干净，有合理的集灰集渣设施，设置合理的移动冲洗设施和车辆永久性水冲洗装置。

② 混凝土卸料区域是搅拌站主要污染源之一。该区域的排水排渣能力应进行专项设计并设置相应的设施，以处理清洗搅拌机的水和跑冒落地的混凝土。要在车辆冲洗处设置冲洗斗，便于灰渣清理、分离。清洗用水要用专门管道承接排放至再生水利用处。为防止搅拌机卸料遗撒，可在混凝土卸料斗下接可移动漏斗，漏斗连接管道，将搅拌机中的混凝土浆水导入清洗池。

③ 砂石分离机区域主要是进行剩退灰分离和车辆罐体内的清洗作业，该区域要有合理的上下水设施、废水处理设施、尾部及车身的冲洗设施、车轮冲洗设施等，设施的清洗能力要满足车辆频率的要求。该区域主要产生的是生产可用废水和废浆。废水、废浆，主要来自清洗搅拌机和清洗搅拌车内罐，可作为生产用水，设置回路和搅拌防沉降搅拌罐，具备固含量调节能力，废浆达到利用浓度后进入利用系统。分离后砂石应有回库设施。清水可以再利用——作为分离剩退灰和清洗罐内的用水。在骨料储料库，要有专门的泥浆沉淀水排水设施。

废弃混凝土分离以及罐车和搅拌机清洗后产生的浆体进行单独处理，处理后的废水、浆体及分离出来的砂石可用于混凝土的生产。实现零排放的典型处理系统由多模块系统组成：洗车槽、滚筒砂石分离机、螺旋砂石分离机、旋流分离器、压滤机、浆水池（粗浆池、细浆池）及管路等。

5.4.2.2 噪声

(1) 基本要求

① 预拌混凝土生产企业应根据现行国家标准《声环境质量标准》(GB 3096) 和《工业企业厂界环境噪声排放标准》(GB 12348) 的规定，以及当地城市或乡村规划来确定厂界和厂区内声环境功能区域类别，制定噪声区域方案，绘制噪声区划图，建立环境噪声监测网络与制度，客观评价和控制声环境质量。

② 预拌混凝土生产企业的厂界内声环境功能区域类别划分和环境噪声限值应符合表 5-10 的规定。

表 5-10 预拌混凝土生产企业的厂界内声环境功能区域和环境噪声限值

单位：dB (A)

声环境功能区域	环境噪声限值	
	昼间	夜间
以居民住宅、医疗卫生、文化教育、科研设计、行政办公为主要功能，需要保持安静的区域	55	45
以商业金融、集市贸易为主要功能，或者居住、商业、工业混杂，需要维护住宅安静的区域	60	50
以工业生产、仓储物流为主要功能，需要防止工业噪声对周围环境产生严重影响的区域	65	55
高速公路、一级公路、二级公路、城市快速路、城市主干路、城市次干路、城市轨道交通(地面段)、内河航道两侧区域，需要防止交通噪声对周围环境产生严重影响的区域	70	55
铁路干线两侧区域，需要防止交通噪声对周围环境产生严重影响的区域	70	60

注：环境噪声限值是指等效声级。

③ 预拌混凝土生产企业厂区内噪声敏感建筑物的环境噪声限值可按表5-11控制。

表5-11 厂区内噪声敏感建筑物环境噪声限值 单位：dB（A）

厂区内噪声敏感建筑物	环境噪声限值	
	昼间	夜间
生活区(含职工宿舍)	55	45
办公区(含食堂)	60	50

④ 当预拌混凝土生产企业厂界邻近居民区且环境噪声限值不符合标准JGJ/T 328的规定时，可采取有关技术措施，如：在厂区邻近居民区一侧安装隔声装置；对产生严重噪声源的设备、设施进行隔声处理；采用低噪声的生产、运输和检测设备等。

（2）具体措施　厂区的噪声来源主要是搅拌车、原材料运送车、装载机等。技术措施上，除了选用噪声低的设备外，厂区的噪声隔离设施也同样重要。对于整体封闭的要保证封闭材料的隔声效果，按照职业健康的要求需降低对室内人员的影响，人员采取必要的防护措施，生产操作可以采用远程控制的方式。骨料上料方式尽量避免采用燃油装载机。

骨料仓主要有棚式料库和立体料库。棚式料库的堆料卸料方式通常为自卸车直卸。该方式又分为低位从前到后直卸方式和高位从后到前直卸方式。低位从前到后自卸方式卸料一般采用“自卸车直卸＋装载机堆料”和“自卸车＋皮带组合卸料”方式，缺点是堆料不高，燃油装载机会有尾气排放，不利于环保。高位从后到前自卸方式卸料需要修筑通向料场后端的高位斜坡道路，需要更大的场地，这种方式能够实现更高的堆料高度，更适合场地非常大的料棚，在搅拌站一般很少采用。立体料库的卸料方式一般是自动化程度更高的卸料方式，卸料流程通常是：自卸车→接料斗→一级上料皮带→二级上料皮带→分料皮带→分格料仓。如果场地有限，不方便布置皮带机，也可以改为“自卸车＋皮带＋斗式提升机组合卸料”方式，卸料流程是：自卸车→接料斗→中转皮带→斗式提升机→分料皮带→分格料仓。使用立体料库可以不使用燃油装载机，减少尾气排放。

粉料上料也是噪声的主要来源。上料方式一般都采用气力输送的方式。上料时，将压缩空气经管道送入密封罐体下部的气室，使气室流态化床上的粉料悬浮成流态状；当罐内压力达到额定值时，打开卸料阀，流态化物料通过管内气体流动而进行输送。压缩空气的来源有车载摆式空气压缩机和电动螺杆式空气压缩机。传统方式是利用散装粉料车自带的柴油机驱动摆式空气压缩机产生的压缩空气进行输送，存在噪声大、能耗高、有燃油尾气排放、易冒仓爆仓等隐患，工作时噪声高达100dB，对环境和人员影响较大。电动螺杆式空气压缩机上料方式的气源是由搅拌站自建的以电动螺杆式空气压缩机为主机的空压站，此方式可有效降低噪声、减少能耗和尾气排放、减少粉尘事故，可降低输送成本，电动输送系统输送50t粉料的耗电量约30kW·h，比传统燃油方式节省输送成本60%以上。

5.4.2.3 粉尘

① 预拌混凝土生产企业应根据现行国家标准《环境空气质量标准》（GB 3095）和《水泥工业大气污染物排放标准》（GB 4915）的规定，以及当地政府环境保护要求来确定厂界和厂区内环境空气功能区类别，绘制厂区粉尘监测点平面图，建立环境空气监测网络与制度，客观评价和控制厂区和厂界的环境空气质量。

② 预拌混凝土生产企业厂界环境空气功能区类别划分和环境空气污染物中的总悬浮颗粒物（TSP）、可吸入颗粒物（粒径小于或等于10μm）和细颗粒物（粒径小于或等于2.5μm）的浓度限值应符合表5-12的规定。

表 5-12 预拌混凝土生产企业厂界环境空气功能区类别划分和环境空气污染物中的总悬浮颗粒物（TSP）、可吸入颗粒物（粒径小于或等于 10μm）和细颗粒物（粒径小于或等于 2.5μm）的浓度限值

序号	污染物项目	平均时间	浓度限值/($\mu g/m^3$)	
			自然保护区、风景名胜区和其他需要特殊保护的区域	居住区、商业交通居民混合区、文化区、工业区和农村地区
1	总悬浮颗粒物（TSP）	年平均	80	200
		24h 平均	120	300
2	可吸入颗粒物（粒径≤10μm）	年平均	40	70
		24h 平均	50	150
3	细颗粒物（粒径≤2.5μm）	年平均	15	35
		24h 平均	35	75

③ 预拌混凝土生产企业厂区内无组织排放总悬浮颗粒物（TSP）的 1h 平均浓度限值不应大于 1000$\mu g/m^3$。

④ 当预拌混凝土生产企业厂界邻近居民区且总悬浮颗粒物（TSP）、可吸入颗粒物（粒径小于或等于 10μm）和细颗粒物（粒径小于或等于 2.5μm）的浓度限值不符合标准 JGJ/T 328 的规定时，可采取下述技术措施：

a. 对产生粉尘的设备设施或场所进行封闭或安装除尘装置；

b. 采用低粉尘排放量的生产、运输和检测设备；

c. 利用喷淋装置对砂石进行预湿处理。

5.4.3 绿色生产监测监控

绿色生产监测监控对象包括水、电、原材料、粉尘和噪声等。预拌混凝土生产企业应编制监测监控方案，并针对生产废水、粉尘和噪声定期组织第三方监测和自我监测，第三方监测机构应具有相应法定资格。生产废水、粉尘和噪声的监测频率应符合相关标准规定。

环境噪声的测点分布和监测方法除应符合现行国家标准 GB 3096 和 GB 12348 的规定之外，尚应符合下述规定：

① 监测厂界环境噪声时，应在厂界均匀设置四个以上的测点，其中包括受被测声源影响大的位置。

② 监测厂区内环境噪声时，应在厂区的骨料堆场、搅拌站控制室、食堂、办公室等区域设置测点。

③ 各测点应分别监测昼间和夜间环境噪声，并应单独评价。

粉尘排放的测点分布和监测方法除应符合国家现行标准《大气污染物无组织排放监测技术导则》（HJ/T 55）和《环境空气　总悬浮颗粒物的测定　重量法》（GB/T 15432）的规定之外，尚应符合下述规定：

① 监测厂界生产性粉尘排放时，应在厂界均匀设置两个以上的测点，其中包括受被测粉尘源影响大的位置。

② 监测厂区内生产性粉尘排放时，应在厂区的骨料堆场、搅拌站的搅拌层和办公室等区域设置测点。

③ 各测点应分别监测 1h 平均和 24h 平均粉尘排放值，并应单独评价。

另外，预拌混凝土生产企业应安装生产用水、生活用水、生产废水、生产用电和生活用电单独计量装置。

第6章 技术质量管理

质量是事物的根本特征。产品质量是指产品适合一定用途、满足社会和人们需要所具备的特性，包括性能、寿命、可靠性、安全性和经济性。建材工业的典型产品都属于硅酸盐产品。建材产品的质量通常指它们具有的物理或化学性能，这些性能反映了它们的根本特征，表明了它们的各种用途。建材产品质量标准有国家标准、行业标准、团体（协会）标准、地方标准和企业标准。

产品质量与工作质量是两个不同的概念，但它们又有密切联系。工作质量是指企业各方面工作的水平、效率和效果。产品质量的高低依赖于相应的工作质量，工作质量好坏直接影响产品质量。例如，混凝土企业中配料工序的工作质量直接取决于配料重量比例或成分指标的精度，而配料的工作质量则对混合料的合格率和产品质量起到关键作用。

质量管理是全员管理，质量也必须是个人化的，否则它在任何层次上都没有什么意义。管理人员应该认识到，质量是一种个人义务，而且个体的参与是非常重要的，如果不能从自身工作出发谈论质量，就说明这个人尚未上升到参与质量的水准。对混凝土产品来说，原材料决定了产品质量的上限，配合比设计决定了下限，工艺技术控制水平决定了其质量特性的平均值和均方差，试验水平决定了其不确定度。管理者一定要充分认识到其中的每一个环节的管理控制都直接影响产品的质量和成本，所以说质量和成本是全员的。

6.1 技术质量管理基本内容

企业应该按照 GB/T 19001 标准要求建立质量管理体系。全面质量管理是通过质量保证体系来实现的。质量保证体系是企业为使自己的产品给用户提供充分的保障而建立起来的质量管理系统，它是质量管理为用户服务思想的体现和发展。质量管理的基本内容包括质量教育、标准化、质量信息反馈、计量检定、质量监督和质量组织保证等内容。按照产品生产过程简述如下。

（1）设计过程的质量管理　广义的设计过程包括产品开发、研制及投产前的一切技术准备工作，主要包括调查研究、产品设计、工艺设计、试制工作、产品鉴定、制定产品标准等内容。设计过程的质量管理关系到产品的设计质量，设计质量是产品制造质量、成品质量、使用质量的基础，起到了“预防”和“保证”的作用。另外，有些预拌混凝土企业不是单一产品的生产企业，需要依据产品设计提出流水生产线的布置。产品设计方案不同，流水生产线的布置则不同，建厂投资和生产成本也不同。因此，设计过程的质量管理对企业经济效益有先天性制约作用。设计过程的质量管理的内容主要有以下几个方面：

① 制定产品质量目标。企业生产的产品，其质量目标应依据相关标准制定。对于新研

制的产品，若无相关标准可遵循，则应广泛搜集国内外技术情报，系统地分析企业实际情况，制定可行的质量目标作为研制、开发的质量目标。新产品的质量目标是制定新产品标准的依据，在试制成功、通过产品鉴定的同时要根据质量目标制定企业标准，然后再正式生产上市。

② 开发前期工作。根据调研报告制定初步方案，进行必要的试验室工作和验证工作，进行可行性研究，以防止重大失误。

③ 设计审查、工艺验证和试制、鉴定。设计审查是在设计阶段的不同节点进行检查，确保设计符合要求。审查内容主要有：能否满足客户需求、法规标准、可制造性/可维护性、是否便于生产、成本与进度等。

为了保证产品结构、性能的先进、合理，符合设计要求，并具有良好的工艺性，任何研制的新产品或重大改进的老产品，在完成产品设计后，都需要通过工艺验证、试制和鉴定等过程，才能正式投产。

工艺验证涉及生产流程的验证，确保制造过程能够持续产出合格产品。

试制是对设计的验证，是在小批量试生产后，验证产品设计、工艺和供应链的成熟度，确保量产可行性。通过试制可以弥补原设计和工艺中的弱点，有效降低量产风险，确保创造出品质优良的产品。

鉴定是对新产品或重大改进的老产品在技术上的成熟程度、经济上的合理程度、使用上的适宜程度作一个全面评价，对是否投产给出结论性的意见。

④ 产品设计的经济分析。产品的质量与产品的成本、销售收入有直接关系。成本过高，售价太贵，质量超过了使用要求，就会影响销售，从而造成企业收入降低而影响企业效益。

（2）生产制造过程的质量管理　生产制造过程是生产过程中物质形成产品的过程，一旦质量出现问题，就会造成废品。因此，制造过程的质量管理是全面质量管理的重点，主要有以下几方面内容：

① 严格执行工艺管理规程，按岗位责任制操作。因建材产品种类不同而采用不同的工艺，同一种产品也可用不同的生产方法而工艺各异。但在生产过程中影响产品质量的不外乎几个因素：操作人员、设备、材料、工艺和环境。这些因素相互影响和制约，形成生产系统。系统中任何一个环节薄弱都有可能造成质量波动而导致产品质量发生变化，甚至产生废品。弄清这些因素之间的相互关系及其变化规律，使之在保证质量的前提下处于可控制状态，即在质量允许的范围内波动，就从根本上保证了产品的制造质量。

建材工业生产过程在设计时就根据产品品种、数量、质量等要求，选择合适的原料、设备、工艺和环境，建成生产线，并在建厂期间，按照工艺管理规程进行操作人员的培训，建立生产岗位责任制。多数混凝土企业在试产投产后，上述因素的相互关系和变化规律比较稳定，控制范围比较清楚，只要严格按照操作规程进行操作，保证岗位责任制的执行，产品制造过程的质量就能保证。

环境保护对混凝土企业来讲，不仅仅是创造一个良好的文明生产条件，更重要的是保证安全生产和达到工艺质量标准。当上述因素中任一因素发生与原设计不同的变化时，都必须进行工艺管理规程规定的各种试验和调整。若变化超出规程的范围，则要进行生产系统的工艺改造，从而制定出新的规程，并重新试生产，使上述因素达到新的平衡状态，以保证质量。工艺条件的稳定和工艺过程的控制，是企业质量管理的关键。

② 质量检测。这是产品生产过程必不可少的一环。它主要是依据国家标准对所生产产品的原料、在制品、半成品、成品的质量进行检测，以保证不合格的原料不投产，不合格的在制品和半成品不流入下道工序，不合格的产品不出厂。在生产中，要积累和分析检测过程

中获得的质量信息，及时反馈到生产岗位以实现质量控制和生产控制。同时，这些资料也是进行质量成本分析、产品设计和工厂设计的重要资料。做好质量检测，严格把关，对混凝土企业的生产和发展有着极其重要的作用。

产品质量的检验方法多种多样，必须根据不同的检验对象、不同检验要求，选择不同的检验方法。检验方法选择得好，既可以保证产品的质量，又可以便利生产，还可以大大减少检验工作量和检验费用。常见的检验方法有：

a. 按检验的工艺阶段来划分，有预先检验、首件检验、中间检验和最后检验；

b. 按检验的地点划分，有固定检验和流动检验；

c. 按检验的数量划分，有全数检验、批量检验和抽样检验；

d. 按参与检验的人员划分，有专检、自检和互检。

③ 质量控制。混凝土产品质量的形成过程是一个动态过程，在整个制造工艺过程中，要及时、准确地获得各工序按工艺规程规定所采集的质量检测数据，从而掌握各工序的质量动态，使各工序质量处于工艺规程所规定的质量控制范围内，这就是质量控制。发现偏差时，应及时采取措施，加以控制，防止发生质量事故，避免质量损失，这是质量控制的目的。试验检测部门通常是将质量检测获得的质量数据（如生产记录、质量检验记录、各种分析化验报告等）整理归纳为各种报表，及时反馈到各生产岗位和质量控制部门，与生产质量控制指标进行比较，进而控制质量。值得注意的是，由于生产的高度连续性，质量控制要非常及时。因此，利用计算机和一些实时在线质量检测仪表组成的生产自动控制系统已成为预拌混凝土行业质量控制的必要手段。

④ 质量分析。质量检测和质量控制都提供了大量有关产品质量和生产工序工作质量的信息。对这些信息进行采集、贮存和系统分析是建材企业质量管理部门的主要职能。通过质量分析，确切地掌握班组、车间和企业在生产中的质量状况和变动趋势并分析原因，以实现产品质量控制和生产控制。对一个统计时期的质量进行分析，如预拌混凝土企业往往按班、日、月、季、年等统计各种质量报表，可以找到产品质量变化的原因，从而提出改进措施，挖掘提高产品质量的潜力。

(3) 辅助过程的质量管理　辅助过程的质量管理的内容包括物资供应，工具、设备维修等。它们都是为生产一线服务的，制造过程中的许多质量问题也直接与这些部门的工作质量有关，有时甚至起决定作用。为生产优质产品创造必要的条件，是混凝土生产制造过程质量管理的一个重要组成部分。

① 物资供应的质量管理。物资供应，包括原材料供应、辅助材料供应、备配件供应等。这些物资的很大一部分直接构成产品的实体，或保证工艺设备的正常运转。它们本身的质量直接影响产品的质量。因此，如何保证物资符合规定的质量标准，就成为物资供应质量管理的中心内容。所以要做好下列工作：

第一，对进厂的原材料、辅助材料、备配件都要按照质量要求进行严格的检查和验收。

第二，要把物资的质量管理延伸到供货单位，建立新的供需关系。传统的质量管理办法是对入厂物资进行验收，这样只能起到“把关”的作用，虽然防止了不合格物资进厂，但往往会造成供应脱节，以至于耽误生产。这就要求物资供应的质量管理要前置，从“把关”提前到“预防”，即把物资供应的质量管理做到供货单位中去，与供货单位建立新的供需关系。

第三，要加强运输和仓库管理，防止物资在运输和储存过程中损坏、变质、混料。为此，要定期检查仓库在物资的维护、保养方面是否合乎质量要求，并对重要物资经常进行抽验。

② 设备维修的质量管理。设备是组成建材生产线的主要因素，设备质量的好坏对产品

质量有着直接的影响，尤其是计量设备更为重要。从广义上来说，从设备的进厂验收、安装使用、维护保养、定期检修到设备的改装、改造等，整个设备管理工作都属于质量管理的范围。然而与产品生产过程有密切联系的，还是设备维修问题。只有把设备维修好，使其经常保持良好的技术状态，才能保证不断提高产品质量。设备维修包括设备的计划检修和日常的维护保养两方面。计划检修一般由机修车间负责，按照设备修复的质量标准进行。设备的日常维修保养一般由生产车间负责，它和产品制造过程的关系最为密切。

(4) 使用过程的质量管理　产品的使用过程是考验产品实际质量的过程。产品的质量特性是根据使用要求而设计的，它的实际质量，也就是实际使用效果，必须在使用过程中才能做出充分的评价。水泥和混凝土的质量检验周期很长，产品出厂时，全部质量检验数据尚未采集完整，而是根据质量增进规律加以预测。如水泥出厂时规定按 7d 强度指标或 3d 强度指标控制，则出厂后将 28d 强度指标补发给用户，以完善该批水泥的全部质量数据。因此，企业的质量管理工作必须从生产过程延伸到使用过程，它既是企业质量管理的归宿，又是企业质量管理的出发点。使用过程的质量管理的主要内容有以下两个方面：

① 开展对用户的技术服务工作。这是企业应尽的责任和持续发展的重要方面。作为一个企业，尽管生产了质量良好的产品，但若用户对其性能不熟悉、不掌握，或缺乏使用知识和经验，不会用，不会维护，就发挥不了它应有的作用，甚至遭到破坏。所以企业必须做好这方面的服务工作。在推广建材新产品时，更要重视这一环节。

② 进行使用效果与使用要求的调查。对产品的使用效果与使用要求进行调查，其目的首先在于在实践中对设计、制造质量进行验证，找出产品质量存在的主要缺陷和问题。其次是为了征求用户对进一步改进产品质量的意见，明确用户对产品质量的实际要求和动向。在调查方法上，可采取普遍调查，亦可采取典型调查。无论采用什么形式和方法，对调查到的情况和用户提出的使用要求，都要进行系统的分类、整理和分析。在分析中要防止把个别的特殊要求当作普遍的要求，把落后的技术水平的要求当作改进的方向。最后把有关情况反馈到各有关部门，促使它们改进工作，提高质量。

6.2 质量控制方法

按照产品设计所规定的标准，对原材料、燃料、半成品、成品所列出的质量控制项目及控制指标进行检测，并将检测结果反馈给各工序，使各工序将各项指标控制在规定范围内，这就是企业的一般质量控制过程。建材行业中传统的质量控制是由实验室等技术质量部门按工艺流程布置控制点进行的。各控制点的物料名称、取样地点、试验次数、检验项目、技术标准等都是预先制定的。根据生产情况，由技术质量部门下达各项指标的控制范围，由化验室检测并将其反馈，由各岗位执行，从而将质量控制在控制指标内，以达到控制质量的目的。应注意，在产品质量形成过程中，要根据产品质量变异的原因和分布规律，以及所确定的满足产品质量设计的控制范围，进行质量控制方法的选择。

6.2.1 质量变异原因及分布规律

(1) 质量变异原因　用同样的原料、燃料，按同样的工艺过程在同一类设备上进行加工，产出的产品所存在的质量差别称为产品质量变异，它是产品自然存在的一种性质，也是产品质量控制的一个出发点。

引起产品质量变异的因素是多种多样的，归纳起来可以分为两大类。

① 偶然性因素（导致偶然性差异）。这是指在生产过程中对产品质量经常起作用的因

素。如原材料、燃料性能、成分的微小差异，车间温度、湿度、设备状态等的微小差别，工人操作的微小变化，测试手段的微小差异等。一般来说，这类影响因素很多，不易识别，其大小和作用方向都不固定，是随机性的，因此难以确定。偶然性因素对质量特性值波动的影响较小，且呈典型分布规律。在一定的技术条件下，硬要消除这类因素，不但技术上难办到，而且经济上也很不合算。这种偶然性因素造成的质量波动不应由工人和管理人员来负责，只能靠提高科学技术水平使其影响降低。

② 系统性因素（导致系统性差异）。这是指在生产过程中少量存在的，并且对产品质量不经常起作用的因素。这类因素一旦出现在生产过程中，就必然使产品质量发生显著变化。如工人不遵守操作规程，工人过度疲劳，原材料规格不符，材质不对，电机运转异常，测试错误等。一般来说，这类因素影响较小，容易识别，其大小和作用方向在一定时间范围内，表现为一定的、周期性的或倾向性的规律变化，因此容易确定。这类因素对质量波动的影响较大，使质量特性值的波动不呈典型的分布规律，使生产过程处于不稳定的状态。在一定的技术条件下，这类因素可以通过有关人员的努力和加强管理，从技术上加以消除，经济上也合算。

按产品质量的差异所分的偶然性差异和系统性差异是相对的，随着科学技术的发展和人们认识水平的提高，过去的偶然性差异可能转化为系统性差异。科学技术的发展只能把某些原因由偶然性因素转化为系统性因素，但并不能消灭所有的偶然性因素。

偶然性因素对产品质量的影响很小，人们不值得也很难对其加以控制，把仅仅由偶然性因素造成的质量变异称为正常变异。对于由系统性因素所造成的变异，则应加以控制。当产品质量发生变异时，应分清是由哪一种因素引起的，并对系统性因素造成的质量差异采取相应的措施，加以消除，这就是产品质量控制的基本思想。

（2）质量变异的分布规律　对单个产品来说，偶然性因素引起的质量差异是随机性的，其数值可正可负，可大可小，但对整批产品来说，偶然性因素所引起的产品质量变异却有一定的规律性。如混凝土强度的分布符合正态分布等。

6.2.2 控制图

质量控制即为达到质量要求所采取的作业技术和活动。由于每个生产、服务或管理过程，在多种因素作用下，都存在一定的变异，因此研究过程的变异性将有助于控制质量，这通常借助于控制图予以实现。

6.2.2.1 控制图基本知识

控制图即为监测、控制和减少过程变异，将样本统计量值序列以特定顺序描点绘出的图，是对过程数据的图形化表示，可对过程的变异进行直观评估。特定顺序通常指时间顺序或样本获得顺序。

（1）控制图类型　主要包含常规控制图和验收控制图两类。为了达到或维持过程稳定，可以使用常规控制图；如果以验收为目的，则使用验收控制图。

（2）控制图构成　典型的控制图（如常规控制图），通常是以样品组号为横坐标，以质量特性值为纵坐标，并标有根据质量特性值求得的中心线和位于中心线上、下两侧的控制限的一个直角坐标系。其中，中心线反映统计量预期变化的中心水平，控制限定义了一个区间，区间的宽度在某种程度上由过程的固有变异确定。如果过程受控，则控制图中描点的统计量会随机落在两个控制限所确定的区域内。

有时控制图中还有称为“警戒限”的第二组控制限。如果图中描点超出警戒限，但未超出控制限，表明存在影响过程的可疑原因，需要注意，此时不需要对过程采取任何措施。

（3）控制图原理　是将抽样所得数据经计算处理，并以质量特性状态点的形式按样组抽取次序标注在图中，视点与中心线及上、下控制限的相对位置及其排列形状，鉴别工序中是否存在影响质量变异的系统因素，分析和判断工序是否处于控制状态，从而能够动态地反映产品质量的变化，区分出正常波动与异常波动，起到预防为主、稳定生产和保证质量的作用。

6.2.2.2 常规控制图

采用常规控制限的控制图，又称休哈特控制图，主要用来从图形上判断变异源于随机原因还是特殊原因。常规控制限是基于统计学方法，根据仅由随机原因产生的过程变化确定的控制限。

（1）常规控制图构成　其构成如图 6-1 所示。中心线用 CL（σ 或 $\overline{X}$）表示，σ 是总体标准差或总体标准差的估计值。上下控制限位于中心线两侧的 3σ 距离处，分别用 UCL（$\overline{X}+3\sigma$）和 LCL（$\overline{X}-3\sigma$）表示；警戒限位于中心线两侧 2σ 距离处，分别用 U′CL（$\overline{X}+2\sigma$）和 L′CL（$\overline{X}-2\sigma$）表示。

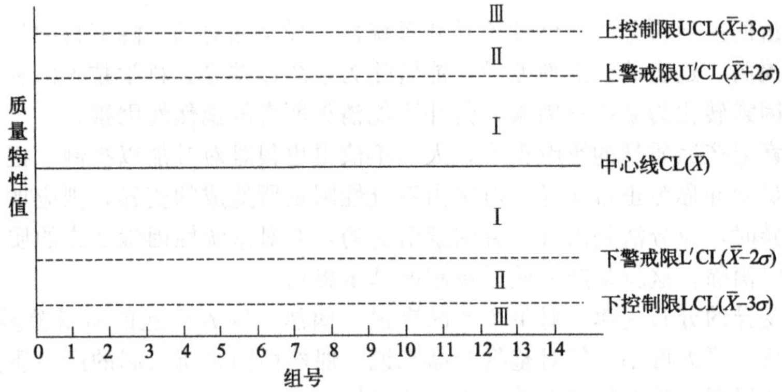

图 6-1　常规控制图构成

［$\overline{X}-2\sigma$，$\overline{X}+2\sigma$］范围内的区间称作Ⅰ区，又称正常区。若试验点出现在此范围内，则认为正常。［$\overline{X}-3\sigma$，$\overline{X}-2\sigma$］和［$\overline{X}+2\sigma$，$\overline{X}+3\sigma$］范围内的区间称为Ⅱ区，又称警戒区，若某个试验点出现在此范围内，就要注意是否还有试验点继续在此范围内出现，如果继续出现必须查明原因并采取措施。在［$\overline{X}-3\sigma$，$\overline{X}+3\sigma$］以外的区间，称为Ⅲ区，又称异常区。试验点出现在此区时，必须立即查明原因，采取有效措施，使生产恢复到正常状态，否则将有不合格品产生。

（2）常规控制图类型　现行国家标准《控制图　第 2 部分：常规控制图》（GB/T 17989.2）规定，常规控制图分为计量控制图和计数控制图两类，如表 6-1 与图 6-2 所示。

表 6-1　常规控制图的类型

质量特性		控制图名称	简记	分布
计量控制图		均值-极差控制图	$\overline{X}$-R 控制图	正态分布
		均值-标准差控制图	$\overline{X}$-s 控制图	
		单值-移动极差控制图	X-R_m 控制图	
		中位数-极差控制图	$\widetilde{X}$-R 控制图	
计数控制图	计件型	不合格品率控制图	p 控制图	二项分布
		不合格品数控制图	np 控制图	
	计点型	缺陷数控制图	c 控制图	泊松分布
		单位缺陷数控制图	u 控制图	

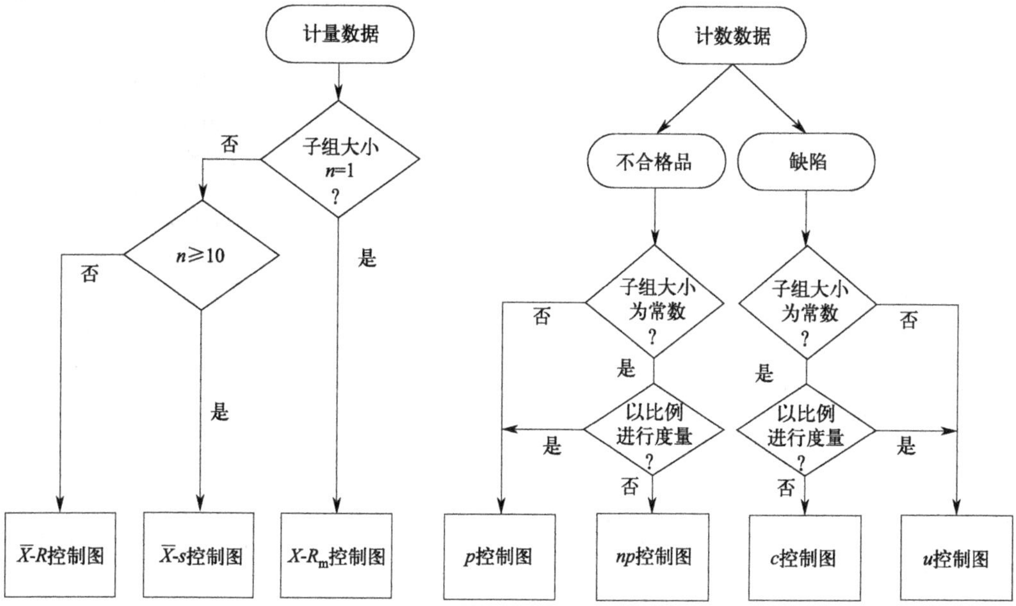

图 6-2　常规控制图的类型

① 计量控制图。描点所用统计量是连续尺度的常规控制图，用于产品质量特性为计量值的情形，如：混凝土的强度、水胶比、坍落度、含气量等连续变量。计量控制图主要有：均值-极差控制图和单值-移动极差控制图等。

a. 均值-极差（$\overline{X}$-R）控制图和均值-标准差（$\overline{X}$-s）控制图，是应用最为广泛的一对控制图。前者由子组均值（$\overline{X}$）和子组极差（R）控制图组成；后者由子组均值（$\overline{X}$）和样本标准差（s）控制图组成。当子组样本量 n 较小（$n<10$）时，可采用 $\overline{X}$-R 控制图；当 n 较大（$n \geqslant 10$）时，倾向使用 $\overline{X}$-s 控制图，因为随着子组样本量的增大，用极差估计过程标准差 s 的效率会降低。

b. 单值-移动极差（X-R_m）控制图，由单值（X）和移动极差（R_m）控制图组成。单值控制图主要是在每批产品或每一抽样间隔周期内只能得到一个测定值，且其数据不易分批或分批是不可能甚至是无意义的，用于判断生产过程的平均值是否处于或保持在所要求的水平。移动极差控制图用来判断生产过程的标准差是否处于或保持在所要求的水平。

上述控制图的控制限的计算公式，如表 6-2 所示。

② 计数控制图。描点所用统计量是可数的或分类变量的常规控制图，主要有：不合格品率控制图（p 控制图）、不合格品数控制图（np 控制图）、缺陷数控制图（c 控制图）及单位缺陷数控制图（u 控制图）。

a. p 控制图：用比例或百分比来表示落在给定类别中的数目除以总数的结果。

b. np 控制图：表示子组样本量为常数时，落在给定类别中的数目。

c. c 控制图：表示可能发生的事件发生的机会固定时，事件发生的次数。

d. u 控制图：表示可能发生的事件发生的机会变化时，每单位事件发生的次数。

值得一提的是，应用计数控制图时，一张控制图就足够了。因为计数控制图的假定分布仅有一个独立的参数，即均值水平。

表 6-2 计量控制图的控制限计算公式（GB/T 17989.2）

控制图名称与符号			UCL（上控制限）	CL（中心线）	LCL（下控制限）	备注
$\overline{X}$-R （或$\overline{X}$-s）	$\overline{X}$	σ 未给出	$UCL=\overline{\overline{X}}+A_2\overline{R}$ 或 $UCL=\overline{\overline{X}}+A_3\overline{s}$	X	$LCL=\overline{\overline{X}}-A_2\overline{R}$ 或 $LCL=\overline{\overline{X}}-A_3\overline{s}$	X：单次试验的观测值； $\overline{X}$：观测值子组的平均值； $\overline{\overline{X}}$：观测值子组平均值的平均值； R：子组极差，子组观测值中的极大值与极小值之差； $\overline{R}$：平均极差； R_m：移动极差，相邻两个观测值的差； $\overline{R}_m$：移动极差的平均值； s：子组内观测值得到的样本标准差； $\overline{s}$：子组样本标准差的平均值； σ_0：过程标准差的给定值； μ_0：过程平均值的给定值
		σ_0 给出	$UCL=\mu_0+A\sigma_0$	μ_0	$LCL=\mu_0-A\sigma_0$	
	R	σ 未给出	$UCL=D_4\overline{R}$	$\overline{R}$	$LCL=D_3\overline{R}$	
		σ_0 给出	$UCL=D_2\sigma_0$	$d_2\sigma_0$	$LCL=D_1\sigma_0$	
	s	σ 未给出	$UCL=B_4\overline{s}$	$\overline{s}$	$LCL=B_3\overline{s}$	
		σ_0 给出	$B_6\sigma_0$	$c_4\sigma_0$	$B_5\sigma_0$	
X-R_m	X	σ 未给出	$UCL=\overline{X}+2.66\overline{R}_m$	$\overline{X}$	$LCL=\overline{X}-2.66\overline{R}_m$	
		σ_0 给出	$UCL=\mu_0+3\sigma_0$	μ_0	$LCL=\mu_0-3\sigma_0$	
	R_m	σ 未给出	$UCL=3.267\overline{R}_m$	$\overline{R}_m$	0	
		σ_0 给出	$UCL=3.686\sigma_0$	$1.128\sigma_0$	0	

注：计量控制图控制限的因子 A、A_2、A_3、B_3、B_4、B_5、B_6、D_1、D_2、D_3、D_4、c_4、d_2 等，可由现行国家标准 GB/T 17989.2 查得。

计数控制图控制限的计算公式如表 6-3 所示。

表 6-3 计数控制图的控制限计算公式（GB/T 17989.2）

统计量	标准值未给定		标准值给定	
	中心线	3σ 控制限	中心线	3σ 控制限
p	$\overline{p}$	$\overline{p}\pm3\sqrt{\overline{p}(1-\overline{p})/n}$	p_0	$p_0\pm3\sqrt{p_0(1-p_0)/n}$
np	$n\overline{p}$	$n\overline{p}\pm\sqrt{n\overline{p}(1-\overline{p})}$	np_0	$np_0\pm\sqrt{np_0(1-p_0)}$
c	$\overline{c}$	$\overline{c}\pm3\sqrt{\overline{c}}$	c_0	$c_0\pm3\sqrt{c_0}$
u	$\overline{u}$	$\overline{u}\pm3\sqrt{\overline{u}/n}$	u_0	$u_0\pm3\sqrt{u_0/n}$

（3）常规控制图的判断规则　在质量特性状态点随机排列的情况下，符合下列情况之一，就认为生产过程处于控制状态：

① 连续 25 个点全部落在控制限内。

② 连续 35 个点中，落在控制限以外的点不超过 1 个。

③ 连续 100 个点中，落在控制限以外的点不超过 2 个。

当然，即使按以上准则判断生产处于控制状态时，如果有点落在控制限以外，也要找出界限外点的异常原因，并加以处理。上述情况一般是在分析过去数据、计算控制限时使用。

在生产过程控制时，出现下列情况之一，则判定生产状态处于异常状态：

① 点落在控制限以外（或恰在控制限上）。

② 1 个点落在 A 区以外[图 6-3(a)]。

③ 连续 9 个点落在中心线同一侧[图 6-3(b)]。

④ 连续 6 个点递增或递减[图 6-3(c)]。

⑤ 连续 14 个点中相邻点交替上下[图 6-3(d)]。

⑥ 连续 3 个点中有 2 个点落在中心线同一侧的 B 区以外[图 6-3(e)]。

⑦ 连续 5 个点中有 4 个点落在中心线同一侧的 C 区以外[图 6-3(f)]。

⑧ 连续 15 个点落在中心线两侧的 C 区内[图 6-3(g)]。

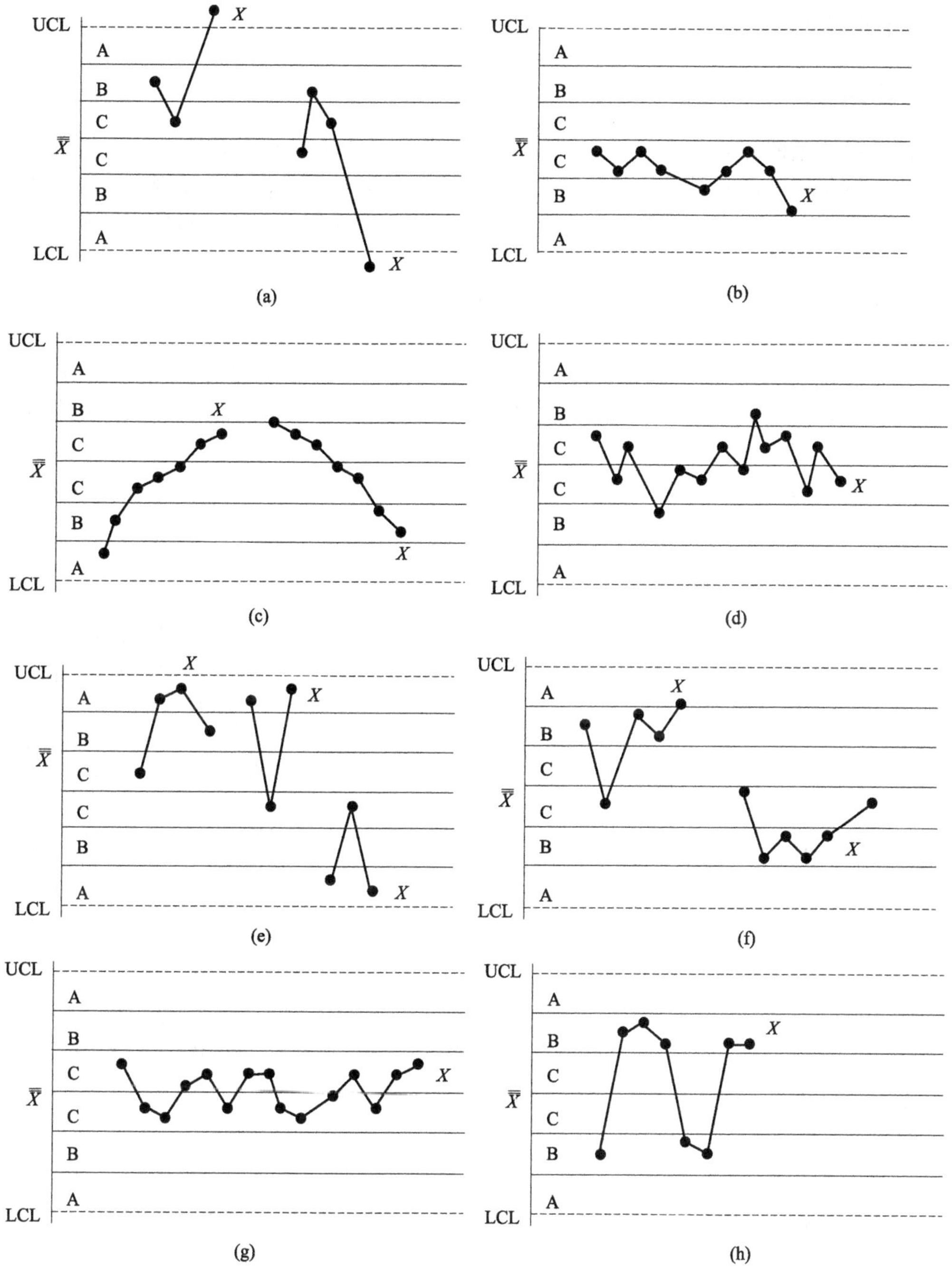

图 6-3　可查明原因的检验控制图

⑨ 连续 8 个点落在中心线两侧且没有一个点在 C 区内[图 6-3(h)]。

3σ 控制限表明，只要过程处于统计控制状态，大约 99.7%的统计量取值将落在控制限内，而落在控制限以外的概率为 0.27%，是一个小概率事件。若在控制状态下，小概率事件发生，因个别质量特性值落在控制限外，而误认为生产过程失控，称为第一类错误判断。

若控制中心线已经偏移，但仍有一定比例的质量特性值落在控制限内，而误认为生产过程正常，称为第二类错误判断。

6.3 质量分析

6.3.1 因果分析

一批产品质量的好坏总是有一定的原因的。当出现产品质量不好或废次品较多的情况时，首先要分析影响产品质量的各种原因和责任者，尤其需要分清主要原因和次要原因，以便针对主要原因，研究改进措施，减少废次品，提高产品质量。通过绘制排列图和因果分析图进行分析，就可达到上述目的。

（1）排列图　又叫巴雷特图，是找出影响产品质量主要原因的图（如图 6-4 所示）。排列图中有 2 个纵坐标、1 个横坐标。左边的纵坐标表示数量（件数等）；右边的纵坐标表示频率（以百分比表示）。横坐标表示影响质量的各个因素，按影响的大小从左至右排列。直方形的高度表示某个因素影响的大小。曲线表示各影响因素大小的累计百分数，这条曲线称为巴雷特曲线。通常把累计百分数分为三类：累计百分数在 0%～80%的为 A 类，称为主要因素；累计百分数在 80%～90%的为 B 类，称为次要因素；累计百分数在 90%～100%的为 C 类，称为一般因素。

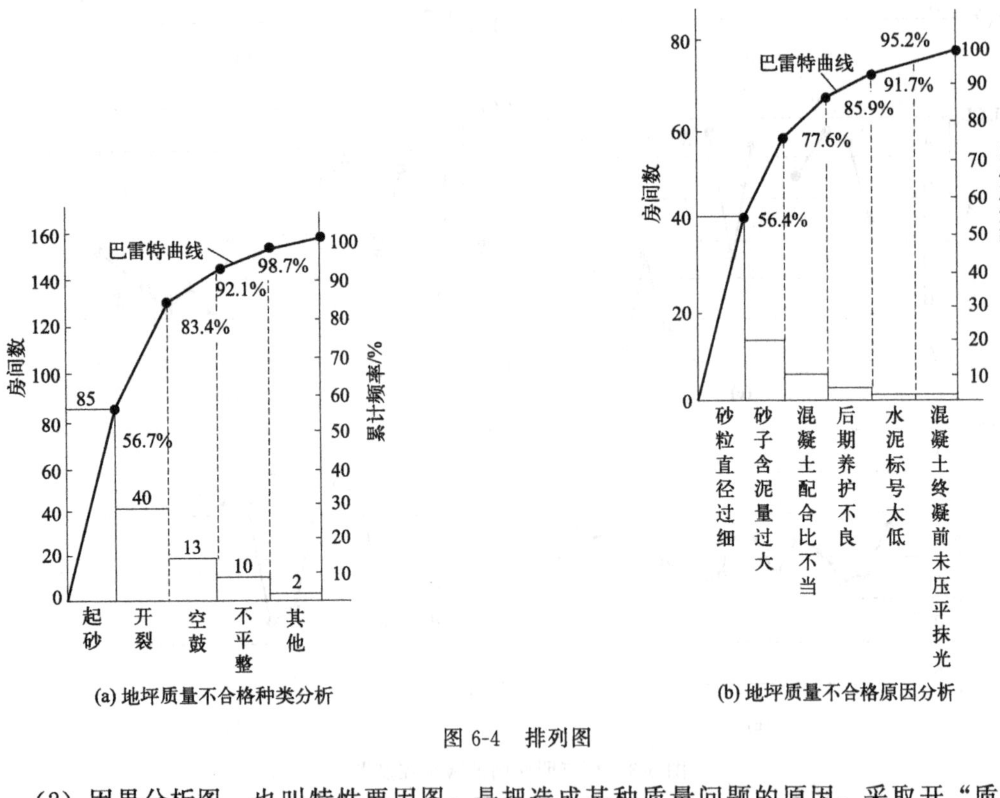

图 6-4　排列图

（2）因果分析图　也叫特性要因图，是把造成某种质量问题的原因，采取开“质量分析”会的方法，集思广益，寻求出现问题的原因，同时将群众的意见反映到图内。在探讨一个问题的产生原因时，要从大到小，从粗到细，寻根究底直至能采取具体措施。图 6-5 是对混凝土强度低的原因分析。

因果分析图的主要特点在于能够全面地反映影响产品质量的各种因素，而且层次分明，从中可以看出各种因素之间的关系，便于找出真正原因，然后对症下药，采取措施。该方法通俗易懂，便于发动群众，使每个工人、技术人员和管理人员根据自己的生产实践和工作经

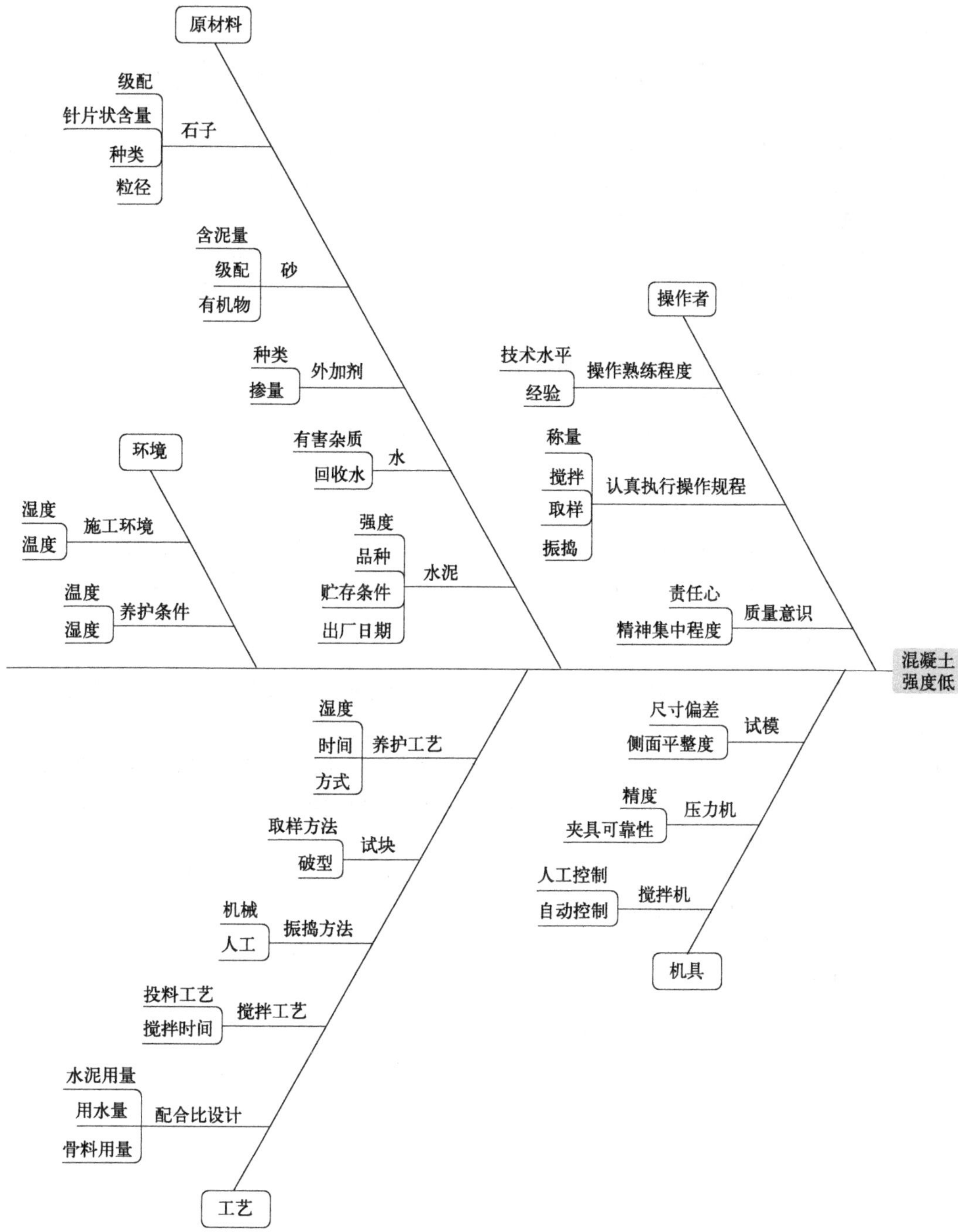

图 6-5 因果分析图

验，对影响产品质量的因素，如人、机、料、法、环和测等六个主要方面，都有一定的认识和体会。只有把大家的意见都集中起来，质量分析才比较全面，权衡轻重，找出最主要的原因。所以，因果分析图是发动群众参加质量管理的一种比较好的形式。

6.3.2 质量分布分析

（1）直方图　又叫质量分布图，它是表示质量数据离散程度的一种图形。通过直方图可以了解产品质量的分布状态，进而找出影响产品质量的原因。属于正常型直方图的图形的特点是中间高、两边低、左右对称，否则就为异常型。

(2) 分层法　分层就是分门别类的意思，即根据不同的日期去收集质量数据，把在一个生产条件下得到的性质相同的数据收集在一起并归为一类，然后再利用其他方法对这类数据进行加工整理，绘成图表，这样就可以得到分层排列图、分层控制图、分层直方图、分层散布图等。因此，这个方法是经常同质量管理中的其他方法一起联用的。

质量数据分层的标志多种多样，一般按以下原则来分：

① 按不同的时间分。如按不同的班次、不同的日期进行分类，如造纸生产可以按不同的季节来统计成纸水分，以分析不同季节的温度和湿度对成纸水分的影响。

② 按操作人员分。如按性别、工龄分类。

③ 按使用设备分。如按立轴搅拌机、卧轴搅拌机等不同的设备型号分类。

④ 按操作方法分。如按不同的温度、压力等工作条件进行分类。

⑤ 按原材料分。如按不同的材料供应单位、不同的进料时间、不同的材料成分进行分类。

⑥ 按不同的检测手段分类。

⑦ 其他分类。如按不同的工厂、使用单位、使用条件、气候条件等进行分类。

经验表明，分层法是质量管理中分析、处理质量问题的一种好的思考方法和工具。

6.3.3 相关分析

在生产实践中，常常遇到两个或两个以上的测定值之间存在着某种关系，它们之间的关系不能用函数精确地表达出来。为了便于分析和研究，称这类变量之间的关系为相关关系。在研究两个测定值之间的关系时，可将有关的数据列出，并用点填在坐标纸上，当采集的数据足够多时，可观察两个测定值之间的关系，用点绘出的图称为相关图（散布图）。对它进行的分析称为相关分析。

如果影响 y 的因素不止一个，而是若干个（x_1，x_2，…，x_n），则可以分别绘制出 y-x_1，y-x_2，…，y-x_n 的相关图，确定出相关关系，并找出影响 y 的主要因素。

相关图的种类多种多样，大致有图 6-6 所示的几种基本形式：

① 强正相关：x 变大，y 也显著变大，见图 6-6(a)；

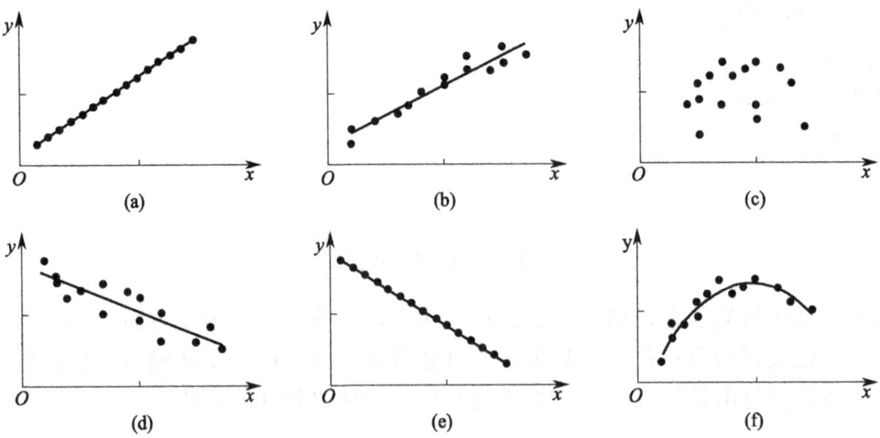

图 6-6　相关图的几种基本形式

② 弱正相关：x 变大，y 也大致变大，见图 6-6(b)；

③ 不相关：x 与 y 之间没有关系，见图 6-6(c)；

④ 弱负相关：x 变大，y 大致变小，见图 6-6(d)；

⑤ 强负相关：x 变大，y 显著变小，见图 6-6(e)；

⑥ 非线性相关：x 变大，y 也变大，但不呈直线关系，见图 6-6(f)。

相关系数（r）是反映变量（x）与另一变量（y）的线性相关程度的指标，其计算公式如下：

$$r=\frac{\sum(x_i-\overline{x})(y_i-\overline{y})}{\sqrt{\sum(x_i-\overline{x})^2(y_i-\overline{y})^2}} \tag{6-1}$$

当然，也可以采用电脑软件直接算出。

6.3.4 统计分析

统计分析利用统计表进行数据整理和粗略原因分析。统计表一般因调查质量的目的不同，其格式也各种各样。常用的主要有：

① 调查缺陷位置用的统计分析表。

② 工序内质量特性分布统计调查分析表。

③ 按不合格项目分类的统计分析表。

6.4 质量成本基本知识

(1) 质量成本相关的基本概念

① 质量成本。质量的货币价值可用“质量成本”表示。质量成本又称质量费用，是指“将产品质量保持在规定的质量水平上所需的有关费用”，由以下两部分构成，如图 6-7 所示。

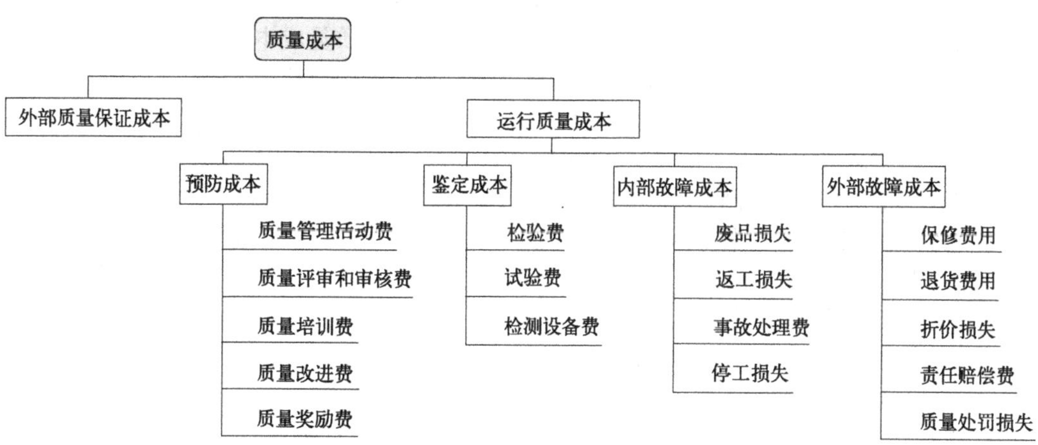

图 6-7　质量成本构成

a. 运行质量成本（或工作质量成本、内部质量成本），指企业为保证和提高产品质量而支付的一切费用以及因质量原因造成的损失费用之和。主要包括：预防成本、鉴定成本、内部质量损失成本（又称内部故障成本）和外部质量损失成本（又称外部故障成本）。

b. 外部质量保证成本，指企业为用户提供所要求的客观证据所需支出的费用。主要包括：为提供特殊附加的质量保证措施、程序、数据等所需支出的费用；产品的验证试验和评定所需支出的费用；满足用户要求、进行质量体系认证所需支出的费用。

② 最佳质量成本。为生产质量好、成本低的产品，企业就要寻求最佳质量成本。从图 6-8 传统质量成本模型中可以看出：预防成本与鉴定成本之和随着制造质量合格率的提高而上升；而内部与外部损失成本之和则随着制造质量合格率的提高而下降；而两条曲线的交点所对应的质量成本 C，即为最佳质量成本。

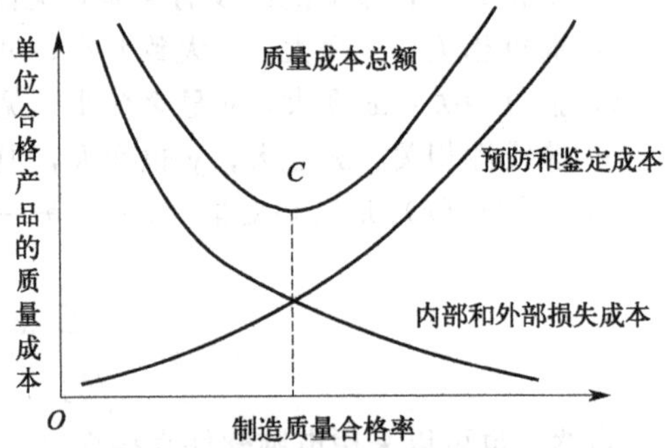

图 6-8 传统质量成本模型示意图

(2) 质量成本管理

① 质量成本的预测和计划。预测即对质量成本做出短期、中期和长期的预测，是企业进行质量成本管理的基础，是质量决策的依据。

质量成本的计划是在预测的基础上，对质量成本总额及降低率、各项质量成本项目的比例以及实现降低率的措施所做的费用计划。

一般认为，质量成本中，预防成本占 10%左右，鉴定成本占 30%左右，损失成本占 60%左右比较合适（表 6-4）。

表 6-4 质量成本比例

序号	占销售收入比例/%				占质量成本比例/%			备注
	预防成本	鉴定成本	损失成本	质量成本总和	预防成本	鉴定成本	损失成本	
1	1.0	3.0	7.0	11.0	9.1	27.3	63.6	总体平均
2	0.6	1.5	3.7	5.8	10.3	26	63.7	一般制造
3	0.34	1.76	1.78	3.88	8.7	45.3	46.0	交通工具
4	0.2	2.0	2.8	5	3.3	40.3	56.3	机械产业

注：数据来源于互联网，其他行业未在表中列出，“总体平均”包括所有行业。

② 质量成本分析。质量成本分析是指通过质量成本核算的数据，对质量成本的形成、变动原因进行分析和评价，内容包括：质量成本总额分析；质量成本构成分析；质量成本与销售收入总额的比较分析。对质量成本分析后，要形成详细的分析报告。

③ 质量成本控制。它是以降低成本为目标，把影响质量成本的各个质量成本项目控制在计划范围内的一种管理活动，内容包括：事前控制、事中控制和事后控制。通过查明实际质量成本偏离目标值的原因，在此基础上提出切实可行的措施，以便进一步对改进质量、降低成本进行决策。

④ 质量成本特性曲线。质量成本中四大项目的费用与产品质量合格水平（合格品率或不合格品率）存在着一定的变化关系。这条反映变化关系的曲线，称为质量成本特性曲线，如图 6-9 所示。

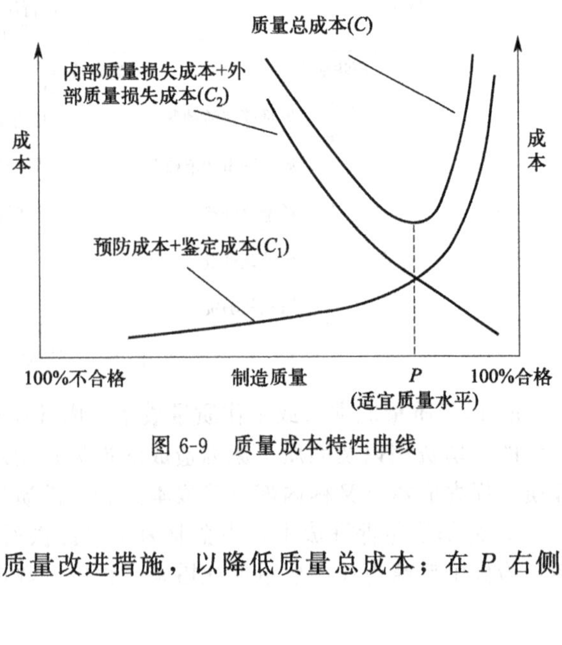

图 6-9 质量成本特性曲线

分析图中曲线，可以得出以下结论：

a. 在 P 左侧，应增加预防成本，采取质量改进措施，以降低质量总成本；在 P 右侧，若增加预防成本，质量总成本上升，应撤销原有措施，即降低预防成本。

b. 增加预防成本，在一定程度上可降低鉴定成本。

c. 增加鉴定成本，可降低外部质量损失成本，但可能增加内部质量损失成本。

（3）质量成本控制流程　质量成本控制，需要建立一个管理控制系统，安排管理人员对该系统进行管理并使之正常运行，达到质量、成本、利润最佳平衡的目的。其流程如图 6-10 所示。

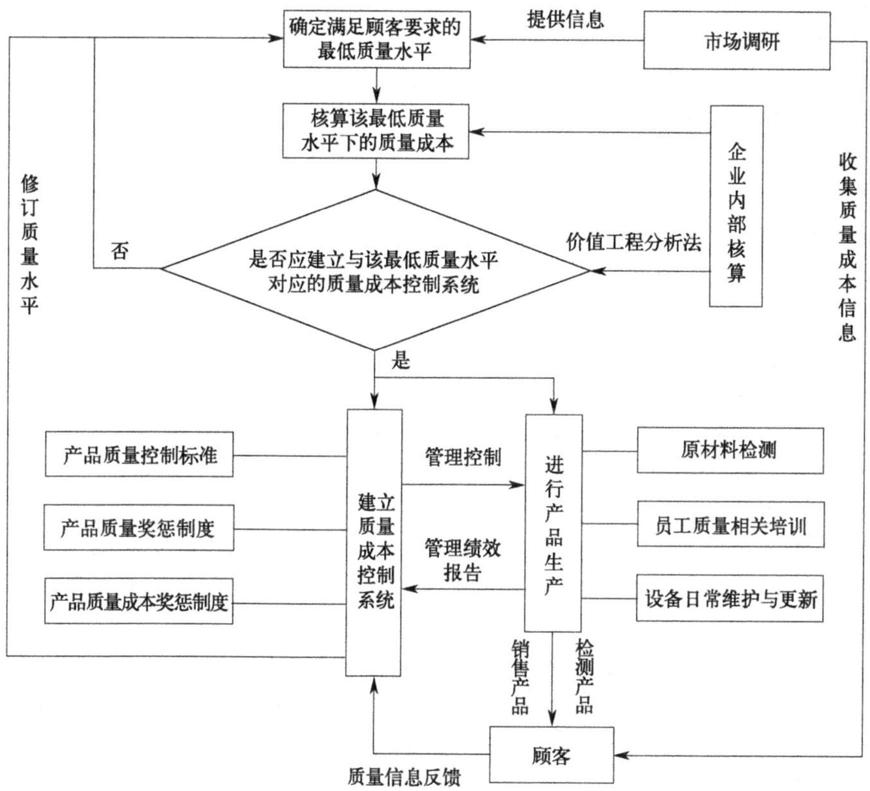

图 6-10　质量成本控制流程图

从图 6-10 可以看出，质量成本控制可分为事前质量成本控制、日常质量成本控制及事后质量成本控制三个阶段。

① 事前质量成本控制主要涉及相关质量成本信息的收集，利用价值工程分析法确定最佳质量水平以及相关的成本水平。“产品质量是在设计和生产中制造出来的，而不是检验出来的。”日本质量管理专家石川馨教授的这句话充分说明了事前质量成本控制的重要性。

②日常质量成本控制。从生产车间的角度来说，企业要对质量成本进行有效的生产控制，必须做好以下几项工作：

a. 原材料质量控制。原材料对产品质量有很大的影响。如果购入劣质原材料，将导致废品率增加、原材料耗用增加等一系列不利于保证质量、降低成本的问题。另外，对原材料质量进行检测，有助于成本分级归口管理。当企业产品质量出现问题时，生产部门和材料采购部门可能为了自身利益而将责任推给对方，导致责任不清，分级归口管理出现瓶颈现象。因此，生产之前，就进行原材料质量检测，有助于管理层划分责任，加强质量成本控制。

b. 做好工人的技能、知识培训工作。这也是保证产品质量的重要因素。工人操作程序、操作时机选择不当是造成废品、次品增多的重要原因。因此，必须对工人进行培训，保证产品质量水平。

c. 设备日常维护与更新。如果产品出现了质量问题，而生产该批产品的原材料质量很好，工人的操作也没有失误，那么这时就应该考虑是否是设备出现了问题。当设备磨损严重时，很容易导致废品率、次品率的上升。因此，经常维护和检修设备对保持正常的生产状态十分重要。

③ 事后质量成本控制。当产品生产完工以后，质量成本控制就转为事后控制。此时的产品质量已经确定，检测只是将实际情况反映出来。经过检测以后，把经过检测的产品质量情况以报告的形式报送管理机构，以便进行质量成本控制分析。

当产品出售以后，消费者的反馈就成为企业质量成本控制管理人员的关注焦点。管理者通常想从消费者那里了解以下信息。

a. 企业生产的产品的质量是否满足了企业目标消费群体的要求。

b. 消费者对企业产品价格与质量匹配度是否满意。

c. 消费者使用产品后的意见与建议。

为了得到这些信息，企业会在售出产品的同时向消费者提供用户信息反馈表，直接获取消费者对产品质量成本等各方面的反馈信息。

(4) 质量成本控制制度

① 产品质量控制标准。从成本管理的角度讲，适宜的产品质量控制标准，应使总质量成本位于较低水平。企业可根据质量损失成本、预防成本和鉴定成本在总质量成本中所占比重，将总质量成本划分为以下三个区域，分别采取不同的措施。

a. 质量待改进区。该区域的特点是质量损失成本比重较高，而预防成本比重较低，企业总质量成本明显高于最低水平。一般来说，当质量损失成本比重高于70%，而预防成本比重低于5%时，企业应采取的措施是加强质量管理的预防工作，提高产品质量，进而大幅降低质量损失成本。

b. 质量控制区。该区域的特点是质量损失成本比重适中，而预防成本所占比重有所提高，总质量成本处于最低水平。一般来说，当质量损失成本比重约为50%，而预防成本比重约为10%时，总质量成本处于最低水平。质量成本控制工作的重点，是将各有关质量成本维持和控制在这样的水平上。

c. 质量过剩区。该区域的特点是质量损失成本比重偏低，而鉴定成本比重偏高，总质量成本明显高于最低水平。一般来说，当质量损失成本比重低于40%，而鉴定成本比重高于50%时，质量管理工作重点是适当放宽标准，减少检验程序，以降低总质量成本。

需要指出的是，对不同企业而言，用于划分区域的质量损失成本比重、预防成本比重和鉴定成本比重的界限有所不同。企业应根据有关成本资料，确定适合本企业的具体界限。

② 产品质量奖惩制度。企业应该制定制度，将产品质量与员工奖惩结合起来，鼓励员工针对产品质量提出更多的改进意见，对采用的质量改进建议的提供者给予物质或精神上的奖励。这样能促使员工认真工作，保证产品质量，努力创新。

③ 产品质量成本奖惩制度。通过奖惩制度来激励员工压缩总质量成本，进而为企业创造更多的利润。

6.5 交货质量风险控制

预拌混凝土从混凝土企业运输到施工现场后，施工单位在监理单位的见证下验收，所有权发生转移。施工单位作为购买方不仅仅是对数量进行核对，更重要的是依据相关标准和合同要求进行收货验收（如：确认强度等级、坍落度、骨料情况等技术质量要求）。收货验收合格后，质量责任发生转移。因此，施工现场应按规范进行混凝土抽检、试块制作、标准养护，确保过程的规范性；施工过程中应重点加强施工人员（特别是现场从事混凝土浇捣的劳务分包的工人）的质量意识，严禁加水，加强振捣、抹压、拆模和养护等全过程管理，处理好“进度-质量”的矛盾统一关系；从“人、机、料、法、环、测”等方面加强管控及提升，尤其是人员的质量意识、质量责任、规范操作等方面；从施工组织、现场管理等多方面整体提升施工单位的施工质量水平和管理水平，减少收货过程中及收货后因本身管理原因造成的混凝土结构实体强度不合格等现象的发生。

具体的措施如下。

一是加强标准的学习及宣传，区分清楚质量责任承担主体，把所有权转移和收货验收结果作为划分供需双方质量责任的界限和依据。把第三方试验室检测的取样试块的标养强度作为混凝土供货的实际强度来界定混凝土收货质量，而工程结构实体混凝土强度检测的实际值代表施工单位对混凝土浇捣、养护等施工管理的水平。供需双方应通过对标准的学习来规范自己的工作行为，这也是参建各方明确各自质量责任、提升工程建设品质的重要前提。

二是在合同条款中明确质量指标要求及质量责任的界限，供需双方做好过程记录或取证工作。预拌混凝土这种商品的特殊性决定了在交货验收所有权发生转移时一些重要的质量指标不能及时检测，也间接导致了责任不明确。国家标准《预拌混凝土》（GB/T 14902）对交货验收进行了规定，明确了供需双方的质量责任。预拌混凝土质量检验分为出厂检验与交货检验：出厂检验由生产单位负责；交货检验通常执行见证取样送检制度，预拌混凝土生产单位、工程监理单位旁站见证，由施工单位按规定在混凝土浇筑的工程部位随机取样和制样。预拌混凝土质量判定以交货检验结果为依据，交货检验的检验检测报告是工程质量判定与验收的质量控制资料之一。因此，供需双方在合同签订时就应该严格根据标准及当地行业主管部门的规定要求明确好各自的责任范围、各自所应履行的质量义务。

同时，供需双方也可以在交货前后互相调查对方的质量控制体系及保证措施情况，并做好取证工作和动态的互相监督促进工作。例如：预拌混凝土企业对于交货后发现抽检试块的养护条件不达标、现场施工加水及养护不当的，可以和监理单位及时取证存档，并书面告知施工单位。工程实体混凝土强度与交货见证取样制作的标准养护试块强度偏差很大，施工单位对预拌混凝土质量有疑义时，可以和监理单位一起抽查预拌混凝土企业的生产记录、设备计量检验记录和配合比使用的准确性、真实性，预拌混凝土企业应当予以配合。对于抽查中发现的问题应做出处理并及时报告相关建设主管部门或建设工程质量监督机构，也可以作为合同的质量限制条款来约束供需双方的行为。

三是建设行政主管部门应加强行业的资质整顿治理。目前混凝土企业众多，但多数地区的共同点是：小而不规范，分散而不集中，不能形成系统化的管理体系，主体承担质量责任的能力不强。因此，北京、上海等城市开始对预拌混凝土行业进行整治，其主要目的是使预拌混凝土行业的整体水平能够适应目前工程建设大型化、现代化、集中化发展的需求，也是规范预拌混凝土市场、提升建筑工程质量的一个有力、有利的举措。

建设行政主管部门和工程质量监督管理部门需要加强日常监督管理，采取定时与不定时相结合的方法，对预拌混凝土企业和施工单位的质量管理及质量责任的履行落实情况实行动态的监督考核，实行工程质量备案制度，实行全过程监督考评管理，并定期在行业内公布结果，实行重点工程主体资质质量否决制度。

第7章

设备管理

机器设备是现代生产的物质技术基础，随着现代生产的发展，新技术、新工艺、新材料和新装备得到广泛应用，机械化、自动化、电子化、数字化和智能化的程度愈来愈高，企业采用的现代化设备的种类、型号、数量也大大增加。因此，设备在现代生产经营中的地位也越来越重要了。机器设备又是企业固定资产的主要组成部分，是劳动工具，是企业生产的必要条件，是构成企业生产力的三大要素之一。“工欲善其事，必先利其器。”设备的好坏，不仅直接影响着产品质量的优劣、物资能源消耗的大小、企业技术经济效益的高低，而且影响环境安全，乃至员工的劳动条件和工作情绪。因此，设备管理已成为世界各国适应生产发展的重要课题。越是发达的国家与地区，越是高度重视设备管理工作，因为设备是企业的骨骼、肌肉、脉络和神经传导系统。尤其是建材工业产品，都是依靠各种专用设备进行连续生产的，生产过程是一环紧扣一环，若其中任何一个环节的设备发生事故，都会影响整个生产的正常进行。

设备管理是指企业根据生产经营目标，对设备全寿命周期的物质运动形态和价值运动形态进行的计划、组织、协调、控制等的综合管理工作，具体包括设备的选择评价、维护修理、改造更新和报废处理等全过程，是企业发展、参与竞争、获得利润的重要手段。设备管理是工业企业管理的一个重要方面。混凝土行业是一个重（设备）资产行业，更应高度重视设备的管理。实行设备计划预修制度，保证设备的长期安全运转；加强设备日常维修、保养和更新改造，改善设备的技术状况；充分挖掘设备潜力，充分发挥设备的效能，成为搞好建材企业生产的重要条件。设备管理工作者肩负企业生产、安全、环保低碳和职业健康重任，是企业可持续发展的主力，是绿色和低碳经济的先锋。

设备运动过程有两种形态，即设备的物流形态和设备资金流形态。设备的物流形态包括从规划、设计、制造、购置、安装、使用、维修、改造、更新，到报废退出生产领域的全过程，对这个过程的管理称为“设备的技术管理”；设备资金流形态包括设备的最初投资、运行以及更新改造费用，以及资金的筹措和运用等管理环节，对这个过程的管理称为“设备的经济管理”。设备管理既包括设备的技术管理，又包括设备的经济管理，它们分别受技术规律和经济规律的支配，二者是有机联系、相互统一的。

在设备管理标准化体系方面，企业可依据《设备管理体系　要求》（T/CAPE 10001）建立相应的管理体系。通过设备管理体系的推进和评价，可以全面了解以设备人机系统为主线的生产管理水平，具体内容包括设备对生产的支持程度、生产现场管理、员工技能提升和氛围改善、知识资产管理、设备资产管理、设备可靠性、维修策略、维修资源的组织和配置、维修行为规范、维修成本、设备综合效率、设备投资效率，以及设备对安全、环境、健康的支持力度等。通过提升设备管理体系运行水平，促进设备管理绩效全面改善，实现设备全寿命周期综合管理和价值最大化。

7.1 设备的管理要求和理论

任何机器设备在使用中，都会因为经常受到摩擦、冲击而产生磨损。建材工业生产常具有化工生产的性质，因此，设备在使用中除一般磨损外，还要受到高温、高压和化学腐蚀。同时，由于设备各组成部分的耐摩擦、耐高温和耐腐蚀的能力和承受负荷的程度又各不相同，既会发生局部的损坏，又容易发生意外的设备事故，所以企业应对设备的因磨损而失去原有性能和精确程度的部分及时进行修复或更新，恢复设备原有的生产能力，使其处于安全运转状态。这就需要企业建立并完善科学的设备管理系统。

当前，设备管理的对象已经由单个设备发展到成套设备。成套设备，是指为了完成某种功能，按体系配置或组合的一整套机械和装置及其相关要素的综合体。因此，必须以系统论的原理和方法来指导和组织设备的管理工作。其主要任务是：在管好设备的基础上，采取有效措施，正确、合理地使用设备，并通过加强日常维护保养和计划检修，使设备处于良好状态，保证长期安全运转，不断提高设备的完好率和运转率，充分发挥设备的生产效能，延长设备的使用期限。同时结合修理，开展设备的挖潜、改造和更新工作，不断改进设备，提高机械化、自动化水平，实现企业的技术进步，不断改善劳动条件，提高生产效率，使企业获得最佳的经济效益。

7.1.1 设备的管理要求与选型

设备管理的基本内容包括以下几个方面：

① 设备规划。根据企业整体战略布局和生产经营目标来确定所需的生产设备，不但要考虑近期设备的配置，还要从企业发展战略的角度考虑设备的规划。

② 设备外购或设备自制。要充分考虑设备的技术性、经济性、生产性、灵活性等各方面的要求，做出外购还是自制的决定。

③ 设备安装调试。按照使用说明的要求对设备进行安装与调试，以确保设备正常投入生产运行。

④ 设备的使用与维修。设备投入使用后，设备管理最重要的工作就是设备的维护和修理。工作人员要掌握设备磨损和故障发生的规律，应用科学的维护和修理方法，合理使用设备。

⑤设备更新与改造。根据企业设备状况及生产的需要，适时对设备进行更新与改造。

(1) 设备的管理要求　在设备管理工作中，须注意以下几点：

① 正确认识和处理设备的选择与维修、维修与生产、维修与使用的关系。选择技术上先进、经济上合理、生产上可行的设备；要针对设备的特点，使机器设备在使用过程中发挥作用，正确使用，维护保养，搞好检修，合理安排生产与维修的关系；重视操作人员及维修人员的岗位培训；做好备品配件的组织供应及修前的准备工作，保证安全、正常运转。

② 贯彻预防为主、日常维护保养与计划修理并重的精神。

③ 建立健全与企业生产特点相适应的设备管理的组织机构，选择适当的维修组织形式，配备与修理任务相适应的修理力量。混凝土企业的机修队伍人数，占生产人员总数的10%左右，岗位人员配备要齐全；机械化、自动化程度较高的企业，比例还需适当增大，而且修理人员要具有较高的素质。

④ 依据发展新产品和改革老产品的需要，有计划、有重点地对现有设备进行技术改造

和更新，加速设备折旧，合理地处理老设备。

⑤ 按照“以我为主，博采众长，融合提炼，自成一家”的精神，注意研究国内外设备管理的先进经验。如设备综合工程学，强调以设备的寿命周期费用最经济为目的，建立一整套关于设备管理的办法与措施，系统地提高设备使用效率。

(2) 设备的选型　设备物质运动形态的管理是从设备的选型、购置、安装、调试、验收、使用、维护、修理开始，到更新、改造、报废为止的全过程，即管理设备的一生。

设备的选型是设备全过程管理的基础和保证，应予以重视和研究。设备的选型必须从生产需要出发，依据技术先进、经济合理、消耗能源少、生产可行的原则进行。具体是指：

① 生产性。设备的精度与技术性能，如功效、行程、速度等一系列技术参数，必须与生产效率、生产工艺的要求相适应。离开生产工艺去追求技术上的先进是不可取的。

② 可靠性。设备的精度、性能的可保持性，包括零部件的耐用性、稳定性、安全性的持续时间等。

③ 维修性。设备的结构是否简单，零部件组合是否合理，可否迅速拆卸，能否易于检查，零部件互换性强否，标准化程度如何，这些都决定了设备的可修性及易修性。

④ 节能性。设备的能耗高低是选择设备时需着重考虑的问题。建材业的设备多为高能耗设备，节能性好的设备热效率高、能源利用率高、能源消耗低。

⑤ 配套性。设备要配套，否则不仅机器性能不能充分发挥，而且经济上也会造成极大的浪费，生产效益必然低下。

⑥ 环保性。设备的噪声、振动及其严密程度均要按环保有关标准考虑。同时需认真考虑治理“三废”的配套设备及其有效程度。

⑦ 安全性。设备的安全装置附件要齐全、灵活、可靠，安全无保证的设备无论多经济也绝不能选用。

⑧ 经济性。当前世界上的设备趋于大型化、高速化、精密化、电子化、自动化和智能化，但进行设备选型时，必须要综合考虑各因素，最终反映在企业经济效益上。如一味追求高精度、自动化，而不结合企业的实际生产技术水平和条件，则会出现华而不实或设备过于先进而只能闲置的现象，造成既不经济又无效益的后果。

7.1.2 设备管理理论

按照系统工程理论，设备管理可分解成时间维度、资源维度和功能维度上的三维系统结构（图 7-1）。时间维度上的任何一个点，均可分解成资源维度或功能维度循环过程。在具体工作中，可以据此从系统空间的角度思考问题，就不会有所遗漏。比如，当进行设备的安装时，就要从资源维度上做好“人力、材料、能源、环境、信息、资金、设施”等各方面的准备；从管理上和组织上，首先要认识和了解安装的特性，然后制订计划，落实组织和实施，对安装质量进行检查，最后评估和反馈。

经验表明，优秀的设备管理背后总有系统思考和管理平台的支撑。良好的设备管理需要系统的设计、长远的思考和可持续的发展，而不是“头痛医头、脚痛医脚”和“东一榔头、西一棒槌”的随机管理。但是很少有企业能够达到系统设计的境界，往往是经验式管理模式或“打补丁式”的添加管理模式。同时，人-机和谐共处是设备运行良好的前提条件。事实也证明，全员对设备的了解、爱护与维护是最好的管理。

(1) 管理理论与原则

① 全员参与定律。全员参与是当代企业管理的普适理念，人机和谐必然需要全员参与。设备不是维修人员的设备，也不是生产操作人员的设备，设备是制造型企业赖以生存的基

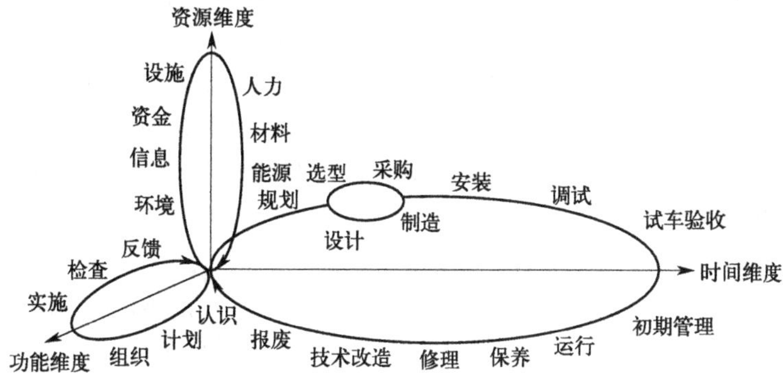

图 7-1　设备管理的三维系统结构示意图

础，全员对设备倾注呵护是设备管理体系成功运行的关键。

② 投入产出定律。维修管理是投入而非成本，投入恰当则产出最优。设备的维修管理是潜移默化、一点一滴的，不断地以离散形式修复设备的磨损、老化、劣化，不断投入以恢复设备的“青春活力”。有些投入不能省，也不能盲目提出“连年降低维修费用”这类目标，因为减少了必要的投入，就可能因为设备停机频发而增大生产损失。

③ 闭环管理定律。设备管理形成 PDCA 闭环才能有效，否则工作就没有彻底性，也没有结果。这一定律在设备维修领域尤为重要，特别是在检查和处理这两个环节。

④ 无折扣执行原则。设备维修管理的铁律是不折不扣。一次点检不到位，可能酿成巨大损失；一次检修失误，可能造成大灾难。无数事实表明，设备管理不得有半点马虎和虚假，必须不折不扣执行到底。无折扣执行原则体现的是精确、准时、彻底和完全。

⑤ 费用有效原则。设备维修的经济性是靠投入产出最大化和综合费用最小化体现的。增加预防维修投入，可以降低生产损失，但会增加维修费用，这需要寻找最佳平衡点。

⑥ 综合与平衡原则。设备引进、备件管理、润滑管理等许多环节都需要一个平衡。设备引进前期管理投入不足，后续的运行效率无法提升；反之，投入太大，投资压力和回收期限又太长。备件太多，投入太大，占用流动资金过多，加大生产成本；反之，投入不足，急需备件短缺，又可能影响检修。润滑不足，设备快速磨损，影响寿命；反之，润滑过度，油脂消耗多，又增加了成本负担。不做预防维修，设备非计划停机风险太大；反之，一些预防维修占用生产时间，影响订单交付。设备管理永远是在矛盾之中寻求平衡，因此，永恒的目标是“又要马儿快快跑，又要马儿少吃草、身体好”。

（2）经典管理曲线

① 寿命周期费用曲线。设备全寿命周期（life cycle，简称 LC）所消耗的全部费用（life cycle cost，简称 LCC）可以用一条曲线描绘，如图 7-2 所示。这条曲线可以划分为三个阶段：设备初期购置时需要花费一笔购置费，包括设备购置前的调研、招投标、运输、安装、人员培训等在交付生产运行之前所有的花费；中间阶段的费用称为维持费，包括维护保养、润滑、维修换件以及能源消耗的所有费用，时

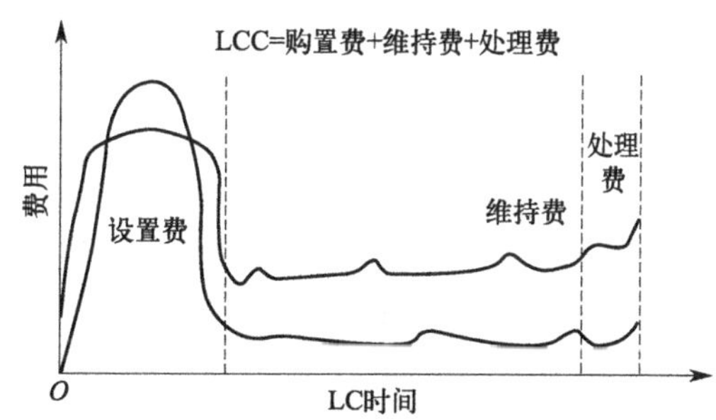

图 7-2　寿命周期费用曲线

有起伏；最后一个阶段的费用称为处理费。设备寿命周期费用是由初期投入费用、运行费用、检修维护费用、故障费用和退役处置费用构成的（图 7-3）。同样功能的设备，其寿命周期费用可能差异很大。有的设备购置费较低，但设备不可靠，故障频发，修理换件情况较多，后续的维持费较高，整体寿命周期费用也较高；有的设备初期购置费较高，但维持费较低，寿命周期费用偏低。一般更倾向于选择后者。企业设备招标应该立足于设备寿命周期费用最小化这一指标进行决策。

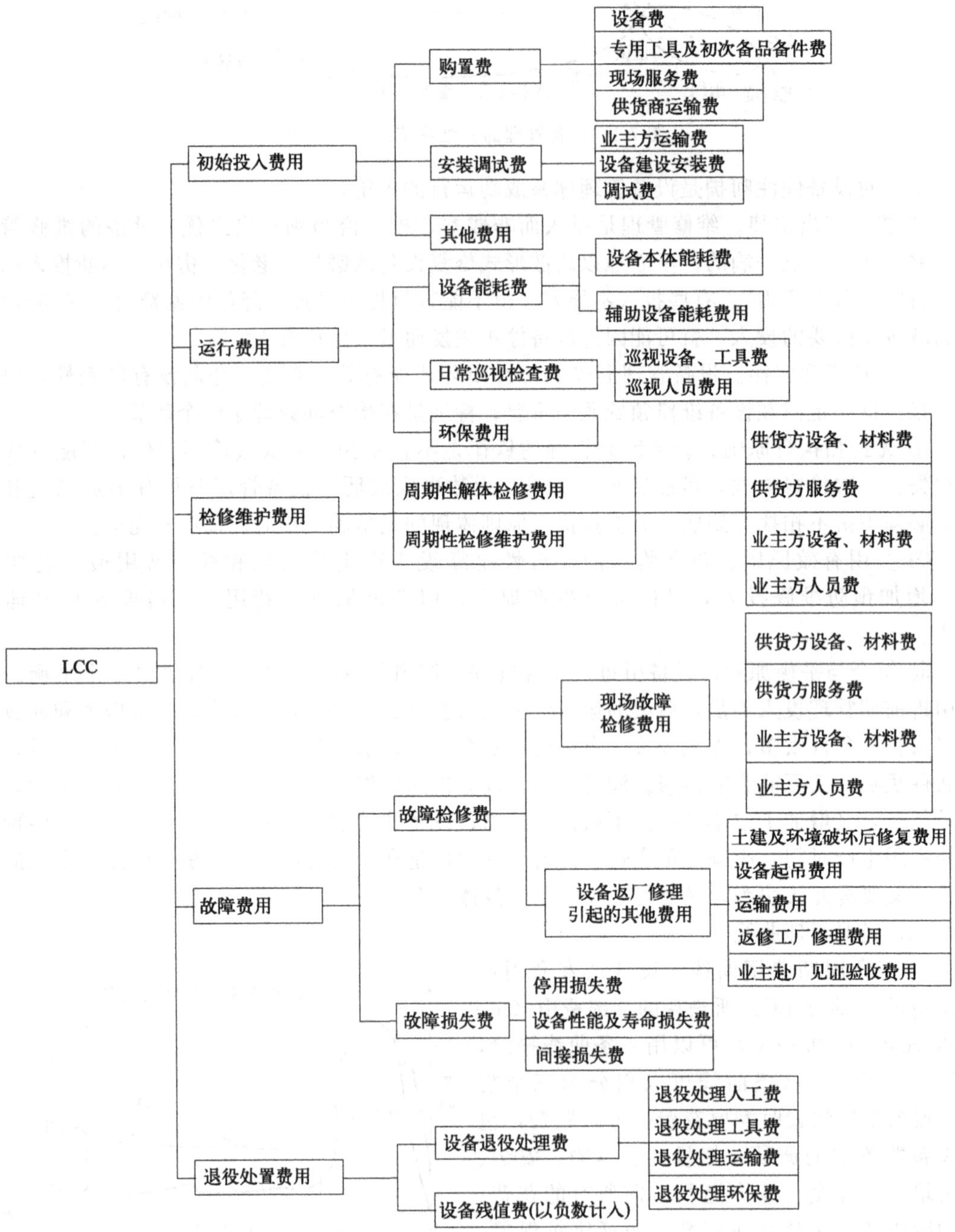

图 7-3 设备全寿命周期费用分解图

② 设备维修投入曲线。设备的维修投入与利润的关系如图 7-4 所示。如果维修投入为零，则利润为负；随着投入增加，利润逐渐上升，一直到达一个最高点；再继续投入，则利润下降，称为维修过剩。

当然，并不是只要增加维修投入就可以了。图 7-5 显示了三种情况：右边实线为维修管理水平Ⅰ的设备维修投入曲线，其年维修费用投入大，利润一般；左边低峰值实线为维修管理水平Ⅱ，其投入不足，利润和水平Ⅰ差不多；中间最高的一条实线曲线为维修管理水平Ⅲ，利润达到最高点，这时的投入也适当增加了。由此可知，除了适当投入，维修管理水平的提升也是必不可少的。

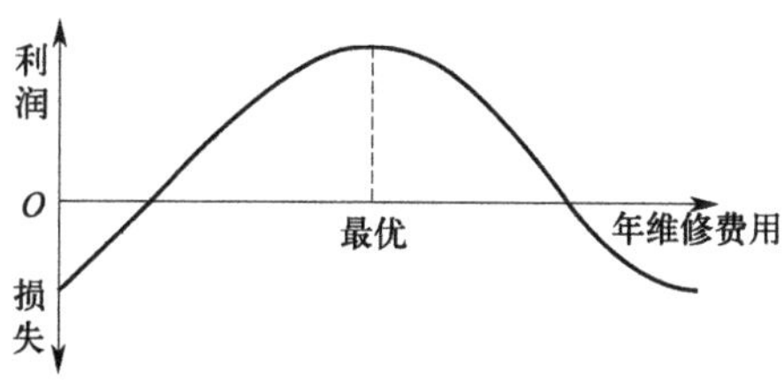

图 7-4 设备维修投入曲线

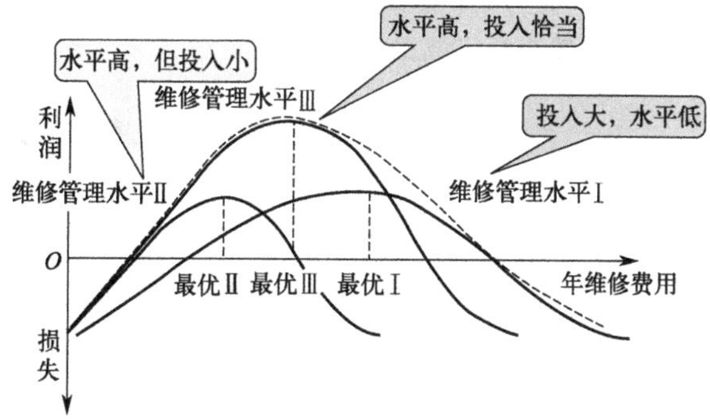

图 7-5 不同维修管理水平和不同投入得到的设备维修投入曲线

③ 设备故障率曲线。又称为浴盆曲线，如图 7-6 所示。它反映了设备故障率在设备全寿命周期中的变化。一般而言，新安装的设备故障率比较高，在一定时期内不能正常运行，称这一时期为初始故障期；之后进入一个稳定的低故障率时期，称为偶发故障期；5～8 年以后，设备故障率又开始升高，称为耗损故障期。

但也有设备不遵循这条曲线，因为随着设备可靠性的提升，其有形磨损速度降低，而其无形磨损速度加快，设备尚未达到耗损故障期就已经被淘汰了。随着系统的复杂化，很难找到适合不同总成本的大修理周期。如果还坚持传统的大修，可能会周期性地导致初始故障率高。于是，近年来设备维修逐渐摒弃了“大修理”模式，转向更灵活的可裁剪式维修（差异化维修，非一刀切的全面维修）和项修（特定部件或功能模块的针对性维修）等组合维修策略，以适应智能制造时代的管理要求。

④ 设备性能劣化曲线。如图 7-7 所示，设备性能劣化过程存在着劣化开始发生点、潜在故障发生点和功能故障发生点。这里的潜在故障不是故障，是故障出现前显露出来的一种劣化现象，是可以被感知的。功能故障才是故障。从潜在故障到功能故障的间隔期称为 *P-F* 间隔。平常所强调的预防维修，首先要寻找 *P-F* 间隔，以便有效地实施预防性维修。若在 *P* 点之前维修，属于维修过剩；若在 *F* 点之后维修，就成为事后维修，属于维修不足；在 *P-F* 间隔维修，就恰到好处。寻找和确定 *P-F* 间隔并不是一件容易的事，需要管理者不断有意识地摸索和寻找，才能正确地实施预防维修。

⑤ 激发能作用曲线。故障过程也可以描述为系统的无组织过程，即系统从有序状态进入无序状态。在这个转变过程中，如果有故障激发能作用，则会使转化过程加快，如图 7-8 所示。在故障激发能的作用下，系统的能位上升，然后迅速下降，加速了故障的发生。系统能位的初始状态是稳固的正常状态，在激发能作用下转换成终止状态，低于故障的能位状态，这代表故障的发生。

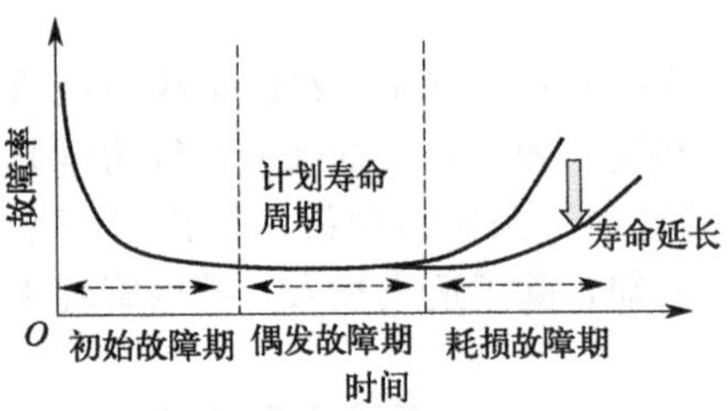

图 7-6 设备的浴盆曲线

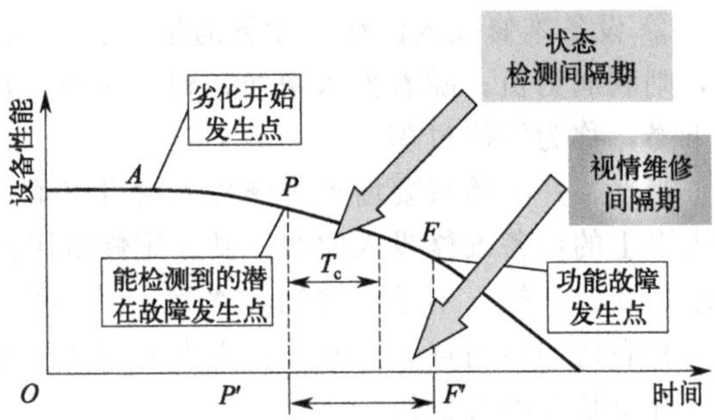

图 7-7 设备性能劣化曲线

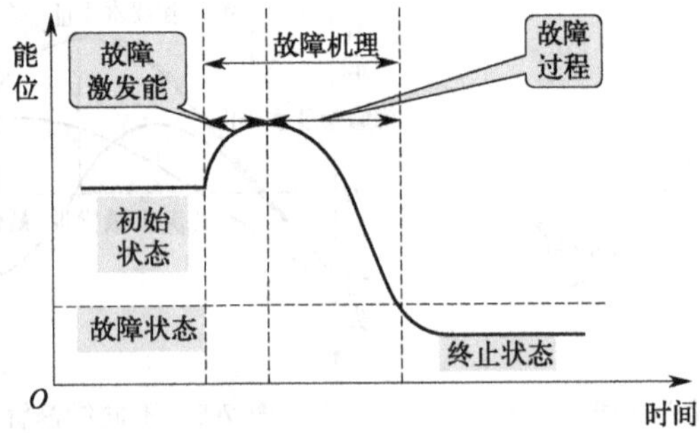

图 7-8 激发能作用曲线

系统无故障工作的条件是初始的能位足够高，而且初始能级与故障能级之差足够大，对于设备而言就是其固有可靠性足够高。什么是激发能呢？对设备而言，雷击，电磁干扰，动物等进入电气系统引起的短路，灰尘改变了电参数，洪水的浸泡，一次磕碰和撞击等，都可能成为激发能。来自外部的激发能有时难以控制，但来自系统内部的激发能是可以控制的。

激发能作用曲线说明，一些外界的激发能会加速设备的劣化，直至故障。控制激发能，也是设备维护体系的重要领域。控制激发能的措施较多，如：不超负荷运行设备；减少误操作；防止有问题的原料进入装备；防止损坏性维修等。

(3) 设备健康管理体系　设备健康管理有两个最重要的特征：一是全寿命周期健康的设计；二是采用高新科技实现设备优质、高效、节能、节材、环保的目标。健康管理主要集中在以下三个方面：

① 自身素质强健。设备具有良好的机件材料的耐用性、系统配合的平衡性、持久运行的稳定性、高强度运用的可靠性、低成本运行的经济性。

② 机能机制完善。设备具有全寿命周期过程中的自监控、自养护、自修复、自强化、自补偿、自调整、自适应等仿生机能和预防、保健、康复的健康机制。

③ 科学模式管理。运用科学模式管理，如信息化网络管理、表面工程动态维修养护等，使设备的动力性、经济性、安全性、可靠性、净化性在全寿命周期中始终保持或超过设计状态。

根据设备健康概念，设备分为三类技术状态：健康、亚健康、故障。设备的使用寿命是由量变到质变的动态过程。设备健康管理着眼于量变管理，注重机械微观和动态损伤过程的演变、特点、规律、事前预防、过程监控、动态养护维修等。设备健康管理的特点是全寿命周期健康运用和减免维修，并提出“法治＋人治＋机治”三结合的全面新型设备管理模式。

① 法治包括相关的法规、标准、制度、规范等。

② 人治包括企业文化，人力资源，教育培训，人的思想、觉悟、素质、技能等。

③ 机治包括机械设备的自监控、自养护、自修复、自强化、自补偿、自调整、自适应等仿生机能和预防、保健、康复的健康机制等自我管理的能力。

设备健康管理通过人机结合的管理机制，不断弥补现行设备研制、生产、管理模式和技术中的缺陷，提升设备的性能和生产效率。设备全寿命周期健康管理的具体内容分析与比较如表 7-1 所示。

表 7-1　设备全寿命周期健康管理的具体内容分析与比较

具体内容	磨合期	保养期	维修期	报废期
管理类型	预防型	保健型	康复型	再生型
管理特征	预防损坏量变	控制损坏量变	控制损坏量变	处理损坏质变
目标定位	创造设备健康	保持设备健康	恢复设备健康	再造设备健康
覆盖范围	100%	100%	100%	10%
健康管理前	亚健康状态	健康状态	故障状态	失效状态
健康管理后	健康状态	健康状态	健康状态	健康状态
技术特征	在线动态维修将传统的“抛光性磨合”改变为“修复性再制造”	在线动态维修养护，设备“自监控、自养护、自修复、自强化、自补偿”	进厂动态、静态相结合维修，表面工程技术维修，停机解体易损件更换	进厂静态再制造、表面工程技术维修
技术方法	动态表面工程技术仿生自修复技术、改性强化技术	动态表面工程技术、仿生自修复技术、改性强化技术	动态和静态表面工程技术、仿生自修复技术、易损件更换技术	静态表面工程技术：电/火焰喷涂、机件更换、电刷镀等技术
技术设备	不需要	不需要	维修设备、工具	再制造设备、工具
相关产品举例	自修复润滑油、电池再生增益剂、电器防护剂	自修复润滑油、电池再生增益剂、电器防护剂	自修复润滑油、电池再生增益剂、纳米喷涂/刷镀液	自修复润滑油、纳米喷涂/刷镀液
人员素质	一般培训	一般培训	特殊专业培训	特殊专业培训
工艺操作	简便	简便	复杂	复杂
经济效益	绝对节约资源，大幅度节约保养、维修和油耗费用	绝对节约资源，大幅度节约保养、维修和油耗费用	相对节约资源，节约维修费用	相对节约资源，节约更新费用
应用意义	提高长期可靠性，奠定生产力基础	保障长期可靠性，保持生产力发挥水平	恢复长期可靠性，恢复生产力运用	再造长期可靠性，再造生产力
	设备延寿几倍	设备延寿几倍	设备延寿几倍	设备延寿几倍
	延长大修期数倍	延长大修期数倍	延长大修期数倍	延长大修期数倍

7.1.3　设备的技术经济评价

设备管理也有一个技术经济评价的问题。应该说技术先进和经济合理是统一的，因为技术上先进往往表现为设备的生产效率高，能保证产品质量等。所谓经济效益，就是指费用与效益的比较，即生产一定的使用价值，耗费了多少活劳动（处于流动状态的人类劳动）和物化劳动（凝结在劳动对象中体现为劳动产品的人类劳动），耗费愈少，效益愈高。

（1）设备投资回报与设备利用率　设备投资回报是寿命周期利润与设备资产值的比，其中寿命周期利润是寿命周期收益与寿命周期费用（LCC）之差。企业也应关注维修组织结果的大小，维修组织结果是领导、组织工作质量与员工对计划和策略接受、认同程度的乘积，它在一定程度上反映了组织绩效的实质，但也有其不全面性，除了员工对计划、策略的认同之外，组织长期形成的规范和执行力也至关重要。

同时，可以采用设备利用率对设备的管理水平和效率进行评估，它主要有三个关键指标：可靠性、可维修性以及通过维修支持的可靠性（图 7-9）。可靠性是通过设备平均故障间隔期来度量的，它直接受维修计划、备件存量、维修频率和操作技能的影响。可维修性是由平均维修时间来度量的，这个指标取决于故障预知、维修行为以及维修能力。通过维修支持的可靠性是通过平均维修等待时间来度量的，这个指标受维修队伍整体水平、维修辅助设施、备件、技术信息以及管理的影响。

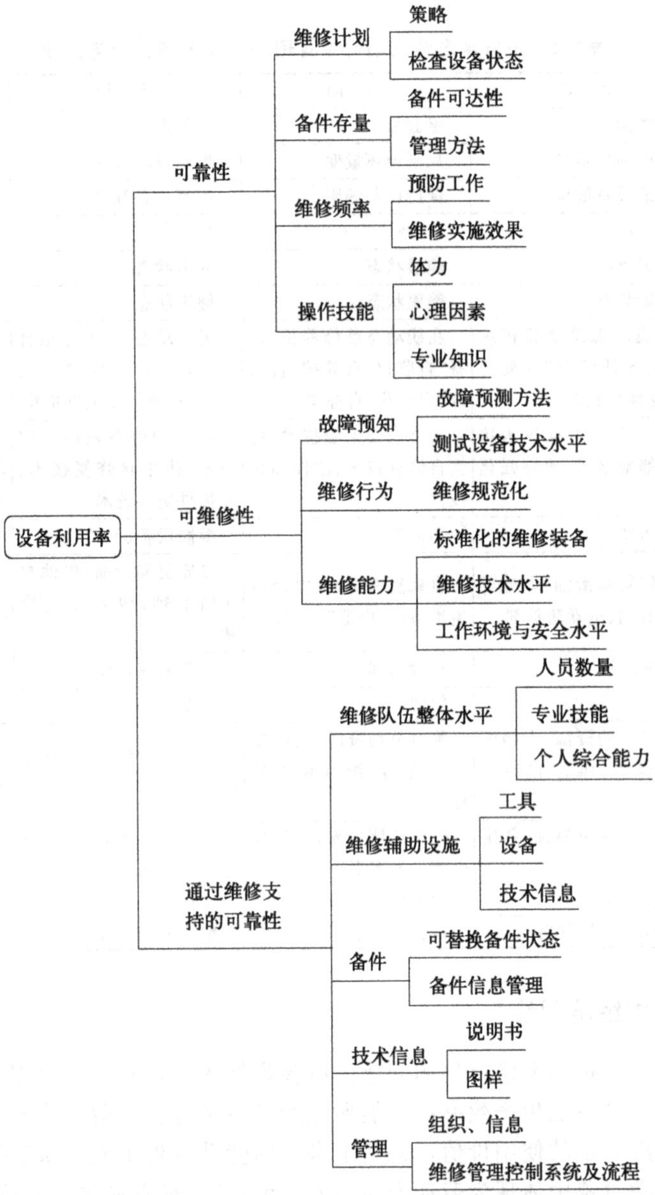

图 7-9 设备利用率的关键指标及其影响因素

维修管理信息系统会把维修活动工作流程完全串起来，在活动全过程的各个阶段提供有效的信息支持和信息交换。例如，在维修活动启动之初，系统提供维修策略和点检（检查、监测、诊断）信息；从维修开始后，系统提供材料备件、技术文件、维修人员和辅助工具信息；在维修过程中，系统提供维修作业规范和质量检验标准信息；维修完成之后，维修组织应该将相关记录、统计结果、反馈内容（包括等待时间、修理时间、方法、费用等信息）作为知识资产交给系统。

(2) 全面生产维护管理与评价　全面生产维护（total productive maintenance，简称 TPM），追求的是设备效率最大化，采用设备综合效率指标进行评价。影响设备综合效率的主要因素是停机损失、速度损失和废品损失，分别由时间开动率、性能开动率和合格品率反映出来，可用下式表示：

$$设备综合效率=时间开动率\times性能开动率\times合格品率$$

$$时间开动率=\frac{开动时间}{负荷时间}\times100\%$$

其中，负荷时间为总工作时间减去每天的停机时间，即

$$负荷时间=总工作时间-计划停机时间-非设备因素造成的停机时间$$

$$开动时间=负荷时间-非计划停机时间$$

非计划停机时间是指故障停机、设备调整停机或更换刀具、工夹具停机等。设备的开动率也可以采用设备实际开动时间除以正常上班时间进行粗略计算。设备可动率是指不管开不开机，只要设备能够动起来工作就行，一般是设备日历时间减去设备保养维修停机时间的差再除以日历时间。在日本全面生产维护管理体制中，要求企业的设备时间开动率不低于 90%，性能开动率不低于 95%，合格品率不低于 99%，这样设备综合效率才不低于 85%。实际工作中可能存在的损失与设备综合效率计算的关系如图 7-10 所示。

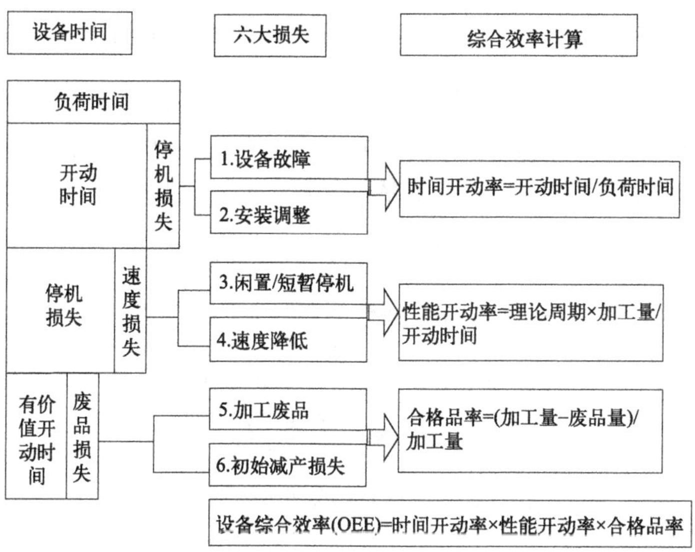

图 7-10　设备综合效率的计算和可能存在的损失的关系示意图

① 设备利用率。欧洲标准提出的设备利用率定义是：一是总利用率，即在规定的条件下和指定的时间区间，如果所需要的外部条件具备，设备完成规定功能的能力。它包含了所有损失，如：时间上的不能利用；性能上的不可利用；质量损失。二是以可靠性为基础的定义，即在规定的条件下、规定的时间内，在外部资源保证下，设备完成功能的概率。三是维修管理的设备利用率指标，即

$$设备利用率=\frac{平均维修时间}{平均维修时间+平均故障间隔}$$

此设备利用率未考虑预防性维修，于是又有另外的设备利用率公式：

$$设备利用率=\frac{平均开动时间}{平均开动时间+平均预防维修时间}$$

之所以出现设备利用率定义的多样性，主要因为评价的对象不同、针对的问题不同，企业的设备存在着役龄长短的差异、效率与能力的差异、可靠性高低的差异、计划与实际的差异以及单体设备和流程设备的差异等。

② 技术经济评价指标。考核企业设备管理的技术经济评价指标主要有设备的产值率、设备的利润率、设备故障率、设备修理费用率，计算公式如下：

$$设备的产值率=\frac{年总产值}{固定资产原值}\times 100\%$$

$$设备的利润率=\frac{年利润总额}{固定资产原值}\times 100\%$$

$$设备故障率=\frac{故障停机时间}{设备开动时间}\times 100\%$$

$$设备修理费用率=\frac{年修理费用总额(大、中、小修)}{固定资产原值}\times 100\%$$

另外，在对设备维修及其管理水平、绩效进行评价时，也可采用其他指标进行评估计算。比如，采用平衡计分卡进行绩效评价，它主要包括：财务方面（如利用率水平、优化成本）、顾客满意水平方面、内部管理方面（如负荷水平、额外工作水平、利用率水平、预防维修水平、库存管理水平、合同维修水平、人均维修费用率等），以及学习成长方面（如技术水平、产量与质量、培训等）。此时，利用率水平的计算式如下：

$$利用率水平=\frac{总利用率}{总维修费用/投资额}$$

这里的利用率水平是单位投资维修费用下的利用率。这个指标辩证地反映了设备的投资额、总维修费用和总利用率之间的相互依存和平衡关系。其他指标的计算式如下：

$$成本水平=\frac{总维修费用}{总利用率/生产负荷}$$

$$负荷水平=\frac{工单的实际工作小时}{总工作小时}$$

这里，总工作小时＝日历工作小时×人数。类似的还有如下额外工作水平指标：

$$额外工作水平=\frac{超额工作小时}{人数}$$

$$预防维修水平=\frac{预防维修小时/总维修小时}{生产损失}$$

预防维修水平指标度量的是单位损失的预防维修水平。

$$库存管理水平=\frac{总利用率}{库存资产值/总投资}$$

毋庸置疑，提高库存管理水平就是减少库存，同时提高设备利用率。

$$合同维修占比=\frac{合同维修费用/总维修费用}{计划利用率}$$

这个指标反映的仅仅是合同维修比重或者维修强度，指标值高并不代表维修管理水平高。

③ 投资方案分析。

a. 投资回收期法。这是评价设备投资效益的主要方法之一，是一种简单而常用的设备经济评价方法。选购设备时必然会有一定的投资，包括设备的价格、运输及安装费用等。而新设备在投入使用后，会由于提高劳动生产率、节约原材料及能源、提高产品质量、节省劳动力等而带来净收益或节约额。把投资费用与净收益或节约额相除，即可求得投资回收期。计算公式如下：

投资回收期＝设备投资费用/采用新设备后的年净收益或节约额

显然，投资回收期越短，投资效果越好。在其他条件相同的情况下，投资回收期最短的设备为最佳设备。但值得注意的是，这种评价方法比较粗糙，它没有考虑到货币的时间价值，更适合于短期的投资评价。

b. 费用换算法。采用费用换算法评价时，不仅要考虑购买设备时的初期投资费用，还要考虑设备每年的维持费用。费用换算法弥补了投资回收期法的缺陷，对货币的时间价值加以考虑，是一种动态的评价方法。由于货币的时间价值有将来值和现值之分，所以费用换算法分为年费法和现值法两种。

第一种，年费法。

运用这种方法时，首先把购置设备一次性支出的投资费，依据设备的寿命周期，按复利利率，平均换算到各个年度，再加上本年度的使用费，得到年均费用总额。选择设备时，在其他条件一样的情况下，应选择年均费用总额最小的设备，即

年均费用总额＝年均费用支出＋设备初期投资费×投资回收年金系数

公式如下：

$$F=G+K_0 \cdot \frac{i(1+i)^n}{(1+i)^n-1} \tag{7-1}$$

式中，F 为年均费用总额；G 为年均费用支出；K_0 为设备初期投资费；i 为折现率；n 为使用年限。

【例 7-1】 有两台设备，设备初期投资费：设备 A 为 7000 元，设备 B 为 10000 元；年均费用支出：设备 A 为 2500 元，设备 B 为 2000 元。年利率为 6%，估计寿命期为 10 年。比较 A、B 两设备的年均费用总额。

【解】 设备 A 年均费用总额$=2500+7000\times\frac{6\%\times(1+6\%)^{10}}{(1+6\%)^{10}-1}=3451$(元)

设备 B 年均费用总额$=2000+10000\times\frac{6\%\times(1+6\%)^{10}}{(1+6\%)^{10}-1}=3359$(元)

两台设备比较，选择 B 设备较好，因为 B 设备比 A 设备年均节省 92 元。

第二种，现值法。

与年费法相比，现值法主要是将每年的使用费通过复利利率换算成相当于最初一次性的费用支出，再加上最初一次性的设备投资费，得到在寿命周期内全部支付的现值的合计数来比较和选择方案，即

设备费用现值总额(年均费用总额)＝设备初期投资费＋年均使用费×年金现值系数

公式如下：

$$P=K_0+G \cdot \frac{(1+i)^n-1}{i(1+i)^n} \tag{7-2}$$

式中，P 为设备费用现值总额。

对于例 7-1，使用现值法计算结果如下：

$$设备\text{ A }年均费用总额=7000+2500\times\frac{(1+6\%)^{10}\quad 1}{6\%\times(1+6\%)^{10}}=25400(元)$$

$$设备\text{ B }年均费用总额=10000+2000\times\frac{(1+6\%)^{10}-1}{6\%\times(1+6\%)^{10}}=24720(元)$$

计算结果是B设备优于A设备，因为B设备在10年内全部支出的现值比A设备省680元。

c. 综合指标权重分析法。在采购设备时，不仅要考虑初期投资费，还要考虑可靠性、可维修性等多个指标。此时，可根据这些指标对设备全寿命周期的影响程度不同选择不同的影响权重，然后进行综合评价。不同的设备在这些方面考虑的重点（权重）也不尽相同。比如，某拟采购设备有多个厂家和型号可供选择，形成了多个方案（表7-2），并根据利克特量表进行衡量得到不同方案在某分级指标的得分值。根据式(7-3)和式(7-4)计算出最终得分值，在 m 个方案中选择最佳值（这里选择得分值最大值）作为最优方案。

$$X_i^k=\sum_{j=1}^{n_i}\alpha_{ij}X_{ij}^k \tag{7-3}$$

$$E^k=\sum_{i=1}^{n}\alpha_i X_i^k \tag{7-4}$$

$$E^k=\max(E^1,E^2,\cdots,E^m) \tag{7-5}$$

式中 E^k、X_i^k、X_{ij}^k——分别为不同方案的总分值、总指标分值和初级指标分值；

α_i、α_{ij}——分别为一级权重（总指标）、二级权重（初级指标）；

m、i、j——分别为方案数量、一级权重数量和二级权重数量，分别对应不同层级评价指标的数量。

表7-2 设备采购综合评价示例

一级权重 α_i	总指标	二级权重 α_{ij}	初级指标	方案1	方案2	…	方案 m
0.20	设备价格	0.4	价格合理	(分值)	(分值)	(分值)	(分值)
	寿命周期费用	0.6	维护费用	(分值)	(分值)	(分值)	(分值)
0.20	设备性能（先进性）	0.3	机械性能	(分值)	(分值)	(分值)	(分值)
		0.3	电气性能	(分值)	(分值)	(分值)	(分值)
		0.4	工艺性能	(分值)	(分值)	(分值)	(分值)
0.20	可靠性	0.5	关键部件	(分值)	(分值)	(分值)	(分值)
	可维修性	0.5	可维修性	(分值)	(分值)	(分值)	(分值)
0.15	产品信誉	0.6	国际品牌	(分值)	(分值)	(分值)	(分值)
		0.4	国内品牌	(分值)	(分值)	(分值)	(分值)
0.15	节能性	0.4	节电节油	(分值)	(分值)	(分值)	(分值)
	节约成本	0.6	节约成本	(分值)	(分值)	(分值)	(分值)
0.10	环保	0.4	水/空气污染	(分值)	(分值)	(分值)	(分值)
	安全	0.6	影响安全	(分值)	(分值)	(分值)	(分值)

7.2 设备的日常管理

7.2.1 日常事务与技术管理

7.2.1.1 日常事务管理

设备从进厂验收、安装调试、投入运行到搬迁转移、调拨报废的整个过程中，管理部门要做好编号、登记、保管、转让、调拨和事故处理等工作，统称为日常事务管理。

(1) 登记　设备管理部门按照统一规定，对设备进行分类、编号和登记。凡是作为固定资产管理的设备都应该按照规定进行分类、编号，同时要在设备上做出标识。在分类编号的基础上，由设备管理部门负责办理登记“仪器设备固定资产卡”，建卡后移交使用部门。使用部门验收以后，登入设备台账和固定资产账，并定期复查核对。

(2) 保管　设备经过进厂验收以后，要及时组织安装和投入运行。投入运行后，使用部门及操作人员要按照规定进行管理和保养。尤其是大型、精密、贵重设备，要专人保管。需要第三方定期计量检测认证的，由设备管理部门统一按照相关规定按期进行校准、鉴定。

由于种种原因需要闲置一段时间的设备，应该封存保管。设备在封存保管期间，应该得到定期的清扫、查点及防尘、防锈、防潮方面的维护。不再使用或长期闲置的设备，要及时调出；对不值得修复、改装的废旧设备，要及时申请报废，并办理报废手续和账务注销。

(3) 事故处理　设备因非正常磨损致使性能下降的为设备事故。设备损坏，致使生产或试验检测工作中断，修理时间较长或无法修理，或修理费用很大的为重大设备事故。发生了设备事故，使用部门应按规定及时报告主管部门，并应保护好事故现场。处理设备事故，要做到“三不放过”，即：事故原因分析不清的不放过；事故责任者和有关人员未受到教育的不放过；没有采取预防措施的不放过。注意，事故发生后，在未查明事故原因之前，不应该再开机运行。

(4) 出借、转让与调拨　由于实验或生产条件的更新或其他原因，在用的实验或生产设备都有可能外借、转让或调拨，应该按照有关制度办理手续。设备的转让或调拨，无论是有价还是无偿的，设备所属权均发生变化。因此，一定要进行质量鉴定、财产移交和相应的账务处理。对于临时出借给外单位使用的设备，所属权虽不变更，但也应有一定的租借手续。特别是借出和归还时的质量检查，更应该由专人负责，严格把关，并做详细的记录。

7.2.1.2 技术管理

设备的技术管理，主要包括技术档案的管理、维修维护、质量鉴定和改造更新等工作。技术管理的目的是保证设备经常处于完好可用状态，不断提高完好率。

(1) 技术资料管理　也叫技术档案管理。从开始提出设备申请计划就应全面建立设备技术档案，收集保管各种说明材料，详细记录设备的履历等。

原始档案包括申请报告、订货单、合同、验收记录以及随设备带来的全部技术资料（如设备结构、原理图纸，出厂检验单，使用说明书，操作维修指示，备件附件明细表等）。

使用档案主要包括使用日志和设备履历卡。使用日志记载着设备日常工作情况，是定期考核及折旧的重要依据。设备履历卡，主要包括故障现象、原因、采取措施的记录，维修记录，事故记录，运转记录，质量鉴定及精度校验登记和改装记录等技术资料。

(2) 保养与维修　设备在使用过程中，应该经常进行保养与维修，这是设备自身物质运动的客观要求。设备在运行过程中，技术状况必然会发生某些变化，如零件配合不良、电路元件损坏、控制失灵等。这些情况可能诱发故障或事故，应及时进行排除，手段就是保养与修理，包括对设备进行定期润滑，防腐、防锈检查，测定磨损程度，对功能和精度进行校验，经常清洗，保持清洁等。在此过程中，最好是定期地运用现代化技术进行检测，以便掌握产生异变的部位、程度等，并在此基础上进行早期预报、追踪与处理，做到防患于未然。为此，要求维护保养工作做到经常化、制度化和实行责任制。对大型机械设备要做到日常保养、一级保养和二级保养。对仪器设备要实行“三防四定”制度，即：防尘、防潮、防振；定人保管、定点存放、定期维护、定期校验。

要保证设备的正常运转，除了经常进行维护保养外，要及时修理损坏的设备。不论是通过更换零部件，还是通过整修复位，都应尽快地使设备恢复功能，保持原有寿命周期，提高设备的经济效果。同时，要完善科学的设备维修制度，它是保证设备处于完好状态、提高设备利用率、缩短修理周期、降低修理成本和提高修理质量的重要条件。

(3) 技术鉴定与处理　当设备使用到一定年限，已不能再满足要求或不再适合检测使用时，应当降级使用，或者报损报废。但是，不论是降级使用，还是报损报废，在决定之前都须进行技术鉴定。

设备管理部门要有专人负责设备技术鉴定的组织管理工作。设备使用部门在准备处理设备之前应该对设备进行技术鉴定，尤其是对大型精密贵重设备，一定要组织有关专家进行鉴定。在给设备下处理结论时，应该本着“既要更新技术，又要注意节约”的原则。对通过合理的技术改造可不降级使用的设备，尽量不要降级；对可以降级使用的设备，尽量不报废处理；对降级后本单位不再使用或利用率低的设备，应尽快转让或调拨给外单位使用，以便充分发挥设备的效益。

7.2.2 设备的维修

维修，是一门特点突出的工程学科。维修工程学科的总体构架，主要由设备维修管理学、设备维修经济学、维修工艺学、设备故障诊断技术、设备故障诊断学等内容构成。其中，诊断是维修的基础，设备故障诊断学是诊断技术的基础；设备维修管理学、设备维修经济学又是管理科学和经济学向设备工程领域的渗透。

(1) 维修工程系统　维修工程化包括三个方面的内容：项目、控制和改善。

① 项目阶段的基本要求是：确定适宜的生产系统维修策略和技术，推进管理与计算机系统的标准化，优化外协资源的利用，管理好备件与材料。

② 控制阶段的基本要求是：检查与开发维修评价和管理程序。

③ 改善活动的要求是：推动持续改善过程，对维修组织的文化进行引导。

维修工程化观点认为，紧急抢修是预防维修水平最低，也是工程化程度最低的阶段；随着预防维修水平的提升和工程化的发展，分别进入周期性预防维修、状态维修、预知维修阶段，最后进入改善寿命周期费用、维修以可靠性为中心、维修持续改善的最高阶段。

当前，维修工程化可划分为以下阶段：

第一阶段：系统逻辑描述，设备对企业的功能、逻辑和影响分析。

第二阶段：从两个输入渠道采集数据，一个来自设备功能历史记录分析，另一个来自基准和生产商说明，以掌握设备状况。

第三阶段：寿命周期阶段确定，通过对曲线调整进行概率分析，建立设备历史表现特征。

第四阶段：系统分析，确定可靠性、可利用率、维修与失效损失。

第五阶段：关键性分析（分析关键部件及其对整个系统的影响）。

第六阶段：维修策略定义，定性与定量分析某些策略，优化其结果。

第七阶段：改善活动，涉及系统设计和再设计、冗余备份、设备更新。

第八阶段：生产维修计划，程序结束，制订每个具体行动计划。

第九阶段：改善，在已获得的结果和已进行的推进活动中重新开始持续改善流程。

有效维修是通过“主计划—维修工程化—分析—维修信息—结果—维修执行”的循环和不断改善来实现的。

(2) 维修组织文化和维修组织　维修组织文化也是企业管理中的一个重要课题，而维修组织是以组织文化为指引的，不同维修组织其组织文化也各不相同（见表 7-3～表 7-6）。在维修组织的选择上，主要原则如下。

① 维修组织应该与选择的维修管理体系相匹配。

② 系统进步越依赖于灵活的信息和知识，越应该选择过程导向型组织。

③ 系统越需要合作文化，则越需要选择合作主导型组织。

④ 管理者越关注宏观结构，越倾向于选择重视可靠性的组织。

⑤ 一般而言，最适合企业发展的组织就是最恰当的选择。

表 7-3 功能导向型组织和过程导向型组织的组织文化比较

功能导向型组织	过程导向型组织
对外沟通仅限于专家	每个成员都可以对外沟通
信息纵向传递	信息纵向与横向传递
决策来源于高层	决策来源于信息源，基层员工更多地参与决策
多层金字塔结构	分散权力的矩阵式结构
专注于组织功能	专注于结果，通过过程引导结果
最终结果导向	过程标准，规范导向
垂直推动	横向推动
评价注重结果，适于长周期评价	评价专注工程的执行与规范，短周期评价引导长周期结果
不欢迎不同意见	欢迎不同意见
权威式领导	情景式领导

表 7-4 专注于维修组织和专注于可靠性组织的组织文化比较

专注于维修组织	专注于可靠性组织	专注于维修组织	专注于可靠性组织
修理	改善	故障层出不穷	故障很少出现
救火状态	预知、计划与时间表	计划水平低	计划精准，水平高
依赖个人技术	依赖团队合作	很多重复工作和无用功	很少重复工作
故障管理	故障状况改善	设备处于低可靠性状态	设备处于高可靠性状态
关注维修费用	关注运行效率	高维修费用	保持较低的合理维修费用
确信故障不可避免	确信故障是个别现象	只有短期计划	有长远规划
为故障让路	为故障改善活动让路	影响效益，公司不敢投入	公司可持续进行创新投入

表 7-5 服务主导型组织和合作主导型组织的组织文化比较

服务主导型组织	合作主导型组织
维修费用指标	总制造成本指标
低价采购	寿命周期费用最小化采购
设备可靠性状态是维修部门的责任	设备可靠性状态是全员的责任
维修任务都由维修技术人员完成	至少 20% 的维修任务由操作员工自主完成
工作优先顺序和时间表由生产调度人员决定	工作优先顺序和时间表由生产调度人员和维修部门共同制定、协商决定
维修经理总是受到高层领导的批评	维修和生产部门共同承担生产损失责任
维修人员倒班解决设备问题	因为有操作人员自主维修，维修人员不必倒班
经常出现救火状态	预防体系常使设备流畅运行
维修和生产部门经常互相指责	双方通过沟通合作解决现场问题

表 7-6 分工型组织和责任型组织的组织文化比较

分工型组织	责任型组织
运行与维护部门按照工作性质仔细分工	虽有分工，但运行与维护部门共同对设备状况负责
操作人员只管操作，对设备状况不负责	操作人员不仅管操作，还参与清扫、检查和维护
总有些工作无法明确分工，无人负责	生产现场各方责任搭接，任务覆盖
我操作，你维修，各扫门前雪	我指导你正确操作维护，你协助我更好地维修
运行、维修双方，不同专业各方经常互相推诿责任，互相指责	全员共同关心设备状况，共同研究改善和解决方案
组织关心岗位任务分工	组织不仅设计任务分工，还设计岗位责任
出了问题大家先想如何逃避责任，甚至互相指责	出了问题大家共同承担责任，研究问题发生的根源，制定应对和避免方案
权力命令服从	出错后上下级互为对方承担责任
员工私心氛围主导，小团体主义	员工责任心文化主导，识大局，有使命感

(3) 维修模式　维修模式是指维修微观策略，维修管理体制可根据故障性质的不同，采用不同的维修模式（图 7-11），如纠正性或预防性（图 7-12）。常用的维修策略有：

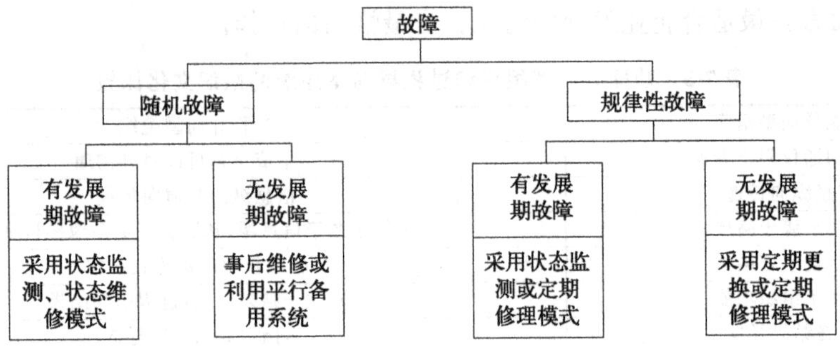

图 7-11 常见故障分类与维修模式选择示意图

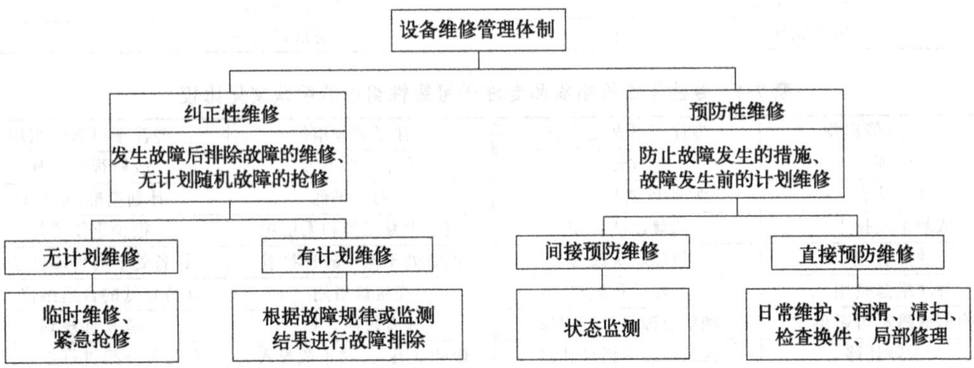

图 7-12 设备维修管理体制示意图

① 事后维修：设备发生故障后的修理。它适用于故障后果不严重、不会造成设备连锁损坏、不会危害安全与环境、不会使生产前后环节堵塞、设备停机损失较小的故障后修理。事后维修可以最大限度地延长设备的有效使用周期，是比较经济的维修模式。

② 周期性预防维修：按照固定的时间周期对设备进行检查、更换、修复和修理。它适用于有明显和固定损坏周期的设备整体或者部件。如：按照一定速度磨损的金属、塑料或者橡胶机械部件；按照一定速度老化的塑料、橡胶或者化工材料；按照一定速度腐蚀的金属部件；按照一定速度挥发或者蒸发的介质零件等。

③ 状态维修（预知维修）：对设备进行状态监测，根据监测信息进行维修决策的管理模式。它适用于可实施监测、易于实施监测、监测信息可以准确定位故障的设备，而且实施设备监测防止故障发生比事后维修或者其他预防维修更经济时才可行。目前经常采用的状态监测方式包括振动监测、油液分析、红外技术、声发射技术等。

④ 改善维修：又称为纠正性维修，是通过对设备部件进行修复、纠正性的修理，包括零件更换、尺寸补充、性能恢复等手段，使设备损坏的部件得到修复的活动。它主要针对处于耗损故障阶段的设备，以及先天不足，经常出现重复性故障的设备。

⑤ 主动维修：不拘泥于原来的设备结构，从根本上消除故障隐患的带有设备改造形式的维修模式。有的企业提出"逢修必改"，就主要针对这类设备维修模式。它适用于先天不足（即存在设计、制造、原材料缺陷）以及进入耗损故障期的设备。

⑥机会维修：利用所有可利用的机会，如周末、节假日、生产淡季、上下游停机检修、等待订单、计划排产等，对设备的问题部位进行局部解体检修、换件、对中、平衡、精度调整；生产忙季，在无严重故障后果和影响的前提下，也可以适当延长修理周期，让维修节拍尽量适应企业生产节拍。

以上维修模式，有的侧重维修技术方式，有的侧重维修时机选择，企业可以根据设备实际情况选择其中一种模式或者多种模式组合，作为特定设备的维修模式。

另外，维修外包也是一种较好的选择（见图 7-13），一般认为：低技能、低频率的工作外包，因为用内部专业维修队伍应对偶尔的低技能维修任务是不合算的，成本高；低技能、高频率的工作外包，因为可以充分利用社会专业维修特长和管理能力，利用低技能、低价格特点，让企业更关注自身的核心竞争能力；高技能、低频率的工作外包，因为维修频率低，企业虽设有专门的高技能维修团队，却没有饱满的工作任务，而这支队伍的工资成本也比较高，在经济上是不合算的，不如寻求社会上的维修供应商来进行，即使每次维修费用较高也是合算的；高技能、高频率的工作内包，可以快速应对企业内部频发的维修难题。

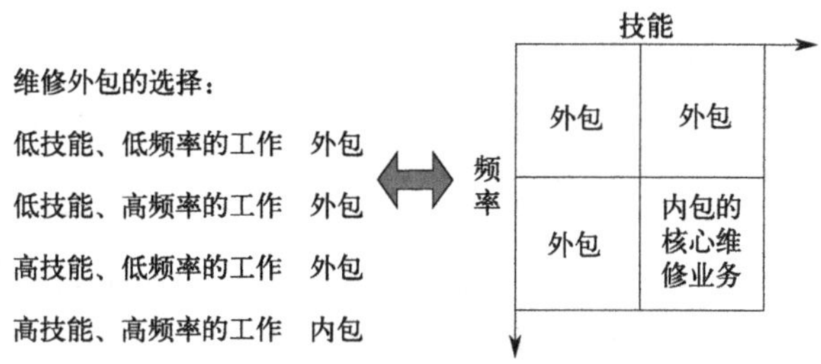

图 7-13　维修外包管理二维分析示意图

维修外包管理的形式是多种多样的，有工时和材料外包、固定价格外包、基于成果的合同及业绩外包等。维修外包的优缺点见表 7-7。

表 7-7　维修外包的优缺点

优点	缺点	优点	缺点
灵活	可能选择了糟糕的维修供应商	低潜在劳动力成本	失去对自己设备的了解
低投入风险	失去对过程的了解和控制	充分利用外部专家的知识	无法控制输入和输出
改善现金流	准备和响应时间可能较长		

7.2.3　设备的日常使用与维护保养

设备日常维护保养工作是设备管理中的重要一环。精心维护往往可延长设备正常运转的年限，保持良好的性能而不需进行大修。因此，要使设备长期保持良好的性能和精度，确保正常运转，延长设备使用寿命，减少修理次数和费用，保证生产的顺利进行，就必须加强日常维护保养工作。

（1）正确使用

① 必须根据设备的结构、性能和技术经济特点来安排加工任务。要防止大机小用、精机粗作，更要反对小马拉大车，超载使用，应使工件的工艺要求与设备的使用范围相匹配。

② 重要设备必须配备合适的操作人员，定人定机，凭操作证操作，并按照“谁使用、谁保养、谁报修”的原则做好维护保养工作。

操作人员对设备的操作，要做到“三好四会”。“三好”是指：管好（自觉遵守定人定机制度，凭证使用设备），用好（严格遵守操作规程和维护保养制度），修好（在维修人员帮助下，逐步掌握一般修理技术，能独立排除一些设备的小故障）。“四会”是指：会使用、会保养、会检查、会排除故障。设备维护保养要达到“四项要求”，即：整齐、清洁、润滑、安全。操作设备时，注意“五项原则”，即：必须凭证使用设备；经常保持设备清洁；认真执行交接班制度；管好工具和附件；不准在设备运行时离开岗位。

③ 要为设备创造良好的工作条件。为使设备能长期地正常运转，保持良好的性能、精度，必须使设备处于良好的工作环境，要求环境清洁、整齐，要安装防尘、防潮、防腐、防冻、防暑、降温等装置，并配备必要的测量、控制、检验、分析的仪器和仪表。尤其对热工、动力设备更要严禁超负荷运行。

④ 要重视机器设备的润滑工作。

⑤ 要经常开展完好设备的竞赛活动。

⑥ 要注意职工的素质提升和技术培训，并建立起各级的责任制度，明确职责，以保证正确地使用设备。

（2）三级保养制　三级保养是指设备的日常维护保养、一级保养和二级保养。

① 日常维护保养（日保）。它是按照设备的维护保养规程进行的例行保养，目的是确保设备安全运转，减少磨损，防止事故发生。具体是指：

a. 操作人员的定期保养。这是操作人员每天的例行保养，其内容包括：班前对设备进行检查、清洁和润滑；班内严格按操作规程使用设备，注意设备运转情况，遇小故障要及时排除；下班前对设备进行清扫，对各部件进行擦洗和注油，认真做好交接班记录。

b. 专业维修人员的巡回检查。其内容包括：检查操作人员对设备使用是否合理，机器运转情况是否正常，督促操作人员完成保养设备的任务，发现有违章操作的，应立即予以制止。遇小故障发生时，应协同操作人员一起调整与处理，使设备处于正常的运转状态。

② 一级保养（一保）。根据设备的磨损规律，按预先编制的计划进行一级保养，其目的是使操作者会使用、会检查、会排除故障。一级保养是消除隐患的有效措施。一般在设备运转累计达到 500h 时，要进行一次一级保养；动力设备的电器部分一般三个月进行一次一级保养；泵类、锅炉等要一到三个月保养一次；输、变配电设备六个月进行一次一级保养。一级保养是以操作人员为主，维修人员为辅，对设备进行局部解体检查，其内容包括：清洗所规定的部位，疏通油路；清洗或更换油线和滤油器；调整各部位的配合间隙；紧固松动零件；调整设备所有的操纵机构、限位开关等，使之灵敏、可靠。一级保养完成后，应做详细记录，由车间机修员进行验收。

③ 二级保养（二保）。二级保养是以维修人员为主，操作人员为辅，对设备进行局部解体检查和修理，达到延长大修周期和使用年限的目的。一般当设备运转累计达到 2500h 时，要进行一次二级保养；动力设备一般一年进行一次二级保养；配电线路二级保养周期为三年。其工作内容包括：更换或修复部分磨损件，局部修刮或填补划痕，擦除损伤凹痕，恢复精度；清洗润滑系统和换油；检查和修理电气系统等。二级保养完成后，应以完好设备条件作为验收标准。

（3）点检　设备的点检是指按照标准要求对设备的某些指定部位，通过人的感觉器官和检测仪器，进行有无异状的检查，能及早发现各部分的不正常现象。

① 点检的作用。能及早发现设备的隐患，以便采取有效措施，及时加以消除；减少故障重复出现的情况，提高开动率；能使操作人员交接班内容具体化、规格化、易于执行；能为单台设备的运转情况积累资料，便于分析，摸索维修规律。因此，点检是一项很重要的工作，它是设备管理的重要基础工作，属设备的维护保养工作范围。

② 点检的种类。一般包括日常点检和定期点检两种。

a. 日常点检。它原则上是在不停止生产的情况下进行，由操作人员负责，利用自己的感觉器官，按制定的日常点检卡中记录的项目逐项进行检查，并将检查的结果按规定符号（如良好✓、有问题Δ、机修员修完≠等）记在点检卡上，供日后分析用。

b. 定期点检。为达到充分预防的目的，必须定期对设备进行检查。一般由专业维修人员定期进行点检。将设备做部分解体，用感觉器官及检测仪器对一些关键部位进行检查，并将检查结果记入定期点检卡中，作为计划检修和统计分析的依据。

③ 点检卡的编制。点检卡的编制工作，主要是选择合适的点检项目，所以对编制人员要求较高。一般是从五个方面入手，即选择对产品产量、质量、成本、设备维修费用及安全卫生等会造成较大影响的那些部位作为点检项目。项目判断标准要写得简单、确切、不含糊其词，便于操作人员掌握。

④ 点检工作的执行。点检标准和点检卡一经定出，须严格执行。操作人员凭感觉器官进行检查，按规定符号认真记录；维修人员则根据标志对有问题的项目进行处理。凡操作人员没有点检出来的异常，应由操作人员负责；一旦点检出来，而维修人员没有及时采取措施解决的，则由维修人员负责。

另外，也可根据设备的使用情况编制修理计划，做到事前控制，能提高设备的可靠性。

7.3 设备改造与更新

(1) 设备磨损　设备在使用或闲置过程中会产生磨损，其磨损形式有两类：一类是有形磨损，又称物理磨损；另一类是无形磨损，又称经济磨损或精神磨损。这两类磨损均造成机器设备原始价值的降低，因此在考虑设备改造和更新时，必须要研究磨损问题。

设备的有形磨损又分为第一种有形磨损和第二种有形磨损两种。第一种有形磨损是指机器设备在运行中，其零部件的动配合表面因发生摩擦、振动等而产生的磨损，这是一种实体性的磨损，它将使零部件的原始尺寸发生变化，改变了公差配合的性质，致使机器的精度下降，性能衰退，使操作、维修、管理费用逐年增长。这种磨损与设备使用时间和保养好坏有关，若磨损严重，设备就不能继续正常工作，甚至会发生事故。第二种有形磨损是指设备在闲置过程中保管不善引起生锈、腐蚀、变质，而自然丧失精度和工作能力的磨损，这种磨损与设备保管的好坏和闲置时间的长短有关。这种磨损含有“老化”的意思。

设备的无形磨损是指技术进步引起设备价值的降低。它也有两种形式：第一种是技术进步使生产相同结构设备的社会必要劳动时间相对减少，从而使原有设备的价值降低，即有“贬值”的含义；第二种是由于技术进步，不断出现结构新颖、技术性能完善、具有更高生产率和更经济的设备，原有设备在自然寿命尚未达到之前就显得陈旧、落后，被贬值，一部分价值无形发生损失，这种磨损有“技术陈旧”的含义。

总之，设备在使用或闲置过程中，要产生有形和无形磨损，而设备又是生产中的主要物质基础，因此，不能听任其磨损而不顾。为保证再生产顺利进行，必须不断地对因磨损而消耗的设备进行补偿。对有形磨损的补偿方法是进行各种修理，恢复设备的精度和性能；对无形磨损的补偿方法是对原有设备进行现代化技术改造。当有形磨损和第二种无形磨损到了较严重程度时，就需要对设备进行全面补偿（即更新）。

设备的技术改造和革新，是指在原有设备基础上，对其结构进行局部改革，以改善其性能，提高其效率。这种改革一般是结合修理进行的，在修理中同时改造老设备、老工艺，把科学技术新成果用于现有设备，这是挖掘企业生产潜力、提高现代化水平的有效方法。有的企业经过实践提出：逢修必改，大修大改，小修小改。通过一次修理，对设备进行局部改造。日积月累，会使一台设备逐步由量变到质变地得到改造。

在任何时候，企业中设备都是新老并存的，而且老设备的数量常常占比较大，它们是完成生产任务的主体，因此要特别注意加强管理、维修和革新改造。技术改造或革新可以利用原有的设备基础，这比增加新项目或添置新设备要投资省、时间短、收效快，易于解决问题。

设备更新是一种彻底消除有形和无形磨损的手段。从物质形态上说，设备更新就是用新的设备代替陈旧落后的设备；从价值形态上说，就是重新补偿设备在运转中转移到产品上来的价值。设备的更新与修复或技术改造相比，能更快地形成生产能力，促进企业经济技术改造，加速实现工业现代化。设备更新通常是在下述三种情况下实施的：一是大修理费用太高，有的一次大修理费用接近甚至高于新置设备的费用；二是设备过于老旧，日常的使用和维修费用以及正常折旧费用过高，频繁修理造成停工损失，不如更新设备合算；三是由于无形磨损，依靠老旧设备生产的产品价值高于社会平均必要劳动消耗等。在这些情况下，要权衡利弊，通过适当的定量决策，决定是否更新。

(2) 改造经济界限

设备更新不是简单的以旧换新，而应当在更新中尽可能采用先进设备。从这个意义上说，技术改造寓于设备更新之中，但是设备是否应当更新的唯一标准是看经济效益的好坏，因为更新、改造和大修理三者是互相补充、相互联系的，因此，要通过细致的分析才能确定。

设备大修理的经济界限如下：

① 大修理的费用必须小于新置设备的价格，即

$$R<K_n-O \tag{7-6}$$

式中 R——某次大修理的费用；

K_n——具有相同结构或相同用途的设备的价格；

O——修理前设备的残值。

② 大修理后的设备所加工的产品成本应低于新置设备所加工的产品成本，包括应分摊的折旧费、与设备有关的经营费，如维修费、使用费、废品损失和停工损失等，即

$$I_r=\frac{C_r}{C_n}<1 \tag{7-7}$$

式中 I_r——在大修理后的设备上加工的单位产品成本与在新置设备上加工的单位产品成本的比值；

C_r——在大修理后的设备上加工的单位产品成本；

C_n——在新置设备上加工的单位产品成本。

如果不能同时具备上述条件，就应当放弃对设备的大修理，而进行更新或改造。

(3) 最佳更新期确定　理论分析可知，当故障率或维修费用上升到一定程度时，不一定要等到自然寿命的终结，有时提前更新，反而更为有利，这就要找到设备的最佳更新期。确定最佳更新期的原则是使设备年度平均分摊的一次投资费和经营维修费之和最小。这种由使用费用总额决定的设备寿命，叫作经济寿命。根据浴盆曲线可知，在设备的自然寿命后期，由于设备的老化，维修频繁，使用费用增加，生产损失也加大。依靠高额的使用费用来维持设备的寿命，不一定是经济、合算的，而以新的、好的设备来代替已超过了经济寿命周期但还勉强继续使用的设备就显得更加必要了。

计算设备经济寿命的方法很多，这里仅介绍一种简单的方法——“面值法”。通过对同类型设备的统计资料的分析计算，确定设备的最佳更新期。

【例 7-2】 企业购买一台设备，价格为 3 万元，使用年限为 10 年。其一次投资费用摊到各年的折旧费（已扣除残值）和各年的经营维修费、累计折旧费和累计经营维修费、年平均折旧费、年平均经营维修费、年平均总费用，如表 7-8 所示。试确定几年后更新最好。

表7-8 设备折旧与维修费用分析 单位：元

使用年限/年	折旧费	经营维修费	累计折旧费	累计经营维修费	年平均折旧费	年平均经营维修费	年平均总费用
1	9000	5000	9000	5000	9000	5000	14000
2	6000	5500	15000	10500	7500	5250	12750
3	4000	6500	19000	17000	6333	5667	12000
4	2500	8000	21500	25000	5375	6250	11625
5	2000	10000	23500	35000	4700	7000	11700
6	1500	12500	25000	47500	4167	7917	12084
7	1250	15500	26250	63000	3750	9000	12750
8	1000	19000	27250	82000	3406	10250	13656
9	1000	23000	28250	105000	3139	11667	14806
10	1000	27500	29250	132500	2925	13250	16175

【解】 由表7-8可见，随着设备使用年限的增长，年平均折旧费逐年下降，年平均经营维修费逐年增加，而年平均总费用则是先由高变低，再逐年由低变高，因此，在计算出各年的平均总费用后，就可以把年平均总费用的最小值找出来。这种费用的变化，也可以通过一定的方法描绘出曲线。年平均总费用的最小值，就是该曲线的最低点。对应于年平均总费用最小值的年份，就是该设备的最佳更新年份，即设备的经济寿命期。从计算结果可知，在第四年末进行设备更新更为经济，因为这一年的总费用最低（11625元）。但由于在第三年到第六年之间，各年平均总费用的差别不大，所以也可以适当延长使用期限。

设备更新虽然可以较快地形成生产能力，有利于社会劳动生产率的提高，但投资很大，资金筹措困难，且受设备制造、供应条件的限制。因此，提前更新要根据国家相关政策（如环保等），从企业的实际情况出发，制定设备改造和更新的规划，有步骤、有准备地进行。凡是能够修复的设备，尽量修复；凡是适合改造的设备，则通过技术革新进行改造；确需更新的设备，更新后，还要考虑合理使用或降级使用旧设备，做到“经济合理，物尽其用”。

总之，设备更新要十分讲究经济效益，特别是在重置设备的选择上，要进行多种更新方案的评比，计算投资回收期。设备的投资费，是选择和评价机器设备的重要因素，因为投资费用的多少涉及费用来源和使用过程中折旧费的提取。在实行资金付息或对固定资产征收使用费的条件下，还涉及每年支付利息或使用费的多少，这些都会影响产品的成本。在计算投资费用时，同时还必须考虑由于采用新设备所带来的生产率提高、能源节约和原材料消耗减少，以及保证产品质量方面的经济效果。经常采用的比较简便的办法是计算设备投资的回收期，其公式如下：

$$\text{设备投资回收期(年)}=\frac{\text{设备投资费}}{\text{采用新设备后的年节约额}}$$

可见，回收期越短，投资效果越好。

7.4 混凝土生产专用设备、设施及要求

预拌混凝土企业生产设备主要包括搅拌机组、运输设备、泵送设备及锅炉等配套设施。

（1）设备一般要求

a. 搅拌站生产设备、设施配置应满足预拌混凝土资质的要求，单站年生产能力在30万m^3以上。

b. 混凝土搅拌生产系统应符合《建筑施工机械与设备　混凝土搅拌站（楼）》（GB/T 10171）

的规定，同时还应按照相关要求对搅拌楼进行封闭、防尘，设置采光设备并加装除尘设备。

c. 所有混凝土生产及运输设备应低噪声、低能耗、低排放、技术先进并满足环保标准要求。运输车辆、供暖锅炉等宜使用清洁能源。

d. 搅拌站应配备必要的清洗设备、设施，保持搅拌楼、运输车辆及相关设备、设施的整洁。

e. 搅拌站必须采用混凝土生产计算机控制及信息化生产管理系统。

f. 搅拌站应制定相关设备管理制度和安全操作规程，应设置专职设备管理人员，负责对生产设备进行分类管理，建立设备档案及管理台账。

g. 搅拌机、搅拌车、泵车、锅炉等设备操作人员，上岗前必须经培训合格，并取得相应资格证书。

h. 搅拌站应配置专职设备维修保养人员，设备维修保养人员必须持证上岗。

(2) 设备、设施配置

① 搅拌机。

a. 搅拌站应至少配备两台搅拌机，且必须选用强制式混凝土搅拌机。单台搅拌机的设计搅拌能力不小于120m^3/h。搅拌机各项性能应符合《建筑施工机械与设备　混凝土搅拌机》(GB/T 9142) 规定的要求。搅拌机的实际生产能力通常约为设计能力的55%（机械效率系数为0.4～0.7）。

b. 投入搅拌机中的原材料经搅拌均匀后，盘内混凝土坍落度差值不应大于20mm。混凝土搅拌均匀所需搅拌时间应满足标准要求。

c. 在搅拌机出料口，宜安装混凝土摄像和温度测显装置，保证搅拌机操作人员能够在线监控混凝土拌和物出机质量状态。

d. 搅拌机生产操作控制系统应具备以下功能：

(a) 称量下料口开、关量在线监测；

(b) 软件调零；

(c) 辅助校秤；

(d) 生产状况动态模拟显示，各种动态数据实时显示；

(e) 称量动态自动补称；

(f) 称量提前量自动修正；

(g) 投料顺序可根据需要随时调整；

(h) 搅拌时间可根据需要随时调整；

(i) 生产数据实时存储，定期转存、导出；

(j) 可查询一个月内任意时段生产数据；

(k) 支持动态数据实时传输功能；

(l) 搅拌控制台应能即时自动打印预拌混凝土运输单，打印内容须与实际生产情况一致。

e. 搅拌机出料机构应工作可靠，卸料迅速、干净，出料口不能有明显漏水、漏浆现象。在发生临时停电或意外事故时，搅拌机应有将搅拌机内的混凝土卸出的开门装置。

f. 搅拌机应有可靠的计量供水系统，系统应能适应不低于80℃的水温。

g. 搅拌机检修盖与启闭电源应有联锁装置，当检修盖打开时应自动切断电源，保证配套主机不能启动。

h. 搅拌机上料机构应安全可靠，无卡料、漏料现象。传动系统的裸露部件应有防护罩和安全检修保护装置。

i. 搅拌系统工作时的噪声值不大于 85dB。

② 搅拌运输车。

a. 搅拌站配备的混凝土搅拌运输车不宜少于 25 台，并选用自落式斜筒型搅拌运输车。搅拌运输车的各项技术性能应符合《混凝土搅拌运输车》(GB/T 26408) 标准，同时还应满足环保标准要求。

b. 搅拌运输车应能运送坍落度大于 40mm 的预拌混凝土，粗骨料最大粒径为 40mm。

c. 搅拌运输车转筒的最大转速不应低于 14r/min。在满载和搅动状态下，搅拌运输车在最大坡度 15°的路面上运输时，搅拌车转筒出料口不应产生混凝土外溢。

d. 搅拌运输车转筒内叶片设计应能保证运输期间混凝土的均质性，不出现离析。

e. 搅拌车转筒进料口距地面高度应小于 2.5m，进料口最小尺寸不应小于 650mm，进料速度不应小于 2.7m^3/min。

f. 搅拌车转筒出料速度不应小于 0.65m^3/min，出料残余率应小于 1%。

g. 搅拌运输车转筒上应设易打开的人孔，人孔在关闭后不应漏水。

h. 搅拌运输车上供转筒清洗用的水箱，其容量不得小于 180L，输送清洗水流量应大于 45L/min。

i. 搅拌运输车卸料溜槽能够在水平方向转动 180°，以适应不同的卸料位置，且应能在垂直方向调节其与水平面的倾斜角，以适应不同的卸料高度。应配置加长溜槽，并保证其与出料溜槽装拆方便，出料溜槽与加长溜槽的总长不应超过 3.5m。

j. 应对搅拌运输车转筒采取适当保温隔热措施，以减小外界大气温度对混凝土温度的影响。

③ 泵车。

a. 搅拌站应至少配备 2 台泵车，所配泵车的臂架最大离地高度应大于 36m。泵车各项性能应符合《混凝土泵》(GB/T 13333) 的规定要求。

b. 泵车理论输送量应大于 60m^3/h，最大泵送压力应不小于 16MPa。

c. 应能泵送坍落度在 50mm 以上的预拌混凝土，最大骨料粒径 40mm。当混凝土坍落度为 150～200mm 时，泵车吸入效率不应低于 85%。

d. 泵车可靠性试验时间不少于 300h。可靠性试验期间，首次出现故障前工作时间不少于 40h，平均无故障工作时间不少于 60h，可靠度不小于 85%。

e. 泵车分配阀应能灵活、迅速、准确地换向，工作换向时间不应超过 0.3s。

f. 泵车电气系统应具有泵送、反泵、停泵等控制功能，各装置应安全、可靠。

g. 泵车料斗应安装过滤网。

④ 称量设备。

a. 混凝土生产配料秤应选用技术监督局认可且精度符合要求的电子类称量设备，其静态计量偏差不应超过 1%。

b. 各种配料秤的最大量程应满足搅拌机每盘最大搅拌方量对各种原材料的称量需要。

c. 各种配料秤在安装时，应事先预留校准操作位置。

d. 不同品种原材料须分别称量，骨料、粉料、水和外加剂等不同类别材料必须单独设置计量器具。各计量器具的精度值应满足 GB/T 10171 的要求。

e. 如果搅拌站同时使用聚羧酸系和其他系两种以上减水剂，为避免聚羧酸系减水剂和其他减水剂混合后发生冲突反应，搅拌机组必须配备两套独立的液态外加剂上料、计量系统。当采用多品种外加剂时，宜采用分别计量的方式。

f. 搅拌站应至少配置一台电子地中衡，地中衡分度值 20kg，最大称重量不宜小于 100t，台面尺寸不小于 3.2m×18m。应选用技术监督局认可且精度符合要求的地中衡产品。

⑤ 试验室。搅拌站应具有独立试验室，试验用仪器设施应符合建设工程检测试验管理的相关规定。

⑥ 原材料储仓（罐）。

a. 搅拌站应根据其最大设计生产能力配置相应的原材料储仓、储罐，不同品种、等级的原材料必须分仓、分罐存放。

b. 砂、石储仓应采取封闭、隔热、保温、降尘等措施，必要时应配置加热或降温设施。

c. 粉料储仓应安装料位显示和除尘、振动下料装置。

d. 液体外加剂罐应有防腐、防冻措施，必要时应安装搅动均化设施。

e. 水箱应配置加热设施，加热功率应与水箱容量和混凝土搅拌机生产能力匹配。

⑦ 其他设备、设施。

a. 搅拌站应至少配备 2 台铲车，铲车的单铲容量不应小于 $2m^3$；

b. 有冬期施工需要的企业宜至少配置 1 台锅炉，锅炉供热能力应与本站混凝土生产能力相匹配；

c. 搅拌站应至少配置 1 台柴油发电机组，发电机功率不应小于 250kW。

第8章

物资管理

物资是企业为完成生产目标所需要准备的货物的总和，包括原材料、辅料、配件、工具和在制品等。物资是企业生产的基本要素。物资在企业的生产成本中所占的比例在80%以上，因此，物资管理工作在企业生产过程中占有相当重要的地位。

广义的物资管理是指“从资源资料到形成物资+物资产品到物资消耗殆尽（物资失去使用价值）+残余物资处理完毕”的整个物资生命周期的管理。狭义的物资管理是指物资入库到物资出库的管理。通常所说的物资管理，是指企业在生产过程中，对所需物资的采购、使用、储备等行为进行计划、组织和控制。通过对物资计划制订、物资采购、物资使用和物资储备等几个重要环节的有效管理，降低企业生产成本，加速资金周转，进而促进企业盈利，提升企业的市场竞争力。

众所周知，由于受传统计划经济的影响，企业的物资管理模式被深深地烙上了“计划”的印记。例如，按产量指标粗略制订物资计划，仅向少量指定供货商采购物资，无限量加大物资库存等。在市场异常活跃的今天，物资管理已不能用“计划”“配额”“定量”等几个简单概念进行诠释，它已经成为现代企业管理的重要组成部分，既是企业成本控制的利器，又是企业生产经营正常运作的重要保证，更是企业发展与壮大的重要基础。

总的来看，现代物资管理遵循的主要原则如下：

（1）以销定进原则　企业生产的目的是销售，销售决定生产的内容及过程，而采购数量又是由生产多少产品决定的，所以采购的首要原则是以销定产、以产定购。

（2）质量原则　原材料的好坏直接影响着产品质量的优劣。如果原材料质量低劣，甚至出现假冒产品，不仅反映企业经营水平和管理水平存在一定的漏洞，而且会给企业带来不可估量的经济损失，因此，物资管理人员必须保证所采购原材料的质量。

（3）经济核算原则　企业在组织货源时，要以确保企业的经济利益为前提，一定要考虑货源地远近、运输条件、费用高低等，对进货的各环节进行核算，同时要对购进的商品实现储存合理化，既满足生产需要，又不增加储存成本。

（4）减少库存量原则　市场瞬息万变，产品更新换代很快，采购物资时要针对性地遵循“小批量、多品种、短周期”原则，以提高企业抵御风险的能力。

8.1　物资管理环节

任何一项管理活动，都会涉及时间、质量和成本，这三者彼此牵连，又相互制约，物资管理也如此。这里，时间是指物资的交货期、入仓期、使用时间、仓储时间、退料时间等；质量是指物资本身的质量、仓储质量等；成本是指物资的价格、仓储的成本、呆滞的成本、短缺造成停工的成本、占用资金造成的资金周转成本等。这些主要通过编制供应计划、组织货源、控制消耗定额、管理仓库与库存、核算等管理环节和活动进行控制，具体内容如表 8-1 所示。

表 8-1　物资管理的具体内容

<table>
<tr><th>管理环节</th><th>管理内容</th><th>管理阶段</th><th>主要原则</th><th>具体要求</th><th>目的</th></tr>
<tr><td rowspan="3">计划管理</td><td rowspan="3">需求量
储备量
供应量</td><td rowspan="3">物料计划</td><td rowspan="3">三“无”</td><td>无断料</td><td>保持连续性</td></tr>
<tr><td>无呆料</td><td>力求准确性</td></tr>
<tr><td>无囤料</td><td>提高均衡性</td></tr>
<tr><td rowspan="5">过程管理</td><td rowspan="5">采购
入库
发放
库存</td><td rowspan="5">物料供应</td><td rowspan="5">五“合适”</td><td>时间合适</td><td>正常生产</td></tr>
<tr><td>品质合适</td><td>提升质量</td></tr>
<tr><td>数量合适</td><td>减少积压</td></tr>
<tr><td>价格合适</td><td>降低成本</td></tr>
<tr><td>地点合适</td><td>便于管理</td></tr>
<tr><td rowspan="3">消耗管理</td><td rowspan="3">定额标准
措施方法
考核指标</td><td rowspan="3">物料仓储</td><td rowspan="3">“有”“定”“先”</td><td>有账有物</td><td>账务相符</td></tr>
<tr><td>定点定位</td><td>有条不紊</td></tr>
<tr><td>先进先出</td><td>不超时限</td></tr>
</table>

在物资管理方面，无论是从成本角度考虑，还是从质量角度考虑，都应该是从生产到使用的全链条的管理。采购可以通过采、购、计划、技术、质量“五权分离”防止贪污腐败。企业也可以根据规模大小，灵活采用“三权分离”“两权分离”。

8.1.1　物资计划

编制物资计划是企业物资管理的首要环节。物资计划是企业进行订货采购工作和内部物资供应工作的依据。当前，综合物资、技术、销售、生产和财务等部门信息进行物资计划编制，由物资部门实施、生产部门监督的物资计划管理模式已经越来越广泛。

在计划经济时期，物资的采购、使用和储备都以满足计划产量为标准。瞬息万变的市场对企业物资计划的编制提出了更高的要求，综合分析企业各部门的信息，可以使计划更精准、更科学、更具可操作性。在计划编制之初，物资部门组织人员对物资市场进行调研，深入了解物资行情，掌握第一手的价格资讯；生产部门则根据生产能力、预期产量、用户需求、发展储备等因素，估算所需物资的数量、种类，提报物资需求清单；财务部门则负责提供流动资金的详细信息，以资金净流量约束物资计划的规模。企业在通过内部网络系统综合处理各部门所提供信息的基础上，统筹安排企业的物资采购、使用等行为，编制科学、合理的物资计划。计划编制好后，由物资部门担负计划落实的任务，通过定期的物资采供例会等形式，由生产技术部门对物资计划的执行进行监督，发现问题及时解决。物资计划管理不但是其他物资管理环节的重要前提，也是有效避免物资浪费的重要保证。

8.1.2　物资采购

物资采购是企业资金支出的关口，是企业成本控制的关键。物资采购要求做到“适用、及时、齐备、经济”。“适用”指采购的物资的品种、规格、质量、数量要适应完成企业任务的需要；“及时”指进货安排要满足物资使用时间上的要求；“齐备”是指配套使用的物资在采购数量、进货时间上要衔接；“经济”指要按总费用最小的原则来组织采购，总费用包括物资价格、运杂费、采购费用和储存费用等。由此可见，物资采购的基本任务是：

① 建立可靠的供方体系，选择物美价廉、交货迅速的供方，以控制成本；

② 利用供方的专业优势，吸引供方参与产品开发和市场拓展；

③ 了解市场，预测未来物资供求趋势，为采购和决策提供信息；

④ 联合生产、技术、设计、工艺等部门，利用价值工程方法，选择新型材料和代用物资，促进企业节约材料用量、降低产品成本；

⑤ 在保证生产需要的前提下，根据就近、就地原则组织物资采购，以缩短采购时间，降低物资储备量，减少资金占用情况；

⑥ 不断改进采购工作和供方管理，提高采购管理的工作质量。

物资采购的日常主要工作包括采购计划与决策、供方选择与考察、招标与合同管理、发货与运输、进场验收与出库、采购工作的评价与改进等，具体内容与采购形式有关，常见流程如图 8-1 所示。

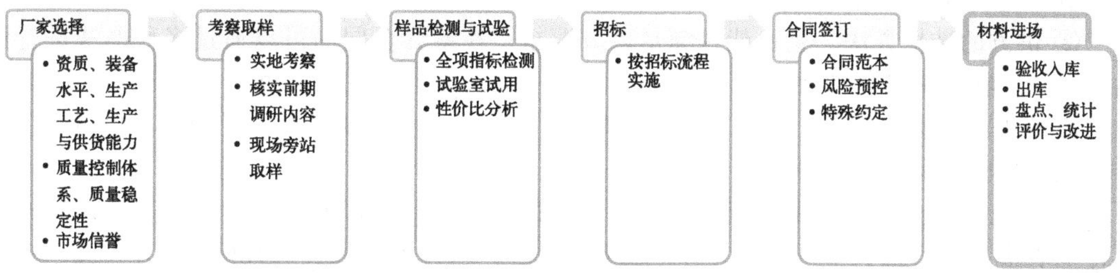

图 8-1 物资采购流程示意图

8.1.2.1 供方的选择

（1）供需关系　供需关系的定位是采购管理中的一个重要方面。按对最终产品的功能的影响程度不同，可以把产品所需的原材料、燃料、辅助材料、部件、零件等物资分为关键类、重要类和一般类等三类，并以此为依据来选择供方。

关键类，指对产品功能或生产有致命影响的物资，比如关键的原材料、主要的零部件等。重要类，指对产品功能或生产无致命影响但能造成故障或严重降低产品的实用性能的物资，比如机电配套件和部分标准件等。一般类，指对生产或产品的实用性能有轻微影响或几乎没有影响的物资。相对应于这三类，可采用自制或外购策略。

对于外购物资，可分为以下几种策略：

一是采用多种供应来源策略。优点是：可以比较不同供方供应物资的质量和价格等，从中选择最佳供方；在某一家供方供货出现问题时，不至于立即影响本企业生产。缺点是：同种物资的质量不具有一致性；增加了管理费用并提高了管理的复杂性；也有可能因分散采购，减少了采购量，降低了谈判力，进而得不到最优惠的供应价格和其他优惠供应条件。多种供应来源比较适用于关键类和部分重要类物资的采购，因为这些物资对产品的功能影响很大，要有“货比三家”的谨慎态度，以保证产品在质量、成本、交货期等方面满足用户的期望。

二是采用独家供应单位的策略。管理已经随着时代的改变，逐渐走上相互尊重、相互依存的道路。由于客观条件的限制，许多企业仍以独家供应策略为主。优点是：可以形成相互信任的伙伴关系；物资质量比较稳定；由于采购总量较大，可以获得更优惠的供货价格和其他优惠的供货条件；可以适当地降低物资库存量，降低库存费用；有条件实现供方管理库存和物资直供生产作业现场，达到零库存管理目标。缺点是：缺乏竞争；如果供方出现生产不稳定或突发事件，会引起质量或供应能力出现较大波动。为保证独家供应的物资质量、成本、交货期等都能符合要求，要注意三点：首先要监督供方。关键类、重要类物资在订货合同中必须明确规定监督条文，尤其是对物资的质量、交货期和索赔等方面更应有明确规定的、可操作的条款。其次，要帮助和扶持供方。独家供应单位在调查评价之后认为可取，但他们又存在某些方面的不足时，必须把供方看作本单位的一部分进行帮助和扶持。一般可以从人员培训、设备改造、技术指导及建立质量管理体系等方面对供方进行辅导扶持。必要时还可以派出有关人员驻厂帮助指导。最后，还要加强企业总体目标的交流，树立供需双方互相依存、共同发展、共同受益、实现双赢的观念，克服不敢对独家供应单位提出要求而降低供应质量的迁就现象。

(2) 供方选择

① 合格供方的主要条件。在选择供方时，必须考察对方是否具备合格供方的基本条件：提供优质产品（质量）、发货准时（交货期）、满足数量要求（数量）、价格合理（价格）以及提供良好的服务（服务）。同时，还需考察其他供货条件，例如，资源稳定程度、提供运输工具的便利程度、交货方式、结算方式和付款期限等。

② 供方的选择方法。企业能否满足供方要求，在签订合同前可以通过多种办法进行评估。比如，在了解供货商的资信、声誉时，从过去、现在的买方那里了解供货商供货及时性、质量及合同履行情况。同时，也可以对工厂进行深入的现场考察，还可以对供方提供的样品进行检验和审查，等等。

③ 调查。首先，要确定调查的内容。调查前必须拟订周密的调查计划，并把计划变成具体的表格，然后把表格寄给供方并要求填好寄回，同时要附上有关资料。具体调查内容可以包括：企业概况，如企业发展历史及行业地位、所属关系等；产品结构与制造能力，如产品品种和质量（技术标准）、生产能力、产品开发能力与规模、生产班次安排和调度能力、外协控制能力等；市场供应量和市场占有率；职工结构和素质等情况。其次，掌握企业管理情况。如领导制度与高层管理，组织机构与管理模式，计划管理体系，技术管理水平，发展计划与策略，信息渠道是否畅通，以及双方可能获益、共赢因素的分析等。最后，考察其质量保证能力。如质量方针、质量管理、质量成效、质量改进以及检验与监督等。

应注意，调查工作应由物资采购部门组织技术、生产和质量等有关部门人员参加，而且在调查后必须综合各方面的情况对供方做出判断和选择：适合作为供方；经过采取若干整改措施后，可作为供方；不适合作为供方。对供方的选择是一个循环不止的过程，要规定一个合适的周期，进行再调查、再选择，以促进供方不断地改善各方面的工作。

④ 供方的审核与评价。供方交货一段时间之后，为了验证调查结果的准确性及确定今后对供方的管理方针，必须按照企业规定的程序对供方进行审核与评价，内容主要包括资信状况、供货数量和履行合同的及时性，以及供货产品的质量等。

为了便于供方之间的比较，以便做出更好的决策，必须对供方的产品质量、价格、服务质量等方面做出量化评价。常用的量化评价指标有：质量特性，如可靠性等；缺陷百分数或不合格率；特性指标的加权值评分等。

8.1.2.2 物资采购过程和形式

(1) 采购过程　主要经过四个阶段：第一，准备阶段，主要是搜集企业计划任务量、物资消耗定额、消耗统计资料、产品图纸和说明书、物资计划分配指标，了解实际用料情况，调查物资资源市场供求情况等；第二，决策阶段，包括确定采购物资的品种、规格、数量和质量要求，选择供方，确定采购批量，安排进货进度等；第三，供需衔接阶段，组织物资的订货和采购，同供方协商衔接；第四，进货作业阶段，包括采购合同签订与分类整理，建立台账，编制进货作业计划，根据合同和进货作业计划收（接）货，验收入库，按时结算付款，对违反合同的供货按规定拒付或提出索赔要求等。

(2) 采购形式　物资采购形式较多，因成本控制角度不同，其分类方法也各不相同。常见的方法简要介绍如下：

① 多家采购，某一种物资至少由两个供方提供。市场供应波动较大而需求量又较大时，重要、关键类物资可以采用多家采购。

② 一家采购，某种物资集中由一个供方来提供。采购通常是由多家采购逐渐向一家采购过渡的，最终选择一个最合适的供方后，相对固定下来。随着情况的变化，经过一段时间，又可能出现更合适的供方，这时就有变更供方的需要。

③ 现货采购，是指随时用货币就能立即购买到物资的采购方式，一手交钱，一手交货。它的优点是能适应本企业需要的变化，有利于加速资金周转，而且在时间、数量和供方的选择上都比较灵活，什么时间需要就什么时间购买，需要多少就购买多少。缺点是购买价格会贵一些。它较适合消耗量较少而消耗又无规律的物资。

④ 期货采购，指用与供方签订供需合同的形式采购物资。这种采购形式，可以按照本企业生产计划的要求，在签订合同时向供方提出适合本企业生产计划的交货期，由供方按合同交货期的规定供货。它较适合消耗量较大而消耗比较有规律的物资。

总之，不管是以何种形式采购，以价格为控制中心的思想始终贯穿其中，实行比价、限价和定价采购制度为核心的物资采购管理是企业物资采购关注的重点。

比价采购，指的是在采购物资过程中实行的一种以综合对比为主要手段的物资采购管理制度，其中，物资的供应质量和价格、采购的中间费用、售后服务、供货商的信誉及货款的承付方式等是采购对比的要素。简单而言，就是“同种物资比质量，同等质量比价格，同样价格比服务，同等服务比信誉，先比后买”，其实质就是通过对各要素进行综合对比，分析应用后的性价比，实现“性价比最高”的目标。企业实行比价采购，不但可以使物资市场的竞争更加活跃，使物资的性价比不断提升，还在无形之中拓展了企业的物资来源渠道。限价采购和定价采购是比价采购的一种延伸，在特定的情况下能够发挥更加积极的作用。当企业采购的物资品种烦杂、零星采购次数频繁、物资采购难以形成大规模时，可以由企业物资部门在深入调查物资市场行情的基础上，拟定和公布企业所能接受的物资价格上限或具体数额，实行限价采购或定价采购。针对不同的物资采取不同的采购方式，企业可以从根本上解决盲目采购、无计划采购、多头采购等问题，可以最大限度地改善企业成本支出状况。

8.1.2.3　采购合同的管理

合同是明确双方权利、义务，并经双方磋商后签订的书面协议，企业签订采购合同必须使合同具备有效条件，以保证合同具有法律效力。这些条件是：交易当事人必须具有法人资格；标的物不得违禁违法；双方必须平等互利，等价交换。采购人员独立签订的合同需经企业法人或授权人、法律顾问审查后盖章方能有效。审查内容有：采购物资是否与采购计划相一致，质量要求是否明确，价格是否合理，到货时间与数量是否合适，结算方式是否公平，等等。合同必须采取书面形式，内容完整、具体、翔实，文字严谨、准确，权利和义务必须明确，责任要分明。

（1）采购合同应分类整理、装订成册、专人管理　首先将合同复制若干份，分送物资、技术和财务部门，以便于安排生产、规划货仓、安排运货和承付货款等。

（2）建立合同台账　合同台账是记载合同交货情况的原始记录，一种用卡片式，一种用清册式。卡片式适用于数量大、交货批次多的物资，一份合同一张卡片。清册式适用于数量少、交货批次少的物资。无论采取何种形式，都需对应供方单位、产品种类等，以便于查找。

（3）定期总结交货情况　合同管理人员除做好正常交货情况登记外，应在每月、季、年末和编制物资计划前做出合同执行情况说明，以便领导和计划人员掌握情况、编制计划和调度调剂。

(4) 合同的执行与变更　合同一经签订应严格执行，不得任意变更或中断。若需方发生以下情况，要与供方协商办理转让、注销合同等变更手续，并承担合同的规定责任，赔偿供方所受的经济损失，这些情况包括：生产建设任务或设计方案变更；采用新材料，不需要原订货合同材料；采取了节约措施，降低了消耗水平；原采购数量太大等。

需方若变更到货地点或接货人应在合同规定的交货日期前若干天通知对方；若变更开户银行及银行账号，应于交货日期前若干天通知对方。

供方不按照合同规定的数量、规格、型号、质量和时间交货，需方应按合同规定的要求向供方提出索赔经济损失。

8.1.3 物资的出入库与保管及仓库日常工作

8.1.3.1 物资的验收入库

物资验收是物资入库的第一步。具体工作包括：

(1) 物资数量、品种、规格的验收　检查到货物资的数量、品种和规格是否与运单、发票及合同规定相符，认真做到过磅、点数。

(2) 物资质量验收　物资质量凡是仓库能验收的，由仓库负责检验；凡是要技术部门或专业单位检验的，应由技术部门或专业单位检验。确认有相应的检验合格证明后，才能点数入库或发到现场使用。

(3) 把好入库“三关”　即入库前的数量关、质量关和单据关。只有当单据、数量和质量验收无误后，才能办理入库、登账、建卡等手续，并将入库通知单连同发票、运单一起送交财会部门。

(4)“六不入”原则

① 有送货单而没有实物的，不能办入库手续；

② 有实物而没有送货单或相关票据的，不能办入库手续；

③ 来料与送货单数量、规格、型号不同的，不能办入库手续；

④ 来料质量控制检验不通过的，且没有领导签字同意紧急放行的，不能办入库手续；

⑤ 没办入库而先领用的，不能办入库手续（但可以同入同出办单）；

⑥ 送货单或发票不是原件的，不能办入库手续。

8.1.3.2 物资的发放

物资发放实行定额供应制，其主要内容如下：

① 根据生产作业计划和物资消耗定额，由定额供料员签发定额供料凭单。

② 仓库要严格按照定额供料凭单所列的材质、规格、数量来供料，无计划者不发料，有计划无定额者不发料，更不能无故超额发料。

③ 实行工废、料废、超定额等要求补料的审核制度，必须经过审核、批准手续，才予补料。

④ 坚持退库和核销制度。由于材料节约、计划变更等原因而产生余料时，必须办理退库手续。同时，物资部门要会同生产使用部门对本月所消耗的原材料，按计划完成程度和消耗定额进行核销，以避免物资浪费和物资消耗情况失真。

⑤ 先入先出的原则，即先入库的或生产日期较早的物资，要先出库，要尽早使用。

⑥“五不发”原则。

a. 没有领料单，或领料单是无效的，不能发放物料；

b. 手续不符合要求的，不能发放物料；

c. 质量不合格的物料，除非有领导批示同意使用，否则不能发放物料；

d. 规格不对、配件不齐的物料，不能发放；

e. 未办理入库手续的物料，不能发放。

⑦ 一次出库原则。物料出库必须准确、及时且一次性完成，领用的物料不能再堆放在仓库，以免造成混乱和差错。

⑧ 以旧换新原则。对有规定的物料，如工具、配件等，严格按照“退旧才能换新、领新必先退旧”原则办理。

⑨ 实行核算、奖励制度。定期统计定额执行情况，分析差异原因，总结、推广先进经验，提出改进的措施和意见，并与适当的奖励制度结合起来。

8.1.3.3 物资的保管

物资验收之后，到发出使用前，有一段时间需要在仓库妥善保管。此时要做到：

① 摆放科学。物资在保管中，应按不同的材料、规格、性能和形状等实行科学、合理的摆放和码垛方式。摆放整齐，标志清晰，便于存放、发放和查验盘点，充分利用仓库空间。

② 固定库位原则。某物料固定摆在某库位，实物所放库位必须要与电脑系统中的一致。库位编码就像地址一样，没有固定库位，就无法快速地找到相关物料。

③ 质量不变。物资在仓库储存过程中，要防护好，防止物资变质。应按物资性能分门别类，采取不同措施维护保养，做到防锈、防尘、防潮、防振、防腐、防磨、防水、防爆、防变质、防漏电等“十防”工作。

④ 账、卡、货相符。为了及时掌握物资变动情况，避免物资短缺、丢失和超储积压，保持账、卡、货相符，物资管理部门必须认真做好盘点工作。例如：定期或不定期检查物资的账面数与实存数是否相符；收发物资是否错误；各种物资有无超储积压、损坏、变质等情况；安全设施和库房设备有无损坏等。

⑤ 严格实行仓库管理制度。仓库是物资管理重地，一定要严格实行安全防范制度。如人员出入检查制度、火源管理制度、安全检查制度、消防制度等。另外，仓库管理要达到专业化管理，必须实行岗位责任制，包括仓库负责人责任制、库管员责任制、收发货员责任制、物资防护员责任制、财务统计员责任制等。

8.1.3.4 仓库日常工作

(1) 门禁原则

① 除仓管人员和搬运人员及车间指定取料人员因工作需要外，其他人员一律不得进入仓库料区；

② 严禁任何人在进出仓库时没有办手续私自携带物料；

③ 有来宾视察时，须在主管级以上人员陪同下方可进入仓库。

(2)“日事日毕、日清日报”原则

① 每个仓管员在每日工作结束时，进行当天的相关动态账物的自我确认和核查，确保账目的平衡，找出不足，及时改进。

② 每日对所管的物料库位至少巡查 1～2 次，确保所有物料有正确标识，该退的要放入退货区。

③ 当日单据必须在当日录入电脑系统。

8.1.4 物资使用

物资使用主要是指物资的配送及消耗。现代企业物资使用管理，大多采用“统一进货、集中存放、定点发放”的方式，重点突出了配送方式的灵活性、多样性和物资消耗的控制力度，如“即时配送”“准时配送”“变领料为送料”等。比如，施工企业采用“多批次、少批量”的配送方式，根据各施工阶段的要求统筹安排配送计划，从而提高了材料的配送效率。事实上，在配送方式的选择上并没有固定的原则，企业要遵循的是方便、高效的原则，并结合本企业的特点和实际工作情况，制订最适合本企业的物资配送计划。

生产过程中的物资消耗量是控制企业生产成本的决定因素，是企业管理的重点。一般来说，在物资计划中企业都会制定比较科学、合理的物资消耗定额。然而，在物资计划实施过程中，因物资消耗监控力度不够，导致消耗定额沦为“摆设”。为此，多数企业通过网络技术完善了监管系统。比如，利用计算机系统对生产过程中的物资消耗量进行详细记录、分析、比对，通过监控将超额情况及时反馈到管理层，及时查明超额原因，最大限度地降低物资消耗环节出现浪费现象的概率。另外，也要遵循专料专用的原则。

节约是企业降本增效的重要途径，每一个企业都应该贯彻“生产与节约并重”的方针。物资的节约要求最合理地利用资源，以一定量的物资生产出更多更好的产品，或者说生产一定量的产品消耗更少的物资。常见的节约措施如下：

① 改进产品设计。产品的结构、零件数量、式样、大小、长短及选用材料的规格、材质等，首先是由设计决定的。产品设计上的浪费，是一种先天的、长期的浪费。因此，在产品设计中采用价值工程方法，在保证产品必要功能的条件下改进产品结构，降低过大的安全系数，设计出成本低、效率高的产品，这也是节约物资的重要措施。对于混凝土配合比来说，原材料越简单、越常规越好，不但有利于成本控制，也有利于质量控制。

② 采用新工艺、新技术，减少物资消耗。工艺性损耗是物资消耗的重要部分，因此，减少工艺性消耗，提高加工质量，降低废品率，是节约原材料和能源消耗的重要方面。采用计量精度高、耗料少、效能高的设备，会减少原材料损耗，提高能源转化效率，充分发挥物资的效能。

③ 选用新材料和替代材料。在保证产品质量的前提下，千方百计地选用经济、合理的新材料和替代材料，是企业减少物资消耗、降低成本的重要措施。因此，企业应尽量选用资源丰富的材料代替紧张稀缺的材料，以价格低廉的材料代替贵重的材料（如废渣、尾矿等），以国产材料代替进口材料，修旧利废。

在废旧物资的回收和利用方面，企业首先要建立健全废旧物资回收、管理、修复和再利用的管理制度，配备必要的人员、设备和工具，并同经济责任制结合起来。主要涉及以下几个方面：

① 废旧物资的回收。废旧物资的回收，即把分散的废旧物资集中起来。这些工作包括：明确回收范围；制定废旧物资回收的指标，明确责任；规定包装物的回收利用办法；对某些劳保用品、工具等规定以旧换新的办法；建立废旧物资回收奖励制度；等等。

② 废旧物资的利用。收集的废旧物资，必须由专人进行分类挑选，确定哪些是无法利用的，只能当废料处理；哪些是可以修复利用的；哪些是可以让给其他企业使用的。收而不用，就失去了回收的意义。常见的废旧物资利用方法有：再利用、加工后再利用、修复利用、出售给其他企业等。

8.1.5 物资储备

过去，物资储备是保障企业生产经营正常进行的必要手段。现在，这种手段正在发生变化，现代物资储备管理要求企业在满足现实生产需求和扩大再生产需求的情况下，尽可能地降低库存，减少资金占用。在市场经济条件下，生产物资的积压使企业承担了巨额的仓储费用，而且无限量地购买物资使企业的资金周转日益艰难，超额的物资储备会让企业背上沉重的“包袱”。为保证生产的平稳进行，生产物资需保持一定的存量：存量过少，影响生产和履约；存量过大，会造成资金成本投入过大。因此，在最高存量和最低存量之间选择一个适宜的安全存量就显得比较重要。

最高存量是指生产高峰固定时期内，某项物料（如通用标准物料）允许库存的最高界限。

最高存量＝一个生产周期的天数×每天使用量＋安全存量

最低存量是指生产淡季固定时期内，能确保配合生产所需的物料库存数量的最低界限。

最低存量＝购备时间×每天使用量＋安全存量

安全存量也叫作缓冲存量，这个存量一般不为平时所用，安全存量只用于紧急备用情况。

安全存量＝紧急订货所需天数×每天使用量

为此，以调整企业库存结构、盘活超储（积压）物资、加快资金周转、减少储备资金占用为主线的现代物资储备管理模式应运而生，其主要特点如下：

第一，对长线物资、产销平衡物资、紧俏物资实行物资分类管理：对供应充足、可即时购买的长线物资原则上不储存；对产销平衡物资通过合理安排进货时间实现不储存；而对于进货相对困难的紧俏物资则要有一定的储存量。

第二，对物资储备量实施实时监控，及时将储备情况向管理层上报，预防超储现象。

第三，若出现物资超储、积压现象，企业内部能够代用的物资实行代用，无法代用的物资可与供货商进行协商退货，或与其他企业交换物资实现“双赢”。

8.2 物资管理水平的提升与物资管理现代化

物资管理现代化，就是运用现代科学管理的方法和技术，合理有效地组织、指挥、调节、监督生产资料流通中的各项经济活动，以最少的劳动消耗，取得最大的经济效益。

在具体的日常管理过程中，物资管理更要有针对性、侧重点，针对不同的工作环节采取适宜的方法。例如，计划时要关注需求，侧重分析，生产中要重视供应，注重过程（表 8-2）。

表 8-2　物资管理的方法

项目	物资管理方法					
	重点分析法	供应链管理法	物料需求计划法	生产物料控制法	零库存管理法	企业资源计划法
角度	分析	供应	需求	过程	库存	系统
关注点	步骤	特点	效率	问题	方式	管理
内容	数据处理 图标分析 确定分类 实施管理	管理集成化 资源共享化 合作互利化 响应敏捷化	资金效率 生产效率 采购效率 竞争效率	产品定位 资源确认 关系协调 规范落实	另类储备 委托存货 协作分包 准时生产 订单配送	采购管理 生产管理 存管

（1）侧重分析——重点分析法　是根据事物在技术或经济方面的特征，按照重要程度进行分类，并选择不同管理方式的一种分析方法。它强调的是分清主次，将管理对象分为 A、B、C 三类，A 类是管理的重点，B 类是次重点，C 类是一般。重点分析法通常有如下四个步骤：

① 数据处理。收集、计算、汇总仓储物料的数据，包括单价、平均库存等。先算出平均资金占用额，并由高到低进行排序备用。

② 图表分析。根据计算结果，填制ABC分析表。按平均资金占用额的高低顺序，将物料名称、物料序号（由1开始往下排）、序号百分数（物品序号数占总物品数的百分比）、物料单价、平均库存、平均资金占用额、累计平均资金占用额、累计平均资金占用额百分数，逐一填入表格。同时绘制ABC分析图（类似巴雷特曲线），依据ABC分析表中的相关数据，以累计序号百分数为横坐标，累计平均资金占用额百分数为纵坐标，绘出分类曲线。

③ 确定分类。结合ABC分析表和分析图，将资金占比为70%～80%，而数量占比为10%～20%的几种物料，确定为A类；资金占比为15%～20%，数量占比为20%～30%的物料，确定为B类；其余的资金占比仅为5%～10%，而数量占比为50%～70%的物料，确定为C类。因此，要严格控制好A、B两类物料。

④ 实施管理。根据重点分析法所得出的结果，对A、B、C三类物料采取不同的管理策略。对数量较少而资金占用较多的A类物料要进行重点管理，严格监控库存量，采用准时制频繁订货，确保不断料、不积压，每月盘点一次；对于B类物料要进行适度管理，正常控制，采用经济订货批量模型，平衡成本与效率，保证安全库存，每季度盘点一次；对于剩余的C类物料可进行宽松管理，按一定的估计量备货，也可采用复仓法，由生产车间取出后自行管理，做好存取记录。采用重点分析法的最大好处就是提高了管理效率。

（2）重视供应——供应链管理法　即对企业供应链的管理，执行对供应链中从供方到最终用户的物流计划和控制职能。从单一的企业角度来看，它主要是指企业通过改善上下游供应链关系，整合和优化供应链中的信息流、物流、资金流、增值流，从而获得竞争优势。其实质是通过建立战略合作关系实现两者的双赢：对于供方而言，可以保证市场需求的稳定性，加深对用户需求的了解，加快对用户交货期变动的响应速度，获得更高的利润；对于生产企业而言，可以降低采购成本，提高产品质量和压缩库存水平，缩短交货期，提高资产利用率。

供应链管理的特点主要是：管理集成化、资源共享化、合作互利化和响应敏捷化。

① 管理集成化。供应链管理将供应链上的所有节点看成一个有机的整体，以供应链流程为基础，信息流、物流、价值流、资金流贯穿于供应链的全过程。

② 资源共享化。供应链管理模式导入后，管理者可考虑的资源不再仅限于企业内部，还包括整条供应链上的各个节点企业，实现供应链所有资源的有效利用。

③ 合作互利化。供应链管理将众多企业以供求关系为纽带连接在一起，信息共享、市场共分、风险共担，成员企业间的伙伴关系由原先的竞争关系转变为双赢关系。

④ 响应敏捷化。供应链节点企业的物流运作系统，在提供“低成本、高质量”物流服务的同时，能够对多变的市场需求做出敏捷响应，从而降低供应链的总体库存，使库存成为供应链管理的平衡机制。相关数据显示，供应链管理的有效实施可以使企业总成本下降20%左右，从订货到生产的周期时间缩短20%～30%；供应链上的节点企业库存量降低3%～15%，按时交货率提高15%以上，生产效率提高15%以上。

（3）关注需求——物料需求计划法　即以物料管理人员为核心、以软件应用为基础的物料控制方法。它主要用于相关性需求库存的控制，可以根据生产计划、物料清单、库存记录、未交订单等资料，经过计算得出各种相关物料的需求量和需求时间。物料需求计划的目标是围绕物料转化组织制造资源，实现按需要准时生产，物料供应既不出现短缺也不造成积压。

物料需求管理需要关注的是效率的提升，包括资金效率、生产效率、采购效率和竞争效率。

① 资金效率。执行物料需求计划，通常可以降低20%～35%的库存，同时可以缩短产

品交货期，从而有效地加快资金周转。

② 生产效率。执行物料需求计划，通常可以提高生产线生产率5%～10%，提高装配线生产率25%～40%，减少加班率50%～90%。

③ 采购效率。执行物料需求计划，通常可以降低采购成本20%～30%，同时由于把供方视为外部工厂，建立了互惠关系，节省了采购人员大量的时间和精力。

④ 竞争效率。执行物料需求计划，通常可以提高服务认可度95%以上，因为根据计划，随时可以为客户提供准确的交货日期。反过来，客户提供的需求信息也可以作为生产调度的参考，从而更好地满足客户的要求。

注意，物料需求计划法比较适用于以装配作业为中心的生产企业，如家电、汽车、重型机械等，不太适合庞大而复杂的生产系统企业。

（4）注重过程——生产物料控制法　即以生产为重点、以物料为中心的管理方法。它主要通过对生产的计划、进度，物料的计划、跟踪、收发、存储、使用等各方面的监督与管理，实现生产的有序化，改善生产安排的无序性。比如，生产计划和物料计划脱节造成的停工待料、忙闲不均；又如，物料计划不准造成的物料供应衔接问题，需要的物料没有，不需要的物料堆满仓库；再如，物料供应混乱造成的生产计划频繁变动、交货期延迟；此外，还有物料控制不力造成的产品返工问题等。

生产物料控制法是以“问题思维”解决问题，主要涉及：产品定位、资源确认、关系协调、规范落实等。

① 产品定位。解决做什么的问题。要对产品进行定位，包括产品结构、行业地位、生产模式。如：做什么产品，哪些是主打产品；做龙头还是做追随者；做自有品牌还是做贴牌。

② 资源确认。解决靠什么做的问题。要对资源进行确认，包括市场资源、品牌资源、社会资源、供应资源、技术资源、物资资源等。

③ 关系协调。解决谁来做的问题。要对关系进行理顺，包括企业内部的上下关系、平行关系、交叉关系等。

④ 规范落实。解决怎样做的问题。要对规范进行落实，包括部门、员工、流程、管理规范等。

（5）针对库存——零库存管理法　零库存，是指物料（包括原材料、半成品和产成品等）在采购、生产、销售、配送等一个或几个经营环节中，不以仓库存储的形式存在，而均是处于周转的状态。它并不是指以仓库储存形式的某种或某些物品的储存数量真正为零，而是通过实施特定的库存控制策略，实现库存量的最小化。“零库存”是企业物资储备管理的最优状态，以减少资金占用量和提高企业的经济效益。

作为一种特殊的供给方式，企业实现零库存管理需要关注的是方式，常见的有：

① 另类储备。在实现零库存的同时，用其他形式将物料储备起来以防万一。比如，企业将生产中需要的、又不易损失的铝材，作为隔音墙、路障等储备起来，但在仓库中却不再有铝材库存。

② 委托存货。委托专营仓库代存物料。企业把所需的物料交由专业化较高的仓库代为管理，由委托仓库负责物料的日常管理，并按一定的标准向委托仓库支付管理费。以这种方式储备货物，企业就不必再单独设立仓库，在一定程度上实现了零库存式生产。

③ 协作分包。生产企业之间所采用的协作生产形式。这种形式通过配套生产企业的准时供货，使主生产企业的供应库存为零，同时主生产企业的集中采购又可以使配套企业的销售库存为零。

④ 准时生产。准时生产模式，又称零库存生产模式，也就是“在需要的时候，按需要的量生产所需的产品”。主要通过增减“看板数量”来控制库存量，要求企业各工序之间以看板为凭证，由下道工序根据自己的节奏，逆生产流程，向上道工序指定供应时间和数量，从而实现零库存。

⑤ 订单配送。以订单为依据采取灵活的形式合理安排配送，满足用户的不同需求，帮助用户更好地实现零库存管理。零库存管理虽然在广泛推广，但真正实现还需要一定的条件支撑，如企业的管理状况、生产结构、供方实力、外部的配套环境等。

（6）强调系统——企业资源计划法 即从全局角度出发，通过反馈的物流、信息流、资金流，把企业内部的生产经营活动以及供方的资源整合在一起，按企业需要进行经营管理的一种全新的管理方法。企业资源计划法需要关注的是管理，主要涉及采购管理、生产管理、库存管理等。

① 采购管理。企业资源计划管理系统可以实现采购信息的发布和搜集，分析和掌握供方的相关信息，制订准确的采购计划，并通过公开透明的采购过程和对供货商的延续性管理，保证物料供应，降低采购管理成本。

② 生产管理。企业资源计划管理系统可以通过相应的管理模块，使生产流程、业务流程成为有序、高效的“流水线”，避免因物料短缺造成的停工停产，提高劳动效率。当遇到紧急任务时，也可以预先设计出最合理的生产流程，减少无效劳动。

③ 库存管理。企业资源计划管理系统可以合理设定准确的需求计划，保证企业在恰当的时间获得恰当的物料，减少库存和降低相应的风险。如企业内部可以实现库存和在途物料的信息共享，系统会自动生成准确的批次物料需求计划，减少库存资金占用等。

应用企业资源计划管理需要一定的条件：首先，要做好应用准备，完善流程，解决瓶颈，制定目标，定向培训；其次，要根据企业本身的特点，选择适用的软件和有经验的咨询公司，帮助企业组织资源计划管理的实施；最后，要建立一个实施团队以保证系统的正常运行，团队中既要包括熟练应用信息技术的管理人员，也要包括能开发、维护管理系统的信息技术专业人员。

上述六种方法，既相对独立，又相互交叉。如生产物料控制法和零库存管理法的部分内容就有交叉，企业资源计划法包含了物料需求计划法，因为前者是在后者的基础上发展而来的。

在选择物料管理的方法时，既可以采取定向的方法，又可以采取系统的方法；既可以采取单独的某一种方法，又可以采取多种方法的组合。但无论采取什么方法，都应因地制宜，不能脱离企业的实际。

8.2.1 物资管理水平的提升

（1）企业物资管理难点

① 物资采购和生产或销售脱节。很多企业在采购计划执行期间，并未对企业内部实际情况进行充分调查和研究，盲目采购，导致物资采购与生产或销售脱节，造成物资积压或短缺，降低企业经营效率；并且物资积压占用资金较多，使得企业资金使用率下降，经济成本增加。

② 内部职责分工不明确。很多企业内部管理机制不健全，职责分工不明确，甚至一些管理者对自身需要承担的职责认识不清，部门之间也没有有效界限，从而使得内部人员需要额外承担很多责任和义务。比如，企业对市场信息掌握不够详细，专业知识不足，导致采购过程中出现各种损失和问题。在购买物资后期，工作松懈导致物资出现大量浪费现象。

③ 其他原因。第一，风险规避不足。合同、价格、质量和技术等方面都存在很多风险，如合同欺诈、质量标准不合格等。第二，对业务步骤升级以及信息优化不够重视，库存管理、源头控制方式等有待进一步改进和优化。第三，资源浪费比较严重。物资管理主要是对内部物流系统进行整合，使得企业外部资源得以有效利用，企业内部有效安排了前期采购、中期保存和后期出库工作内容，并未对其进行合理整合和分析，从而导致资源浪费现象严重。

（2）提升物资管理水平的主要措施

① 提高计划的可行性。即加强采购物资的计划性，根据各生产经营部门上报的材料计划，认真及时编制月度材料计划，严格控制补充计划的上报次数，月末认真做好计划兑现率的考核工作，以确保月度材料计划的准确性。企业要综合分析并总结以往存在的各类问题，做好物资市场调研工作，随时准确把握各类物资行情、价格等。在加强内部各部门间协调联系的基础上结合库存情况，落实物资预算统计工作，规范化制订各类物资月度以及年度采购需求计划，明确需要采购的物资的类型以及数量等，明确物资采购方向，避免出现重复、过量等采购现象，便于及时供应以及合理储备物资。坚决杜绝盲目采购、无计划采购，需要多少采购多少，避免物资超储积压所带来的物资浪费。企业要强调物资采购计划的制订等，及时发现、分析并处理存在的问题，提升物资采购计划的科学性、可行性，防止出现物资短缺或者积压情况，科学控制采购成本的同时保证流动资金顺利周转。

② 加强采购管理。企业需要围绕制订的物资采购计划以及具体采购要求，科学构建完善的物资供方资料库。以业绩为出发点，深化物资采购机制，物资采购中要向业绩较好的供方倾斜。在订货过程中，企业尽可能避免向中间商订货，防止物资采购成本超过预算范围，定期召开不同类型的考评会议，从不同角度入手合理考评物资供方。比如，供货进度、物资质量，对物资供方结构体系进行规范化调整，确保采购的各类物资质量达标。企业在选择物资供方的过程中要深化物资采购成本管理，在比价、限价等采购制度作用下，综合考虑供方各方面情况，比如，技术能力、设备状况等，在保障物资采购质量的基础上实现采购成本最小化。如果属于需求量大、消耗量稳定的物资，企业要采用招标采购方法，采用物资供方竞争手段，达到性价比最优的目的。如果属于需求量较小的临时供应物资，企业可以采用网上询价、市场调查二者有机结合的比价采购方法，坚持择优采购的原则，有效降低物资采购环节成本。另外，要推行阳光采购，提升物资采购的透明度，规范物资采购审批权限，积极对物资实行招标和比价采购，扩大物资采购招标比价范围，严格控制议价采购。物资部门要定期自查并向上级汇报物资采购和落实情况。

③ 监督物资使用。企业要巧用物资管理智能化平台，在监督管理、风险评估等作用下科学配置各类物资，合理制定各类物资消耗定额，采用切实可行的手段，动态化、精细化管理。随时掌握各类物资应用情况，及时预警出现的风险隐患，科学处理，同时加强风险高发点的管控，实现各类物资高效应用，防止实际应用中出现严重的浪费现象。一是制定合理的材料消耗定额和资金限额。对于主要材料，要认真按定额领料；对于辅助材料，严格按资金限额领料。二是组织物资发放，做好物资核销工作。物资到货后，积极与使用部门联系，督促物资及时出库，保持进销平衡，避免造成新的物资积压。三是减少丢失浪费。引导和督促用料单位合理使用物资，经常深入基层部门，掌握生产进度和物资消耗情况，对各部门闲置物资进行平衡调剂。积极组织废旧物资的回收复用，修旧利废，充分发挥废旧物资的效能，做到物尽其用。四是对生产物资进行跟踪管理，延伸服务，全面支持生产一线，确保生产平稳。对基层单位领用的物资，全面实行跟踪管理，深入生产一线，了解物资使用及质量情况，如发现质量问题，认真分析原因和责任，及时联系供方妥善处理。

④ 提升库存管理的信息化水平。在现代信息技术手段广泛应用的时代，企业要借助智能化物资管理平台，在监督、跟踪各类物资采购、管理以及应用的基础上合理调整物资库存结构，优化物资储备环节，避免出现物资大量积压现象、增加物资管理成本。企业要借助智能化平台，动态化管控各类物资入库验收环节。在入库之后，企业要在智能化平台上实现对各类物资保管的全过程监控，按时清查仓库。此外，企业要严格控制物资出库与发放流程，利用信息化手段，做好物资账物管理，要做到日清月结，账、卡、物、资金“四对口”，有效提高物资应用水平以及运营管理效益。

8.2.2 物资管理现代化

(1) 发挥物资系统工程在物资管理中的作用　物资系统工程，就是运用系统工程的基本理论和方法进行物资管理。首先，根据商品流通规律，建立科学的物资流通体系等。其次，在物资计划、供应、储运、保管等各个环节，应用运筹学，建立数学模型，进行定量分析。再次，建立计算机信息网络。最后，应用现代科学技术开展综合研究，如：物资的节约利用、综合利用，物资储备定额、消耗定额的研究，仓储的机械化、自动化，有限资金的科学运用，产品和材料等的研究，等等。

(2) 充分发挥信息在物资管理中的作用　信息在物资管理中有着重要作用：一是物资部门决策的基础；二是物资系统制订计划的依据；三是组织和控制物资采购的依据和手段；四是保证物资系统各个部门各个环节协同工作的重要条件。为了使物资系统各层次、各环节的工作有机地联系起来，就必须借助于一个四通八达的信息网络来沟通，从而达到现代化物资管理之目的。

(3) 充分发挥计算机与互联网在物资管理中的作用　应用计算机进行数值计算，可以节省大量时间、人力和物力。同时，也能够对数据（信息）进行综合分析、加工整理，即信息处理，如物资的进、销、存量及各种物资的型号、规格、数量，随着物资实体的移动，还会产生许多新的信息。另外，也可以根据外部的信息变化发出相应的修正指令，实现过程的自动控制，实现仓库管理自动化，这不仅能简化手续、减少差错、加快物资周转、压缩库存资金，还可以做到合理进货、计划供应，在最小库存量和最大供应量之间寻求最佳动态平衡，以求得最大经济效益。各种物资的编号、名称、规格、单位、单价、存放地址、最高库存量、最低库存量、入库量、出库量等实时输入计算机，便可随时掌握库存情况。

(4) 实现仓库管理现代化　运用现代化技术控制、管理的“自动化仓库”，称为现代化仓库，能够充分提高仓库使用效率和出入库效率。

(5) 发挥存储论在物资存储中的作用　存储论又称为库存论，是运筹学的一个分支，是研究仓库储存的理论。存储论就是研究在什么时间、用什么办法保证一个合理的、经济的物资存储量，即“物资最优存储量”的理论和方法。如：确定最高和最低存储量、最佳订货点、经济订购量、订购次数等；确定生产管理中的最佳成品、半成品、原材料的存储量等。

(6) 运用 ABC 分析法对物资的存储进行管理　ABC 分析法又称为“重点管理法”，它是对事物进行统计综合、排列分类，找出主要矛盾，抓住重点进行管理的一种科学的管理方法。对品种少、资金多、采购难的 A 类物资在订货批量、进货时间和库存储备方面采用最经济的办法，定时定量供应，实行定点管理，严格控制库存；对品种多、资金少、易采购的 C 类物资可采用较简便的方法进行管理，适当控制库存，如固定订货量，进一批货后可用较长时间；对处于中间状态的 B 类物资，可一般控制，如可以定期订货，组织合理批量供应。采用这种分类管理物资的方法，可以降低库存，加快资金周转，减少物资仓储费用，提高企业的经济效益。

（7）发挥运筹学在物资管理中的作用 运筹学研究的主要分支有：规划论（线性规划、非线性规划、动态规划等）、存储论、决策论、博弈论（对策论）、排队论、搜索论、网络理论和可靠性理论等。在物资管理工作中，规划论可以制订最佳物资综合平衡计划、最佳物资分配计划等；存储论可以选择最佳进货时间，确定物资进货的经济批量等；网络理论可以确定物资最大发货量、仓库供应网点的选址及合理布局等；排队论可以寻求物资接收、发运最佳方案；博弈论可协助实现经营管理中希望“消耗最小”或“收益最大”这类具体经济目标；决策论可以协助解决物资管理过程中经常出现的各式各样的问题，提出合理、有效的对策，提高决策分析水平。

（8）发挥线性规划在物资管理中的作用 线性规划是运筹学中规划论的一个重要分支。线性规划研究的是在线性约束条件下，使预定目标达到最优。其主要研究内容包括两个方面：一是任务确定后如何统筹安排，以最少的资源去完成任务，即线性规划中求“最小值”的问题；二是对一定数量的资源如何合理调配，使任务完成得最多、最好，即线性规划中求“最大值”的问题。

物资管理的主要目标有两个：一个是在现有的物资资源、人力、财力、仓储能力的条件下，如何最大限度地满足国民经济的需要，这在线性规划中是求“最大值”的问题；另一个是在保证物资供应的前提下，如何最大限度地降低费用，减少资金占用，这在线性规划中是求“最小值”的问题。其求解方法有：图上作业法、表上作业法、单纯形法、对偶规则、参数规则等。这些方法在物资管理工作中已经推广应用。

8.3 物流成本管理

物资成本管理涉及多个方面，其中物流成本是重要的一方面，其他方面的物资成本管理内容详见本书第 11 章。

物流成本，简而言之就是企业在经营活动中因运输产品、原材料、设备等产生的费用，它不但体现在运输环节，而且也体现在装卸搬运、仓储、包装等环节。在这些基本操作中所产生的人、物、财的总体消耗是物流成本应当包括的。而物流成本管理就是对所产生的物流费用进行核算、管理以及控制，以达到降低企业物流成本、提高企业各个环节效率的目的。

8.3.1 企业物流成本管理存在的问题

① 企业物流成本管理认识不足。

不能简单地认为物流成本就是企业运输货物所产生的费用或者是借助第三方物流企业进行物流外包等业务时所产生的费用。对于正常的物流公司而言，物流成本不仅包括运输这一部分，还包括装卸搬运、仓储等环节。

② 企业物流管理基础设施落后。

大多数的企业只选择一种运输方式来进行本单位货物的物流运输，有时还存在着运输网络线路单一、运输线路不合理的现象。由此，不合理的运输路线以及不是最优的运输工具都直接或者间接地导致了运输环节中成本的增加。在仓储方面，现行的“零库存”仓储管理只适用于个别的企业，大多数的企业并没有注重仓储费用的降低，更谈不上“零库存”这一先进的仓储方式。在装卸搬运方面，老旧的机械设备导致工作效率低、成本高，因此基础设施的落后情况也是物流成本管理的一大阻碍。

③ 企业物流成本管理信息化程度低。

许多企业都没有实行信息化的管理方式，也没有引进信息系统的管理设备。企业在向现代化管理方面发展时有所阻碍，也会导致企业无法对货物的运输进行监控，无法实现上下游企业的信息共享与实时监控，在一定程度上阻碍了企业的发展。

④ 缺乏专业的物流成本管理人才。

物流成本管理要求管理人员不只是具备管理学知识，熟练地掌握公司的日常运作流程与经营过程，还要求其具备一定的物流方面的知识，并且可以有效地将各方面的专业知识进行结合。但是现在关于这方面的人才是缺失的，不能满足企业发展的要求。

⑤ 企业物流成本管理缺乏科学的会计核算方法。

大多数企业将物流成本与其他成本一起进行核算，忽略物流成本的单独核算及管理，这就不能有效地获知物流成本占总成本的比例，使得企业不能熟知自身物流成本的实际支出与应用的情况。

8.3.2 传统物资管理向现代物流转化

随着社会与科技的发展，企业也需要根据市场经济发展特点创新合理的物资管理模式，创建良好的供应链模式，使其向现代物流企业进行转化，全面提升整体工作效率与质量，满足当前的实际发展需求。具体措施如下：

a. 提高物流成本认识，做好业务定位工作。

企业在对业务进行定位的过程中，需针对业务形式进行全面的分析，将其划分成两个类型：第一，对物流服务定位而言，主要针对供应链与物流服务链进行合理的分析，明确各个环节的物流服务特点与要求，全面提升每个环节的工作效果；第二，在实际工作中，可以创建全程物流企业的定位模式，明确整体供应链的服务要求，创建物流一体化的发展机制。

b. 合理使用现代化的信息技术方式。

在信息化不断发展的今天，信息系统的建设是企业发展的必然趋势，也是迈进现代化管理企业的重要步骤。这就需要企业提升物流管理的专业化与网络化水平，明确网络信息技术的应用特点与要求，将计算机技术与网络信息技术联系在一起，加强物流成本信息化建设，降低企业的发展成本，增强网络信息技术与数字化技术的应用力度。

c. 加强物流成本管理基础设施建设。

在运输方面，要多借鉴成功经验，多进行运输路线的运用，选择适合的多条运输的路线网络，以此更好地节约运输的时间与成本。在仓储方面，要重视“零库存”这一低成本、高价值的仓储方式，将货物的储存与客户之间的订单、运输路线、货物仓储周期合理地进行系统的运算，以此来降低成本。在装卸搬运的设备上，引进先进的低能耗运输设备，进一步节约成本。

d. 建设高素质人才队伍。

聘用专业素质较高的优秀人才，充分发挥人才的作用，使人才能够尽职尽责地完成工作任务（表 8-3）。同时，对员工进行阶段性专业知识与先进技能的培训，使其掌握多方面先进管理技术，全面提高整体工作效率与质量。在公司内部选拔优秀的、学习能力强的人员进行系统的培训，在内部实施激励的竞争机制，来增强内部员工的竞争意识，提高其学习积极性与工作的自律性，以此来进行内部专业人员的培养引进。

表 8-3 物资管理工作级别与任务要求

工作级别	工作任务要求		
	行业动态	供方关系	任务完成度
初级	了解行业概况、行业关系、行业标准，明白行业上中下游关系	了解现有供方，维护现有供方的正常运转	能工作

续表

工作级别	工作任务要求		
	行业动态	供方关系	任务完成度
中级	掌握行业标杆公司和行业的发展趋势	供方评估(1. 产品质量:良品率、不良率;2. 交货表现:交货达成率、按时交货;3. 服务水平:是否能够提供样品、能否及时回复;4. 降价概率等)、提升供方水平、供应风险监控	有成果
高级	预测行业走势,提前布局变革	根据公司的长期战略开发新供方,完成新老供方的切换	会管理

e. 针对思维方式进行合理的转化。

对供应链管理机制进行合理的改革，明确主要的思想内容与策略方式，提升物流管理信息的利用率，创建共享管理体系，预防信息扭曲问题。同时，在资源管理的过程中，需针对物流企业的供求关系进行合理分析，明确稳定性与牢固性的合作关系，提升整体管理效果。

f. 制定完善的战略规划方案。

在制定战略方案的过程中，需结合企业的实际发展情况，创建完善的管理体系。在制定战略规划方案的过程中，需遵循全局性与结构性的原则，明确具体的功能与基础内容，协调各方面工作之间的关系，加大管理工作力度，通过科学、合理的方式提升整体管理工作效果，促进传统物资企业的良好发展与转化。

8.4 混凝土企业物资管理

混凝土企业往往涉及的是大宗物料，其管理难点通常是：计量数量大，工作强度高；物资采购以数量、质量相结合的方式结算，结算方式较复杂；采购资金数额大，管理层需要及时了解原料进厂数量、质量、票据、付款情况；没有固定形状或成型包装，数量复核困难；盘点难度大，误差率较高；生产用量以盘点倒算为主，易出现人为错误、作弊等，造成的损失也较大，而且追查困难；产品销售发送点多、面广，工作量大，管理难度大；物资运输方式多样（汽运、铁运、船运），运费结算复杂，管理难度大。

8.4.1 混凝土企业供方的选择与管理

（1）供方的评价与选定　企业要对物资供方进行资质调查评价，建立合格供方档案；并在验明其经营的合法性后进行采购，设备配件等由采购人员初验合格后即可采购。

对供方的评价内容包括：经营的合法性（包括营业执照、生产许可证、经营许可证、质量证明文件等）、质量和数量保证能力、环境和职业健康安全保证能力、服务和价格能否满足需要等。

① 供方的评价准则。

a. 国家或行业认可的有资质的厂家；

b. 有产品的生产许可证；

c. 近两年内没有因产品不合格受到过国家、行业或行政监督部门的处罚；

d. 常年合作，未出现过产品质量问题；

e. 产品本身没有本公司已识别出的重要危险因素。

对物资供方的评价可采用以下方法：

a. 样品评价；

b. 实地考察生产供应能力，评价管理水平；

c. 历史情况评价；

d. 对比其他使用者的使用经验。

② 供方的选择准则：根据不同产品的要求，可按以下一种或几种方法，在合格供方名单中进行供方的选择。

a. 产品质量；

b. 供货能力；

c. 服务质量；

d. 质量价格比；

e. 产品的危害因素；

f. 其他的特定要求。

③ 供方的重新评价。

a. 每年初应组织相关部门对合格供方进行一次年度评估。对评估不合格的供方予以除名，两年内不准使用。

b. 变更原材料产地前，按照对原产地进行实地考察、取样等流程重新评价供方，避免质量与供应风险。

c. 有下列情况之一的物资供方为不合格供方，应从合格供方名册中除名。

(a) 因使用所提供的物资影响生产质量、产生重大风险或损失的；

(b) 物资供应不及时而影响工期的；

(c) 一年内两次供应物资达不到规定要求的；

(d) 供方服务态度差、服务质量低的；

(e) 有重大安全事故的。

合格供方应每年进行一次复审，其经营的合法性、质量和数量保证能力、环境和职业健康安全保证能力等任何一项无法满足要求，即确定不合格并从合格供方名册中删除。

(2) 供方评价与分级管理

① 供方评价是指建立并利用指标评价体系，对供货质量、价格、准时性、服务水平、批量柔性、交货期与价格的权衡、价格与批量的权衡、多样性、信誉度等进行评价。目前，大多数预拌混凝土公司在供方管理上仍是：只有订单管理，没有供方管理。换句话说就是：简单粗暴，“眉毛胡子一把抓”，没有区分，没有差别。建筑行业的激烈竞争和信息化的快速发展改变了建材行业的竞争方式，使竞争不再是单个企业的竞争，而是整个供应链的竞争。传统的管理模式随之向供应链管理模式转变。在这个动态联盟的供应链中，各企业是一个利益共同体，通过建立合作伙伴关系，双方都能创造更大的价值。

② 通过供方分级管理：一是可以提高沟通和协调效率，能够更轻松地沟通并创建更具协作性的环境，带来更好的供方绩效，改善双方关系和增加信任；二是可以简化监控和管理，不但简化了供应链管理，而且也能确保供方能及时收到企业准确、必要的信息；三是提高日常管理效率，使得采购部门更容易选择满足企业需求的供方，缩短交货时间，避免库存滞销，降低采购成本；四是提高质量，在确保供方及时生产、供应高质量产品的同时，提升企业竞争力，增加收入和利润。

在供应链管理模式下，供方评价指标也逐渐由以价格和质量等为主的体系向有利于供需双方长期互利合作关系的方向转变。企业应该根据自身的采购需求和实际情况，制定一套明确的供方分类和分级标准，包括供方的质量保障、交货能力、历史绩效、服务水平等方面的评价指标。供方评价指标体系要有利于双方在动态、合作、竞争的环境中成为信息共享、风险共担的合作伙伴，实现对多变市场需求的快速反应。这时，供货柔性、供方的技术创新能力、合作的态度、信息共享水平以及对市场的反应能力等都将成为采购方评价并选择供应链合作者的重要因素。通常主要从物资重要性及风险程度、供方供货能力、供需依存关系及地位强弱等方面对供方进行分级。比如，采用供应市场的成熟程度衡量物资市场竞争或垄断态势；评估采购支出与供方产能匹配度，用以衡量企业支出份额，衡量企业向该供方的采购支出所占其产能的份额，衡量供需关系及市场地位的强弱；供方是否与企业签订长期框架协议，是否提供具备价格竞争优势的产品，对企业是否具备战略价值；替代供方的难易度和成本、研发协同与交流等方面。供方的选择是一个多准则评价问题，是在对各个供方定量和定性分析的基础上给出综合量化指标，以选择最合适的供方。

在对供方进行分级评分时应注意，目的不同，各个维度指标的权重也不同，其核心点就是利润。所以，需要权衡各维度的占比，以便带来最大的利润。但这不是个人能做决定的，不同部门之间，关注点不一样，有时是冲突的。因此，需要结合公司的侧重点进行供方分级。调查研究表明，供方分级时采用的主要评价指标如下。

① 质量。质量是供方选择的首要评价指标，也是合作的基本条件，它等同于企业的生命。没有好的质量，会导致最终成本的上升，影响利润，也影响口碑。通常在合作之前，必然会考察该供方的产品质量。考察活动主要包括样品质量检验、实际生产和质量监控流程的参观以及供方质量控制体系的考评等，尤其要看其是否有一套有效执行的产品质量检验制度。注意，与生产工艺能达到的最高质量水平相比，供方能够持续保持的质量水平更有意义。质量评估常用的数据指标包括：供方来料批次合格率、来料抽检合格率、来料全检合格率、来料在线报废率等。采购物资的质量并非越高越好，关键在于满足企业所要求的质量水平，不能与企业的产品定位及竞争策略产生冲突。比如，在具体技术指标方面，混凝土原材料除了满足国家相关标准要求外，水泥还要重点关注实际强度的大小（不是品种和标号）、质量稳定性，以及水泥比重。

② 价格。在满足质量要求的前提下，首先考虑的因素是报价。尤其是采用招标方式采购时，价格更是最关键的指标。成本是采购部门的核心指标，省下来的采购成本就相当于公司的利润。供方的产品价格决定了企业产品的成本以及整条供应链的投入产出比，对生产商和销售商的利润率有相应程度的影响。

③ 交货能力。交货能力主要包括交货提前期、交货准时性、对采购方变更交货数量和交货时间的反应水平等。没有按期交付，会影响客户的进度，会被投诉。严重时会进入黑名单，面临交期罚款。由于供应链管理的思想摒弃了传统的企业与企业竞争的狭隘竞争理念，转为供应链之间的竞争。供应链上的其他企业以及市场的变化或波动都会引起企业或供应链的变化或波动，市场的不稳定性会导致供应链各级库存的波动。而交货提前期的存在又必然造成供应链各级库存变化的滞后性和库存的逐级放大效应。交货提前期越短，库存量的波动越小，企业对市场的反应速度也越快，对市场反应的灵敏度也越高。比如，砂、石作为混凝土原材料组成中重量占比最大的物资，同时由于其来源的多样性和出厂质量的不稳定性对混凝土质量的稳定性影响很大，加之受季节、环境和气候影响，其供货的连续性也有不确定性。因此，拟选择的砂石供方，应至少具备料源稳定性、产品质量和运输保障实力。同时，选择至少 3 家作为共同供方，以缓解资金和供应压力，并形成竞争机制，以确保砂石原材料的价格稳定、可控和供应的可靠性。

④ 服务水平。服务是指在采购合同执行过程中，供方在物资或设备的使用、残次品的调换、设备使用方法培训、相应故障的排除等方面提供的帮助，即供方为采购企业提供质量保证和相应售后服务的所有活动。如果相关服务跟不上，产生的相关问题会给企业带来诸多麻烦，轻者增加物资成本和生产成本，重者影响生产的连续性和工程进度，给企业带来重大经济损失。

⑤ 地理位置。对于不同的物资，供方地理位置的重要性也不相同。如果物资的配送成本（尤其是运输成本）占采购成本的比例越大，那么地理位置就越重要；如果合作过程中需要双方频繁、密切地配合，地理位置也会给直接沟通的难易程度以及差旅成本造成直接、重要的影响。另外，供方所在的地理位置有时候也决定了他获得某种原材料的稳定程度和价格水平，进而直接影响采购成本。最后，供方的地理位置不同，各类自然灾害（如旱灾、涝灾、地震、台风等）发生的风险也各不相同，如果采购物资易受这些灾害影响，那么供方的地理位置就决定了他停产、减产甚至倒闭等的可能性，这些都应该考虑在供货伙伴（尤其是长期合作伙伴）的选择过程中。企业要想通过材料降本增效，通常以混凝土企业为中心，对方圆 200km 内的混凝土原材料（包括矿山和冶炼厂的尾矿、废渣等）进行取样检测，进行混凝土试配，做综合评价。

⑥ 供方的信誉。供方信誉是供方与企业或其他买家合作过程中积累起来的声望，它可以看作是供应企业无形资产的组成部分。优秀供方为了维护其良好信誉，按约保质保量地履行合同，其信誉的目标要远远高于那些声名狼藉的供应企业。

⑦ 供方的财务状况。如果企业的货款支付制度是财务中心根据销售部门或其他资金进项的时间安排支付应付账款，而不是按照应付账款到达财务部门的时间去筹措相应资金，那么在选择供方时就不得不把对方的财务状况考虑在内，以免拖欠货款给企业造成巨大风险，严重时甚至直接导致其停工停产以及双方的法律纠纷。

注意，从供方的角度来说，要想在所有的内在特性方面获得最佳是相当困难的，或者说是不可能的。一个高质量产品的供方就不可能有最低的产品价格。因此，在实际的选择过程中必须综合考虑供方的主要影响因素。

通过以上项目的综合评价后，可将供方分为 5 级（图 8-2），企业可根据相应的类别，在订单数额、进厂验收与卸料、货款支付、战略协作等方面给予不同程度的优先权。战略供方对公司的生存和发展至关重要，这类供方合则双赢，分则双输，应该着眼长远，培养长期关系。战略供方具有对核心流程有战略性意义、供需双方相互依存度较强、提供竞争优势且有技术依赖性等特点。优选供方在价格、质量、交货、服务等各方面都出类拔萃。优选供方具有可提供策略性服务、企业对供方依存度较高而供方对企业依存度较低、提供竞争优势、量大且支出大等特点。资格未定供方分两种情况，要么是新供方，要么是原来的优选供方，资格未定是暂时性的，比如，期限是半年，在这半年间，要么补齐短板，成为合格供方；要么启动淘汰程序，成为淘汰对象。消极淘汰供方不会再得到新订单，但公司也不主动把现有生意移走，维持现状是最好的选择，双方有好合好散的基础。积极淘汰供方不但得不到新订单，而且连现有生意都得移走，这是供方管理中最极端的情况，从战略角度来看，相当于"下策攻城"；对这类供方要防止"鱼死网破"，防止供方可能采取极端措施，比如抬价、中止供货，或者绩效变得很差。所以，要确保另一个供货渠道已经提前开通。

总之，在供方管理方面，企业要针对具体的采购物资，首先做数据统计，摸清家底，如：有多大的采购额，有多少供方，钱都花到哪里去了。接着要对这些数据进行分析和处理，区别对待，精细化管理，即不同类别的供方对应不同的管理办法，把管理资源投入到回报最高的地方。没有差异化，就无法把有限的资源投入到回报最高的供方上。最后实施合理优化——供方太多要整合，太少要开发新的，确保新订单流入最合适的供方。

（3）供货合同签订　供需双方应按照商务管理程序签订供货合同，签订供货合同时，应在合同中明确技术指标要求，或由企业根据自己的特点拟定技术合同。实际工作中，可在有关标准的基础上参考以下内容进一步明确技术质量及控制措施要求：

① 原材料厂家应及时提供本年度型式检验报告。

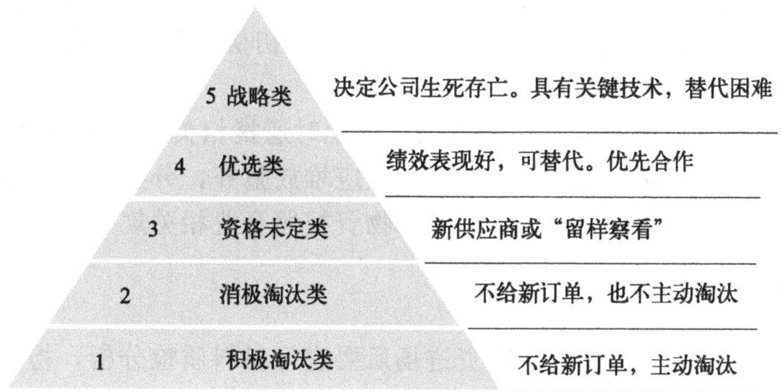

图 8-2　供方分级管理示意图

② 水泥的最低强度、强度标准差以及水泥中混合材的品种与掺量；水泥磨细时使用的助磨剂的类型等。

③ 明确矿渣粉生产采用球磨还是立磨工艺，同时，矿渣粉磨细过程中不得添加石灰石、劣质粉煤灰、炉渣等材料，并应告知使用的助磨剂品种。

④ 天然骨料应明确其所属河流流域或产地，人工骨料应明确生产工艺；骨料生产厂家必须提供开采证或行政许可证明，使用废石必须有废石生产许可证；为了尽可能减小骨料含水率对混凝土生产的影响，应明确进场验收时的含水率最高限值。

⑤ 外加剂应明确所用品种与类别，必要时约定采用特定的生产工艺，如：聚羧酸减水剂采用“先消后引”工序。

⑥ 对于进场温度有要求的原材料，应明确原材料进场时的温度控制指标与措施。

⑦ 明确原材料主要技术指标的波动范围。

⑧ 明确技术质量问题的沟通与解决方式。

⑨ 明确进场后如何配合搅拌站技术人员或监理做好进场检验与试验工作。

⑩ 明确随车技术资料的具体要求。

技术合同经总工程师审核签字后作为供货合同的附件，约束供需双方在原材料的采购与供应过程中共同执行。

8.4.2 物资进场验收及检验

对进入现场及仓库的物资，收料人员应依据相关要求进行验证，并填写进货记录。具体作业时，注意以下几点：

① 对于生产原材料类物资，收料人员应依据送料单进行目测验收，验证物资数量、规格、外观是否符合规定要求，材质证明及合格证是否齐全。目测验收合格后方可进场，并按照相关规定对原材料分品种、分规格、分批量取样委托试验室复检。

原材料检验分为进场检验、批次检验、监理抽检及见证试验等方式，检验项目及频次按照国家、行业和地方现行标准及工程相关技术要求实施。应注意，进场检验时，要及时收集并验证产品质量证明文件。原材料进场后，材料员应对照合同的要求对原材料的随车技术资料进行验证，确保原材料厂家提供的证明文件符合要求。原材料的随车技术资料应包括出厂检验报告、合格证等。随车质量证明文件为复印件的，必须加盖原件存放单位公章，注明原件存放处，并有经办人签字和时间。

② 对于设备配件类物资，收料人员应依据送料单进行初检，验证物资数量、规格、外观是否符合规定要求，材质证明及合格证是否齐全，确认合格后会同使用单位对采购物资的

质量进行检验，由采购人员、收料人员、设备部门检验人员共同签字确认合格后方可入库。

③ 对于工具类物资，收料人员应依据送料单进行初检，验证物资数量、规格、外观是否符合规定要求，确认合格后即可入库。

④ 检验中出现数量或质量问题，验收人员要及时通报相关部门按照不合格品进行处理。

物资入库后，要做好防护及标识工作，而且应堆放整齐，分类合理，账目清楚，防潮防火，保持现场及仓库清洁。进入仓库及现场的物资按照企业相关规定建立标识牌。

8.4.3 物资统计

(1) 控制物资进场验收和登记　物资进场后要进行材料质检分析，检验材料的数量、品种、规格与采购计划是否相符，合格后方可正式入库。材料采购进场时进入库房登记（此时实物已入库，物资台账并未上账，为“虚入库”），大批量的购进物资按程序取样，经过技术检验部门检验合格后开具质检报告，物资保管部门签收由采购部门开具的入库单，材料才正式入库登记台账。如果材料检验不合格，就由采购部门办理退货出库手续，必要时办理购进材料退回的结算。所有物资按照不同品种、规格分类统计入库数量，定期将汇总数据提交财务部门。另外，验收环节必须建立验收与入库责任追究制度，明确物资保管部门、材料检验部门及相关人员的责任，定期与不定期检查各岗位的工作，对验收过程中发现的异常情况，应查明原因及时处理。

(2) 加强物资消耗管理

① 消耗定额管理。这是材料消耗管理最主要的管理方法。材料消耗定额是指针对一定条件所规定的生产单位产品或完成单位工作量合理消耗材料的数量标准。在制定消耗定额时要按材料的自然属性，本着节约、实事求是、平均先进、综合效果的原则，采取技术计算法和经验统计法相结合的方法，对消耗量大、资金额高的材料制定消耗定额。先进、合理的材料消耗定额是考虑到先进的生产技术、工艺和管理经验等因素制定的，因而它的执行不仅能降低材料消耗、提高材料利用率，而且能够推动企业生产技术和管理水平的提高。

② 建立完善材料消耗控制相关管理制度。建立健全材料消耗控制管理的各项规章制度，定期对材料消耗定额的执行情况进行考核并根据定额完成情况进行奖惩兑现。加强材料消耗的统计分析工作，材料管理部门定期填写“材料进、消、存统计报表”，材料管理人员要对材料消耗实际情况与定额进行对比分析，找出超、降原因。同时，群众管理与专业管理密切结合，处处精打细算，推广各种节约材料的先进经验，充分发挥每个人的积极性。

(3) 定期盘点库存　在库存材料管理中，财务部门应与物资部门协作做好材料的盘点工作，做到账物相符。尤其是物资保管部门应掌握最新的存货数据，为采购材料提供依据，为生产投料做好准备。对于非正常的亏库或涨库情况，物资部门要会同生产技术部门查找具体原因，必要时调整计量设备动态误差，及时校准计量设备，在充分保证产品质量和数量的前提下降低成本。

第9章

试验与检测

实验，是人们根据一定的研究目的，利用科学仪器设备、实验用品等物质条件，人为地控制或模拟自然现象，使自然过程以比较纯粹的或典型的形式表现出来，从而在有利的条件下，去研究自然规律的一种研究方法，是为了检验某种科学理论或假设而进行某种操作或从事某种活动。而试验是指已知某种事物时，为了了解它的结果或者性能而进行的试用操作，即通过某种活动察看某事物的结果或性能。检测是指按照程序确定合格评定对象（如材料、产品或过程等）的一个或多个特性的活动，是对样品做检验测试，得到样品的各项技术参数或数据。注意，检验和检定都要求将结果与规定要求进行比较，并得出合格或符合与否的结论，而检测和校准不要求得出合格或符合与否的结论。如：试验室得出砂子含水率，是检测；根据自己测出来的砂子级配数据，并依据相关技术标准对其粗细程度进行质量分级，是检验检测。对于混凝土生产企业来说，试验室日常的大部分活动是试验、检验检测，部分探索性技术研究属于实验范畴。

试验室是企业开展科学研究的重要基础。企业的试验检测工作通常由技术部门如试验室等完成。试验室是一个由人、财、物和信息等要素有机结合而成的整体。试验室工作是一个复杂的管理系统。因此，试验室管理，不是单独地对其中某一个要求进行管理，必须从试验室的整体出发，把系统内各要素结合起来，进行全面系统管理。试验室管理的主要工作有：试验室的架构管理、试验室规划建设、设备与器材管理、环境与安全管理和技术人员管理等多个方面。因此，试验室管理要遵循系统原理、封闭原理、动态原理、人本原理和效益原理。

任何管理对象都有一个特定的系统。试验室管理的对象就是试验室这个特定的系统，它包括了设备管理、器材管理、人员管理等若干个子系统。这些子系统不是孤立的，而是既互相联系、互相作用，又与其他管理系统如检测系统、培训系统和科研系统发生各种联系的。为了达到试验室管理的优化目的，必须对试验室管理工作进行充分的系统分析，运用系统的思想对试验室实施管理。为此，就要求管理人员必须从思想上明确：自己负责控制的对象是一个整体的动态系统，而不是一个孤立分割的部分。应该从整体着眼对待部分，使部分服从整体。同时还应该明确，自己管理的对象不仅是一个系统，而且这个系统还是一个更大系统的组成部分。因此，必须考虑更大的全局，摆好自己系统的位置，实现更大系统的全局效益。

而且，试验室管理也满足封闭原理，只有构成一个连续封闭的回路，才能达到有效管理活动的目的。否则，管理大敞口，就无法实现管理的效益。封闭回路一般由指挥、执行、接受、监督和反馈五个部分组成。

同时，试验室管理工作必须以调动人的积极性、做好人的工作为根本。事实证明，人是试验室管理工作的根本，试验室管理人员和技术人员的能动性发挥程度与管理效应成正比。因此，要在日常管理过程中实施科学分工和灵活激励（如政治、目标、奖罚、竞赛、领导、关怀、支持、榜样等不同种类的激励方式），调动人员的积极性。

9.1 试验检测管理与试验室建设

试验室能否承担检测或校准任务，取决于试验室的技术能力。试验室的技术能力是试验室所从事的技术工作的能力和水平的直接体现。试验室技术能力通常由检测或校准的项目、参数、范围、能达到的测量不确定度、最大允许误差或准确度等级、依据或满足的技术标准或技术规范等来表述。影响试验室技术能力的主要因素有人员、设备、设施和环境条件、方法的选择和确认、测量溯源性、抽样以及对被测件的处置等。对于不同类型的检测或校准试验室，这些因素对测量不确定度的影响是不同的，因此试验室在制定检测或校准的方法和程序时，在进行人员培训和考核以及选择检测或校准设备时，都应考虑这些因素。

试验室配备的资源应与所承担的检测或校准任务相适应。例如，负责检测任务的试验室应具备相应的检测设备和设施、检测人员以及所依据的国家标准或其他标准等；负责量值传递的校准试验室，要具备相应的测量标准、计量检定人员、计量检定规程及符合规程要求的设施和环境条件等。试验室在建立和运行质量管理体系时，应根据试验室工作开展现状，结合任务要求，对每项技术能力项目逐一进行审核，必要时可向第三方申请按照有关认可准则对其技术能力进行评价。

9.1.1 试验检测准则与试验检测资源和能力要求

9.1.1.1 试验检测准则

试验室应按照ISO9000系列标准的管理要求，建立、实施和保持与其活动范围相适应的管理体系，并将其政策、制度、计划、程序和指导书等编制成文件，以书面形式明确其组织结构及管理、技术运作和支持服务之间的关系。而且，这些管理体系文件也要传达至有关人员，并被其获取、理解和执行。

试验室及其人员从事检验检测活动，应遵守国家相关法律法规的规定，遵循客观独立、公平公正、诚实守信原则，恪守职业道德，承担社会责任。试验室及其人员应不受来自内外部的、不正当的商业、财务和其他方面的压力和影响，确保检验检测数据与结果的真实、客观、准确和可追溯。同时，应对其在检验检测活动中所知悉的国家秘密、商业秘密和技术秘密负有保密义务，并制定和实施相应的保密措施，也应建立和保持保护有关秘密和所有权的程序。

试验室要建立和保持人员管理程序，对人员资格确认、任用、授权等进行规范管理，明确技术人员和管理人员的岗位职责、任职要求和工作关系，使其满足岗位要求并具有所需的权力和资源，履行建立、实施、保持和持续改进管理体系的职责。按照当前预拌混凝土资质管理要求，试验室负责人应具有中级及以上专业技术职称或同等能力，并全面负责试验技术运作。质量负责人应确保管理体系得到实施和保持。授权签字人应具有中级及以上专业技术职称或同等能力，并经资质认定部门批准，非授权签字人不得签发检验检测报告或证书。对抽样、操作设备、检验检测、签发检验检测报告或证书以及提出意见和解释的人员，依据相应的教育、培训、技能和经验进行能力确认，并由熟悉检验检测目的、程序、方法和结果评价的人员，对检验检测人员包括实习员工进行监督。同时，试验室要建立和保持人员培训程序，确定人员的教育和培训目标，明确培训需求和实施人员培训。

试验室可以按照不同的方式开展试验活动，但需满足相关标准、客户和法定管理机构等要求，包括在固定设施、场所和临时或移动设施等场所中实施试验活动。

9.1.1.2　试验检测资源和能力要求

（1）人员　在影响试验室技术能力的诸多因素中，首要考虑的是人员因素。试验室应制定人员的岗位职责，人员教育和培训的目标、程序和计划。培训计划应与试验室当前的和预期的任务相适应，应确保检测和校准的人员都具有相应的资格；还应保留人员的技术档案，充分发挥每个技术人员的技术特长。

① 岗位职责。试验室内部的组织机构及岗位设置是否合理和适宜通常会影响试验室技术能力的发挥。

试验室要明确从事检测或校准工作的人员、专用设备的操作人员和审核报告或证书的人员的职责，这些人员是试验工作活动过程的关键性人员。从委托方需求开始，利用资源（人员、设备和设施、资金和信息等），得到一系列检测或校准的结果，最后出具检测报告、校准证书或检定证书，这就是试验室检测或校准工作的全过程。在这个过程中，应由有足够专业技术水平的人员进行工作，由这些人员确定检测或校准方法，开展检测或校准工作，保证出具的结果的正确性。

试验室也要明确从事消耗材料的采购，设备的维修保养，被测件的收发、储存、保管与运输，环境条件的监控和保障，文件资料的管理以及仪器设备的管理、送检等技术保障工作的人员的职责，虽然他们不直接从事检测或校准活动，但是他们的工作质量有可能对试验室的技术能力的发挥产生很大影响，应予以控制。

② 资格与技能。在影响检测或校准工作质量的诸多因素中，从事检测或校准工作人员的资格、技能与水平是十分重要的因素。试验室负责人应确保所有进行检测或校准的人员、操作专用设备的人员、评价或审核报告证书的人员具备相应的能力和资格。试验室的聘用人员也应具备相应的资格，并受到监督。

试验室应针对各类人员的教育、培训和技能目标，制定相应的政策和程序以及人员培训计划，并记录实施结果。试验室应对从事特定工作的人员进行资格确认，包括要求的学历、培训结业证明、技能考核证明和资历等，资格应与从事的工作相适应。

试验室应保存人员的技术档案，包括教育、培训、考核的记录和资格证明文件。

③ 授权签字人。企业最高领导应授权专门人员在试验室出具的报告或证书上签字，审核评价检测或校准结果，从技术上审查、把关，对出具的检测或校准结果负责。这些人员称为授权签字人，一般属于试验室的技术管理层，对确保检测或校准结果的质量有明显的作用。

授权签字人通常具有相应的资格，在试验室组织结构中有相应级别的职位、职责和权限，对报告的结果有足够的判断经验，熟悉试验室的技术工作内容，可以保证签发的报告和证书的质量。

（2）设备　试验室的设备是技术能力的主要基础，对检测或校准工作的完成质量是至关重要的。根据《检测和校准实验室能力的通用要求》（GB/T 27025）的要求，试验室应注重以下方面：

① 制定控制检测或校准所用设备（包括借用设备）的管理规定或程序，并按规定执行。

② 用于检测或校准的所有设备都应达到技术标准或规范要求的量程范围和准确度等级。对于需要进行溯源的设备都能按照规定的周期进行校准或检定。

③ 设备操作人员应具有资格。

④ 设备都应有唯一标识并保存设备的档案记录；需要溯源的设备上应有校准状态标识。

⑤ 有措施和制度确保测量设备的安全处置、运输、存储、使用和维护，并能防止污染和损坏。脱离试验室直接控制又返回试验室的设备，在使用前应对其功能和校准状态进行检查。

⑥ 对于不能正常工作的设备应采取隔离措施，并悬挂停用标识以防止误用。对设备停用前造成的影响及时采取纠正措施。

⑦ 对设备（包括硬件、软件）采取良好的保护措施，以防止发生使检测或校准结果失效的调整。

(3) 设施和环境条件　试验室的设施和环境条件是保证检测或校准结果正确性的重要条件。环境条件应满足所依据的技术标准或技术规范的规定，还应满足所使用的仪器设备、被测件（样品）等方面对设施及环境条件的要求。当环境条件对检测或校准结果有影响时，试验室需要对环境条件进行控制、监测和记录。

① 对设施和环境条件的要求。试验室可从以下方面考虑对设施和环境条件的要求：

a. 所从事的检测或校准工作所遵循的技术标准、规范对设施和环境条件的要求。

b. 试验室检测或校准工作所使用的测量标准、检测设备对设施和环境条件的要求。

c. 被测件对设施和环境条件的要求。

d. 检测或检定人员的防护措施对设施和环境条件的要求。

e. 试验室在固定设施以外的场所进行检测或校准时的特殊要求，例如，接地、防振、防潮等，保证结果的有效性不受到影响。

② 对设施和环境条件的监测和控制。试验室对设施和环境条件的控制应确保在此环境条件下不会使测量结果无效，不会对所要求的测量质量产生任何不良影响，不会影响试验室发挥其技术能力水平。试验室对环境条件的控制包括以下方面：

a. 试验室应当将影响检测或校准结果的设施和环境条件的技术要求文件化，也可以对试验室的设施和环境条件提出总要求，并分别列出每一项测量标准或检测设备对设施及环境条件的特殊要求。

b. 试验室对需要控制的环境条件采取相应的监测、控制和记录措施，必要时采取有效的隔离措施或控制措施。

c. 通过书面文字明确规定对进入和使用对检测或校准质量有影响的区域加以控制。

d. 对试验室应采取必要的措施，保持良好内务，应有内务管理规定。

e. 若发现环境条件不符合要求，应该评审该环境条件对检测或校准结果的影响程度，并采取必要的措施，直至停止检测、校准或检定工作，做好记录。如果发现对以往的结果已经造成影响，应及时追回已经出具的报告或证书，并做必要的处理。

(4) 方法　在试验室进行检测或校准工作时，应尽可能使用标准的方法或得到同行承认的方法。这些方法对试验室检测或校准结果的质量具有重要影响。试验室应对技术标准（检测标准、检定规程、技术规范等）的选用做出明文规定，包括技术标准的选择、非标准方法的确认、自编方法的评审、测量不确定度的评定以及测量数据的控制等方面的内容。

① 技术标准的选择。试验室选择技术标准时，应该注意以下方面：

a. 试验室所选择的技术标准应适用于所进行的检测或校准工作，并满足相关方的需要。选择的标准应是现行有效版本，通常的选择顺序是：首选国家标准，如果没有国家标准，则依次选用国际标准、行业标准或跨国区域标准、国家军用标准、地方标准或团体标准。

b. 试验室应保存用于检测或校准所使用方法的全部文件并编制目录汇总列表，包括选用的技术标准，被测件的处置、运输、储存和准备方法的技术文件，检测或校准数据分析计算方法，抽样时所采用的统计技术方法，测量不确定度的评定方法等。与方法有关的技术文件应受控管理。

c. 编写的作业指导书或操作说明也应当经过评审并成为受控文件。

d. 如果试验室选择权威技术组织发布的或在有关的科技文献、期刊中发表的或者由设备制造厂规定的方法，试验室应评审该方法的正确性和适用性，评价其满足预期用途的能力和证明方法的有效性，并编制成试验室的技术文件后使用。

e. 当选用非标准方法时，应经确认并征得相关方同意。

② 非标准方法的确认。试验室如果使用自编的方法或选用非标准方法，应有自定方法的确认程序，内容应包括以下方面：

a. 确认所使用的自定方法是否正确、适用，应有验证报告。

b. 选用非标准方法的内容是否全面、充分。

c. 方法的测量范围等技术指标是否与试验室实际工作情况相适宜，是否与相关方的需求相适应。

③ 测量不确定度的评定。凡是给出定量的测量结果，试验室都应能给出其测量不确定度。试验室给出的测量不确定度反映出试验室技术能力的水平。因此，应该对试验室测量不确定度的评定能力予以较多的关注。

④ 测量数据的控制。试验室测量数据的正确性、有效性、完整性能够综合反映试验室的技术能力。因此，无论是对非自动化设备所进行的计算、转换及其校核方面，还是对利用计算机或自动化设备采集、处理、记录、报告、存储或检索测量数据方面，都应该仔细地加以检查、校对及审核。试验室使用计算机或自动化设备时，可采取以下措施保证对测量数据的控制：

a. 使用试验室自己开发的软件时，应编写程序说明、流程图和源程序，并经审查确认其适用性。

b. 在用计算机输入、采集、存储、传输及处理数据时，应制定保证数据完整性、安全性和保密性的保护管理程序，防止数据丢失或泄密，防止非授权人接触和修改记录的数据，对不允许修改的部分采取只读处理，对常用软件做备份保留等。

c. 提供维护计算机和自动化设备功能正常的环境条件和运行条件并对设备有效维护。

d. 对使用的商品软件需要自己配置或进行修改时，应进行充分验证和评审，确认其适用性。

(5) 测量设备溯源性要求　试验室测量设备的溯源性是试验室的测量标准、检测设备给出的测量结果的量值准确一致和可信的必要保证，也是有效发挥试验室技术能力的有力保证。

测量设备溯源性的要求一般包括以下方面。

① 需要进行校准或检定的设备包括所有用于检测或校准的设备，以及对检测或校准结果的准确度和有效性有明显影响的辅助测量设备，如校准试验室的测量标准装置（含主标准器、主要配套设备等）、标准物质等，检测试验室的测量设备和具有测量功能的检测设备等。

② 对于需要进行校准或检定的设备，试验室应制订校准计划，除了首次使用前校准外，日常按照规定的周期进行校准或检定；由本单位计量机构校准时，其使用的测量标准应经确认符合要求并有证明其溯源性的证书；如果使用外部校准服务，应溯源到那些能证明其资格和校准能力的校准试验室。

③ 校准试验室应绘制本试验室的溯源等级图。

④ 如果检测试验室的测量设备引入的测量不确定度在检测结果的总的测量不确定度中的影响小到可以忽略，该测量设备可以不校准，但试验室应提供证明文件。

⑤ 如果试验室某些测量项目不能严格溯源到国际单位制单位，试验室可溯源到由有资格的供方提供的有证标准物质；或参加试验室之间的比对活动并以比对报告作为能力的证明文件；或使用经有关方约定的方法进行验证；或溯源到各有关方同意的协议标准等。

⑥ 对校准试验室建立的参照标准，应编写测量标准技术报告，并经过审核、批准，获得测量标准证书；试验室的参照标准应溯源到有资格证明的、校准能力可以得到质量保证的试验室，这些有资格的试验室可以是经过 GB/T 27025 认可的校准试验室。由这些校准试验室出具的校准证书（或检定证书）应具有溯源性的说明，是试验室技术能力和测量设备溯源性的证明文件。

⑦ 试验室使用的标准物质也应溯源到国际单位制单位或有证标准物质。

⑧ 对于特别需要保持校准状态可信度的测量标准和检测设备，在两次校准间，还需按规定或程序进行周期内的核查。

⑨ 为了保持设备良好的校准状态，试验室对其参照标准和标准物质的安全处置、运输、存储、使用应专门制定程序。

（6）抽样　抽样工作对试验室技术能力的影响是不容忽视的。具体要求如下：

① 正确地选择和使用有关抽样的标准或规范，正确地制定抽样方案和程序，抽样方案应建立在统计方法的基础上。

② 在抽样过程中应有效地控制各种影响因素，包括抽样方案的各要素，被抽取物质、材料或产品的批次和供方情况，抽样操作人员的技能，环境条件等；若为送样检测，可以只考虑样品的数量及状态等。

③ 与抽样工作有关的内容都应有记录。

（7）被测件的处置　试验室在处置被测件的运输、接收、处理、标识、保护、储存等过程中应能够防止其变质、丢失、损坏或混淆。

9.1.2 试验室规划建设

试验室规划建设，就是对试验室建设做比较全面、长远的安排和设想。试验技术人员和仪器设备构成试验能力，试验能力应与企业生产规模、发展要求和政府相关要求相适应，主要涉及以下几个方面。

（1）试验室任务规划　任务规划的目的在于有充分根据明确试验室在规划期内应承担的试验任务。要考虑到今后技术的进步、规模的扩大、研究方向的变化等，留有发展变动的余地。

（2）人员规划　包括试验室人员的调配计划、试验室人员的培训计划和主要管理制度等。首先是确定试验技术人员的编制数，即配备多少试验技术人员合理，要把试验室的性质、任务、技术装备、方法等因素结合起来考虑。其次是人员结构和素质。要结合规划任务提出专业结构、职称结构、年龄结构、培训规划等要求。最后，要针对今后的管理使用问题，设计出相应的组织管理方案。

（3）设备规划　一般包括按试验室编制的年度设备购置计划，计划应包括数量、性能要求和金额，并说明来源（已有、新购、自制）及需用时间。规划只需要提出若干台（套）重大的、贵重的、能反映特色的关键设备和总金额。在具体配备和选择设备时，有许多因素要给予系统的考虑。主要是实用性、先进性和经济性的综合决策。通过比较、分析、论证，正确解决先进性和经济性之间的矛盾。

（4）房屋环境条件　房屋环境条件包括新建或扩建改建试验用房的面积，平面布置图，工程要求，对水、电、气、暖、通、温控、防尘、防潮、防磁等环境条件的具体要求。试验室建设规划除了选购设备外，必须的房屋面积和配套条件是不可忽视的重要方面。随着现代科学技术的发展，仪器设备的精密度和自动化水平的提高，对试验室的环境条件要求愈来愈严格。例如，现代电子显微镜的分辨率很高，对环境要求很高，主要有：电磁场（必须远离变电室、电梯、大功率电磁设备等）、振动（最大振幅<2μm）、噪声（≤70dB）、温度（15～25℃，工作时20～22℃）、湿度（≤70%）、水量（2～4kg/min）、光强（无自然光射入），且不能有腐蚀性气体和强风流等。

如新建试验室用房，规划时，要对土建面积、结构提出要求，并要绘出平面布置图，作为基建规划的依据。待到土建设计时，试验室应组织人员参与试验室用房的工艺设计。如改建现有房屋，则应在提供工艺平面布置图的同时，提出为满足设备使用条件对土建的要求。

有较高要求的房屋，要在保证设备运行使用和便于维修的前提下，尽量紧缩面积，且不宜靠近影响（干扰）源。

在有湿度限制的试验室内，不允许有水源。进风应经过干燥处理。

电源应分动力和照明两条线。对不间断供电要求高的试验室，最好设置双路供电。要特别注意设置符合要求（电阻小）的专用接地线，在接线盒上特别标明地线，以保护电子仪器的安全运行。照明线路宜按用途或局部功能区域多设开关。

满足个别需要安装在室内的小型空压机，要采取隔音措施。

用防火性能较好的材料进行室内装修，并安装烟雾报警器，配置消防栓、灭火器等。

试验室的劳动保护措施是多方面的，如加强室内照明、防暑降温、防冻保暖、防毒通风，以及防爆炸、防辐射等，都是防止职业病、改善试验劳动条件的基本必要措施。

另外，也要考虑设备投入使用时对维修检测工具、备品备件及家具桌椅等条件的要求。

9.1.3 混凝土企业试验室基本配置要求

混凝土企业应按照相关规定要求设立混凝土专项试验室，完善试验环境条件，配备相应的人员、仪器和设备，建立健全试验管理制度。试验室应按照国家、行业和地方的现行技术规范、标准对混凝土生产所用进场原材料的技术性能指标进行检测，按照工程技术要求设计、试配和确定混凝土配合比，并根据混凝土质量要求，对混凝土的各项性能进行相关试验。具体要求主要有以下几个方面。

(1) 试验室面积 为保证相应的试验条件和试验操作空间满足要求，试验室总建筑面积不宜低于200m^2，其中标养室建筑容积应与其年产量相适应，通常不宜低于90m^3。

(2) 试验间的设置 根据原材料和混凝土各项性能试验的不同要求，试验室应设立独立的试验操作间，包括水泥室、化学室、砂石室、标养室、试配室、力学室、精密天平室、留样室等，并另设独立的办公室和资料室，试验操作间和办公室不得混用。

试验室的各种仪器设备应布局合理，相邻区域有相互影响的检测工作时，应采取有效措施隔离。

(3) 试验环境 试验室的试验操作间的温湿度应满足试验检测工作的需要，必要时配备温湿度控制设备，保证试验环境符合标准要求。具体试验环境要求如下：

标养室：温度(20±2)℃，相对湿度大于95%；

水泥室：温度(20±2)℃，相对湿度大于50%；

试配室：温度(20±5)℃，相对湿度大于50%。

试验检测工作产生的废弃物、废水、振动和噪声的处置，应符合环境保护和职业健康方面的有关规定。

(4) 试验仪器设备 混凝土企业试验室根据原材料、混凝土性能检测以及工程要求的混凝土性能试验项目配置所需的符合精度和计量要求的试验设备、仪器及相关工具等。试验仪器设备的配置除满足试验项目的需求外，还应与混凝土企业的生产能力相匹配，并按照要求进行使用、维护和管理。

(5) 试验管理信息系统 目前，试验室通常配置计算机管理信息系统软件，其数据处理及应用功能应满足现行技术标准、试验方法及行业主管部门的要求。试验室计算机管理信息系统软件与混凝土企业局域网接驳便于各系统部门联网共享使用，并应设置使用权限，由专人维护管理，保证其正常运转。

(6) 技术人员 目前，国家行业主管部门规定试验室主任应具备相关专业中级（含）以上技术职称或二级建造师执业资格、5 年以上混凝土企业试验室管理工作经历。试验员（或试验工）应具有高中或中专（含）以上文化程度，并持有建设行政主管部门核发的试验员或试验工上岗证书。专职试验员不应少于 4 名，且须持证上岗。试验室宜配备专职资料管理员。试验人员参加必要的继续教育和培训。

9.1.4 混凝土企业试验检测基本规定

(1) 试验操作

a. 试验员必须持证上岗，并应严格按照相应的试验方法、标准开展试验检测工作；

b. 试验员严格按照仪器设备操作规程进行试验操作，并及时填写仪器设备使用记录；

c. 试验项目对温度、湿度有要求的，在试验检测前后应控制好环境的温度、湿度，并做好温度、湿度记录；

d. 因停水、停电或设备故障而中断的试验，必须重新进行试验；

e. 试验员在试验完成后或下班前应清洁仪器设备，检查水、电是否关闭。

(2) 试验记录

a. 各类试验的原始记录必须手工填写，应使用签字笔或钢笔书写，记录应清楚；

b. 原始记录不得随意涂改，如需修改应在修改处画两条斜线，写上正确内容，并签名或加盖个人印章；

c. 试验数据及计算结果和评定结论得出后，应由审核人审核，确保真实、准确无误，试验人和审核人不能为同一人；

d. 试验记录应按照不同试验种类分别编号（连续且唯一）、整理。

(3) 试验报告

a. 各种试验报告按照原始记录的内容出具，并填写报告日期和统一编号，经试验人、审核人、批准人签字并加盖公章后方可发放。

b. 试验报告签字人的资格和责任如下：

批准：企业技术负责人和试验室主任有批准权，对批准的报告负有技术责任；

审核：审核人须持证上岗，并对报告的准确性负责；

试验：试验人须持证上岗，对出具的试验报告与原始记录的一致性负责。

c. 试验报告必须得出明确的结论，结论中应明确说明依据的试验标准、规范。

d. 试验报告应按照不同试验种类分别整理、装订及存档。

(4) 试验台账 各项试验应按照先后次序独立编号，试验编号应保持连续，不得重号、漏号；试验员应及时根据试验结果按试验编号的顺序登记试验台账。

9.2　试验设备管理

仪器设备是构成试验能力的重要因素之一，是科研、检测和质量控制的物质基础。随着科学技术的发展和质量要求的提高，仪器设备在科研和质量控制过程中的作用也越来越重要。因此，提高仪器设备管理工作水平、发挥仪器设备的投资效益是试验室管理的一项重要内容。试验室的仪器设备通常也纳入企业设备管理工作中进行统一管理，包括登记、保管、使用、保养、校准和事故处理等工作。相关内容参见第 7 章。

9.2.1　试验设备使用管理

试验设备的正常使用阶段，是设备发挥其效能的主要阶段。因此，这一阶段的管理也就成了整个管理工作的重点。为了做好这一阶段的管理工作，一要配备强有力的试验技术队伍；二要有严格的设备操作和管理制度；三要采取必要的经济手段；四要逐步确定完好率、利用率等综合性考核指标。只有这样，才能落实责任，调动各种积极因素，充分发挥仪器设备的效益。

（1）对试验技术人员的要求　正确地使用试验设备，是发挥其正常功能的关键。高水平的试验技术人员是管好、用好仪器设备的根本保证。因此，配备足够数量的、结构合理的高水平的试验技术人员，是完全必要的。对各类技术人员在技能上的基本要求如下：

a. 必须掌握足够的基础理论知识，熟悉设备工作原理和结构、测试功能、适用范围、使用条件、安全规范、保养要求和方法等。

b. 熟悉和掌握使用设备所进行的试验检测或科研试验的目的、要求和注意事项。

c. 必须掌握实际操作技术，具体包括：能正确地使用和操作，在操作中能排除故障，果断地、正确地处理可能遇到的紧急情况，对设备进行一般保养和维护，正确地装卸所用设备的附件及配件。

为了使试验人员能够尽快达到上述基本要求，企业（或管理部门）应对试验技术人员进行培训，包括必要的脱产培训和出国进修等。

（2）合理与充分使用　设备耐用期限的长短、使用效率和工作精度的高低除了受设备原始性能的影响之外，在很大程度上取决于设备的使用情况。合理使用、规范操作能够延长设备的寿命，保持应有的精度，发挥应有的作用。合理地使用设备，应该做到：

a. 合理地安排设备的任务和负荷。要根据设备的性能、精度、使用范围、工作条件及其他技术条件安排相应的任务和合理的负荷。严禁超负荷运行，不要用精密设备干粗活，只有这样才能发挥设备应有的作用。

b. 为设备配备熟练的操作人员。操作人员技术的高低和熟练程度，对合理使用设备关系很大，大型精密设备尤其如此。因此，使用部门必须根据设备的技术要求和复杂程度配备熟练的操作人员。主管部门要加强组织领导，采取多种形式对操作人员进行技术培训，合格者方可允许上机操作。

c. 建立健全操作规程及维护制度。对大型精密设备，要逐台制定操作规程和维护保养制度，以此作为操作人员的技术法规，保证设备的合理使用。

d. 为设备提供良好的工作环境。良好的工作环境是保证设备正常运行、延长使用期限、确保安全试验的重要条件。要根据设备的不同要求，采取必要的防护、防潮、防尘、防振、保暖、降温等措施。

设备的充分使用是指在企业现有的设备中，凡是停机等待修复的要尽快修复，尽快投入使用；凡是闲置的没有得到充分利用的要尽快安排使用，保证设备在时间上和功能上得到充分利用。充分使用设备，一是提高设备的时间利用率，二是缩小设备的时间剩余。

对于混凝土企业的试验仪器设备使用来说，还应注意：

a. 试验员应严格按照各种试验仪器设备的使用说明书和操作规程进行规范操作，对有精度要求和一定安全风险的设备必须由持证人员操作，杜绝无证操作。

b. 试验仪器设备操作规程应放大后上墙，安装在相应的试验间和试验设备处。

c. 试验员应在试验前、后对试验设备进行认真检查，试验结束后清理、擦拭仪器，关闭电源，保持干净、整齐。

d. 试验仪器设备如精度、完好状况不能满足试验要求，应及时维修或更新。

e. 因仪器设备故障损坏中断试验时，可用相同等级满足试验要求的代用仪器重新进行试验，无代用仪器设备且一时无法修复时，应及时送到有对外检测资质的机构进行检验。

f. 试验仪器设备应定期进行保养，零部件、连接线、常用工具应妥善保管。

9.2.2 试验设备校准管理

产品质量的提升是企业提高自身核心竞争力的关键因素之一。计量检定是企业产品质量检测管理的重要一环。计量工作的有序开展是产品质量的保证，因此，企业要充分重视计量设备校准管理的相关工作。计量或试验检测设备的校准工作有校准和检定两种形式（表 9-1），具体安排时可根据设备或仪器的类型和使用要求进行选择。

表 9-1 仪器设备校准和检定的主要区别

对比项目	校准	检定
目的	主要用以确定计量器具的示值误差	对计量器具的计量性能进行评定，确定其是否合格
对象	强制性检定之外的计量器具	我国计量法明确规定的强制检定的计量器具
性质	不具有强制性，属于单位自愿的溯源行为	具有强制性，属于法制计量管理的范畴
依据	试验室根据实际需要自行制定的校准规范，或参照计量检定规程及其他技术文献的要求	国家计量检定规程，这是计量检定必须遵循的技术法规文件
方式	可以采用试验室自校、外校，或自校加外校相结合的方式进行	必须由法定计量检定机构或授权的计量检定机构执行
周期	由试验室根据使用计量器具的需要自行确定	必须按照国家计量检定规程的规定由承担检定工作的计量检定机构确定，检定周期属于强制性约束的内容
内容	只是评定计量器具的示值误差，以确保量值准确	对计量器具的计量性能进行评定，以确保计量器具合格、有效

同时，还应注意以下几点：

① 试验仪器设备安装和调试后，应立即委托符合资质要求的检定机构进行检定、测试或校准，仪器设备检定时环境应满足相应试验条件的要求，检定证书结论为合格方可使用；对于出具测试和校准证书的，根据测试的数据结果或达到的精度级别，应经技术负责人书面签发使用批准书后方可使用。

② 检定合格并投入使用的试验仪器设备应建立试验仪器设备检定台账，按照仪器设备台账所列检定日期，定期检定和校准（表 9-2），确保试验仪器设备在有效期内正常工作。

③ 仪器设备应有明显的检定或校准标识，标识的内容应包括仪器设备使用状态、检定日期及有效期。

④ 混凝土企业应按照要求编制试验仪器设备自校规程，并按照规程对可自检的仪器设备进行自校工作，做好自校记录。

表 9-2 混凝土试验仪器设备校准/检定周期

序号	类别	试验仪器设备名称	校准/检定周期(DB11/T 386)	建议检定周期	备注
1	水泥	水泥净浆搅拌机	2 年	1 年	可自校
2		水泥胶砂搅拌机	2 年	1 年	可自校
3		水泥胶砂振实台	2 年	1 年	可自校
4		水泥标准稠度凝时测定仪	2 年	1 年	可自校
5		雷氏沸煮箱	2 年	1 年	可自校
6		恒应力水泥压力实验机	1 年	1 年	
7		水泥电动抗折实验机	1 年	1 年	
8		水泥标准养护箱	1 年	1 年	
9		水泥恒温养护水槽	2 年	1 年	可自校
10		水泥抗压夹具	2 年	1 年	可自校
11		水泥胶砂试模	2 年	1 年	可自校
12		雷氏夹测定仪	一次性	一次性	可自校
13	掺合料(矿粉、粉煤灰)	负压筛析仪	3 年	1 年	
14		勃氏比表面积测定仪	1 年	1 年	
15		跳桌	2 年	1 年	可自校
16		高温炉(电炉高温控制器)	3 年	1 年	
17		万分之一电子天平	1 年	1 年	
18	外加剂	低温实验箱	1 年	1 年	
19		酸度计	一次性	一次性	
20		比重计	一次性	一次性	
21		混凝土贯入阻力仪	3 年	1 年	
22		混凝土含气量测定仪	3 年	1 年	
23		压力泌水仪	3 年	1 年	
24		截锥圆模	2 年	2 年	可自校
25	砂石	电热鼓风干燥箱	2 年	1 年	可自校
26		砂石筛	3 年	1 年	可自校
27		针片状规准仪	2 年	1 年	可自校
28		压碎指标测定仪	一次性	一次性	
29		容积桶	一次性	一次性	
30	混凝土	混凝土实验搅拌机	2 年	1 年	可自校
31		混凝土压力实验机	1 年	1 年	
32		混凝土抗渗仪	1 年	1 年	
33		氯离子含量测定仪	一次性	一次性	
34		低温实验箱	1 年	1 年	
35		混凝土坍落度筒	一次性	一次性	
36		混凝土抗渗试模	一次性	一次性	
37		混凝土抗压试模	2 年	2 年	可自校
38		混凝土抗折试模	2 年	2 年	可自校
39		混凝土恒温恒湿养护设备	2 年	1 年	可自校
40		混凝土振动台	2 年	1 年	
41		混凝土回弹仪	半年/6000 次	半年/6000 次	
42		砂浆稠度仪	2 年	2 年	可自校
43		砂浆试模	2 年	2 年	可自校

续表

序号	类别	试验仪器设备名称	校准/检定周期(DB11/T 386)	建议检定周期	备注
44	计量测试器具	电子天平(精度 0.1g)	1年	1年	
45		电子天平(精度 0.01g)	1年	1年	
46		电子天平(精度 0.001g)	1年	1年	
47		电子温湿度计	1年	1年	
48		游标卡尺	3年	3年	
49		玻璃器皿(量筒)	一次性	一次性	
50		水银(酒精)温、湿度计	一次性	一次性	
51		钢制直(卷)尺	一次性	一次性	

9.3 试验室技术档案管理

预拌混凝土企业的技术档案资料是指在混凝土生产过程中形成的原始记录和技术总结，经技术负责人确认后形成试验室技术档案资料。

(1) 技术档案的重要性　建设工程质量安全关系到人民生命财产安全，因此确保工程项目的安全性是每个工程技术人员的从业责任，而且是质量责任终身制。混凝土作为工程建设的主要材料，就必须确保质量稳定、安全可靠。对于预拌混凝土企业来说，完善的技术档案就是有力的依据，是混凝土企业在质量纠纷中保护自身利益不受伤害的关键，是企业合理维权的重要证据。

而且，混凝土试验室技术档案是公司在生产过程中对产品质量的原始记录，可以展现生产过程各个环节的真实数据，具有可追溯性。生产过程的这些原始记录既是质量控制与提升的管理手段，更是企业管理决策的直接依据。当混凝土出现质量问题时，这些原始记录具有验证分析、查究事故的作用，也是重要的自证材料之一。

另外，建立完善的混凝土试验室技术档案也是提升企业现代化形象的需要。

(2) 技术资料收集　技术资料的收集工作是科技档案的基础性工作，对后续生产、追溯具有重要的价值。如果收集不及时、不全面，将很难形成有效的可利用信息资源，也会直接影响混凝土质量稳定性，更无法完成技术档案的后续整理工作，长期积累就会阻碍公司技术进步，甚至使公司失去原本有力的依据。试验室通常设置一名专职资料员负责相关资料的收集整理工作。

资料收集得完整、及时、真实，是保证技术档案质量的前提，技术资料的质量体现了企业的管理水平、技术水平。

混凝土企业技术档案主要包括混凝土原材料检测、混凝土配合比设计、混凝土生产过程、混凝土出厂检验、混凝土现场浇筑、混凝土质量回访、混凝土常见质量缺陷处理以及试验室仪器设备检查和使用记录等相关资料。留档资料应经相关负责人核对并签字。具体如表9-3 所示。

表 9-3　试验室技术档案相关记录

类别/活动	相关记录
混凝土原材料检测	原材料取样制度;检测标准;原材料检测记录;检测数据统计分析;原材料留样记录
混凝土配合比设计	混凝土设计配合比计算书;混凝土配合比试验原始记录;混凝土施工配合比验证记录
混凝土生产过程与出厂检验	混凝土供应记录;混凝土坍落度出厂检测记录;混凝土抗压试验记录/报告;耐久性试验记录/报告;混凝土剩退料处理记录;混凝土试块成型记录;生产技术方案;生产日志
混凝土现场浇筑	施工现场基本情况记录;混凝土施工情况记录(是否加水,是否振捣适度,是否养护等)

续表

类别/活动	相关记录
混凝土质量回访	顾客满意度调查记录;供应商回访记录
混凝土常见质量缺陷处理	混凝土质量缺陷现场情况记录;混凝土质量缺陷原因分析记录以及处理意见和方案;与施工单位的交流记录
试验室仪器设备检查和使用	试验室仪器设备清单;每项仪器设备的登记表、说明书;仪器设备计量标定记录及合格证;仪器设备的使用记录、维修保养记录;标准养护室温湿度记录
内部文件	试验室内部会议记录;试验室工作技术总结;试验室上岗人员职业培训记录以及岗位证书;试验室工作人员研究成果、学术论文等
外来文件	国家规范、行业标准、地方标准;新成果、新产品研究论文,专业技术杂志期刊;政府和上级单位部门文件;同行单位间的技术文件

原材料的检测是混凝土生产质量控制的关键程序，而检测统计分析是配合比设计的参考依据。混凝土配合比设计按不同要求进行分类编号汇总，如果要对其修改，要注明原因和修改后的配合比，并附签名和日期。现场施工工艺对混凝土质量影响很大，混凝土企业应有专职的现场质量员进行现场作业记录，对不合理的施工工艺应及时沟通并调整，确保混凝土质量。现场施工浇筑管理对混凝土结构质量影响很大，只有抓住混凝土质量缺陷事件进行分析总结，才能提高产品质量的稳定性。

现在很多企业已经意识到试验室技术档案管理的重要性，为此展开对试验室技术档案的科学管理，比如，增设规范的档案室，对质量负责人、资料员、试验员进行专项培训，规范技术档案的采集、整理、分类、编号、立卷归档工作，努力完善试验室技术档案工作，等等。

9.4　试验室环境与安全管理

试验室环境与安全，一是对设备仪器测试环境的要求，二是对人体安全的防护。

9.4.1　环境要求

对环境的要求和控制主要涉及以下几个方面。

(1) 通风　试验室承担着大量试验任务，由于人数多，试验时间长和试验器材的不同，常常造成试验室内空气污浊。如化学试验室，试验时所使用的化学药品或者试验过程及其产物常常产生一些有害气体，对人体不利，如果没有良好的通风环境，势必影响试验人员的身心健康。因此，在新建、扩建、改造试验室时，要根据各类不同试验室的特点和要求，考虑房屋结构，使之自然通风换气良好，必要时还应配备抽风设备，以求达到室内空气新鲜，创造良好的试验环境。

(2) 采光　试验室的采光，应合理地利用自然光线，这样不仅可以增大室内照度，而且可以利用日光良好的消毒作用净化试验室空气。如结核杆菌在阴暗处可活几个月，但在阳光下只要几小时就能杀死。因此，在新建、改建试验室时，要合理选择门窗的位置和大小。另外，要使天花板和墙壁对光有较强的反射。

(3) 动力　试验室的能源有电力、煤气、汽油等，而电力又是试验室的重要动力。为保障试验室的正常工作，电源的质量、安全可靠性及连续性必须保证。一般试验室，可直接采用城市电网供电；对一些精密、贵重仪器设备，还要求提供稳压、恒流、稳频、抗干扰的电源；对一些重要试验室及计算中心则必须建立不中断供电系统，还要配备专用电源，如中频机组、不间断电源等，以保证试验室和计算机正常、可靠地工作。

(4) 照明　试验室照明设备的配备，既要保证有良好的照明，又要保证试验人员的正常操作。光源以日光灯、LED灯为宜，好处是：使用寿命长，光源面积大，光效高，发热量低。在安装方式上一般以顶装对称式布置为佳。它的优点是：水平照度均匀，光源面积大，可减少眩光，对操作人员十分有利。

(5) 供水与排水　由于各试验室的任务、性质不同，供水和排水的要求也不一样。有的试验室必须有供水条件，有的试验室要求对废水的排放做净化处理。净化处理的方法很多，可根据本单位的条件因地制宜。

一般试验室的废水只需处理就可排入城市下水道或循环用水，特殊的废水必须进行净化处理后才能排入下水道。

(6) 温湿度　试验室要求温湿度适宜。室内的微气候包括气温、气湿和气流速度等，这些因素的综合作用，对在试验室工作的人员及仪器设备都有影响。

(7) 洁净度　室外大气污染物以及各种空气微生物、灰尘等，借通风换气进入试验室。室内工作人员呼吸过程排出的气体，人体皮肤、器官以及试验过程散发出来的不良气味，都将污染试验室的环境。试验室的含尘量不能过高。如果灰尘多，其微粒落在仪器设备内的元器件表面上，就可能构成障碍，甚至造成短路和其他潜在危险，并且影响元器件散热，增加元器件表面的热阻。因此，保持试验室的洁净度是非常重要的。

(8) 隔声　不同频率和不同强度的声音，无规律地组合在一起，成为噪声。长期生活在噪声很大的环境中，会使人感到疲倦不安、思维不集中、耳鸣、耳聋。噪声强度越大，作用时间越长，工作人员受害越深。要根据各类试验室的不同要求，把噪声控制在允许的范围内。国内试验室的噪声级一般以40～45dB为宜（国际标准：试验室允许噪声级为38～42dB）。国内工业企业噪声污染主要分布在80～100dB之间。噪声卫生标准允许噪声级为85～90dB，一般室内允许噪声定为60～70dB。

降低试验室的噪声，需要采取某些必要的措施。噪声强度比较大的设备和机器，尽可能地远离试验室。例如，空压机、大功率的发电机等，可另设一个电机房，也可采用一定厚度的隔墙、双层木板门等降低噪声，还可以选用适当材料来降低噪声。根据不同噪声频率选用不同吸声材料，以达到降低噪声的目的。如：多孔性材料（矿渣棉、石棉、玻璃棉、毛毯、多孔灰泥及木纹板），可吸收高频及中频噪声；薄板材料（胶合板、硬质纤维板、石膏板、石棉水泥板、铅板、纸板等）可吸收低频噪声。另外还可以建立隔声墙、隔声罩、隔声间等。

(9) 防振　各种振动环境会给人体及试验设备造成危害。在振动环境下产生的生理反应为：一般性不舒服、焦虑、烦躁、耳鸣、头痛、恶心、失眠、神经衰弱等。振动还会影响仪器设备的使用寿命和测试的准确性。因此，一般试验室都应尽量减少振动，确保试验的顺利进行。对需要特殊防振的仪器设备，还要做好专门的防振台、室等。防振技术主要是增加阻尼，减少振动。沥青是最廉价的阻尼材料，可用于大机器的防振，对比较精密的仪器设备可用橡胶、塑料等作为防振材料。

(10) 电磁屏蔽　电子仪器对外来电磁干扰特别敏感。为了准确、可靠地做好各种科学试验，必须有效地阻止和消除外来电磁波的干扰。

9.4.2 安全与防护

安全与防护主要涉及以下几个方面。

(1) 防火防爆　当试验设备器材和化学试剂种类繁多时，如果电器设备安装、使用不当，维护不好，化学试剂使用保管不善，都有发生火灾、爆炸事故的可能。特别是化学、生化、半导体等试验室，在试验过程中使用并产生多种易燃易爆物质，而且用电又较多，必须特别注意防火防爆。

常见的易燃易爆的物质主要有：

a. 爆炸物质。如点火器材、起爆器材、炸药等。

b. 易燃和可燃液体。易燃液体的闪点低于 45℃，如汽油、酒精、乙醚、丙酮、煤油、松节油、丁醇等；可燃液体的闪点高于 45℃，如柴油、硝基苯、润滑油、甘油等。

c. 易燃和助燃气体。易燃气体有氢气、煤气、乙炔、乙烯、甲烷、氨气等。这类气体具有经撞击、受热或与空气以一定比例混合后遇火花而发生燃烧爆炸的危险，且因这类气体往往压缩成高压气体或液化气体贮存于钢瓶或其他高压容器内，爆炸后的危害性更大。助燃气体有氧气等。液氧与有机物接触能爆炸；压缩氧气与油脂接触会发生自燃现象。

d. 自燃物质。此类物质由于本身很容易氧化，不与明火接触，当外界温度升高到一定限度时便自行燃烧起来。如黄磷在空气中，温度超过 50℃即可着火。

e. 遇水燃烧物品。此类物质遇水分解，产生可燃气体，同时放出热量引起燃烧。如钠、钾、碳化钙等。

f. 易燃固体。此类物质燃点较低，受热、冲击、摩擦及与氧化剂接触后即可引起急剧而连续的燃烧或爆炸。如五硫化磷、硝化纤维素、二硝基甲苯、硫磺、镁粉、铝粉、萘等。

g. 氧化剂。这类物质具有氧化性质。一些强氧化剂遇到有机物或硫磺等无机物，极易燃烧或爆炸，如氯酸钾、过氧化钠等。

易燃易爆物质防火防爆的主要要求是：

a. 制备、使用易燃易爆物质的试验室，必须为一、二级耐火建筑，要求通风良好，能防止日晒，并远离热源。贮存此类物质的库房还应与其他建筑物有足够的安全距离，室内严禁烟火、明火取暖和明火照明，并按有关规定选用防爆措施。

b. 易燃易爆物质要分类贮存。搬运易燃易爆物质时，应轻拿轻放，不得摔碰、冲击和强烈振动；对其进行各种作业时，禁止使用打击能产生火花的铁质工具。

c. 贮存可燃、助燃性气体的库房应远离明火，使用气瓶时，也应远离明火，其距离应在 10m 以上。严防易燃气体和助燃气体混合在一个气瓶内，或者两种气瓶混放在一个库房内，如氯气与氨气、氯气与乙炔、氢气与氧气、乙炔与氧气等。气瓶内气体不能用尽，必须留有剩余压力。

d. 遇水燃烧物质的贮存，必须注意防潮、防水。氧化剂的贮存和运输应注意与有机易燃物隔离。

e. 易燃固体包装以金属容器包装为好，少量的可装入玻璃瓶内。

f. 使用氢气等易燃气体进行化学反应的试验室，必须符合防爆要求，通风要良好。内存氢气的设备和管道必须密闭，以防氢气逸出或空气侵入引起危险。

引起电气火灾的危险主要有：电路短路、过负荷、接触电阻大；电力设备产生火花或电弧；静电放电产生火花等。

为防止短路和因短路而发生火灾，必须严格执行电气安装、维修规程，并注意导线绝缘必须符合电路电压和工作情况的需要；在高温房间，导线应带有适当耐热绝缘层；在有腐蚀性气体作用的房间里，导线应采取防腐蚀措施或装在室外；潮湿房间内的电气设备要采取防潮措施，并注意不使水流到导线上；为了防止电路在短路时造成严重后果，在总开关处都应装设熔断保险器，其熔断电流应不大于电气设备或导线的最大安全电流。

为防止线路过负荷而引起火灾，应保证导线的截面积符合线路负荷的大小。如线路超载，应去掉线路上过多的用电设备，或者根据需要换成容量较大的导线。使用三相电源时，视需要安装电源指示灯，以防一相断电时，其他两相线路超过负荷。

导线与导线、导线与电器的连接要牢固，以防产生大的接触电阻。

对易燃易爆仓库和试验室应采用防爆电器设备。

保险器的额定电流必须与被保护的电气设备相适应（按要求比满载电流稍大一点）。保险器应装在有火灾危险的房屋外面，否则应加装严密的不燃箱盒保护。

产生静电的容器、管道及设备要有可靠的接地措施，以导除静电。在条件许可时，保持室内空气湿度在70%以上。有爆炸危险的场所，在进口处放一块接地金属踏板，并将门把手接地，以导除人身所带的静电。

（2）防菌　试验室的防菌主要指对有害的细菌和真菌采取防范措施。为保证试验质量和科学研究的安全、可靠，消毒防菌技术广泛应用于医疗、食品、化验等各方面。如医学、生物化学等试验室必须采取有效的消毒灭菌措施，其方法有高温熏蒸、药液浸泡、喷洒杀灭细菌的药液（如苯酚消毒）、紫外线照射和新兴的辐射灭菌（即利用放射性同位素钴和铯放射的γ射线或电子加速器产生的电子束等高能射线杀灭细菌），等等。一些试验室还要考虑采取有效的防毒措施。

试验室的消毒灭菌，是试验室工作的性质、任务所决定的，也是为保障试验室操作人员身体健康必然要采取的措施。

（3）防毒　有些试验室经常使用和接触一些有毒物质，这些物质如果进入人体，将引起人的机体功能发生障碍，导致各种疾病乃至发生生命危险，因此必须切实采取防护措施。

（4）防腐蚀　腐蚀性物品（主要指酸和碱类物品），接触人身会烧伤甚至造成死亡；接触其他物品也易造成其他物品的损坏，有时还会引起燃烧、爆炸。防腐蚀的主要措施是：

a. 腐蚀性物品应避开其易腐蚀的物品存放，注意其容器的密封性，并保持库房和试验室内通风良好。

b. 酸性和碱性物质不能混放，应分区分类隔离贮存。

c. 产生腐蚀性挥发气体的化学、半导体、生化等试验室，要有良好的局部通风（通风柜）和全室通风，要远离有精密仪器设备的试验室。如不能分楼设置，应将使用腐蚀性物品的试验室设在最高层。

d. 搬运、使用腐蚀性物品要穿戴好个人防护用品。如溅到眼睛里，立即用水冲洗后就医，以免影响视力。

e. 使用放射性同位素的试验室，要按照有关部门规定的管理办法严加管理。

第10章 人力资源管理

一个组织的素质高低，在很大程度上是其所聘用人员素质的一种总括反映。员工的“选、育、用、留”是企业最难也是最重要的管理课题。发现和选用最优秀的人才，是每个希望持续发展的企业的首要任务。“用人不得正者殆，强用人者不畜，为人择官者乱。”企业在组织工作中的重要职能之一就是选配人员，即将合适的人配备到合适的岗位上。而且，企业也应该认识到，要想让顾客满意，首先要让员工满意。

在实践中，从我国文化来看，人的管理本质是人性的管理，无外乎宗法伦理、五伦之情，企业管理的主体是人，修己安人。良好的工作环境、合理的工作报酬、公平的升迁机会、适当的工作保障和表达意见的机会，这是员工上班最大的期望。西方管理学通常把人当作一种资源，人力资源管理通常需要围绕企业的经营发展战略，在人力资源战略与规划、组织结构设计、职位分析与设计、招聘与甄选、绩效管理、薪酬管理、培训开发、员工关系等几个方面做出全面的努力（图 10-1）。

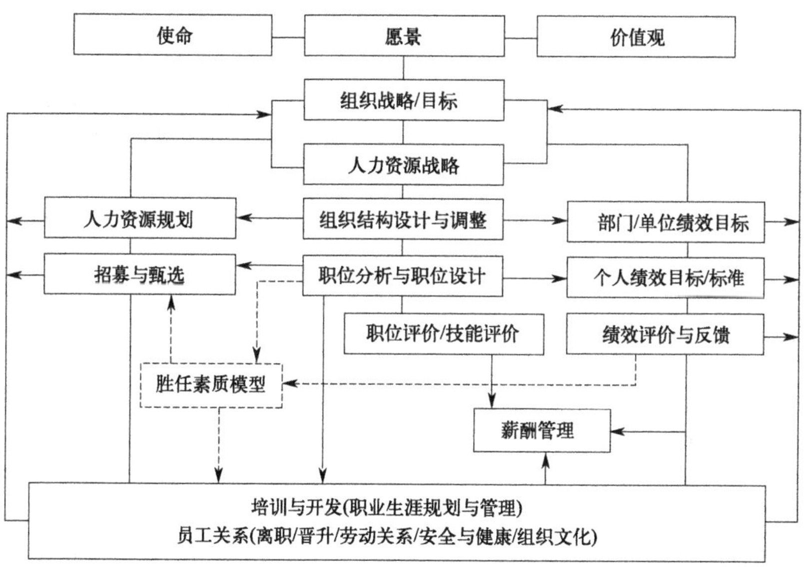

图 10-1　人力资源管理体系示意图

10.1 人力资源规划

人力资源规划是企业为确保在适当的时候，为适当的职位配备适当数量和类型的工作人员，并使他们能够有效地完成促进企业实现总体目标的任务的过程，主要包括当前评价、未来评价和制定面向未来的行动方案等三个步骤。

（1）当前评价　企业首先要对当前人力资源的状况进行考察。通常以调查的方式进行，数据来源于员工填写的调查表。调查表内容包括姓名、最高学历、所受培训、能力和专长等项目，以此评价企业中现有的人才与技能。

当前评价的另一内容是职位分析。通过人力资源调查能够知道各个员工能做些什么，职位分析则说明了岗位工作内容及对任职者能力的要求。例如，工作职责，绩效考核标准，任职所需的知识、技术与能力等。职位分析可以通过观察、面谈或调查问卷、开专题讨论会以及查看员工工作日志等方法进行。

职位分析将决定各个职位适合的人选，并最终形成职位说明书与职位规范。职位说明书是对任职者需做些什么、怎么做和为什么要做的书面说明，它通常能反映职位的内容、环境和从业条件。职位规范则指明任职者要成功地开展某项工作必须拥有的各种最低限度的资格标准，具体包括知识、技术和能力等方面内容，为有效地承担职位所必须具备的起码条件。

职位说明书和职位规范是企业开始招聘和挑选人员时应该持有的重要文件。职位说明书可向申请者详细描述该职位“是什么”，而职位规范可使管理者牢记该项职位任职者所必须具备的资格条件，从而可以帮助确定哪个候选人更合适。

（2）未来评价　企业可以根据其目标和战略决定未来人力资源的需求。

人力资源需求是企业的产品或服务需求状况的一种反映。企业可能为了达到某一营业额而争取配备相应数量和结构的人力资源。在某些情况下，这种关系也可能相反，当一些特殊的技能必不可少而又供应紧张时，现有的符合要求的人力资源状况就会决定营业规模。例如，某企业扩大营业规模的唯一限制因素可能是：该企业能否聘用和配备具有满足特定客户要求的工作人员。大多数情况下，确定人力资源需求的主要依据是企业总目标和据此确定的所需营业规模。

（3）制定面向未来的行动方案　在对现有能力和未来需求进行了全面评估以后，企业可以测算出人力资源的短缺程度（在数量和结构两方面），并指出企业中将会出现超员配置的领域。然后，将这些预计需求与未来人力资源的供应推测结合起来，就可以拟订出行动方案。可见，人力资源规划不仅为指导当前的人力资源需求提供了指南，同时也预测了未来的人力资源需求。

10.2 招聘、甄选与解聘

管理者了解了当前人事状况（是人员不足还是超员）以后，就可以采取针对性的行动。如果企业中存有一个或多个职位空缺，就可以根据职位分析得到的信息来指导招聘，即安置、确定和吸引有能力的申请者的活动过程。如果规划指明存在超员，就要减少企业中的劳动力，这种变动称作解聘。

试用期淘汰或者调岗的人员比例通常不能低于20%。工作1～3年的员工，正是人力资本投资回报率由负转正的关键阶段，这时，要从这些员工中强制选出顶部的30%，并给予差别化的待遇和差别化的成长机会。因为1～3年是企业员工流失率最高的阶段，作为活性资本，企业必须坦然地面对流失，同时也要尽最大力量来减少顶部30%的优质资本流失。而且，必须敢于拉开差距，敢于给不同的人不同的机会，而不论资排辈，唯学历论、资历论。物以类聚，人以群分，只有这样，才能把优秀的人留住。

10.2.1 招聘

要满足和超越顾客的期望，首先就要招聘正确的人，他们的技能和态度将支持和促进企业目标的实现。表 10-1 给出了企业找到潜在候选人的一些渠道，使用哪种渠道应根据当地劳动力市场、所配置工作职位的类型或层级以及企业的规模等确定。

表 10-1　找到职位潜在候选人的主要渠道

主要渠道	优点	缺点
内部搜寻	花费少；有利于提高员工士气；候选人了解企业情况	供应有限；不可能增加受保护团体类中的员工比例
广告应征	辐射广；可以有目标地针对某一特定群体	有许多不合格的应聘者
员工推荐	基于推荐者的认真推举可能产生高素质的候选人	可能不会增加员工的类别和结构
公共就业机构	正常费用或免费	通常为非熟练或受过很少训练的候选人
私人就业机构	广泛接触；仔细甄别；通常给予短期的担保	花费大
学校分配	大量、集中的候选人	仅限于初入者级别的职位
临时性支援服务	仅满足临时的需要	成本高；通常限于常规或工作范围较小的已确定技能的岗位

招聘的范围和投入的力度因企业规模不同而异。一般而言，企业越大，它就越容易吸引应聘者。而且，大企业内部候选人储备更充足，可以从中挑选合适的人补充空缺职位，但最低层次职位例外。另外，大企业常常还被认为具有更多的晋升机会并能提供更大的权力。不考虑职位的类别和吸引力，在大规模劳动力市场上招聘通常要比在小规模劳动力市场来得容易些。职位的类型或级别也会对招聘方式产生影响。某职位所要求的技能越高，或其在企业层级中的地位越高，那么招聘过程中越需要扩大范围。

研究发现，员工推荐是最好的一种招聘方式。现职员工推荐的候选人已事先经过了这些员工的筛选。因为推荐者对于职位和所推荐人选都较为了解，他们自然倾向于推荐更适合该项职位的候选人。现职员工通常会觉得他们在企业中的声望和推荐质量有关系，因此，只有确信该推荐不会影响自己的名声时才会主动推举其他人。

10.2.2 甄选

甄选是一种预测行为。企业可以使用各种甄选手段来减少错误，甚至杜绝错误。企业在甄选应聘者时，经常使用的标准包括受教育程度、工作经验、身体特征、个人特征（如婚姻状况）、人格类型及其他特征等，常用的手段包括：应聘者申请表分析、笔试和绩效模拟测试、面谈、履历调查，以及某些情况下的体格检查等。所采用的甄选手段应达到效度和信度要求。效度是指甄选手段和有关工作标准之间存在确实的相关关系，比如测试的某项能力应与其将来的工作绩效具有正相关性。信度是指同一种手段是否能对同一事物做出持续一致的评价。甄选时，要特别注意每种手段对预测工作绩效的效度。因为甄选手段的效度是因职位种类不同而异的，要选用那些对特定职位具有良好预见功能的手段。几种常见手段的简要说明如下。

（1）申请表分析　申请表包含的与经历相关的、硬性的、可证实的资料等信息，可以作为某些工作绩效的具有效度的衡量标尺，如业务员、工程师、生产工人、地区经理、办公室职员和技术员等。申请表中通常只有部分内容具有效度，而且常常只对某些特定工作具有绩效预见功能。

（2）面谈　面谈可以成为既有效度又有信度的甄选工具。如果面谈场所安排得很好，面谈者能坚持常规提问，则面谈不但可以解决招聘问题，也可以对任职后的绩效进行有效预测。为了避免面谈可能出现偏见和人为障碍等问题，应注意：对所有应聘者设计一些固定的问题；了解与招聘岗位工作有关的更详细信息；尽量减少对应聘者履历、经验、兴趣、测试成绩或其他方面的先前认知；多提问那些要求应聘者对实际做法给予详尽描述的行为问题（比如，举个你需要处罚一个员工的具体例子，包括你会采取什么行动，行动的结果会怎样）；采用标准的评价格式；面谈中要做笔记；避免短时间面谈造成过早形成决策；等等。

（3）履历调查　主要有申请资料核实和参考查询两种形式。前一种形式已被证实是获取人员甄选有关信息的一个有价值的渠道，但后一种形式基本上无任何价值。

（4）体格检查　对某些具有体能要求的职位来说具有一定的效度。通常情况下，体格检查都只是为规避健康风险而设置，因为企业要设法减少对员工工作伤害或疾病保险等的开支。

（5）笔试　笔试主要包括智商、悟性、能力和兴趣等方面的内容。许多企业并不能验证所采用的笔试确实对工作有相关的效度。证据表明，智商、空间和机械能力、认知准确性和运动能力的测试，对工业企业中许多半熟练和非熟练的操作工作具有中等程度的效度。

（6）绩效模拟测试　即对人的实际工作行为进行测验，有工作抽样法和测评中心法两种方式。工作抽样法是给申请者提供一项职位的缩样复制物，让他们完成该项职位的一种或多种核心任务。申请者通过实际执行这些任务展示他们是否拥有必要的才能。测评中心法适用于评价应聘者的管理潜能。该方法需要直线主管人员、监督人员及受过训练的心理学家组成一个测评中心，模拟性地设计出实际工作中可能面对的一些现实问题，让应聘者经受2～4天的测试练习，从中评价其管理能力。如招聘货车司机时，除了查验驾驶证外，还应进行上路实操，以尽可能地准确评估该人员与岗位的贴合度。

10.2.3 解聘

当企业不得不紧缩其劳动力队伍规模或对其技能构成进行重组时，解聘就成为人力资源管理活动的一个日益重要的内容。常见的劳动合同解除的形式如表10-2所示。

表10-2　劳动合同解除的形式

形式	说明
解雇	永久性、非自愿地终止合同
暂时解雇	临时性、非自愿地终止合同；可能持续若干天时间，也可能持续几年
自然减员	对自愿辞职或正常退休腾出的职位空缺不予填补
调换岗位	横向或向下调换员工岗位；通常不会降低成本，但可减缓企业内的劳动力供求不平衡
缩短工作周	让员工每周工作少一些时间；进行工作分担；以临时工身份做这些工作
提前退休	为年龄大、资历深或重大疾病的员工提供激励，使其在正常退休期限前提早退离岗位

应注意，人才的流动性比资本的流动性更重要。企业人才管理上的三个老大难问题就是：进来容易出去难，上去容易下去难，岗位有序轮换也很难。这样就造成了人才“板结”，或称“流动性缺失”。只有让人才流动起来，才能实现人才的动态最优配置，从而最大程度地发挥出人力资本的效能。退出机制和轮岗机制要常态化、制度化，做到人员能上能下、能进能出、有序轮换。另外，在解聘或劝退员工时要注意三点：一是平时要及时与员工沟通、纠错；二是与员工面谈劝退的工作由主管亲自完成；三是劝退交谈时，要指出员工的不足，与岗位工作不合适，也要对其优点给予充分肯定。

10.3　培训与职业发展

职位要求变化了，员工的技能也要跟着变化和改进。这就需要对员工进行培训。培训取决于企业的战略方向和顾客等相关方的需要。培训管理的主要目的是强化企业培训工作的战略一致性和成本有效性。一个完整的企业培训管理系统，包括培训需求分析与计划制订、培训计划实施、培训成果转化以及培训效果评估等四个方面。

职业生涯可以从企业角度和员工个人角度来看。从企业角度来说，职业生涯是指一位员工从进入企业开始，一直到退出企业为止的整个工作周期中所经历的一系列职位的集合，关注的是员工在一个企业内部的职业成长和发展状况，反映的是一种组织功能。从员工个人角度来看，职业生涯是个人在其一生中所经历的各种不同的工作、职位以及所获得的工作经验等。为此，现代企业必须首先让员工明确自己的兴趣以及技能优势和劣势，然后在此基础上帮助他们制订并实施合适的职业发展计划，以满足其职业发展愿望和目标。

10.3.1　技能分类

员工的技能通常可以分为三种类别：技术技能、人际关系技能和解决问题技能。绝大多数员工培训活动都着眼于改变其中一项或多项技能。

（1）技术技能　许多培训是改进和提高员工技术技能的，既包括最基本的技能——阅读、写作和进行数据分析计算的能力，也包括与特定职位相关的能力。

（2）人际关系技能　从一定程度上讲，员工的工作绩效取决于他或她同其同事和上级和谐相处的能力。有些员工具有优秀的人际关系技能，其他的人则需要经过训练改进其人际关系技能。而这包括如何做个好听众，如何更清晰地沟通自己的思想，以及如何减少摩擦、冲突，等等。具体可参考本书第 12 章的有关内容。

（3）解决问题技能　工作中需要解决一系列的问题，特别是那些非常规的、富于变化的工作更是如此。如果员工解决问题的技能还不尽如人意，那么企业可能要通过培训改进这些技能。具体方式包括：让员工参加一些活动，强化其逻辑、推理和确定问题的能力；对因果关系做出评价；制定解决问题的可行方案，并分析方案和选定最终的解决办法。

10.3.2　培训需求与计划

为完成培训需求评估，企业需要通过观察、倾听、询问以及讨论研究等方法发现工作中出现的各种问题，并针对这些问题分析培训需求的必要性。具体来说，可以采取的方法有：对员工的工作活动进行观察（观察法）；查阅各种技术手册以及相关文献（文献审查法）；采访某方面的专家或与员工面谈（面谈法）；对相关主题进行专家问卷调查，在问卷中指明各种工作任务所需要的知识、技能、能力以及其他方面的特点（问卷调查法）；等等。在培训需求评估过程中，通常需要分别分析企业的需求（组织分析），员工个人或任职者的需求（人员分析），完成特定的工作任务对于相关知识、技能与能力的需求（任务分析）等三个方面的具体情况。

培训需求明确之后，企业通常需要制订一个比较完备的培训计划。从培训的时间跨度来看，可以有中长期培训计划、年度培训计划和单项培训计划。培训计划的主要内容包括：培训目的、培训方法、培训对象与培训者、培训的时间和地点、培训的经费预算以及培训效果的评估标准等。在针对某次具体的培训活动计划中，可能还会包括在培训中将会进行的各种活动及其具体的时间安排、发生的先后顺序，以及主要的管理细节和要点等。

10.3.3 培训方法

大多数的培训是以在职方式进行的，因为简单易行且成本通常较低。但是，在职培训在学习进行之中，可能会扰乱工作的正常秩序，并导致工作失误增加。当然，网络在线学习会提高时间效率，减少对工作的影响。另外，有些技能的培训相当复杂，难以边工作边学习。此时，培训就需要在工作场地以外进行。

(1) 在职培训　常见的在职培训方法包括职位轮换和预备实习。职位轮换是通过横向的交换，使员工从事另一岗位工作。它使员工在逐步学会多种工作技能的同时，也提高其对不同工作之间相互依赖关系的认识，并产生对组织活动的更广阔的视角。而对于新员工而言，他们经常采取预备实习方式，通过跟随经验丰富的老师傅学会如何工作，即“传、帮、带”。这在作业活动领域通常叫作师徒关系，而在白领工作领域则称为教练或导师关系。不论何种情况，新员工都是在富有经验的人的指导下开展工作的，他们成为新员工竭力效仿的一个榜样。

职位轮换和预备实习适用于技术技能的学习。而人际关系技能和解决问题技能在工作场所外培训可以取得更好的效果。

(2) 脱产培训　企业可以向员工提供多种的脱产培训。最常见的包括课堂讲座、录像视频以及模拟练习。课堂讲座特别适用于传播具体的信息，因此，可以用来有效地发展员工的技术及解决问题的技能。录像视频可以用来清晰地展示技术方面的技能，而这些可能不易采取其他方法得到充分的说明。人际关系和解决问题方面的技能可以通过模拟练习更好地学到，诸如案例分析、实验演习、角色扮演和小组互动会议等。

10.3.4 培训成果转化与效果评估

培训成果转化，是指受训者将培训中所学到的知识、技能和行为等应用到实际工作中。受训者的培训成果转化水平，通常会受到成果转化的氛围、管理者的支持、同事的支持、运用培训内容的机会以及受训者的自我管理能力等因素的影响。

培训结束后，企业应该进行培训效果评估，具体内容包括：培训成本支出是否值得，培训是否达到了预定的目标，受训者对培训项目的满意度如何，培训内容及其企业管理情况如何，受训者是否在实际工作中运用到了培训中所获得的知识和技能，等等。实际工作中，企业通常结合培训的目的和企业发展战略目标来对培训可能产生的效果进行评估，评估体系主要包括：认知性结果、技能性结果、情感性结果、组织成果以及投资回报率等多个方面。认知性结果所要衡量的是受训者在多大程度上掌握了培训所传授的理论、事实、技术、程序和流程等，通常采用书面测验的方式对认知性结果进行评估。技能性结果主要用来评估受训者的技术能力或运用能力以及行为是否发生改变。情感性结果主要包括受训者的态度和动机两个方面的内容，反映了受训者对培训项目中的培训设施、培训者以及培训内容的感知情况，通常是在培训结束时以调查问卷的形式进行。组织成果反映的是培训活动给企业带来的各种回报，如员工流动率下降、生产事故减少、成本节约、产出增加或服务质量改善等。投资回报率主要指培训所带来的货币收益和培训所产生的货币成本之间的数量关系。当然，在进行培训效果评估时，未必同时对这几个方面的效果都进行评价。企业更关注的是培训是否使受训者在实际工作中的行为、技能或态度出现有利的变化，更关注培训在企业层面到底带来了哪些方面的积极成果。

10.3.5 职业发展

“职业”，通常是指生涯、专业或终身工作的历程，也可以定义为“一个人在其一生中所承担职位的相继历程”。

一个企业需要足够关心员工的职业生涯，因为着眼于职业发展，将促使企业对组织的人力资源采取一种长远的眼光。一个有效的职业发展计划将确保企业拥有必要的人才。企业培养一个人的能力不仅仅是基于当前的任务，而是基于能不能面对明天的挑战。人才培养路径依次是学习、见习、实习和胜任四个阶段。应注意，职业发展要着眼于发挥员工的天分与长处，而不仅仅依据个人的主观意愿。此外，它还能提高企业吸收和保留高素质人才的能力。

职业生涯发展也因管理而发生着变化，随着管理角色从原先的指挥和控制向教练和导师转变，企业必须处理各种跨职能的问题，更有益的是水平层面的变动，而非在一个狭隘的职能领域中的提拔。日益扁平化的组织也限制了晋升的机会。因此，职业生涯发展在于为员工提供更多的学习机会和更加有挑战性的工作，而非扩大管理控制的范围。

具体的职业生涯管理活动通常包括自我评估、现实审查、目标设定以及制订行动计划这四个步骤。自我评估目的在于使员工本人对自己的性格、职业发展兴趣、爱好特长、价值取向以及知识水平、技能水平、能力水平等有一个相对客观的评价，从而为职业发展确定一个合理的目标（图 10-2）。现实审查是员工根据企业对其技能和知识所作评价的结果，评估个人情况是否与企业的规划相符合。目标设定是指员工为自己制订短期和长期职业发展目标的过程，这些目标通常涉及在未来获得某个理想职位、能够运用某种技能、进入某个职能领域或者提高某种技能等。员工需要决定如何达到自己的短期和长期职业发展目标，包括达到目标的步骤和时间表；同时，上级管理者和企业还需要明确为了达到这些目标员工需要获得哪些方面的资源支持，等等。

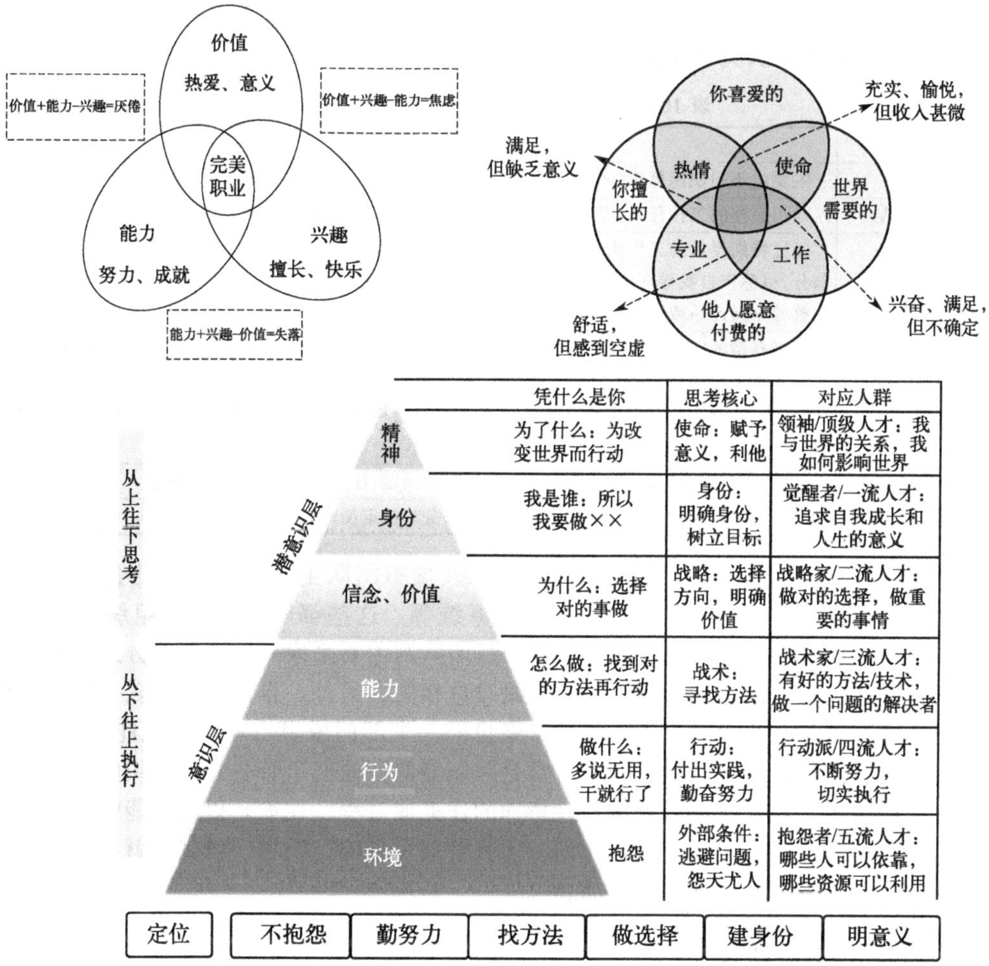

图 10-2　职业规划与人生定位分析模型

10.4 团队建设

团队合作是企业成功的保证，建设一支有凝聚力的团队，已是现代企业生存发展的一个基本条件。团队就是若干个拥有互补技能的人员的组合，采用相互负责的途径，追求共同的使命和绩效目标。

研究表明，无论是监督者还是下属员工，其工作效果均与合作正相关，而与竞争负相关。个人很难拥有充分的知识和经验来理解最重要的工作过程中的所有方面。因此，团队的方式对于过程改进来说是至关重要的。

团队及其所需要的团队技能，如合作、沟通、技能多样性和集体决策等，集中体现了工作方式的一种根本性转变。团队合作打破了个人、部门以及直线和参谋人员之间的壁垒，团队为个人提供了机会，使得他们有可能解决单靠自身无法解决的问题。参与团队活动的员工感觉他们得到了更多的授权，对企业在管理改进方面的效果更加满意，获得了更多的工作技能和解决问题方面的培训。

10.4.1 团队类型

团队可以开展各种各样的“问题解决型”专门活动，比如，确定顾客需要，制作流程图以研究某一过程，通过头脑风暴来发现改进机会，选择项目，建议纠正措施以及跟踪解决方案的效果等。常见的团队类型及其工作或任务如表 10-3 所示。

表 10-3 常见的团队类型及其工作或任务

类型	工作或任务
管理团队	主要由不同职能部门(如销售和生产)的经理人员组成,负责协调各种团队间的工作
自然工作团队	承担完整的工作任务,而不只是特定的、装配线类型的工作
自我管理团队	经过特别授权的工作团队,一般由 6～18 名训练有素的员工组成,负责产出某个最终产品的特定部分,也称作自我导向团队。这种特定部分可以是一个最终产品,或者是一项服务,还可以是一个完整的中间产品或服务
虚拟团队	相对新型的团队形式,团队成员们通过计算机进行交流沟通,轮流担任团队领导,并根据需要随时加入和退出团队
质量小组	由工人和基层管理者组成的团队,他们定期开会以解决工作中的质量和生产率方面的问题。其存续时间往往较长
问题解决团队	团队成员集中起来主要是为解决某一特定的问题,任务完成后团队就会解散
项目团队	担负着开发某种新事物或完成某项复杂任务的特定使命

管理团队、自然工作团队、自我管理团队以及虚拟团队主要从事常规的企业活动，例如，管理一个机构、生产一个产品、设计一个系统等，这些都属于工作的组织和设计的范畴。另一方面，质量小组、问题解决团队和项目团队则主要采取一种专案的方式，致力于某一特定的任务或问题，通常与管理提升、质量改进相关。另外，自然工作团队、自我管理团队以及质量小组都是企业内的，即成员通常来自同一个部门或具有相同的职能。管理团队、问题解决团队、虚拟团队以及项目团队通常是跨职能的，他们不管各自的组织归属，打破不同部门之间的边界，相互合作以完成一些特殊的任务或过程。比如，以跨职能团队的方式将来自工程、设计、质量、生产、商业计划、项目管理、采购、销售、营销和财务方面的专业人员汇聚在一起，以推出一种新的产品。

10.4.2 有效团队的建立

团队也具有一定的生命周期，其主要阶段包括组建、冲突、稳定、运转和终止。

团队的组建应当首先从调查、思考和反思开始。不要盲目地急于组建一个与特定工作不相吻合的团队。管理者应该自我审视企业的目标、文化。一个富有激情的管理者往往能够启动团队的建设，但要使团队活动能够持续下去就必须有来自管理层的坚定支持。然后，管理者就要分析所需完成的工作。团队需要花很大的功夫来维护。如果单个人员能够更好、更快地完成工作，就不应采用团队的方式。

自我管理团队是最具有挑战性的。采用这种形式的组织一般通过两种途径：或是在组织初创时就建立自我管理团队，或是从其他较初级的团队形式转化而来。第二种方式往往是其他类型的员工参与计划达到成熟后的必然结果。

任何组织上的变革都会遇到抵制，像组建团队这样的重大变革尤为如此。克服抵制的关键在于有关各方的尽早参与、开诚布公的对话和深思熟虑的计划。作为领导者，要充分信任员工和他们的工作能力，还要通过恰当的培训、奖励和认可来表明承诺和支持。

团队生命周期通常主要有以下几个阶段：组建阶段，就是团队成立、相聚在一起并探索他们的新的任务安排的阶段；接着是冲突阶段，是团队成员对各自的工作角色以及团队的运作方式发生分歧的阶段；第三个阶段，稳定阶段，发生在团队已圆满解决前阶段出现的问题的时候，团队成员对团队工作过程中各自的角色、工作规则以及行为方式达成共识；第四个阶段，运转阶段，是生命周期的产出阶段，在这个阶段，团队成员相互合作以解决问题和完成所分配的工作目标；最后，终止阶段，团队对项目进行总结，圆满地完成目标，准备解散或者是转向另一个项目。

实际工作中，高效的工作团队具有以下特征：

a. 清晰的共同目标。团队就其使命、理念和目标达成共识，这是一个坚实的基础。

b. 成员具备相关的技能和明确的角色。分工清晰，彼此担责。团队的所有成员都应该明晰自己的工作职责，了解他们对哪些事项和工作承担责任。

c. 成员之间相互信任并均衡地参与。每个成员都应该积极参与，贡献自己的才能，互相取长补短，互相协作，为团队的成功努力工作。

d. 明确的基本规则和一致的承诺。团队应描绘出可接受的和不可接受的行为，并有量化的可对成员绩效进行科学评价的体系。

e. 良好的沟通和有效的谈判技能。团队成员应该明确表达自己的意愿，积极听取他人意见并做到信息共享。团队成员善于非语言沟通，了解群体机制，能够处理与群体过程相关的问题。

f. 明确的决策程序和恰当的领导。团队应该使用数据作为决策的依据，并学会在关键问题上达成共识。

g. 改进计划。计划可以帮助团队明确所需的建议、帮助、培训、材料以及其他资源，进而指导团队制定时间表和阶段性目标。

h. 有益的团队行为。团队应该鼓励成员运用有效的技巧和方法以便于日常讨论和会议讨论。

i. 科学的方法。采用结构化的解决问题的方法，团队更容易找到问题的根本原因。

团队需要大量的领导及维护性的活动，特别是在团队较大以及项目或工作比较复杂时。表 10-4 展示了团队成员的几种典型角色及其特征。

表 10-4 团队成员的典型角色和特征

角色名称	角色特征
高层支持者	• 致力于使之实现 • 坚信所为正确 • 坚定不移，富有韧性

续表

角色名称	角色特征
发起人	•坚信所推动的概念 •有敏锐的商业头脑 •甘冒风险和承担责任 •有权批准所需资源 •能够影响上级
团队领导者	•致力于团队的使命和目标 •在计划、组织、人事、控制和指导方面富有经验 •能够得到成员尊重,发挥模范作用 •面对多样性的团队时能够坚定、公平和理性 •促进自由讨论 •积极倾听 •最大限度地激活团队成员 •平等地支持所有团队成员 •尊重每位团队成员的个性
推动者	•在起推动作用方面训练有素 •为团队成员所尊重 •机智得体 •指导干预的适当时机 •关注团队的过程而非其内容 •尊重团队领导者而不越位 •保守秘密 •如果被要求向管理层汇报有关团队的私有信息,将会婉拒接受推动者的角色
时间控制者	•能够协助团队领导者控制团队会议的时间 •当时间被拖延时能够果断干预 •在担当时间控制者的同时仍能完成团队成员的职责
记录员	•能够以书面等方式捕捉团队会议的要点和决定,能够提供完整、准确、清晰的团队记录文本 •为了准确记录能够果断打断讨论以澄清某个要点或决定 •在担当记录员的同时仍能完成团队成员的职责
团队成员	•愿意致力于团队的目标 •能够以一种平和的方式来表达观点、想法和建议 •能够积极倾听团队其他成员的意见 •善于接受新的想法和建议 •能够面对压力和公开讨论问题 •具有团队所需的某一领域的专长 •有良好的表现记录 •愿意作为团队成员而非"明星"发挥作用

团队管理失败的原因往往是多方面的，包括组织方面的问题（如错误的方针、糟糕的工作程序、模糊的愿景、欠妥的奖酬制度、令人困惑的目标、不确定的角色定位以及与团队相冲突的文化等)、领导方面的问题（如差劲的领导、不充分的反馈和信息、错误的工具)、个人/团队方面的障碍（如不匹配的需要、潜藏的工作安排、个性冲突、团队信任的缺失、对变革的抵触）等。因此，管理者们必须仔细评估将团队方式引入到组织中的方式，并将团队建设视为一项关键的工作过程。

10.4.3 员工参与

员工参与是指员工参与的、与工作相关的一切决策和改进活动，目的在于激发所有员工的创造潜能并提高其工作积极性。员工和企业的关系是互相成就，而不是谁剥削谁，谁占谁便宜的。互相成就需要的是两者“同频”（即思想、意识、言论、精神状态等方面的共鸣或协同），尤其是认知上保持共识，再就是状态上和目标上的“同频”。为此，企业和员工要积极互动。员工参与的方式可以只是信息共享，或是针对工作方面的问题提一些意见和建议，也可以是以跨职能团队的方式来自主承担职责，如设定目标、做出业务决策、解决问题等，如表 10-5 所示。

表 10-5　员工参与的各种方式

参与类别	方式	主要结果
1. 信息共享	管理者做决定，然后通知员工	符合要求
2. 对话	管理者听取员工意见然后做决定	接受
3. 解决特定问题	管理者向选定的员工委任一次性的问题	贡献
4. 群体内解决问题	小组每周进行活动以解决本单位内的问题	承诺
5. 群体间解决问题	跨职能小组解决职能间的共同问题	合作
6. 集中解决问题	小组每日进行活动以攻克特定问题	全神贯注
7. 有限的自我导向	团队在选定的场址全面发挥作用，上级的监督降到最低限度	责任
8. 全面的自我导向	最高管理层在全面由团队构成的企业中促进自我管理	当家做主

总的来看，相对而言，员工参与主要有以下优点：

a. 信任和合作取代了敌对。

b. 培养个人的技能和领导能力，树立使命感，促进信任。

c. 提升员工士气。

d. 促进创造和创新，这是竞争优势的源泉。

e. 有助于员工理解管理原则，并将这些原则融入企业文化中。

f. 使员工能够从源头及时解决问题。

g. 提高质量和生产率。

最简单的个人层面的员工参与方式是提案制度。

10.4.4 授权

授权，即赋予员工职权，让他们基于自己的判断来决策，控制自己的工作，甘冒风险并从错误中吸取教训，促进变革。授权意味着信任。

被授权的员工必须具有智慧，知道该做什么、如何做以及做的动机，了解完成任务所需的工具。这些要求可能意味着对工作系统的巨大变革，特别是：

a. 为员工提供培训、资源和激励。

b. 废除政策和程序中对员工顾客服务能力的限制。

c. 营造信任的工作氛围，而非只是惩罚和怨恨失败。

d. 实现信息的自由共享，而非将其作为控制和权力的手段严密保护。

e. 给予管理者实施“放手”的领导方式的必要支持和培训。

f. 最大限度地对员工进行培训。

授权还意味着领导者和管理者需要放弃一部分之前他们所拥有的权力。这种权力的转移往往会使管理层担心员工们会滥用这些职权。但是，经验表明，一线的员工往往要比管理者更加保守。例如，授权员工群体对同事的工作绩效进行评估并决定工资涨幅的企业发现，员工往往比管理者要严格得多。

授权赋予了管理者新的职责。他们必须选择和培养能够适应授权的员工，必须鼓励承担风险并认可员工的成就。有时向员工通报企业的有关市场或财务信息以及相应决策也是非常有益的，因为管理层相信员工们将会更多地为他们自己的工作着想，并清楚企业的目标。

授权可以视作管理层和员工之间的纵向的团队合作。企业相信员工自主决策的能力，从而使员工建立起了信心，并促进了员工的承诺和自豪感。授权还为员工提供了更好的经验以及职业发展机会，为购买企业产品和服务的顾客带来了好处。授权给员工，不仅释放了人们的才智和能量，还使得组织更加扁平化，减少了官僚作风问题。

应注意，并非所有人都适合于授权，因为一个特定的工作环境需要选择合适的人选。通常人才或流程的成熟度越高，授权的幅度也越大。

10.5 薪酬与认可

薪酬和认可是指工资和奖励的所有方面，包括升职、奖金和认可。这里的认可既包括金钱方面的，也包括非金钱方面的；既可以是针对个人的，也可以是针对群体的。

薪酬通常包括各种形式的薪酬和福利，具体有：基本薪酬、可变薪酬、福利以及服务，还包括一次性奖金、股票、期权等其他多种经济型报酬。普遍认为，总报酬核心构成要素有薪酬、幸福感、福利、发展和认可（图 10-3），这五大要素合起来决定了一个组织为培育一支高效的、积极的和忠诚的员工队伍而实施的战略。具体的薪酬确定要考虑企业所在地的经济水平和同行业或同岗位情况，在薪酬具有适宜竞争力的水平情况下，人力成本比例通常也不会过高。金钱可以成为一个激励因素，但它经常也会让员工觉得他们受到了不公平的对待，会让管理者传达出负面的信息。而且，它还会削弱人们的内在动机，并造成一种有输有赢的困境。良好的薪酬体系目标应当是能够吸引和留住员工，激发而非打击他们的积极性。此外，它还应该能够减少不能解释的工资差异，鼓励内部的合作而非竞争。大多数企业仍然以收入增长、利润率和成本管理这些传统的财务指标作为决定薪酬的依据。薪酬体系是员工行为的指挥棒，因此，一些优秀企业在进行薪酬决策时则考虑了质量方面的指标，如顾客满意度、缺陷率和工作周期等。

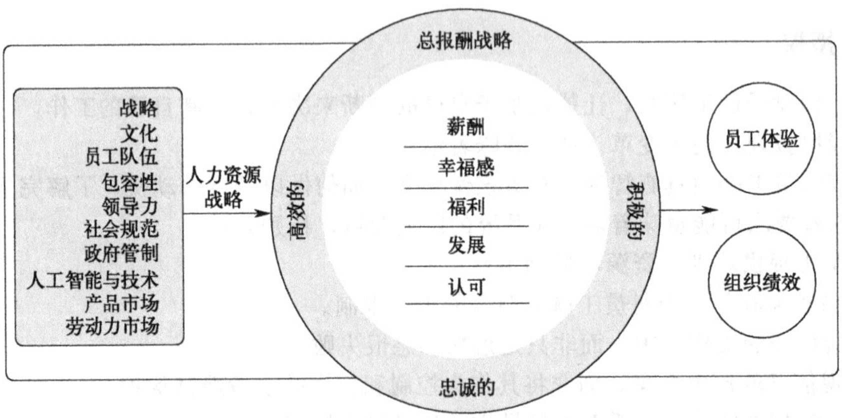

图 10-3 总报酬构成模型示意图

10.5.1 薪酬管理的基本要求

薪酬一直是一个与激励和员工满意密切相关的棘手问题，主要是因为薪酬管理系统一般要同时实现公平性、有效性和合法性三大目标，但每个员工的情况又千差万别。

所谓公平性，是指员工对于企业薪酬管理系统以及管理过程的公平性、公正性的看法或感知，这种公平性涉及员工对于本人薪酬与企业外部劳动力市场薪酬状况、企业内部不同职位以及类似职位的薪酬水平之间的对比结果。所谓有效性，是指薪酬管理系统在多大程度上能够帮助企业实现预定的经营目标。经营目标并不仅仅包括利润率、销售额、股票价格上涨等方面的财务指标，还包括客户服务水平、产品或服务质量、团队建设以及企业和员工的创新和学习能力等方面的定性指标。所谓合法性，是指企业的薪酬管理体系和管理过程是否符合国家的相关法律规定。从国际通行情况来看，与薪酬管理有关的法律主要包括最低工资法、同工同酬法或反歧视法等。然而，在薪酬管理的这三大目标之间有时会存在一些内在的冲突，因此，企业必须在这三大目标之间找到适当的平衡。

从管理的角度来说，薪酬管理的公平性是一个需要特别注意的问题。这是因为薪酬问题在很大程度上是一个公平问题，而公平本身是一个主观色彩很浓的概念，因此把握起来难度比较大。总的来说，任何一个企业的薪酬管理体系都必须达到以下四个方面的公平性要求。

第一，薪酬的外部公平性或者外部竞争性。这一标准所考虑的是员工会将本人的薪酬与外部劳动力市场或其他企业中从事同样工作的员工所获得的薪酬进行比较。由于这种比较的结果常常会影响到求职者是否选择到某个企业去工作或者影响企业中现有的员工是否会做出跳槽的决定，所以，一般情况下，企业往往都会注意借助市场薪酬调查来避免员工产生强烈的外部不公平感。

第二，薪酬的内部公平性或者内部一致性。这一标准所关注的是一家企业内部不同职位之间的薪酬对比问题。在企业采用职位薪酬体系（主要以职位本身的价值来确定员工基本薪酬的薪酬体系）的情况下，员工常常把自己的薪酬与比自己等级低的职位、等级相同的职位（可能属于不同的技能类别或不同的部门）以及等级更高的职位所获得的薪酬加以对比，通过这种对比来判断企业对本人所从事的工作支付的薪酬是否公平、合理。在实践中，企业往往通过职位评价来强化员工对于薪酬的内部公平性的认可。

第三，绩效报酬的公平性。员工通常还会与那些和自己在同一个企业中从事相同或类似工作的其他人进行薪酬比较。如果员工认为，在一个企业中从事相同或类似工作的员工，无论是绩效优秀、绩效一般还是绩效不良，都能够拿到大体相同的薪酬，他们就会产生不公平感。因此，企业通常采用绩效加薪以及其他绩效奖金等方式来体现绩效水平不同的员工对企业的贡献大小。

第四，薪酬管理过程的公平性。薪酬管理过程和薪酬政策的实施方式也会影响员工对于企业薪酬制度的公平性的看法。“暗箱操作”的薪酬决策方式以及薪酬保密的政策往往导致员工对企业薪酬制度的不信任，而公开、透明和通过与员工的沟通所做出的薪酬决策以及由此制定的薪酬制度往往容易使员工认同企业薪酬的公平性，接受起来更为容易，并且薪酬系统的有效性会相应提高。

10.5.2　薪酬体系设计

管理薪酬时，通常需要在薪酬体系、薪酬水平、薪酬结构以及薪酬管理政策等四个方面进行决策。薪酬体系决策的主要任务是确定员工基本薪酬的基础是什么，通常可分为职位薪酬体系、技能薪酬体系以及能力薪酬体系。薪酬水平是指企业中各职位、各部门以及整个企业的平均薪酬水平，薪酬水平决定了企业薪酬的外部竞争能力。薪酬结构是指薪酬体系中包括哪些薪酬项目（图 10-4），比如岗位工资、工龄工资、浮动工资和运营利润分配收益等，哪些是固定的，哪些是变动的，以实现部分岗位工资“上不封顶”的目的。同时，薪酬结构也包括同一组织内部一共有多少个基本薪酬等级以及相邻的两个薪酬等级之间的薪酬水平差距有多大等。薪酬管理政策主要涉及企业的薪酬成本与预算控制方式以及企业的薪酬制度、薪酬规定和员工的薪酬水平是否保密等问题。

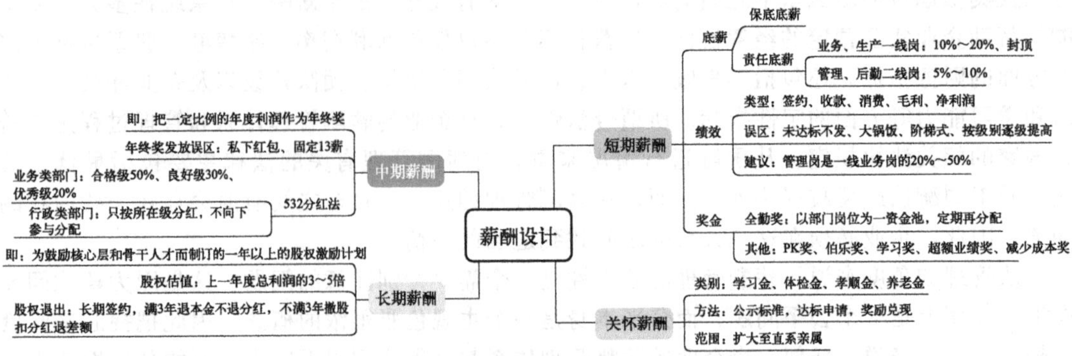

图 10-4　薪酬体系设计思维导图

应注意，虽然不同的岗位其底薪与绩效薪酬的比例也不同，但是对岗位关键工作（事件）和行为态度的评价，是薪酬体系设计中不可缺少的内容。这两项内容在考核设计时通常有不同的权重，并据此进行等级评价、实施绩效加薪。当然，要提前设计好考核指标和标准，尤其是日常行为加减分条例等评价制度，以规避乱打分、评价失真等现象。

（1）职位薪酬体系的实施前提　企业在实施职位薪酬体系时，必须首先对以下几个方面的情况作出评价，以评估企业所处的环境是否适合采用职位薪酬体系。

第一，职位的内容是否已经明确化、规范化和标准化。职位薪酬体系要求纳入系统中的职位本身必须是明确、具体的。因此，企业必须保证各项工作有明确的专业知识要求、明确的责任，同时这些职位所面临的工作难点也是具体的、可描述的。换言之，必须具备进行职位分析的基本条件。

第二，职位的内容是否基本稳定，在短期内不会有大的变动。只有职位的内容保持基本稳定时，企业才能使工作的序列关系有明显的界线，不至于因为职位内容的频繁变动而使职位薪酬体系的相对稳定性和连续性受到破坏。

第三，是否具有按个人能力安排职位（工作岗位）的机制。由于职位薪酬体系是根据职位本身的价值向员工支付报酬的，因此，如果员工本人的能力与所担任职位的能力要求不匹配，其结果必然会导致不公平的现象发生。因而，企业必须能够保证按照员工个人的能力来安排适当的职位（图 10-5，图 10-5 中 A、B、C 为等级）。既不能存在能力不足者担任高等级职位的情况，也不能出现能力较强者担任低等级职位的情况。当个人的能力发生变化时，他们的职位也能够随之变动。

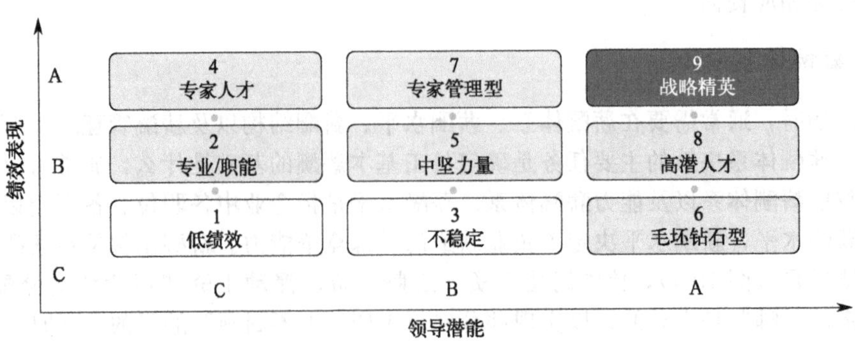

图 10-5　某企业干部选拔九宫格示意图

第四，企业中是否存在相对较多的职级。在实施职位薪酬体系的企业中，无论是比较简单的工作还是比较复杂的工作，职位的级数应该相当多，从而确保企业能够为员工提供一个随着个人能力的提升由低级职位向高级职位晋升的机会（表 10-6）。否则，职位等级很少，大批员工在晋升到一定的职位之后就无法继续晋升，其结果必然是阻塞员工的薪酬提升通道，加剧员工的晋升竞争，损害员工的工作积极性及进一步提高技能和能力的动机。

第五，企业的薪酬水平是否足够高。即使是处于最低职位级别的员工，也必须能够依靠其薪酬来满足基本的生活需要。如果企业的总体薪酬水平不高、职位等级又很多，处于职位序列底层的员工所得到的报酬就会非常少。

表 10-6 某公司职级序列表

管理线层级	角色	岗位层级	技术线/运营线
M10	董事长		
M9	副董事长	P14	资深科学家
M8	执行副总裁	P13	科学家
M7	资源总裁	P12	资深研究员
M6	副总裁	P11	高级研究员
M5	资深总监	P10	研究员
M4	总监	P9	资深专家
M3	资深经理	P8	高级专家
M2	经理	P7	专家
M1	主管	P6	高级工程师/高级专员

（2）职位薪酬体系设计的基本流程　职位薪酬体系的设计步骤主要有五步：第一步是了解一个企业的基本组织结构和职位在企业中的具体位置；第二步是收集与特定职位的性质有关的各种信息，即进行职位分析工作；第三步是整理通过职位分析得到的各种信息，按照一定的格式把重要的信息描述出来并加以确认，编写包括职位职责、任职资格条件等信息在内的职位说明书；第四步是对典型职位的价值进行评价，即完成职位评价工作；第五步是根据职位的相对价值高低进行排序，即建立职位等级结构，这也就形成了薪资的等级结构。

目前，职位评价方法有非量化评价法和量化评价法两种。非量化方法是指那些仅仅从总体上确定不同职位之间的相对价值顺序的职位评价方法，主要包括排序法和分类法。量化方法则试图通过一套等级尺度系统来确定一种职位的价值比另一种职位的价值高多少或低多少。量化的职位评价法也有两种，即要素比较法和要素计点法。排序法和要素比较法是将职位与职位加以比较的两种职位评价方法，只不过排序法是通过将职位和职位进行整体比较得出职位的重要性或价值顺序，而要素比较法则是将职位分解成若干要素，然后将这些职位在每一种要素上的价值逐个加以比较，最终得出职位的总等级顺序。分类法和要素计点法则不是将职位与职位加以比较，而是将职位与一个事先确定的尺度加以比较。不过分类法是直接为整体性的职位划分出一个系列等级，并给每一个等级赋予一段描述性定义，然后将职位与这些等级定义对比，最后把职位归入与定义相符的等级中。要素计点法则是将职位中包含的报酬要素加以等级划分并定义，然后将职位的每一个要素与要素等级的定义比较，确定职位的每一个报酬要素应该归属的要素等级，最终获得职位价值的总排序。

（3）薪酬水平与结构　企业所支付的薪酬水平高低无疑会直接影响其在劳动力市场上获取劳动力的能力强弱，因此，薪酬水平所代表的薪酬外部竞争性实际上是指一个企业的薪酬水平高低以及由此产生的在劳动力市场上的竞争能力大小。

在决定薪酬水平前，要进行调查。薪酬调查是指一个企业通过收集信息来判断其他企业所支付的薪酬状况的这样的一个系统过程，这种调查能够为实施调查的企业提供市场上的各种相关企业（有时也包括竞争对手）向员工支付的薪酬的水平和结构等方面的信息。这样，实施调查的企业就可以根据调查结果确定自己当前的薪酬水平相对于竞争对手在既定劳动力市场上的位置，从而根据自己的战略定位调整自己的薪酬水平，甚至薪酬结构。

薪酬结构是对同一企业内部的不同职位的基本薪酬水平所做的安排，强调的是职位等级的数量、不同职位等级之间的基本薪酬差距以及确定这种差距的标准。尽管薪酬结构强调的是企业内部的一致性问题，但它也受外部竞争的影响。事实上，薪酬结构决策是在内部一致性和外部竞争性这两种薪酬有效性标准之间进行平衡的结果。完整的薪酬结构通常主要包括基本薪酬的等级数量、同一薪酬等级内部的基本薪酬变动范围（最高值、中间值以及最低值）、相邻两个基本薪酬等级之间的交叉与重叠关系，包括不同系统之间不同职位等级的薪酬等级重叠等，薪酬结构设计示意图如图 10-6 所示。

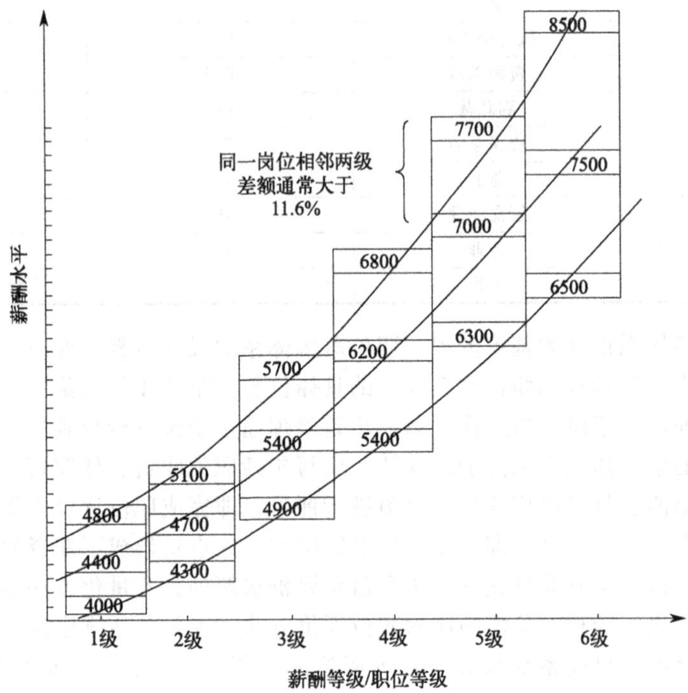

图 10-6　薪酬结构设计示意图

薪酬变动范围又称为薪酬区间，它实际上是指在某一薪酬等级内部允许薪酬变动的最大幅度。薪酬变动范围说明的是在同一薪酬等级内部，最低薪酬水平和最高薪酬水平之间的绝对差距问题。薪酬变动比率通常是指同一薪酬等级内部的最高值与最低值之差与最低值的比。通常情况下，薪酬变动比率的大小取决于特定职位所需的技能水平等综合因素，技能水平要求较低的职位的薪酬变动比率要小一些，技能水平要求较高的职位的薪酬变动比率要大一些。薪酬区间或者薪酬变动范围的中值是薪酬结构管理中一个非常重要的因素，它通常代表该薪酬等级的职位在外部劳动力市场上的平均薪酬水平。与薪酬区间的中值相关的一个概念是比较比率，通常用这一概念来表示员工实际获得的基本薪酬与相应薪酬等级的中值或者中值与市场平均薪酬水平之间的关系。大多数企业力图将自己的实际平均薪酬水平与市场平均薪酬水平之间的比较比率控制在 100%左右，至于员工个人薪酬比较比率则往往取决于员工的资历、先前的工作经验和实际的工作绩效。通常任职时间比较长、绩效比较好的员工的薪酬比较比率（通常会超过 100%）要比新进员工的薪酬比较比率（通常会低于 100%）高。

从理论上说，在同一企业中，相邻薪酬等级之间的薪酬区间既可以设计成有交叉重叠的，也可以设计成无交叉重叠的。有交叉重叠的是指各相邻薪酬等级的最高值和最低值之间往往会有一段交叉和重叠的区域。无交叉重叠的设计又可以分为衔接式（上一个薪酬等级的薪酬区间下限与下一个薪酬等级的区间上限在同一条水平线上）和非衔接式（上一个薪酬等级的薪酬区间下限高于下一个薪酬等级的区间上限）两种。

在实践中，大多数情况下，企业倾向于将薪酬结构设计成有交叉重叠的，尤其是对于中层以下的职位。这是因为目前企业内部的薪酬等级数量比原来少，晋升的机会也比原来少，如果相邻两个薪酬等级的薪酬区间水平差异过大，就会造成这样一种情况，即某人一旦得到晋升，其薪酬水平会立即比原来的薪酬等级所对应的薪酬区间的上限高出许多。同时，对处在下一个薪酬等级的工作多年的老员工来说，其薪酬水平可能要比工作经验和年限少却有幸晋升到上一个薪酬等级的人低得多。相邻薪酬等级的区间存在适当交叉和重叠的做法可以有效避免上述问题或矛盾，它可以避免因晋升机会不足而导致的未被晋升者的薪酬增长局限，同时也为被晋升者（绩效优秀者）提供了更大的薪酬增长空间，为被晋升者提供了激励。但是，重叠的区域也不应该太大，否则会限制不同薪酬等级之间的区间中值的差异，甚至出现上级的薪酬低于下级的情况。

(4) 绩效薪酬　即奖励性薪酬，是指员工的薪酬随着个人、团队或者企业绩效的某些衡量指标的变化而变化的一种薪酬。由于绩效薪酬是建立在对员工行为及其达成企业目标的程度进行评价的基础之上，因此，绩效薪酬有助于强化企业规范，激励员工调整自己的行为，并且有利于企业目标的实现。实施过程中应注意以下几点。

第一，企业必须认识到，绩效薪酬只是企业整体薪酬体系中的一个重要组成部分，它尽管对于激励员工的行为和绩效具有重要的作用，但是不能取代其他薪酬计划，只有与其他薪酬计划密切配合，才能确保绩效薪酬正常发挥作用。不能认为只要有了设计良好的绩效薪酬计划，企业对员工的报酬和激励问题就可以顺理成章地得到解决。

第二，绩效薪酬必须对那些圆满完成企业绩效或行为与企业目标一致的员工给予回报。因此，绩效薪酬必须保持三个方面的一致性，即员工的目标和企业特性（企业的服务对象以及企业的产品和服务等）、企业的战略规划以及企业的目标的一致性，并且与其他经营活动相协调。

第三，要想实施绩效薪酬，企业必须首先建立有效的绩效管理体系。这是因为绩效薪酬是以员工个人、群体甚至企业整体的业绩作为支付奖励的基础。

第四，有效的绩效薪酬必须在绩效和奖励之间建立紧密的联系。如果绩效与报酬之间不存在联系，绩效也不会达到最大化。

第五，绩效薪酬必须获得有效沟通战略的支持。既然绩效薪酬要求员工承担一定的风险，那就要求企业能够及时为员工提供正确地做出决策所需要的各种信息；同时，企业还需要就绩效情况向员工提供经常性的反馈，以帮助员工提高实现既定目标的可能性。

第六，绩效薪酬需要保持一定的动态性。这是因为绩效薪酬是围绕企业经营目标、企业外部的经营环境以及员工的工作内容、工作方式等情况而不断变化的，这就需要时不时地重新设计绩效薪酬计划或对原有的绩效薪酬计划进行修改和补充。

绩效薪酬有很多种，选择何种计划取决于企业的经营战略、经济状况、人员情况以及企业想要达到的目标。在企业的目标改变时，绩效薪酬的种类也应该随之发生变化。对于绩效薪酬，可以从两个维度进行分类：从时间维度来看，分为长期激励计划和短期激励计划；从激励对象维度来看，分为个体激励计划和群体激励计划。

① 短期绩效薪酬。

a. 绩效加薪。绩效加薪是指根据员工在某种绩效评价体系中获得的评价等级决定其基本薪酬增长幅度的一种绩效奖励计划。通常是在年度绩效评价结束时，企业根据员工的绩效评价结果以及事先确定的绩效加薪规则，决定员工在下一年可以得到的基本薪酬。绩效加薪所产生的基本薪酬增加会在员工以后的职业生涯（在同一个企业中连续服务的年限）中得到累积。简单的绩效加薪规则如表 10-7 所示。

表 10-7 简单的绩效加薪规则

项目	大大超出期望水平	超出期望水平	达到期望水平	低于期望水平	大大低于期望水平
绩效评价等级	S	A	B	C	D
绩效加薪幅度	8%	5%	3%	1%	0%

绩效加薪计划的三大关键要素是加薪的幅度、加薪的时间以及加薪的实施方式。绩效加薪的幅度主要取决于企业的支付能力，但是如果绩效加薪的幅度过小，绩效加薪计划又很可能会无效，因为小幅度的加薪往往起不到激励员工的作用，并且很容易与生活成本加薪混同。从绩效加薪的时间安排来看，常见的绩效加薪是每年一次，也有一些企业采取半年一次或者每两年一次的做法。

b. 一次性奖金。一次性奖金是一种非常普遍的绩效薪酬。发放一次性奖金这种方法不仅可以有效解决薪酬水平已经处于薪酬区间最高点的员工的薪酬激励问题，而且有助于避免企业固定薪酬成本的增加。需要注意的是，如果企业总是以一次性奖金替代基本薪酬的增加，有可能导致员工产生不公平感或不稳定感。因此，绩效加薪和一次性绩效奖金要配合使用。

c. 特殊绩效认可。特殊绩效认可是一种很好的激励方法，它可以对那些出人意料的单项高水平绩效表现给予一次性的现金或者其他实物性奖励，具有非常高的灵活性和自发性，提供了一种让员工感觉到自己的重要性和价值的机会，适用于为企业做出了特殊贡献比如，开发出新产品、开拓出新的市场、销售额达到相当高的水平等的个人或团队。

② 个人绩效薪酬。

a. 直接计件。这是一种运用最为广泛的奖励计划，薪酬直接根据产出水平而发生变化。其做法是先确定在一定时间内应当生产出的标准数量，然后根据标准产出数量确定单位时间工资率，最后根据实际产出水平计算出实际应得薪酬。优点是简单明了，容易被员工了解和接受；缺点是确定标准存在困难。在生产领域需要进行时间研究，但是时间研究所得出的计件标准的准确性会受到观察的次数、选择的观察对象、对正常操作速度的界定等各方面因素的影响。因此，这种计划往往需要管理者和工人双方共同参与。

b. 标准工时。标准工时是指首先确定正常技术水平的工人完成某项工作任务所需的时间，然后确定完成这项工作任务的标准工资率。即使一个人因技术熟练以少于标准时间的时间完成了工作，他也获得标准工资率。对于周期很长、技能要求较高、非重复性的工作而言，标准工时计划十分有效。

c. 差额计件。直接计件工资计划的一种变体是差额计件工资计划，其主要内容是使用两种不同的计件工资率：一种适用于那些产量低于或等于预定标准的员工，另一种则适用于产量高于预定标准的员工。

③ 群体绩效薪酬。这是近年来受到重视和广泛应用的一种绩效薪酬，主要优点有：一是从工作角度来看，工作产出是集体合作的结果，无法衡量员工个人对于产出所做出的贡献；二是从企业状况来看，在企业的目标相对稳定的情况下，个人的绩效标准需要针对环境的压力而经常变化，并且生产方式以及资本和劳动力的要素组合必须适应压力的要求而经常

做出调整；三是从管理方面来看，企业中存在良好的绩效文化和团队合作文化，这是因为企业在制定出明确的目标并且能够就绩效标准与员工进行良好沟通的前提下，员工会对这种奖励计划有充分的信任，同时也更有信心达成预定的绩效目标。

a. 利润分享，是指根据对某种企业绩效指标（通常是利润）的衡量结果，向员工支付报酬的一种绩效奖励模式。根据这一计划，员工按照一个事先设计好的公式，分享所创造利润的某一百分比，员工根据企业整体业绩获得年终奖或者股票，或者以现金的形式或延期支付的形式得到红利。

b. 收益分享，是企业提供的一种与员工分享因生产率提高、成本节约和质量提高而带来的收益的绩效奖励模式。通常情况是，员工按照一个事先设计好的收益分享公式，根据本人所属工作单位或群体的总体绩效改善状况获得奖金。在通常的收益分享计划中，报酬会在群体内所有员工之间公平地进行分配，或者根据每个人的基本薪酬的某一相同比例发放，或者按每完成一小时的工作获得相同的小时报酬这种方式发放，或者按每个人得到相同金额平均发放。收益分享计划的基础是群体绩效而不是个人绩效，并且通常是一种短期的群体绩效。

收益分享计划有三个突出的优点：一是它并不使用整个企业层次上的绩效衡量指标（利润），而是对某一群体或者部门的绩效进行衡量。准确地说，它不是要分享利润的一个固定百分比，而常常是与生产率、质量提高、成本有效性等方面的既定目标达成联系在一起的。由于这些指标比利润指标更容易被员工看成是他们所能够控制的，因此，收益分享计划可能会比利润分享计划的激励性更强。二是收益分享计划的奖励支付周期通常比利润分享计划更短，也更为频繁，它对于员工的绩效奖励相对比较及时。三是收益分享计划具有真正的自筹资金的性质，因为作为收益分享基础的收益是企业过去无法获取或者节约的钱，这些钱是经过员工的努力创造出来的，而不是企业从自己的口袋里掏出来的。

c. 成功分享，又称为目标分享计划，它的主要内容是运用平衡计分卡的思想为某个经营单位制定包括财务和非财务目标、过程和结果目标等在内的若干目标，然后衡量既定绩效目标的达成情况或者绩效改善的程度，并根据衡量结果向经营单位提供绩效奖励。这里的经营单位既可以是整个企业，也可以是企业内部的一个事业部、一个部门，还可以是某个员工群体。所涉及的目标可以包括在财务绩效、质量和客户满意度、学习与成长以及流程等各个绩效方面的提高，并且在成功分享计划中，每个绩效目标都是相互独立的，经营单位每超越一个绩效目标，就会单独获得一份奖励，分别考核，分别奖励。成功分享计划的目的在于将某一经营单位内的所有员工与某些预定的绩效改善目标联系在一起，如果这些目标达到了，员工就会得到货币报酬或非货币报酬。

④ 长期绩效薪酬。长期绩效薪酬是指绩效衡量周期在一年以上的、对既定绩效目标的达成提供奖励（主要是以股票的形式）的计划。之所以将长期界定为一年以上，是因为企业的许多重要战略目标都不是在一年之内能够实现的，实际上，长期绩效薪酬的支付通常以3～5 年为一个周期。长期奖励计划强调长期规划和对企业的未来可能产生影响的决策，它能够创造一种所有者意识，有助于企业招募、保留和激励高绩效的员工，从而为企业的长期资本积累打下良好的基础。大多数长期绩效薪酬以经济目标为导向，但越来越多的计划也开始向涵盖其他绩效的要素扩展，比如客户满意度以及质量提高。此外，传统的长期绩效薪酬大多集中于企业的高层管理人员，以促使他们关注长期经营结果。

所谓股票所有权计划，实际上是指企业以股票为媒介所实施的一种长期绩效薪酬。一般分为三类：现股计划、期股计划以及期权计划。现股计划是指通过企业奖励的方式直接赠予，或者参照股权的当前市场价值向员工出售股票。期股计划规定，企业和员工约定在将来某一时期内以一定的价格购买一定数量的企业股权，购股价格一般参照股权的当前价格确定，该计划也会对员工在购股后出售股票的期限做出规定。在期权计划下，企业给予员工在将来某一时期内以一定价格购买一定数量企业股权的权利，到期时员工可以行使这种权利。

企业通常基于具有特定能力的个人在市场上的工资水平来确定其薪酬，并根据能力的提高、所承担责任的增加、资历以及经营结果来进行调整。对于预拌混凝土这种生产型企业来讲，可以针对不同的员工设计不同的激励制度，例如，可以制定如下的四种基本薪酬方案：

a. 生产激励。直接生产工人每月可根据其所在团队的产量获得奖金。这些生产率和质量奖金是基于生产小组所产出的合格的混凝土数量来确定的。奖金的构成是确定的，以既定的生产目标为依据，一般为底薪的 80%～150%。这一计划促使每个员工努力工作。在一些企业中，还要考虑员工的出勤率和迟到情况。设备不运转就领不到奖金，这促使人们高度重视设备的维护保养。奖金按月发放，以强化人们的积极性。

b. 部门经理激励。部门经理人员的奖金主要基于其所在部门的资产回报率，每年发放一次。

c. 非生产领域、非部门经理激励。这包括财会人员、工程技术人员、文秘人员以及其他职员。他们的奖金根据部门的资产回报率来确定。每月各部门都会收到一个进展情况报告，它被张贴在员工餐厅或休息场所，员工据此能够判断预期的奖金水平。

d. 高级管理人员激励。高级管理人员的薪酬的很大一部分取决于企业的股东权益回报率超出最低回报率的水平。如果企业业绩良好，其薪酬将远远超过平均水平。如果企业业绩不好，只能领取低于行业平均水平的底薪。

总之，设计薪酬时应把员工的关注点与企业关注点有机结合，并让员工能够充分享受到企业达成目标后的收益。

（5）认可和奖励　认可和奖励既可以是金钱的，也可以是非金钱的；既可以是正式的，也可以是非正式的；既可以是针对个人的，也可以是针对团队的；既可以是单项的，也可以是不同项目自由选择、组合的礼包。这些奖励包括旅游、礼物、衣物、假期或由企业出资举办的颁奖或专门活动。经验表明，现金奖励和非现金奖励相结合的方式对事务性人员和时薪工人有更好的激励作用。

有效的员工认可和奖励制度主要包括以下内容：

a. 奖励个人和奖励团队相结合。员工个人奖励包括口头和书面的表扬以及分配其最喜欢的工作，团队奖励则包括集体奖金和津贴等。许多企业都设有正式的企业奖励计划，如“市场驱动质量奖”“总裁奖”和“团队卓越奖”等。获奖得主是由跨职能团队来评选的，评选时主要依据创新点子、卓越的顾客服务、榜样作用、工作技能、管理能力等条件。

b. 全员参与。经验表明，成功的奖励计划的制订既包括企业的高层管理者，也包括一线员工。

c. 依据可测量的目标来进行质量方面的奖励。认可和奖励不是只看结果，还包括行为。例如，企业通过对每条被采纳的建议进行现金奖励来鼓励员工们参与提供建议。一群同事每月都会选出最佳改进建议，并伴有现金奖励。同时企业也要不断修改、取消与质量价值观不相符的奖励制度。持续的反馈强化了良好的绩效并识别出有待改进的领域。

d. 由同事和顾客来选出具有卓越绩效的员工，并对其进行奖励。如某企业设一个以员工提名为基础的现场质量奖，表彰在员工提名中位列前 2%的员工。

e. 大力宣扬。许多企业通过新闻简报、证书、特别的台历和聚餐等形式来表彰获奖员工。

f. 让奖励充满趣味，有仪式感。

总之，认可是促进员工提高质量和服务意识的一种有形的手段，它告诉员工企业高度重视他们提高质量和服务的努力，从而激发他们改进的积极性。

10.5.3 员工福利

福利不同于根据员工的工作时间计算的薪酬形式。福利主要有退休福利、健康福利、带薪休假、实物发放、员工服务等。与基本薪酬相比，福利具有两个方面的重要特征：一是基本薪酬往往采取的是货币支付和现期支付的方式，而福利则通常采取实物支付或者延期支付的方式；二是基本薪酬在企业的成本项目中属于可变成本，而福利，无论是实物支付还是延期支付，通常都有类似固定成本的特点，因为福利与员工的工作时间之间并没有直接的联系。正是上述两个方面的重要特征，决定了被称为间接薪酬的福利作为企业总报酬体系中的一个重要组成部分，在企业的薪酬系统中发挥着独特的作用。

福利主要有法定福利、补充保险计划以及员工服务三种类型。法定福利主要包括法定社会保险、法定假期以及住房公积金三类。补充保险计划主要有企业年金、团体人寿保险计划、健康医疗保险计划等。员工服务主要包括咨询服务、教育援助计划、儿童看护帮助、老人护理服务、饮食服务和健康服务等。

随着福利种类的增多和福利覆盖范围的扩大，可供利用的福利种类越来越多，但是并非所有的福利计划都适合任何企业中的任何员工群体。因此，在制订企业的福利计划时，不仅要考虑现在市场上流行什么样的福利，更要对自己的企业进行深入分析，寻求与企业的战略目标、企业文化、价值观、未来企业变革和员工类型相匹配的福利模式。

10.6 绩效管理

绩效通常是指个人在企业目标实现过程中做贡献的程度。高绩效工作是指系统地追求前所未有的高水平总体绩效和个人绩效所使用的工作方法。

高绩效工作一般具有以下几个特征：灵活性，创新性，知识和技能共享，与企业方向一致，以顾客为中心及迅速适应快速变化的业务需要和市场需求。团队常常成为高绩效工作系统的基础。通常可以从三个层面来观察、实施：个人层面、过程层面和企业层面。根据这三个层面来设计高绩效的工作系统。在个人层面，工作系统应该能够促进工作活动的有效完成，提高灵活性并鼓励个人管理和改进工作过程的积极性。自然工作团队、质量小组和自我管理团队能够通过员工参与、授权和培训等方式为上述目标的实现提供理想手段。在过程层面上，合作、跨职能的团队协作和沟通是关键的要点。项目团队、问题解决团队都能够支持这些要点的实现。

绩效评估是对员工的工作绩效进行评价，以便形成客观公正的人力资源决策的过程。比如，工资升级及奖酬、绩效反馈、培训提升以及晋升、岗位轮换及解聘决策等。但它又是一项非常困难的活动。工作要讲求效果，就必须追踪考核；考核是为了补救、改善和提高，而不是为了处罚、令人难堪。

10.6.1 绩效管理步骤

绩效管理，是指识别、衡量以及开发个人和团队绩效，并且使这些绩效与企业的战略目标保持一致的一个持续性过程，终极目标是“上下同欲”，即员工与企业同心，利益一致，目标一致。通常绩效管理也被认为是企业为确保员工的工作活动和产出与企业目标保持一致而实施的管理过程。可以看出，绩效管理包括两个重要内容：一是绩效管理的目的是确保企业的战略目标得以实现，它的出发点就是努力确保员工个人及其团队的绩效与企业的目标保持一致；二是绩效管理不是某种可以在短时期内一次性完成的活动，相反，它是一个过程，而且是一个持续的过程，企业中的高层、中层以及基层管理人员通过这一过程，努力使员工的绩效与企业的目标绩效要求保持一致。绩效管理既是企业和员工就应当实现何种目标以及如何实现这种目标达成共识的一个过程，同时也是通过人员管理来提高企业成功可能性的一种方法。

在管理实践中，一个完整的绩效管理过程是从制定绩效目标开始的，然后延续到对工作过程的监督、协调、指导和控制，接着延伸到对员工个人及团队的实际绩效达成情况进行衡量，最后还要对通过绩效衡量反映出来的不良绩效问题进行讨论和反馈，并制订进一步的绩效改善计划，这四大步骤形成 PDCA 闭环管理（图 10-7）。

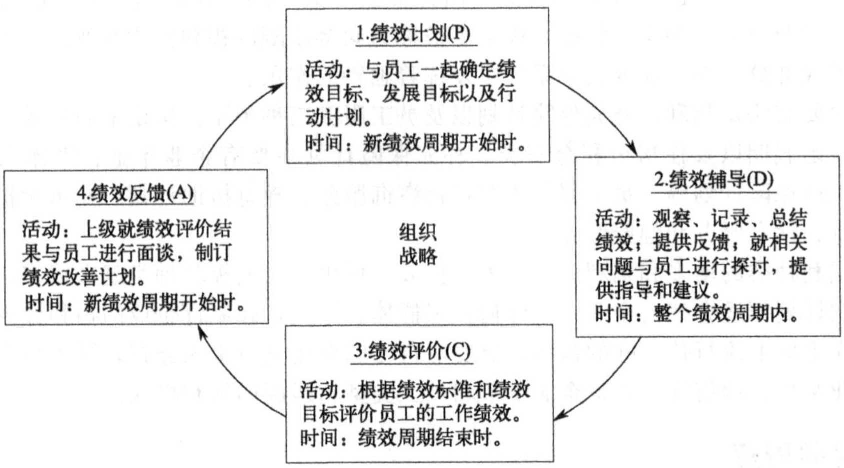

图 10-7 绩效管理循环示意图

（1）绩效计划 在绩效计划阶段，管理者和员工需要通过共同讨论确定在未来的绩效周期中，员工应当做什么，如何做，以及取得什么样的效果。在制订绩效计划时，有两个最为重要的前提条件：一是要清楚地了解企业的使命和战略目标（关键指标）；二是要清楚地了解员工所承担的工作职位。企业的关键指标包括业绩指标和行为指标。业绩指标是从业务目标而来，逐步拆解为部门目标、团队目标、个人目标，分别找出影响目标达成的关键因素，从而获得业绩的关键指标。行为指标是从公司的价值观而来。

企业的战略规划过程使企业能够清楚地知道自己存在的目的或原因，在未来想成为什么样的企业，想实现哪些目标，以及准备采取哪些战略来实现这些目标。一旦确定整个企业的目标，就要在此基础上对目标进行层层分解，使企业内各部门的目标都能够支持企业使命和目标的实现。帮助一个组织系统梳理从使命、战略到企业绩效目标，再从企业绩效目标到部门绩效目标，最后到员工个人绩效目标，最常使用的两种方法是关键绩效指标法（key performance indicator，简称 KPI）和平衡计分卡法。KPI 首先选取对企业的效益和业务管理重点有重大影响、相对可控以及有很大改善潜力的指标，然后以鱼骨图的方式将这些指标层层分解，直到员工个人。平衡计分卡法则从存在内部逻辑关系、具有层层推动作用的四大绩效维度（即学习和成长、内部业务流程、客户以及财务）出发，首先分析每一个绩效维度对企业来说最为重要的关键绩效指标，然后进行层层分解，直到每一位员工都为实现自己在某些关键绩效指标上的目标而制订出行动计划。

任何一套绩效管理体系的建立和实施，都要求我们必须对当前的职位有清楚的了解。换言之，职位分析是绩效管理体系尤其是绩效计划建立的一个基本前提。职位分析是一个确定特定职位的关键构成的过程，它能够清楚地告诉我们一个职位所承担的工作中涉及的工作活动、任务、产品、服务以及流程等信息，这些信息对于绩效计划的制订是至关重要的。如果不进行职位分析，就很难确定一个特定的职位到底应当承担哪些主要职责，说不清楚这个职位上的人到底应该做什么。在这种情况下，显然根本不可能知道应当针对员工去评价什么以及如何进行评价。

在员工个人绩效计划中，通常主要涉及三个部分的主要内容，即结果、行为以及发展计划。首先，结果是指员工需要完成哪些工作或者必须取得哪些实际的成果，其中包括员工的关键职责领域、关键绩效指标以及涉及质量、数量、成本和时间等维度的绩效衡量标准（表10-8）。其次，在绩效计划阶段往往还需要对员工的行为及其工作完成方式加以界定。在界定行为时，最常用的一种手段是胜任素质模型。最后，在绩效计划阶段，管理人员及其下属还应当对员工的发展计划达成共识，在发展计划中应包括员工需要改进的领域以及在每一个领域中需要达成的改进目标。

表 10-8　绩效衡量标准

岗位	维度				
	多	快	好	省	新
生产	产量多	库存周转快	质量好、稳定性好	能耗省	新制造工艺
销售	客户/业绩多	资金回款快	客户满意	销售费用省	新策略方式
采购	供应选择多	存货周转快	原材料质量好	采购费用省	新材料、新供应模式
研发	新品品类多	研发上市快	新品质量好	研发费用省	新研发方式
物流	发货数量多	商品发货快	物流满意	物流费用省	新手段、新技术

（2）绩效辅导　绩效辅导实际上就是绩效计划的整个实施阶段，它是整个绩效管理循环中持续时间最长的一个阶段，它涵盖了员工在绩效计划指导下，为努力达成预定的绩效目标的要求而开展的所有工作活动和工作过程。一旦绩效计划确定了，员工就必须努力行动，同时满足发展计划提出的各项要求，以取得相应的结果。这一过程中，工作任务完成的主体以及绩效达成的主要责任人是员工，他们必须通过自己的努力来实现当初所做出的绩效承诺。与此同时，员工的直接上级也承担着重要的管理责任，他们是否有能力通过监控、协调、指导等活动推动或激励下属实现预定的绩效目标，对于员工的实际绩效达成来说具有非常重要的影响。事实上，这种能力也是管理者的一种极为关键的管理胜任素质。

在这一阶段，员工和上级管理者之间必须主动进行频繁和及时的沟通，这是因为：第一，需要通过持续的沟通对绩效计划做出适时的调整。竞争环境是多变的，员工个人的绩效目标或者各项绩效目标之间的权重可能需要随着战略的调整和外部环境的变化而有所调整。第二，员工需要在绩效计划执行过程中了解相关信息，同时获得必要的资源支持。只有不断获得上级提供的必要信息支持和信息反馈，员工才能对自己的工作方向和工作成果有充分的信心，对工作有一种良好的控制感。第三，管理人员也需要在绩效计划执行过程中了解一些信息，既是为了及时掌握员工的工作进展情况，了解当前工作进度与预定计划之间的差距，从而及时做出各种必要的调整，避免到最后关头才发现目标要落空，并且已经无法挽回；也是为了了解员工在工作中的表现和遇到的困难，通过协调团队之间的工作，提供必要的信息和资源支持等，帮助员工解决实际问题，同时对员工提供心理上的支持。

（3）绩效评价　又称为绩效审查、绩效考核、绩效考评、绩效评估等，它往往发生在一个绩效周期结束时。在很多企业中实际上存在两套并行的绩效评价制度，即正式的评价制度和非正式的评价制度。管理人员经常考察自己的下属工作做得怎么样，这实际上就是一种非正式的评价制度。此外，还有企业建立了正式绩效评价制度，这是为了对员工的绩效进行评价而建立的一整套规范性和系统性的制度。

在绩效评价方面，任何一个企业都需要回答五个关键问题，即评价什么、怎样评价、谁来评价、何时评价以及为何评价。

"评价什么""怎样评价""何时评价"的问题实际上在绩效计划阶段就已经解决了。"评价什么"取决于企业的战略和员工个人承担的职责，这两者共同决定了员工需要承担的关键绩效领域或对其而言的关键成功要素（比如，市场经营的两大最为关键的绩效领域是接单和回款）。"怎样评价"的问题是通过找到每一个关键绩效领域或关键成功要素中所包括的关键绩效指标来解决的（比如，业务员的关键绩效领域"回款"中，可以找到的关键绩效指标分别是"回款账期"和"现金回款率"）。不仅如此，在绩效计划阶段，每一个绩效指标往往还会确定一个目标值。

至于"何时评价"的问题，实际上涉及绩效评价的周期问题，通常是按照一个明确的绩效周期来制定的。需要指出的是，在绩效管理的过程中，尽管最终的总评价可能在绩效周期结束时才进行，但是在整个工作和绩效达成的过程中，也会有一些阶段性的评价活动。比如，混凝土销售业务员的绩效周期可以以年度或单个工程项目为周期。

"谁来评价"所要解决的是绩效评价的主体应当是什么人的问题。理论上讲，谁对被评价者的某一绩效维度或绩效指标最了解，谁就应该成为对该被评价者表现好坏进行评价的人。因此，被评价者的上级、同事、下级、外部客户以及员工本人等都有可能成为某位员工的绩效评价信息提供者。不过，实践中，在绝大多数情况下，对员工个人的绩效进行评价往往是由员工和直接上级共同完成的。在每一个绩效周期结束时，通常是由员工的直接上级负责填写下属的绩效评价表格。在填写正式的评价表格之前，他们通常会要求员工自己先填写一份自我评价表，还会从员工的同事、客户等那里广泛收集关于被评价员工的绩效信息，并且审查相关的数据和工作记录，以确保绩效评价的完整性和准确性。

"为何评价"实际上是要指明绩效评价的目的。如前所述，企业可以通过绩效管理达成战略目的、管理目的以及发展目的。企业开展绩效评价的目的不同，或侧重点不同，绩效评价的内容构成及其权重也需要做相应的调整。比如，如果绩效评价的主要目的是确定绩效奖金的分配，那么绩效评价的重点就应当是员工实际达成的结果性绩效，因为发放奖金的目的是奖励那些对企业有利的结果。相反，如果绩效评价的目的是制订发展计划，则在评价内容中就应当重点强调被评价者的知识、技能和能力等方面的因素，从而为帮助员工制订培训发展计划做准备。

（4）绩效反馈　绩效反馈是指将绩效衡量和评价的结果告知员工，让员工认识到自己的绩效差距以及未来发展的方向，并且与员工共同制定下一步的行动方案，以帮助员工不断提升个人能力、改进个人绩效以及为企业做出更大贡献的过程。在这个阶段，员工及其直接上级需要面对面地坐下来，共同对员工的绩效进行审议，即开展绩效评价面谈或绩效讨论。在绩效评价面谈中需要讨论的内容之一是回顾员工在过去所达成的绩效状况，这主要涉及他们过去做了什么、结果怎样，以及是如何做的，即行为怎样。在讨论过去的绩效时，直接上级和员工可能会就每一个绩效维度和绩效指标展开讨论。此外，在绩效评价面谈中，还应该讨论员工在个人发展方面取得了哪些进步，以及对未来应当进行怎样的规划，即在下一次绩效评价面谈之前的这段时间里，讨论员工应当达成的目标以及个人发展计划。

尽管绩效反馈在绩效管理中是一个非常重要的环节，但它常常被视为整个绩效管理过程的"阿喀琉斯之踵"。主要原因是许多管理人员对提供绩效反馈感到不自在或不自信，尤其是当员工存在绩效缺陷时。这种强烈的不适感可能会转化为焦虑和对绩效反馈的敷衍或逃避，对管理人员提供相应的培训有助于减轻这种不适感。

总之，绩效管理是一个完整的、不断循环改进的过程。这一过程包括对绩效内容和标准的准确界定、对绩效完成过程的监督和指导、对绩效完成情况的衡量和评价，还包括对员工提供建设性的反馈。但在现实中，很多企业的绩效管理实际上只是绩效评价或绩效考核，缺少认真、细致的绩效计划和绩效辅导过程，也没有实施有效的绩效反馈，这种残缺不全的绩效管理系统是很难帮助企业赢得竞争优势和取得长期发展的。此外，在传统的绩效管理中，由于绩效管理往往是以年度或半年为一个周期的，因此，比较正式的绩效反馈往往都是在年底或年中才提供的。但是，随着竞争环境日益多变，绩效管理周期很难再以年度为单位，必须有所缩短。新生代员工也更习惯于获得及时的反馈，正如网络游戏能够提供的那种及时反馈一样。值得庆幸的是，现代科技尤其是通信技术的发展为企业提供及时、有效的反馈创造了条件，企业通过互联网以及各种移动终端可以随时随地提供和接收反馈，全球定位系统甚至可以让公司以每周 7 天、每天 24 小时的全天候方式实时跟踪销售人员的位置，大数据和云计算技术的应用也为企业及时发现并纠正绩效问题提供了更多的机会。事实上，很多企业都已引入电子绩效监控系统，而且，也由早期阶段的监控摄像头系统、计算机和电话监听系统发展成为今天的穿戴技术和智能手机。

10.6.2 绩效评价方法

(1) 绩效管理方法　员工个人绩效的产生过程可以简单地描述为：一位具有某些特征的员工，在一定的组织环境下，通过采取某些行动或表现出某些行为，最终达成某种结果。根据这种描述，可以把员工的绩效划分为特征、行为以及结果三个方面（图 10-8），实际上是员工在实际完成工作的过程中的投入、过程和产出要素，因此，这种对员工个人绩效进行衡量的方法称为投入-产出法。据此，可以采用特征法、行为法和结果法三种方法对员工的个人绩效进行评价，其特点如表 10-9 所示。

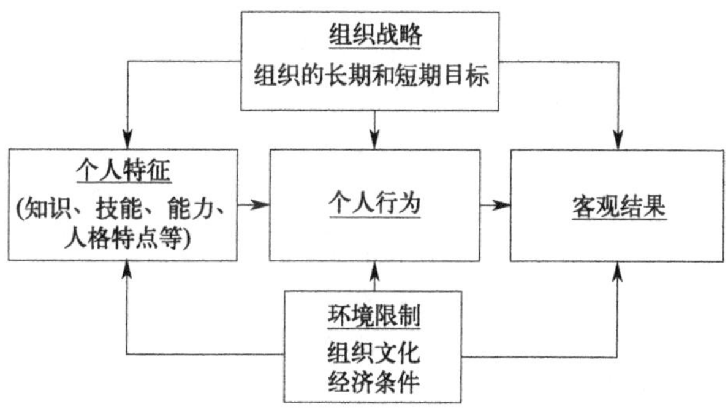

图 10-8　绩效评价投入-产出法示意图

表 10-9　绩效评价三大方法的特征

方法	内涵	战略匹配性	效度	信度	可接受性	明确性
特征法	完成者个人的情况	通常较低。需管理者建立与战略之间的联系	通常较低。如果设计精细，效度还能过得去	往往很低。通过明确界定特征可提高信度	高。易于发展和使用	非常低
行为法	以员工完成工作的过程为重点	比较高	通常很高。能使“污染信息”和“缺失信息”最小化	通常较高	中等。难以发展，但在使用时的可接受性较好	非常高
结果法	只看工作成果和结果	非常高	通常比较高。可能既有“污染信息”，也有“缺失信息”	高	高	在结果方面非常高，但在达成这些结果的必要行为方面较低

特征法强调的是个人的情况，相对忽略了特定的情景和行为及其产生的结果，评价者对被评价者的相对稳定的特征（如认知能力、个性以及责任心等）加以评价。行为法重点关注员工在工作中做了什么，而不考虑员工的个人特征或行为到底产生了怎样的结果，具体有描述法、关键事件法、等级评价法和行为观察评价法等。结果法不关心员工的行为和过程，而只关注最终结果，比如销售额、新发展的大客户数量、质量缺陷率等。应注意，虽然有时工

作结果无法定量评价，但仍要对结果的质量进行评价（图 10-9），并要坚信：对结果不同程度的追求，决定了个体的价值。

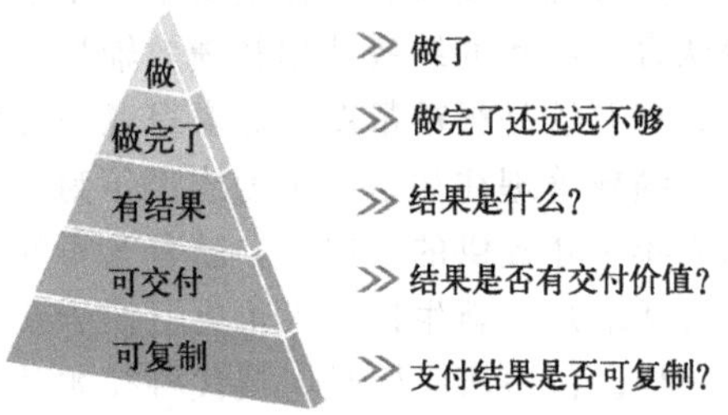

图 10-9　结果思维模型示意图

一般而言，绩效评价表格包括 10～15 项具体的或抽象的评价指标，如产品的数量和质量、和他人协同工作的程度、工作积极性等。每个指标从“优”到“不满”或“差”分为五或七档。在进行绩效评价面谈时，常常会宣布提薪、奖金和晋升等。有些情况下，企业会规定结果的分布情况，如“任何部门评为优秀的员工不得超过 10％”，或“只有被评为优秀或良好的员工才能获得晋升或奖励”等。经验表明，考核时适宜的比例是：“杰出”占 10％，“良好”占 40％，“正常”占 45％，“需改进”的占 5％。

经验表明，传统的绩效评价中主要存在以下问题和缺陷：

a. 鼓励平庸，不鼓励风险承担。

b. 过度关注短期的、可测量的结果，阻碍长期的计划或思考，忽视难以测量的非常重要的行为因素。

c. 过于重视个人，忽视甚至损害了部门内或部门间的团队合作。

d. 事后检查，而非事先预防。

e. 常常是不公平的，因为管理人员观察的不准确性。

f. 不能区分员工可控因素和员工不能控制的系统决定的因素。

所以，许多企业在绩效评价过程中，也应用了同事互评、顾客评价以及自我评价等方法。也有企业采用 360 度反馈法，即由供方、顾客、同事、内部顾客、管理人员和下属人员组成的工作小组将参加绩效评价过程，以破除传统评价制度中存在的一些弊端。其他几种常见的方法简要说明如下：

a. 书面描述法。也许最简单的绩效评估方法就是写一份叙述性材料，描述一个员工的所长、所短、过去的绩效和潜能等，然后提出予以改进和提高的建议。一种“好”或“差”的评价，可能不仅取决于员工的实际绩效水平，也与评估者的写作技能有很大关系。

b. 关键事件法。评估者将注意力集中在那些区分有效的和无效的工作绩效的关键行为方面。评估者记下一些细小但能说明员工所做的是特别有效果的或无效果的事件。这里的要点是，只述及具体的行为，而不笼统地评价一个人的个性特质。为某一个人记下一长串关键事件，就可以提供丰富的具体例子，给员工指明他或她有哪些期望的或不期望的行为。

c. 评分表法。这是一种最古老也最常用的绩效评估方法。它列出一系列绩效因素，如工作的数量与质量、职位知识、协作与出勤，以及忠诚、诚实和首创精神等，然后，评估者逐一对表中的每一项给出评分。这种方法的优点是总时间耗费较少，便于作定量分析和比较。

d. 行为定位评分法。这种方法综合了关键事件法和评分表法的主要要素：考评者按某一序数值尺度对各项指标打分，当然，评分项目是某人从事某项职位的具体行为示例，而不是一般的个人特质描述。行为定位评分法侧重于具体而可衡量的工作行为。它将职位的关键要素分解为若干绩效因素，然后为每一绩效因素确定有效果或无效果行为的一些具体示例。其结果可以形成诸如“预测”“计划”“实施”“解决眼前问题”“贯彻执行命令”以及“处理紧急情况”等的行为描述。比如，对于“按资历对加班任务进行公平分配”以及“告诉工人们如果有问题随时可以来和他谈”这类的叙述，一位经理对其属下的基层监督人员可以用 5

分制尺度中的 0 分（几乎从不）或者 4 分（几乎总是）作出评价。

e. 多人比较法。将一个员工的工作绩效与一个人或多个人作比较。这是一种相对的衡量方法。该方法最常用的三种形式是：分组排序法、个体排序法和配对比较法。

分组排序法要求评价者按特定的分组将员工编入诸如“前 1/5”“次 1/5”之类的次序中。个体排序法要求评估者将员工按从高到低的顺序加以排列，因此只有 1 人可以是“最优的”。在配对比较法下，每个员工都一一与比较组中的其他员工配对进行比较，评出其中的“优者”和“劣者”。在所有的配对比较完成后，将每位员工得到的“优者”数累计起来，就可以排列出一个总的顺序。这种方法确保每一位员工都与其他人作比较，但当要评估的员工人数相当多时，这种配对比较法就很不容易实施。

多人比较法可以与其他各种方法结合使用，以便得到一个按绝对标准和相对标准衡量都为优秀的人员的名单。

f. 目标管理法。该方法不仅在计划工作中可以得到采用，同时也是绩效评估的一种手段。事实上，它是对管理人员和专门职业人员进行绩效评估的首选方法，它能够体现对结果目标的重视。以目标为依据的绩效评价是最有效的，这些目标要支持企业的战略方向、最佳惯行和持续改进。企业需要比较性数据，如行业平均水平、最好的竞争者绩效，甚至是世界级标杆，这样才能获得关于绩效的准确评价，才能清楚自身相对于竞争者和业界之最的位置。比较性数据应根据企业的需要和优先次序来决定，应该聚焦于对竞争战略而言最为关键的领域。图 10-10 给出了典型企业的绩效指标，并在每个指标中列出了几个测量指标的例子。

企业通常重点强调利润、销售额和成本这些能带来成果的结果指标，这种趋向恰与目标管理法对工作绩效定量测评的关注相一致。正因为目标管理法重结果更甚于过程，因此使用这一评估方法可使管理者得到更大的自主权，以便选择其达成目标的最好路径。在目标管理法下，每个员工都确定有若干具体的指标，这些指标是其工作成功开展的关键目标，因此它们的完成情况可以作为评价员工的依据。

（2）绩效目标管理模型　虽然企业对于绩效管理的创新摸索从未停止过，但仍然存在诸多问题，比如，绩效考核缺乏标准及规范，导致结果难以保持公平公正；绩效评估结果与员工利益直接挂钩，导致员工不敢挑战自己而丧失工作热情甚至产生抵触；绩效管理主观性太强，导致员工遭遇不公平待遇而挫伤感情等。不难发现，当今时代人们希望从工作中获取的东西已经不仅仅是简单的金钱了，更多的是自身的成长、内心的成就感以及其中的快乐。

当前，多数企业采用 KPI 进行绩效管理，KPI 也成为引导企业发展方向的“仪表板、指挥棒”，是客观的、可衡量的。

KPI 通常与绩效考核挂钩，它可以是能够衡量企业和个人工作绩效的任何定量指标。KPI 体现了衡量什么，就得到什么，是很多企业绩效考核的基础和依据。KPI 的完成情况直接与薪资挂钩，所以部门和员工往往力求 100%达成指标。对那些业务流程较成熟、创新需求不高的企业和部门而言，KPI 不失为一个可行的绩效管理工具。例如，销售任务完成率是销售部门较为常见的 KPI 之一。实际上，对于大多数行业、企业、部门、个人，KPI 数量都非常多。但是，数量多并不意味着效果好，“有 KPI”和“有正确的 KPI”之间还是存在一定差距的。通常 KPI 的业务成果和金钱报酬直接挂钩，员工是为了拿到更多报酬而努力工作。这会出现一种结果：如果外在的动机增强，那么内生动力就会受到抑制。同时，KPI 需要量化各种工作要素。但在实际操作中，许多工作无法简单量化。可能会导致员工在 KPI 指标方面花费大量的精力和时间，而在真正有价值的却对 KPI 指标并没什么帮助的工作上敷衍了事，出现本末倒置的倾向。

目标与关键成果法（OKR），是一套帮助企业实现目标管理、推动执行与协作的工具和

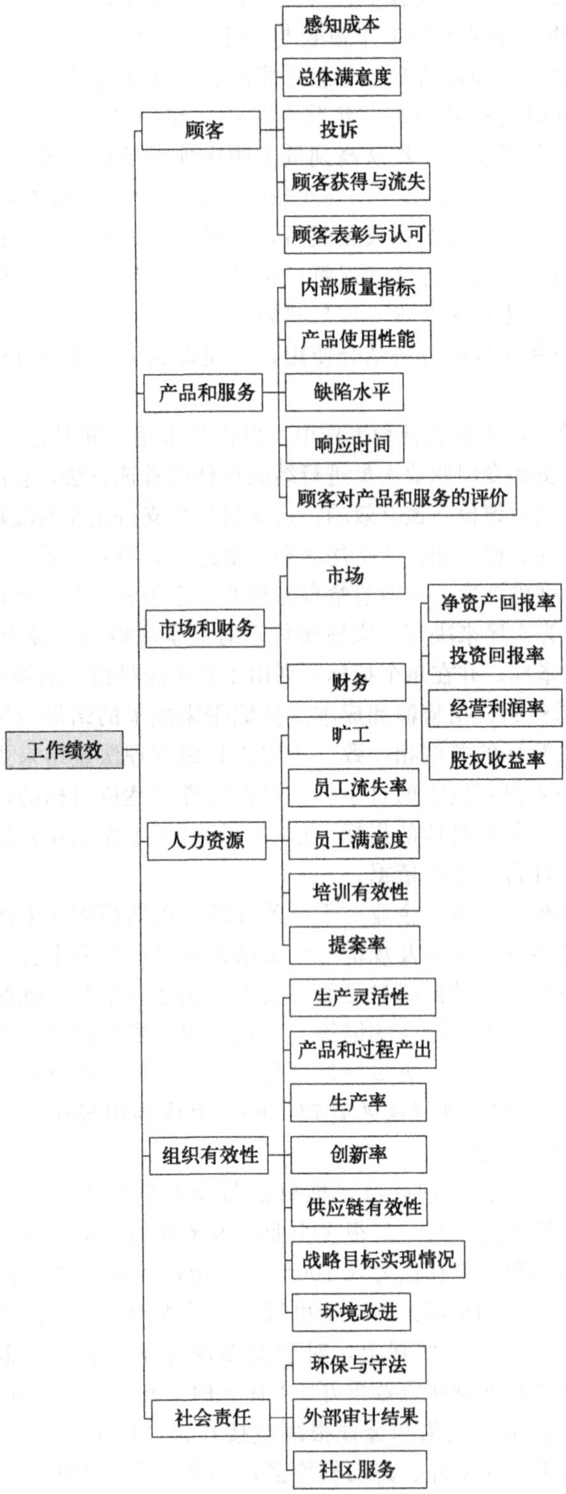

图 10-10 绩效指标示意图

方法。OKR 管理模型示意图如图 10-11 所示。OKR 中的 O 即目标，是对企业长期使命与愿景的承接，回答的是“我和我的团队想要完成什么”。KR 即关键成果，是实现目标的关键路径，回答的是“我如何知道自己是否达成了目标”。KR 由 O 分解而来，用于支撑 O 的实现。OKR 也应符合 SMART 原则。

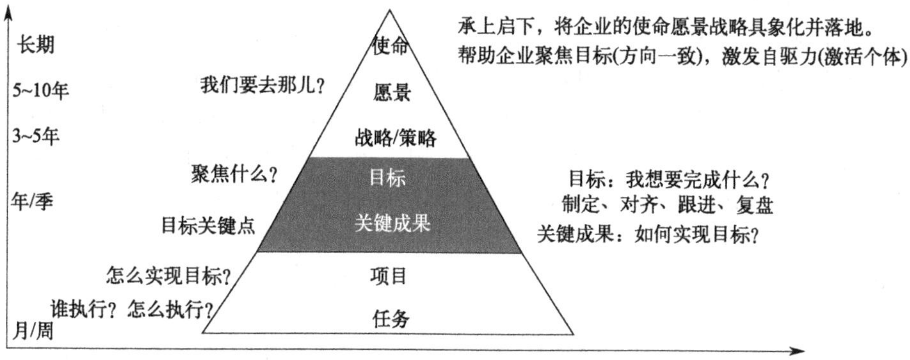

图 10-11　OKR 管理模型示意图

OKR 本质是一种沟通工具，主要的目的是更有效率地完成目标任务。OKR 与 KPI 的主要区别如表 10-10 所示。

表 10-10　OKR 与 KPI 的主要区别

类别	OKR	KPI
定义	一套定义和跟踪目标及其完成情况的管理工具和方法、工作模式	根据企业结构将战略目标层层分解，并细化为战术目标，为实现绩效考核的工具
实质	管理方法(衡量员工是否称职)	绩效考核工具
理论基础	以人性 Z 理论为基础，员工天生热爱创造、喜欢挑战	以人性 X＋Y 理论为基础，假设人是追求安逸的，只在乎物质和精神参与
适合对象	强调创造性、灵活性的知识人群，适合没有明确目标的组织	目标相对明确的组织
驱动力	内在驱动，自我管理(我要做的事)	外在驱动，企业管控(要我做的事)
管理思维	自我管理(人)	控制管理(过程控制)
特点	简单、直接、透明	细化、流程化、行为化
目标形式	目标＋关键结果(过程和结果)	结果
目标来源	聚焦优先和关键	团队或个人“成功”的全面衡量
目标调整	动态调整，不断迭代	相对稳定
目标呈现	公开，包括目标、进度及结果	有时保密，仅责任人与上级
制定方法	上下结合，360°对齐	自上而下
关注点	时刻提醒每一位员工当前的任务是什么	考核工作量
绩效关联	弱相关	强相关
导向性	KRs 是产出导向(价值创造)，关注成果。围绕组织愿景，进行“内部创业”	纯粹结果导向
过程管理	持续跟踪	考核时才关注
结果	富有挑战，可以接受失败	要求 100%完成
考核方法	事后评估整体贡献，自评＋上级评＋同事评，以成就为导向，而不是物质	事前定目标，事中跟踪过程，事后评估结果，自评＋上级评＋邀评
管理周期	适合业务的敏捷频率，如：季度、双月、月度	固定期限，如：年度
应用类别	目标导向，指南针	考核指标指向，仪表盘

事实上，OKR 起作用的环节在绩效考核之前，它的作用是驱动企业产出优秀绩效。OKR 和绩效考核脱钩，允许试错，鼓励员工制定激进的、充满挑战的目标。OKR 并不能完全取代其他管理方法，企业推行 OKR 应当分部门推行，OKR 更适合任务型工作、产出型或是敏捷型的工作。对于所处行业市场环境变化快、业务灵活且创意需求高、正在寻求转型突破的企业而言，OKR 能够给予员工更多的创新和自主空间，更好地激发员工潜能。另外，

对于分工较细、上下游协作角色较多、跨部门协调成本较高的企业而言，OKR 可以帮助企业上下更好地统一方向，驱动员工为更重要的目标努力。

OKR 相对于 KPI 而言，不是一个考核工具，它时刻提醒每一个人：当前的任务是什么，这个季度工作完成得怎么样，下一阶段的工作重心是什么。它关注的是价值创造，这样做的好处是让员工会关注如何做才可以为团队、为公司创造更多的价值，而不会去过度地关注目标定得是不是高了。比如，司机跑 100 趟奖 1000 块钱，KPI 是设置几个档位，优秀的多跑奖励多，差的少跑奖励少，没达标就没钱；OKR 则是不设限，跑多少给多少，跑多了给更多。OKR 的设置就会让人更想去挑战，也更能激发人的斗志，而且压力会小很多。OKR 主张愿景驱动，能够帮助企业上下对齐，朝着正确的方向前进；KPI 与绩效挂钩，能够有效提高员工的工作效率。二者都不是万能的，而是在企业管理的不同场景中扮演着不同的角色。

目标管理工具中，还有一个是 POA 思维模型（图 10-12），公式中 P 指伙伴，O 指目标，A 指方法，POA 指行动力，即：目标凝聚伙伴（解决意愿问题）、伙伴共创方法（解决资源问题）、方法服务目标（解决效果问题）。这个公式也说明：方法越有效，行动力就越强；伙伴越多，行动力就越快速；目标越小越聚焦，行动力就越强。

作为一个管理思想，POA 思维模型简洁却不简单，它整合了前代众多管理体系的优秀思想，能够看到体系的开放性，能够看到它发展完善的方向和无限可能。作为一个管理工具，不仅囊括了现代管理的四个层次（图 10-13），最重要的是关注了“人”的问题。它强调资源是人带来的，POA 描述的是伙伴，伙伴具有共同价值观，是因为共同的目标走在一起的人的集合。

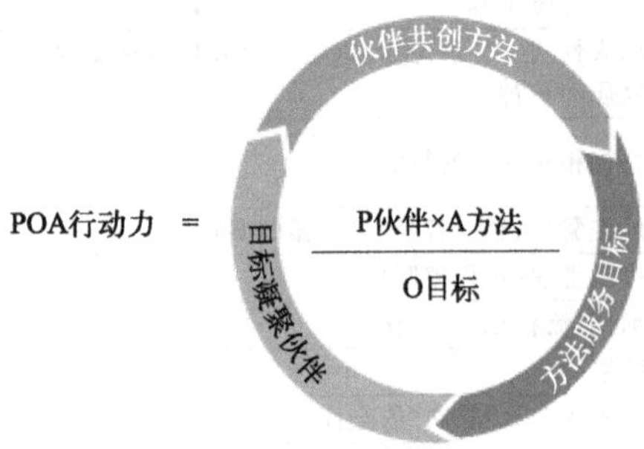

图 10-12 POA 思维模型示意图

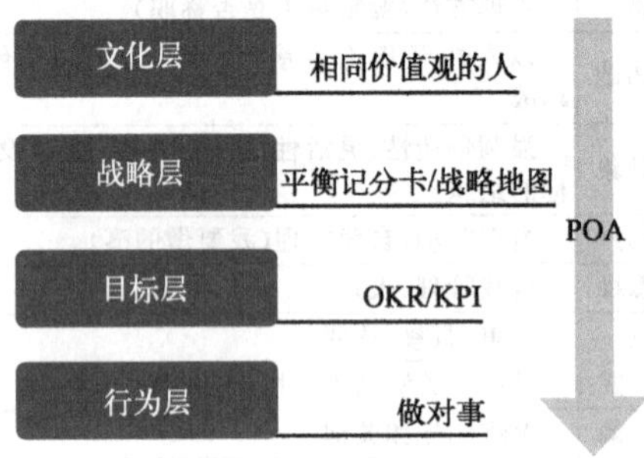

图 10-13 现代的管理层次

管理工具的理论和实际运用场景往往互相支撑，但又自成体系。KPI、OKR 和 POA 在不同的场景中使用，是无法完全独立分开的，因为都是基于目标 O 展开的，但侧重点可能会不同，使用者的考虑和出发点也会不同。OKR 理论上也可以用在公司层面，来表达管理层的展望，但没有突出伙伴 P 这个要素，尤其在国内的文化环境下；OKR 往往会和 KPI 交换使用，更多成为 KPI 的替代工具。

应注意，无论采用何种绩效评价方法和何种绩效信息来源，通常都需要让人来对人进行评价，这样，在评价的过程中，难免会出现有意或无意的因素导致评价者所得出的评价结果有误差或偏差的情况。了解这些评价误差的类型及其产生的根源，然后有针对性地制定预防评价误差出现的对策，对于提高绩效评价的准确性和公平性无疑是有好处的。

10.6.3 绩效辅导与反馈

绩效辅导是管理者与其下属员工共同参与的一个持续性互动过程。在这一过程中，管理者应积极地、日常性地与员工沟通和绩效有关的问题，这包括对员工的绩效进行观察，做得好的工作提出表扬，帮助绩效没有达到期望和标准要求的员工改善绩效，还包括对优秀绩效提供报酬等。绩效辅导还要关注员工的长期绩效，能确保绩效发展计划得到落实。

绩效辅导有助于把对员工的反馈转化为结果。为了实现这一点，绩效辅导应当做到以下几点。

第一，制定员工发展目标。管理者应当同员工一起制定绩效发展计划及其所要达成的具体目标。这些目标是员工发展计划的关键组成部分，目标应符合 SMART 原则，并且是在对员工需要改进的领域进行仔细分析之后确定的。另外，制定目标时，还要考虑员工的短期和长期职业发展目标的需要。

第二，保持有效沟通，提供及时的反馈并激励员工。管理者与员工之间应针对员工的绩效水平和进展状况保持定期、清晰的沟通，管理者对员工的绩效和绩效目标的达成进度进行衡量并提供反馈。这里的绩效既包括行为方面的绩效，也包括结果方面的绩效，所提供的反馈信息既包括积极的肯定性信息，也包括负面的问题性信息。在这一过程中，企业必须对优秀绩效提供报酬，包括表扬、认可以及奖励等。

第三，记录绩效。管理者应观察员工的行为和结果，并收集与员工的优良绩效和不良绩效有关的证据。管理者在观察和评价与发展目标有关的员工行为时，可能会出现一些类似绩效评价的误差，因此，必须注意观察和记录与开发活动相关的具体行为，记录应全面，描述可观察的行为，平衡正面绩效信息和负面绩效信息，等等。

第四，诊断绩效问题。管理者应倾听员工的意见，通过收集信息来判断员工的绩效缺陷究竟是知识、技能和能力的不足造成的，还是受到的激励不足或员工个人所不能控制的因素导致的。对绩效问题的诊断决定了企业需要采取什么样的行动。

第五，提高员工综合能力。企业应当为员工的发展提供财务支持和其他资源方面的支持（比如，出资让他们接受培训、允许他们脱产从事开发活动等），其中包括帮助员工设计发展计划、交给员工具有挑战性的任务，从而迫使他们不得不去学习新的东西等。

在一个绩效周期结束，对员工的实际绩效进行评价之后，需要将正式绩效评估的结果反馈给每一位员工。这个过程就是绩效评价面谈，是直接上级和员工之间的一种正式的个别深入谈话，通常安排在每年年底。这么做会使员工感觉到评估是公正客观的，管理者是诚恳认真的，气氛是建设性的，也会使员工充满乐观向上的情绪，了解到自己需要做出改进的绩效领域，并下定决心改正现有的缺陷。主要步骤与具体任务如下。

第一步，解释绩效评价面谈的目的。这一步就是要向员工阐述绩效面谈的目的以及接下来所要讨论的主题，目的是使员工对接下来的面谈有一个正确的态度和充分的思想准备，避免员工对管理者的动机产生猜疑，产生抵触情绪或不积极的态度。

第二步，员工自评。即请员工总结自己在上一个绩效周期中取得的工作成果。这一步实际上是让员工对本人的绩效状况发表自己的看法。这个时候，上级主管人员一般不要对员工的看法发表自己的不同意见。如果在进行绩效面谈之前，将绩效评价表格发给员工一份，这一步的工作就更容易完成了。

第三步，告知员工绩效评价结果并说明理由。接下来，直接上级需要告知员工自己对他的每一个绩效维度进行评价的结果，并且解释自己得出每一个分数的理由。在这个阶段，管理者和员工将讨论双方的评价结果一致的绩效维度，同时还要讨论双方的评价结果不一致的绩效维度，力争最终能够达成共识。这个过程是非常重要的沟通和反馈过程，不仅要肯定员工的贡献，而且要指出员工存在的绩效问题和改进重点。

第四步，讨论发展问题。一旦上级和员工对于每一个绩效维度的得分达成了共识，就应当开始讨论发展计划了。这个时候，上级和员工应当就能够改善员工未来工作绩效的发展计划中的每一种方法、步骤、资源要求以及具体的时间表进行讨论并达成共识。

第五步，员工总结。接下来，员工应当用自己的语言对面谈加以总结：自己在哪些绩效维度上的表现是令人满意的，在哪些绩效维度上还需要有所提高以及怎样提高。这是绩效评价面谈的一个重要组成部分，它为直接上级了解自己和员工的想法是否一致提供了一个很好的机会。

第六步，讨论绩效薪酬。在这一步，上下级之间所要讨论的是绩效和报酬分配（比如奖金、加薪等）之间的关系。这时，上级要向员工解释企业的报酬分配规则和政策，让员工明白自己的报酬将会怎样随着个人未来绩效的提升而达到一个更高的水平。这一步是为了避免将来员工由于信息不对称，在获得绩效报酬之后对企业或上级产生猜疑或不满。

第七步，确定跟进会议。在绩效评价面谈结束之前还有一项很重要的任务，即确定下一次面谈的时间。这是为了让员工看到自己的上级会对绩效改善情况进行正式跟进，并不是每年仅仅和自己正式谈一次话。通常情况下，紧接着的下一次绩效面谈时间会在几周之后，其目的是确认员工的发展计划是否得到了有效的执行。

第八步，确认谈话内容。最后，上级主管人员要请员工在相关表格上签字，以证明对绩效评价结果已经和员工本人进行了讨论。这个环节也为员工提供了一个机会，让他们给出自己的评价，同时附上任何他们希望在表格中能够体现的信息。另外，如果员工和上级在绩效评价结果方面的分歧无法得到解决，则上级应当告知员工，他们可以怎样利用企业中的正式绩效申诉程序。

当然，绩效评估也存在一些问题，会造成一定的负面影响。从统计意义上说，必须有一半的员工，其绩效表现在平均水平之下。但事实告诉我们，员工对其自身绩效的预估往往平均在75%的水平上。换句话说，员工们倾向于对自身的绩效作出过高的估计。这样，管理者所传递的“好”消息，可能会被员工们理解为“并不太好”。

如果通过绩效评价可以看出一位员工的绩效低于企业期望的标准，那么在绩效反馈过程中就应该将重点放在对不良绩效问题采取行动加以纠正方面。如果员工的绩效水平已经达到了标准，则在反馈阶段还可以与员工一起找到在哪些方面能继续改进，从而在当前或未来的工作岗位上为企业带来更好的成绩。总之，在绩效管理的最后阶段，即绩效反馈阶段，管理者和员工应该共同查找员工在哪些领域需要进一步改进，以及在这些领域进行改进和提高绩效的方法。

企业通常运用工作能力和工作态度（有时也用工作动机代替工作态度）两个维度，对绩效水平不同的员工进行分类，因为这是决定员工绩效好坏的两个最重要的因素。总的来说，当员工的工作能力和工作态度都很好时，他们的绩效通常也能够达到或超过绩效要求。但是当员工缺乏工作能力、工作态度不佳或工作动力不足时，员工的绩效往往就会不尽如人意，因而需要采取相应的纠正措施。

第11章

技术经济分析与成本控制

技术经济分析是技术经济学的重要组成部分。技术经济学是一门研究技术领域经济问题和经济规律，以及技术进步与经济增长之间相互关系的科学。技术经济分析是对各种技术方案进行计算、比较、论证与评价，优选各种技术方案的重要手段与科学方法。目的是在宏观和微观的领域中，在一定制约条件下，通过对多种不同的技术路线、技术方案、技术措施等进行技术比较，以及经济分析和效果评价，以寻求技术与经济的最佳结合，确定技术先进、经济合理的最优经济界限。

因此，要正确认识技术与经济的关系，经济是技术进步的目的，技术是达到经济目标的手段。技术与经济是矛盾的两个方面，存在着对立统一的关系，它们之间既相互依赖、相互促进，又相互排斥、相互制约。第一，发展经济必须依靠一定的技术手段，科学技术是第一生产力，技术进步永远是推动经济发展的强大动力，技术进步是影响社会经济发展的最主要因素。第二，技术总是在一定的经济条件下产生和发展的，经济上的需求是技术发展的直接动力，特定的社会经济条件制约着技术的发展速度和水平，技术发展水平也限制着经济发展的水平。第三，在充分认识技术与经济关系的基础上，实现它们的最佳结合，重要的问题在于技术选择，即在特定的社会和经济环境条件下，选择什么样的技术去实现特定的目标。

技术经济分析的任务就是研究技术与经济的最佳结合，从多个技术方案中选择技术经济效果最好的方案。方案的比较、评价和选优是技术经济分析的中心环节。这里需要说明的是，技术创新主要包括新产品、新技术、新工艺、新资源、新市场和新组织方法等。

11.1 技术经济分析的基本内容

经济效益，是指实践活动的有效成果（产出）与劳动耗费（投入）之差（差额）或产出的经济成果与投入的资源总量（包括人力、物力、财力等资源）之比（比值）。经济效益的大小是正确选择技术方案的重要依据之一。技术方案的经济效益是实现方案所投入的社会劳动消耗与产生符合社会需要的使用价值之间的比较。技术方案的使用价值包括企业本身直接取得的成果，也包括提供给社会的间接成果。技术方案的社会劳动耗费，是指实现该方案占用和消耗的活劳动、物化劳动和资源，既包括企业本身的直接耗费，也包括社会上的间接耗费。

（1）分析的任务和步骤　技术经济分析的具体任务：一是对产品设计成本（或经营费用）的经济分析；二是对基建投资的经济分析；三是对运营期时劳动生产率的分析；四是对投产后的经济效益分析；等等。分析的主要指标包括投资指标、年经营费用指标、实物指标、劳动生产率指标，以及其他指标等。

在进行技术经济分析时，按照“先进性、适用性、经济性”的原则，从全局出发，正确处理好几个关系：局部经济效益与整体经济效益的关系，近期经济效益与长远经济效益的关系，劳动消耗效益与劳动占用效益的关系，直接经济效益和间接经济效益的关系，经济效益与经济发展速度的关系。

如图 11-1 所示，技术经济分析的基本步骤如下。

① 确定目标功能：明确需解决问题的目的。

② 收集资料：依据所确定的目标收集各种方案的有关资料（如技术、经济、财务、市场、政策法规等）。

③ 提出多个备选方案。

④ 方案综合评价。评价的依据是政策法令与反映决策者意愿的指标体系。首先，技术方案要满足经济发展趋势需要，使宏观（从整个国民经济的角度考察与评价）技术经济效果与微观（从企业的角度考察与评价）技术经济效果相结合。如：产品要符合国家的产业政策、质量标准，厂址选择要符合所在地区布局与城建规划，生产要符合国家的技术政策、劳动法规、环保条例等。其次，要以尽可能少的社会劳动耗费，使直接技术经济效果与间接技术经济效果相结合。在符合基本条件后，最重要的是要有较好的经济效益和社会效益。最后，衡量技术方案的经济效益要有一个时间标准，即应以技术方案适合经济发展需要的时间内的全部经济效益作为衡量的标准，使近期技术经济效果与远期技术经济效果相结合。

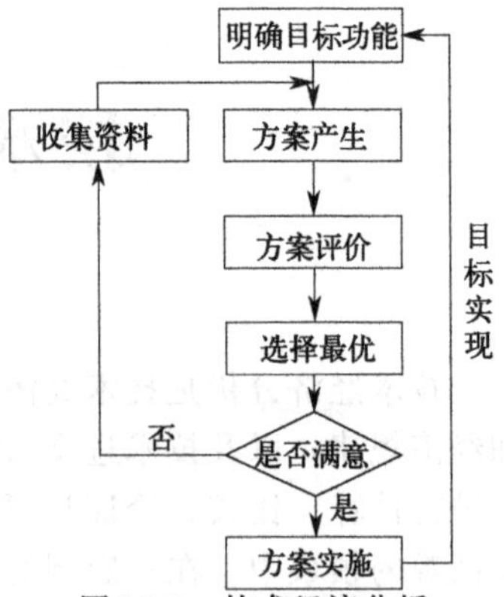

图 11-1 技术经济分析基本步骤示意图

⑤ 选择最优方案。决策的核心是通过对不同方案的经济效果的衡量和比较，按照系统思维和动态思维，从中选择技术先进、经济合理的最优方案。

(2) 技术经济比较原理 对多种技术方案进行经济比较时，为了全面、正确地反映被比较方案的相对经济性，就要使其在经济上具有一定的可比性，遵循分析比较原理，按照可比性原则（图 11-2）、差异化原则、系统分析原则和机会比较原则对选定的技术方案进行分析。在分析消耗费用可比性时应注意：一是无论是投资指标，还是成本指标，都应具有可比性；二是在各技术方案的消耗费用中不仅考虑方案本身的费用，而且要考虑与方案有关的其他费用以及原材料、燃料、动力、运输等相邻部门的费用；三是对综合利用方案的全部消耗按一定标准进行分摊后，才能对某个只能满足单方面需要的方案进行比较。

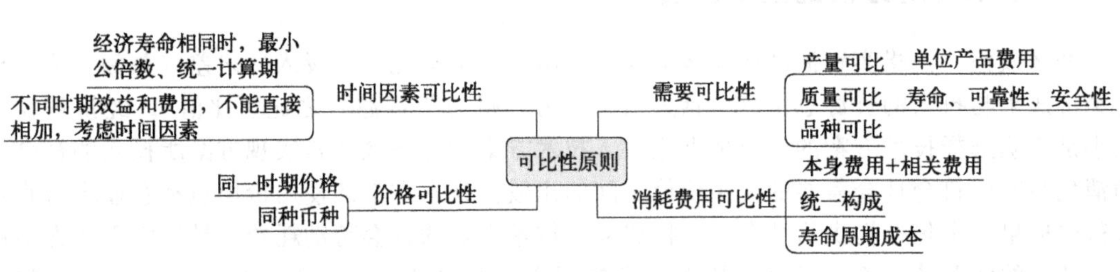

图 11-2 可比性原则的内容分类

(3) 技术经济效果评价的指标体系 对不同的技术方案通常以一系列的技术经济效果指标进行综合评价。所谓的评价指标，是指用一定数量概念来综合反映社会经济某一方面状况。指标体系是指由一系列相互联系、相互制约的技术经济指标构成的整体，反映社会经济现象各个方面的相互依存关系。经济效果指标体系是指从不同角度、不同方面相互配合，较全面地反映或说明与特定技术方案经济效果相联系的一系列整体性指标。通常劳动成果类指标主要有产出数量指标、品种指标和质量指标等；劳动耗费类指标主要有成本、投资、时间等；经济效果类指标主要有绝对经济效果指标和相对经济效果指标等。主要具体指标如下：

① 产出数量指标，如年产量、年产值等；

② 产品品种指标，如品种数、新增品种数、产品自给率、大型设备产品配套率等；

③ 产品质量效果指标，如产品物化性能指标、产品合格率、优质品率、返修率、废品率等；

④ 生产物资资源利用效果指标，如每百元产值消耗的物资总量等；

⑤ 劳动资源利用效果指标，如劳动生产率、劳动消耗率等；

⑥ 物力资源利用效果指标，如原材料生产率（每单位原材料提供的产值）、原材料利用率与原材料消耗率（每百元产值消耗的原材料）、设备利用率等；

⑦ 财力资源利用效果指标，如资金利用效果（投资效果与投资回收指标、资金利用率指标等）、流动资金占用率（每百元产值占用的流动资金）、资金盈利率、投资回收期、内部收益率等；

⑧ 能源资源利用效果指标，如能源生产率（每吨标准煤能源提供的产值）和能源消耗率（每百元产值消耗的能源、单位产品生产能耗）等。

11.2　技术经济分析的基本方法

技术经济分析的方法很多，可归纳如下。

① 决定型分析评价法。它以直观判断为基础，用评价项目和评价标准，使综合评价定量化，并以得分高低判断其优劣。常用方法有评分法、图形表示法、检查表法、实数法、效用评价法等。

② 经济型分析评价法。它是以经济观点评价技术方案的优劣，以经济效益最大化为准则选优。常用方法有效果分析法、效益费用比率法、效益费用现值比较法、内部收益率法、投资回收期法等。

③ 不确定性分析评价法。它主要采用盈亏分析、敏感性分析、概率分析等。

④ 比较型分析评价法。它通过对实现同一目标、满足同一技术要求的各种不同技术方案的经济计算、分析比较、论证评价，选出最优方案。

⑤ 系统分析法。把研究对象放在一个系统中进行分析和综合，找出各种可行方案，供决策者选择。

⑥ 价值分析法。通过分析产品或方案的功能与成本之间的关系，优化资源分配，以最低成本实现必要功能，从而提升产品或方案的整体价值。

⑦ 可行性分析法。它是在投资决策前进行的预先分析和估价，通过研究比较工程建设项目的不同方案，确定技术可行和经济合理的界限。

上述方法可根据不同对象和不同要求选用，还可以几种方法结合使用，从不同角度进行分析评价。具体计算和分析方法可参照本书第 3 章有关内容。

11.2.1　评分法

对方案的技术经济效果的高低，按照规定的标准等级和计分规则评定分数，作为评价和选优的依据。其步骤如下。

① 选定评价项目。一般是将评价对象的主要技术经济指标或重要影响因素作为评价项目。

② 制定评价标准进行评分。对每个评价项目定出评价等级，按规定的等级标准和计分规则评定方案的每个项目的分值。

③ 归纳汇总，得出结论。可选用下列方法：

a. 加法评分法。将每个评价项目所得分数相加求得总分，以总分高低为取舍标准。

b. 连乘评分法。将每个评价项目所得分数相乘求得总分。该方法各方案间差距明显。

c. 加乘混合评分法。将每个评价项目再分成若干小项目，若干小项目评分之和构成评价项目的得分值，再将各评价项目的得分值连乘得总分。

d. 加权评分法。将每个评价项目得分与该项目的重要程度联系起来，其中包括确定各评价项目权重和计算加权和。

11.2.2 静态评价法

按照是否考虑资金的时间价值，可把某些评价方法大致分为两种：静态评价方法和动态评价方法。

静态评价方法主要有投资回收期法、投资效果系数法、追加投资回收期法、追加投资效果系数法、最小费用法等，这些方法多用于工程项目可行性研究中的机会研究和初步可行性研究阶段。

(1) 投资回收期法　投资回收期是指实施某个技术方案的投资通过投产后的盈利来补偿投资所需要的年限。它等于某一技术方案的投资额与年盈利额之比。其计算公式如下：

$$T_S=\frac{K}{M}\leqslant T_A \tag{11-1}$$

式中　T_S——投资回收期（一般以年为单位）；

K——某技术方案的投资额；

M——年盈利额；

T_A——标准投资回收期。

投资回收期表明技术方案投产后回收投资的速度。投资回收期越短，表明方案回收投资的速度越快，经济效益越好。某方案的投资回收期必须与本部门或本行业的标准投资回收期相比较，只有在 $T_S\leqslant T_A$ 时，方案才是可取的；否则，方案是不可取的。

上述公式隐含着一种假设，即假设每年的盈利额是相等的。但实际情况并非如此。项目投产后不仅每年盈利额不等，而且有很大差异。很多项目在刚投产的前几年其生产能力仅达到设计能力的0.5～0.7。在这种情况下，上述公式可写成下面的形式：

$$\sum_{t=T_0}^{T_S} M_t = K \tag{11-2}$$

式中　T_0——投产年份；

M_t——t 年的盈利额。

实际上，在可行性研究中，投资回收期是利用财务评价中的现金流量表来计算的，详细计算公式为

$$\text{投资回收期}=\text{累计净现金流量开始出现正值的年份数}-1+\frac{\text{上年累计净现金流量的绝对值}}{\text{当年净现金流量}} \tag{11-3}$$

(2) 投资效果系数法　投资效果系数是投资回收期的倒数，它反映技术方案投产后的年盈利额在总投资额中所占的百分比。它等于年盈利额与总投资额之比。其计算公式如下：

$$E=\frac{M}{K}\geqslant E_A \tag{11-4}$$

式中　E——投资效果系数；

E_A——标准投资效果系数。

某方案的投资效果系数越大，反映该方案投产后经济效益越好。用投资效果系数评价方案时，也只有把某方案的投资效果系数与本部门或本行业的标准投资效果系数相比较后，才能决定方案的取舍。当 $E\geqslant E_A$ 时，方案是可取的。若当 $E<E_A$，则该方案在经济上是不合算的，因而是不可取的。

标准投资回收期和标准投资效果系数是方案取舍的评价标准。制定合理的标准投资回收期和标准投资效果系数是至关重要的。由于国民经济各部门的特点和投资结构不同，因此不可能制定一个各行各业共用的标准，而只能根据各行业的特点制定各自的标准。任何行业制定的标准投资回收期都不应大于固定资产的折旧年限，制定的标准投资效果系数都不应小于该行业的平均利润率。

(3) 追加投资回收期法　在对两个方案进行比较时，往往会出现这种情况，即：甲方案虽然投资大，但投产后生产成本低；乙方案虽然投资小，但投产后生产成本高。这时就可采用追加投资回收期法来决定方案的取舍。

所谓追加投资是指两个方案投资的差额。通常是指投资大的方案比投资小的方案多投资的那部分金额。追加投资回收期是指技术方案的投资追加额用年成本的节约额来补偿所需要的年限。其计算公式为

$$T_\Delta=\frac{K_2-K_1}{C_1-C_2}=\frac{\Delta K}{\Delta C} \tag{11-5}$$

式中　T_Δ——追加投资回收期；

K_2，C_2——分别为投资大的方案的总投资和年总成本；

K_1，C_1——分别为投资小的方案的总投资和年总成本；

ΔK，ΔC——分别为追加投资额和年成本节约额。

计算出的追加投资回收期只有与标准投资回收期进行比较后，才能决定方案的取舍。当 $T_\Delta\leqslant T_A$ 时，说明投资大的方案经济效果好。当 $T_\Delta>T_A$ 时，则投资小的方案优于投资大的方案。

【例 11-1】　拟建某车间有两个方案：甲方案投资 2500 万元，年总成本为 1500 万元；乙方案投资 4000 万元，年总成本为 1000 万元。该部门标准投资回收期为 5 年。选取哪一个方案较为合理？

【解】 甲、乙两方案相比，其追加投资回收期为

$$T_\Delta=\frac{4000-2500}{1500-1000}=\frac{1500}{500}=3(\text{年})$$

因 $T_\Delta\leqslant T_A$，所以选择乙方案较合理。

应用追加投资回收期法在多个方案中选择最优方案时，为了简化计算步骤，应将方案按投资额的大小顺次排列，从投资小的方案开始依次比较，每次比较中选出的较优方案再与紧接其后的方案进行比较。每次比较中被淘汰的方案不应再参与比较。如此反复直至选出投资最大的方案。所有方案全部比较完毕，最后留下的方案便是最优方案。

【例 11-2】　拟建某工程项目有三个方案可供选择，已知各方案的投资及年总成本。若该部门的标准投资回收期为 5 年，试从三个方案中选取最优方案。

第一方案：$K_1=1000$ 万元，$C_1=1200$ 万元。

第二方案：$K_2=1100$ 万元，$C_2=1150$ 万元。

第三方案：$K_3=1400$ 万元，$C_3=1050$ 万元。

【解】将第一方案与第二方案比较，得

$$T_{12}=\frac{K_2-K_1}{C_1-C_2}=\frac{1100-1000}{1200-1150}=\frac{100}{50}=2(\text{年})$$

因 $T_{12}<5$ 年，所以第二方案是较优方案；将第二方案与第三方案比较，得

$$T_{23}=\frac{K_3-K_2}{C_2-C_3}=\frac{1400-1100}{1150-1050}=\frac{300}{100}=3(\text{年})$$

因 $T_{23}<5$ 年，故第三方案为最优方案。

(4) 年计算费用法　在对两个以上的方案进行评价时，虽然可以利用追加投资回收期法，将方案两两进行比较，逐个筛选，然后从中得到一个最优方案，但是计算步骤烦琐。为了简化对比程序，可采用年计算费用法优选方案。

年计算费用就是某一方案的年生产成本加上按标准投资效果系数（或标准投资回收期）分摊给每年的投资额的和。年计算费用法就是从算得的各方案的年计算费用中选出一个年计算费用额最小的方案作为最优方案的方法。其计算公式如下：

$$Z_i=C_i+K_iE_A \tag{11-6}$$

式中　Z_i——i 方案的年计算费用；

K_i，C_i——分别为 i 方案的总投资额和年生产成本。

11.2.3　动态评价法

(1) 净现值法　净现值（NPV）是指按设定的折现率（一般采用基准收益率 i_c）计算的项目计算期内的净现金流量的现值之和，可按下式计算：

$$\text{NPV}=\sum_{t=1}^{n}(\text{CI}_t-\text{CO}_t)(1+i_c)^{-t} \tag{11-7}$$

式中　CI_t——第 t 年的现金流入量；

CO_t——第 t 年的现金流出量；

t——第 t 年；

n——计算期；

i_c——设定的折现率（同基准收益率）。

净现值法是评价技术方案在寿命期内盈利能力的动态指标。当 NPV>0 时，说明该方案的盈利能力不仅满足国家或行业基准收益率要求的水平，而且还可以得到超额收益；当 NPV=0 时，说明该方案刚好能够满足基准收益率要求的盈利水平，该方案在财务上是可行的；当 NPV<0 时，说明该方案不能满足基准收益率要求的盈利水平，该技术方案不可行。

在利用净现值法比选方案时，由于净现值法是以方案在整个寿命期内的净现值大小为评判依据，所以它偏向选择投资多、收益多的方案为最优方案，而投资少的方案往往因净现值小被舍掉。这也就是说净现值是一个绝对经济指标，它不能反映出单位投资所产生的经济效益。为此可以采用净现值率法，以作为净现值法的补充。在各方案投资额不相等时，可采用净现值率法评价方案。净现值率又称为净现值指数，它等于某方案的净现值与全部投资现值的比值。它是一个相对经济指标，反映了单位投资现值所创造的净现值。

(2) 内部收益率法　内部收益率（IRR）系指项目在计算期内的净现金流量现值累计等于零时的折现率，其计算式为

$$\sum_{t=1}^{n}(\mathrm{CI}-\mathrm{CO})_t(1+\mathrm{IRR})^{-t}=0 \tag{11-8}$$

式中　CI——现金流入量；

CO——现金流出量；

$(\mathrm{CI}-\mathrm{CO})_t$——第 t 年的净现金流量；

n——计算期。

内部收益率是反映工程项目经济效益的相对经济指标。它的经济含义与利率相似，表示了单位投资的经济效益。在用内部收益率评价技术方案时，只有内部收益率（i_r）大于或等于标准折现率（i_A）的方案，才认为是可行方案；否则，若 i_r 小于 i_A，则说明方案经济效益不佳，是不能接受的。

内部收益率指标考虑了资金的时间价值以及项目在整个计算期内的经济状况，不仅能反映投资过程的收益程度，而且内部收益率的大小不受外部参数影响，完全取决于项目投资过程净现金流量的情况；避免了像财务净现值之类的指标那样需事先确定基准收益率这个难题，而只需要知道基准收益率的大致范围即可。

11.2.4 不确定性分析法

不确定性分析法是研究技术方案中主要不确定因素对经济效益的影响的一种方法。技术经济分析中经常会遇到一些不确定因素，如产量、价格、成本和工资等，这些未来均有可能发生变化。这就必然导致在这些数据基础上建立起来的经济评价的不确定性，从而构成项目的潜在风险。为了预测项目可能承担的风险（如：投资超支、原材料涨价、工资增长、销售价格波动等），提高经济评价的可靠性，所以在计算出经济评价指标的基础上，还需进一步进行不确定性分析。

不确定性分析包括盈亏平衡分析、敏感性分析、概率分析等。

所谓敏感性分析，就是在原来技术经济评价的基础上，进一步确定当某一不确定因素变化时所引起的技术经济评价值的变化。当各种不确定因素变动时，对经济效果评价值的影响程度不同，或者说经济效果评价值对各种不确定因素变动时所做出的反应不同。导致经济效果评价值变化幅度大的不确定因素，称为敏感因素，反之称为不敏感因素。进行敏感性分析的目的，就是要从众多的不确定因素中，找出敏感因素供决策者分析，以提高决策的可靠性。敏感性分析可按以下步骤进行：

① 确定技术经济效果评价指标。所有的技术经济评价指标都可以作为敏感性分析的对象，例如，投资回收期、投资效果系数、净现值、内部收益率、年净收益、年利润率等。当然，在进行敏感性分析时，可以只对其中的一个或两个指标进行敏感性分析，但要求敏感性分析指标应该与基本方案的技术经济效果评价指标相一致。例如，如果用于方案的经济效果评价指标是净现值和内部收益率，则敏感性分析的具体对象也应该是净现值和内部收益率。

② 确定不确定因素。影响项目技术经济效果评价值的不确定因素很多，如销售收入、生产成本、项目投资、项目使用寿命等都是不确定因素，这些不确定因素又包含着若干个子变量。例如，销售收入又随产品结构、产量、价格等子变量的变化而变化。进行敏感性分析，应该根据项目的特点，有针对性地抓住几个发生概率大、对项目经济效果评价值影响大的不确定因素进行分析。

③ 分别计算各不确定因素变化时相应的经济效果评价值，即假设某一不确定因素变化时，在其他因素固定不变的条件下，计算项目的经济效果评价值，并依据计算结果找出敏感因素。

④ 综合各种评价结论，对方案进行进一步分析，找出既可靠又切实可行的方案。

11.3 建设项目的可行性研究

可行性研究是在投资前期对各种技术方案、建设方案和生产经营方案的实施可能性、技术先进性和经济合理性进行分析、计算和评价的一种科学方法。

11.3.1 可行性研究的阶段

通常可分为三个阶段：

① 投资机会研究。它的主要任务是确定投资方向，鉴别投资机会。这一阶段的研究比较粗略，主要靠估计，其投资额估算的误差为±30%，其费用占总投资的0.2%～1%。

② 初步可行性研究。它的主要任务是对比较复杂的工程进行初步研究，对项目设想进行初步估计，确定需要做辅助研究的关键性问题，如市场考察、中间工厂试验、厂址选择、生产规模研究等，对多个方案进行初步筛选。其投资额估算精度的误差为±20%，其费用占总投资的0.25%～1.5%。

③ 详细可行性研究。它的主要任务是对工程项目进行深入的技术经济分析，选出最优方案；拟订详细的项目建设方案，确定投资项目的生产能力、工艺流程、产品的技术经济指标、设备选型、建设进度、管理费用和组织机构等；对项目进行企业经济评价和国民经济评价，为决策者提供决策文件。其投资额估算精度的误差为±10%，其费用占总投资的比重是：小型项目为1.0%～3.0%，大型项目为0.2%～1.0%。

可行性研究报告可作为确定建设项目、向银行申请贷款、向政府申请建设执照以及同有关单位签订合同的依据。

11.3.2 可行性研究的内容

研究内容主要包括以下几个方面：

① 项目背景和历史描述。

② 市场需求预测与调查。市场需求预测是可行性研究中一项十分重要的工作。它是项目决策的前提和关键，只有产品适销对路，项目才有兴建的必要。市场需求预测主要是运用市场调查资料，借助预测方法来完成。市场调查内容包括：拟建项目产品生产能力调查，既包括现有企业的生产能力调查，还应包括正在兴建企业的生产能力调查；该拟建项目产品的消费历史，过去和现在的销售量及销售量增长速度；拟建项目产品的成本、价格（包括国际价格）、质量等；产品进出口的数量和价值。通过调查预测未来国内外市场的需求量，确定工程项目的发展规模。

③ 对原料、燃料、动力及其他资源的研究。对原料、燃料、动力等资源的研究主要是分析资源分布状况，说明可以利用的有利条件、可能落实的供应量。对需求量大的资源应考虑运输费用，注重经济分析。

④ 对设计方案的研究。设计方案包括工艺方案的选择，设备选型，运输路线的选择，公用、辅助设施的布置等。工艺方案的选择是可行性研究中的技术选择问题。它对投资效果有直接的影响，应根据我国的资源和经济条件选择适合我国国情的“适宜技术”。

⑤ 企业生产规模。企业生产规模是指企业的年生产能力。影响企业生产规模的因素很多，除市场需求量预测和工艺方案会直接影响企业生产规模外，还有原材料的供应量、总投资额等都会影响企业生产规模，一般可根据产量与费用变化关系选择合理的生产规模。盈亏平衡点分析是确定企业生产规模的一种行之有效的方法。

⑥ 厂址的选择。厂址的选择是工程项目可行性研究中很重要的一项工作，厂址的选择是否合理会给企业造成很深远的影响。厂址选择不当，不仅在建设时期会大大增加总投资额，而且在项目建成投产后，还会导致生产成本增加。为了合理地选择厂址，设计单位应与当地有关部门共同研究决定。由设计单位提出建厂条件和各项指标，如占地面积、物料吞吐量、用水量、用电量、储存运输量等特殊要求，以及污水量及其性质等。当地部门根据条件，提出若干个可供选择的建厂地点，经过实地勘察和详细比较，最后确定具体的建厂地址。

选择厂址时应综合考虑主要原材料、燃料和产品的运输距离、运输方式和运输价格。应尽可能做到就地取材、就地生产和就地销售。如水泥企业用量最大的原料是石灰石，每吨水泥熟料需用石灰石 1.35 吨左右。因此水泥厂靠近石灰石矿山，可以缩短石灰石的运输距离，节约运输费用和投资。靠近矿山是水泥厂选址的重要因素之一。

选择厂址时，应注重考虑当地的水源、电力条件。工厂靠近电力网，不仅供电条件优越，且能节省输电线路的投资。

选择厂址时，应注重考虑当地的水文、地质、地形、地貌条件以及地震的可能性，对不利因素应及早采取措施。

选择厂址时，还应考虑对周围环境的污染和对生态平衡的影响，对此应及早提出治理方法。

⑦ 企业组织机构及定员。确定企业需建立的组织机构，确定企业各类人员的来源、人数及培训计划。

⑧ 投资成本的估算和资金筹措。依据投资构成估算投资，依据产量估算年产品成本和流动资金的需要量，说明可能的资金来源及偿还条件等。

⑨ 经济评价。项目的经济评价是可行性研究报告的重要内容，是项目决策的主要依据之一。企业经济评价是从企业的角度出发，运用市场的实际价格分析工程项目的财务盈利情况，评价工程项目的投资经济效果，借以考察工程项目在财务上的获利能力。通过企业经济评价可了解工程项目投资的潜在收益能力，据此可进一步了解该工程项目在商业上的可接受性。基本步骤为：

a. 准备工作。它包括产品销售量和销售价格预测，投资估算和总成本估算等。

b. 编制财务平衡表、现金流量表，考察项目的偿还能力和获利能力。

c. 计算各种静态和动态评价指标。

现金流量表是反映工程项目在建设和投产年限内现金流入与现金流出的基本表格。它与常规的会计计算方法不同，在计算时仅计算现金的收支情况，即以企业本身为一封闭系统，流入该系统的现金称为现金流入，流出该系统的现金称为现金流出，不计算非现金收支，如固定资产折旧费就不应计入。由于固定资产折旧费是系统内部的资金转移，故现金流量表中的产品成本不应包含固定资产折旧费。当现金流量表中的产品成本包含固定资产折旧费时，就应在现金流入栏中加上固定资产折旧费一项，以便能真实地反映系统现金的出入情况。

⑩ 方案比较和结论性意见。给出两个以上建议方案的比较结果以及项目实施过程中的建议等。

11.4 成本控制

企业要想在日益激烈的市场竞争中获取经济利益，就要精打细算，加强成本控制，努力寻求各种降低成本的有效途径和方法，提升自身的竞争优势。企业的成本可以分为隐性成本和显性成本。隐性成本在财务报表上无法体现出准确数据，如沟通成本、决策成本、试错成本等。显性成本主要是企业投资运营成本，包含了企业为生产、销售商品和提供服务所发生的各种耗费和支出等，如图11-3所示。简单说，企业想获取利润，须开源节流，成本控制的实质就是“节流”，同时也为“开源”提供竞争支持。

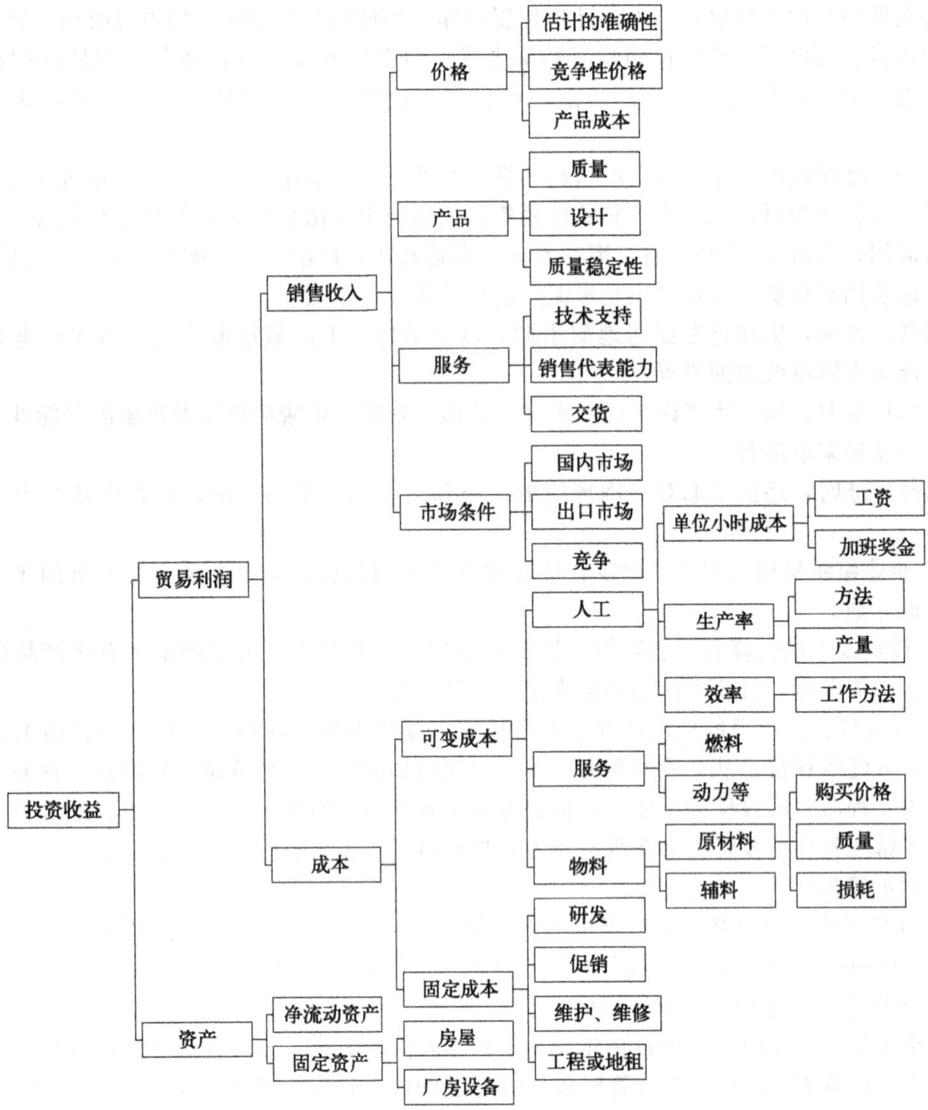

图11-3 企业投资运营成本结构示意图

11.4.1 成本控制目标、原则与流程

（1）成本控制目标

① 成本费用产生的合理性。企业的成本费用哪些应该发生，哪些不应该发生，国家的相关法律法规都做了原则性的规定，企业的规章制度也都做了具体的规定。成本控制必须保证成本费用发生的合理性，应该发生的让其发生，不应该发生的就不让其发生。为此，企业应该制定严格的控制标准和控制程序来保证成本费用发生的合理性。

② 成本费用产生的有效性。成本费用发生的有效与否和企业的内部控制制度直接相关。企业应当建立健全内部控制制度，完善业务处理流程，在业务流程上设置控制点，采取审

批、签发、审核、稽核等措施，使整个成本费用的发生处于有序的控制之中，以有利于提高企业的经济效益。

③ 成本费用确认的正确性。企业在成本费用确认的过程中很容易出现：将费用作为资产挂账，导致当期费用低估、资产价值高估的后果；将资产列为费用，导致当期费用高估、资产价值低估的结果；或者随意变更成本计算方法和费用分配方法，导致成本费用失真等问题。这些问题都严重影响了成本费用确认的正确性。因此，企业必须根据有关法律法规的规定，正确划分生产成本和期间费用的界限、资本性支出和收益性支出的界限以及本期成本费用与下期成本费用的界限等，根据成本费用的确认条件准确地对成本费用进行确认，以保证成本费用确认的正确性。

④ 成本费用计量的准确性。成本费用计量的准确性是以成本费用的正确确认为前提的。成本费用的计量不仅涉及会计信息载体，如记账凭证、明细账、总账等的可靠性，而且还涉及财务报表的正确性。为了保证成本费用计量的准确，企业应在成本费用计量过程中设置核查、稽查、对账等控制点，防止发生有意或者无意的计量错误。对于特殊产品、材料的计量还应征求专家的意见，采用物理或者化学等合理的计量方法进行计量。对于有损耗的存货应该制定合理的损耗额度，以此为标准对这些存货进行准确计量。准确计量企业所发生的成本费用是正确计量企业利润总额、所得税和净利润的重要保证。

⑤ 成本费用记录和报告的真实性和及时性。企业每日进行账务处理，划分年度、季度、月度进行财务报表的编制，目的是利用真实、及时、有用的会计信息为企业的生产经营服务。成本费用信息的真实性、及时性是其有用性的重要前提。企业应采取各种控制措施，加强对生产经营活动过程中成本费用的控制，保证成本费用记录和报告的真实性和及时性。

⑥ 成本费用产生的合法性。成本费用是企业利润的抵减项目，在收入确定的情况下，成本费用越多，利润就会越少；成本费用越少，利润就会越多。而企业利润是国家税收的重要来源，为了保证这一税收来源的真实性、充足性和稳定性，国家制定了有关法律法规对成本费用的开支范围、归集项目、确认条件、计量标准、记录规则、报告条例都做出了明确的规定。企业必须依据这些规定进行成本控制，通过控制成本费用发生过程中的各项手续、程序、各种文件记录以及账面的反映和财务报表的披露等，使成本费用的发生符合国家法律法规的规定。

(2) 成本控制原则

① 合理性。不同的企业，甚至同一个企业的不同发展阶段，其成本费用发生的具体内容和形式是不完全相同的，其在成本控制上所采取的方法和措施也会有所差别。但不管哪一个企业或企业发展的哪一个阶段，其成本费用的发生都有其合理性要求。因此，成本控制必须坚持合理性原则，即通过有效控制，只允许那些确实为企业生产经营活动所必需的成本费用发生，而对那些不是企业生产经营活动所必需的成本费用则限制或禁止发生。

② 有效性。企业成本费用在合法、合理的基础上还要达到有效，这是投入产出规律的必然要求。按照投入产出规律的要求，产出必须大于投入，投入才有效。企业成本费用的发生昭示着企业资源的耗费，而企业资源的耗费从根本上说就是企业对生产经营活动的投入，这种投入必然要求能够得到合理的回报。因此，企业在成本费用的控制上还必须坚持有效性原则，从事前控制、事中控制和事后控制三个方面来加强有效性控制，使成本费用的发生能够取得合理的回报，从而提高企业的经济效益。

③ 全面控制。即全体员工参与，对企业生产经营全过程中所耗费的全部成本进行严格的限制和监督。要对企业全部的料、工、费支出进行控制；对产品成本形成的全过程（包括

产品的设计和试制、物资的采购和储存、生产工艺的制定、生产组织、质量检查、供销、运输、售后服务和结算等各环节）发生的成本进行控制；对企业内部所有员工参与的全员成本进行控制。

④ 分级归口管理。企业上下左右的每一个部门、每一个单位在参与创造企业价值的同时，也都耗费着企业的资源，发生着各种成本费用。按照企业内部的组织分工，每一个部门、每一个单位都有其各自的职责权限，相互之间不能逾越，但需要沟通和协调。把成本费用的控制按照各个部门和单位的职责权限进行分级归口控制，是成本精细化控制的一个基本原则。通过分级归口控制，把成本控制的目标层层分解，层层归口，层层落实到各部门、各车间、各小组直至每一个人，使成本控制形成一个严密的组织系统，从而提高控制的效果。

⑤ 激励与约束相结合。成本控制通过分级归口控制，把控制的目标分解落实到最小单元之后，还需要建立相应的激励与约束制度，才能保证控制目标的实现。通过建立相应的激励与约束制度，各部门、各车间、各工段、各小组甚至每个人在明确自身的职责的同时，还了解自身的利益，从而调动其积极性，提高成本控制的效果。

⑥ 因地制宜。即成本控制必须适合企业的特点、部门和岗位的设置、成本项目的特点等实际情况，不可照搬别人的做法。

适合企业的特点，是指不同规模、不同行业、不同发展阶段的企业，其成本控制方法应有不同。

适合部门和岗位的设置，是指对不同职能部门以及不同的岗位，由于其职责及活动引发的成本不同，成本控制方法应有区别。

适合成本项目的特点，是指不同成本有着不同的性质及目的，成本控制方法应有差别。

⑦ 管理层推动。成本控制涉及全体员工和企业生产经营的全部过程，因此必须由管理层来推动。这一原则对管理层的要求是：重视并全力支持成本控制；具有完成成本控制目标的决心和信心；实事求是；以身作则，严格控制自身的责任成本。

⑧ 合法性。对成本费用进行控制是为了企业本身的利益，但是在采用各种控制手段时不能违反国家的相关法律法规。在控制过程中要兼顾国家利益、企业利益和消费者利益。成本控制的基本目标是降低成本费用的消耗，从根本上说，对国家、企业、消费者都是有利的，但是如果在成本控制过程中采用不适当的手段损害国家和消费者的利益，则是不妥的，从长远来看对企业的发展也是不利的。

（3）成本控制流程

① 制定预算。企业应当建立严格的成本费用预算制度，成本费用预算应当符合企业的发展目标和成本效益原则。

② 预算分解。企业应当根据成本费用预算内容，分解成本费用指标，落实成本费用责任主体。

③ 申请。企业应当根据费用预算，提出费用支出申请。

④ 审批。企业应当根据费用预算和经济业务的性质，按照授权批准制度所规定的权限，对费用支出申请进行审批。

⑤ 审核支付。企业会计机构或人员在办理费用支出业务时，应当根据经批准的费用支出申请，对发票、结算凭证等相关凭据的真实性、完整性、合法性及合规性进行严格审核。

⑥ 预算考核。企业应考核成本费用指标的完成情况，制定奖惩措施，实行成本费用责任追究制度。成本控制流程如图 11-4 所示。

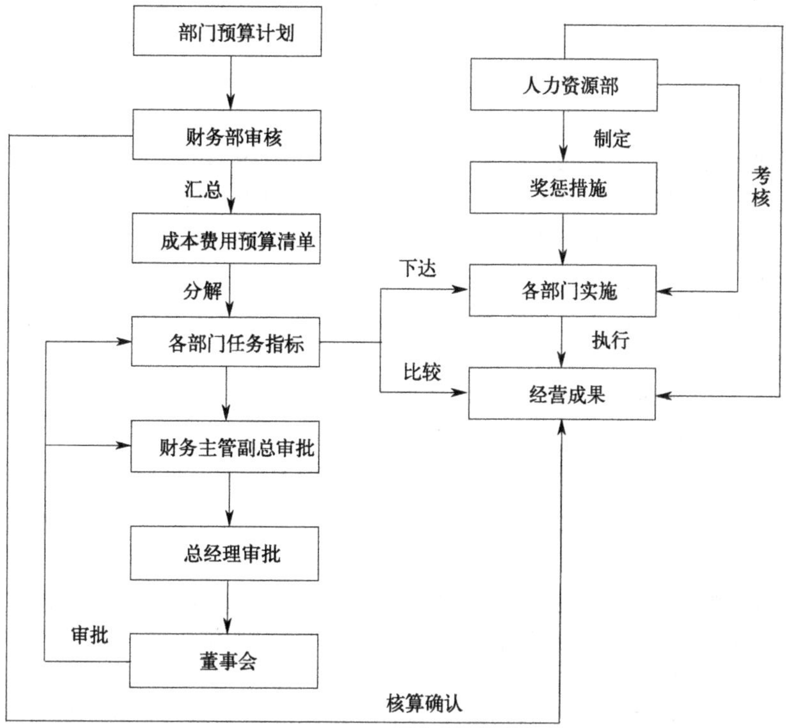

图 11-4　成本控制流程

11.4.2　成本控制方法

成本控制以预先确定的成本（计划成本、定额成本或标准成本）为依据，对生产和销售一定数量的产品所发生的物资耗费、劳动耗费和其他费用支出进行严格的管理和监督，以达到降低成本、提高经济效益的目的。成本控制工作始于产品的设计阶段，贯穿于生产经营的全过程。加强和改进成本费用的内部控制是企业的一项重要任务，企业通常主要从以下几方面控制成本。

（1）全面管理　即全员性、全面性、全过程性，产品生产管理组织流程中的每一个环节、每一个工艺、每一个部门，以及现场的每一位操作工都应参与到成本管理中，将管理的科学性与发挥全员的主动性相结合。随着间接成本在总成本费用中的比例不断加大，企业要取得产品成本优势，同时获得经济效益，就不能仅仅局限于制造成本的控制，还应扩展到整个产品生命周期的成本控制，如设计研发成本、设备运行维护成本、材料采购成本和存货仓储成本，还有企业为组织管理生产经营活动而发生的各项费用等。另外，从范围上看，成本控制不能只局限于生产领域，还应延伸到研发、采购和销售领域。

（2）事前控制　成本控制的关键在于制定和建立目标成本指标体系。

目标成本指标需要经过多次测算，从目标利润中选出最佳方案。指标制定过程应以市场为依托，依据市场、行情、各类产品的需求趋势、本企业的资源状况、产品的使用价值及功能测算出具有竞争力产品的最优销价，然后通过产品销售市场调查，测算本期目标销售收入，优先扣除上缴的税金，预测、分析有关经济信息，制定产品销售目标利润，再依据公式“产品单位目标成本＝产品单位销售价－产品单位目标利润”拟定企业的目标成本指标。但这不是最后确定的目标成本指标，财务人员还应在有关人员的配合下根据企业的生产能力、技术水平、设备水平、材料供应渠道以及价格水平等具体情况，进行测算、分析、比较。如果所得成本达不到拟定的目标成本，则要进行调整或重新设定。

（3）避免无效成本　企业为了实现目标成本、落实责任制度，要尽可能地避免无效成本的发生。

第一，企业应强化监督职能，技术监督由工艺、质检等部门负责，经济监督由财务、审计等部门负责，而纪律监督则由人力资源、行政等部门负责，各司其职，分工明确。

第二，加强物资管理，定期组织有关人员对生产车间物资管理及仓库保管工作进行检查，定期盘点和不定期抽查相结合，做到证、账、物相符，避免物资流失。同时，监督物资流向，推行限额领料制度，剩余材料要及时退库，以防丢、毁、损等现象的发生。特殊物资管理要责任到人，避免挪作他用而造成浪费。

第三，资源闲置浪费和产品积压造成贬值也是成本居高不下的因素之一，企业要充分利用资源，合理规划库存量。常见具体措施如下：

① 通过对库存情况进行全面系统的清查，制定物资调剂、结账和限购措施。对一些闲置物资进行处理，盘活闲置资产。对企业中闲置和利用率低的固定资产，包括厂房、土地、设备等，尽量做到物尽其用。

② 企业应根据生产需要增减人员和固定资产，实行人员和设备合理配置。先规划出理想的人机比例关系，然后通过分析现有人员的技术层次及现有的技术装备水平，设计实现人机的合理配置，防止人员或机器闲置。

③ 把“零库存”作为库存管理的指导思想，按照以销定产、以产定购的方法合理安排库存量，使其达到最优，避免不必要的仓储管理成本和可能发生的意外损失。

11.4.3 产品成本报表分析

产品成本报表分析属于成本的事后分析，主要指对全部产品成本的分析、主要产品单位成本的分析等。产品成本报表分析主要用来检查、评价企业成本管理工作，以便企业总结经验，吸取教训，不断提高成本管理水平，降低产品成本。

11.4.3.1 产品生产成本表分析

产品生产成本表是反映企业在一定时期内生产的全部产品总成本的报表，是企业管理者每月必须阅读和分析的报表，应按月定期编制。编制报表的目的是反映企业在一定时期内生产的全部产品的成本情况，这里的全部产品包括可比产品和不可比产品两部分。可比产品是指企业上一年度正式生产过、具有上一年成本资料的产品；不可比产品是指企业上一年度没有正式生产过、没有上一年成本资料的产品。

产品生产成本表分析的重点是可比产品，因此，产品生产成本表首先应分析可比产品成本降低计划的完成情况。分析方法是首先计算出可比产品成本的本期实际降低额和降低率，然后与计划降低额和计划降低率进行比较，最后再分析产生差异的原因，制定针对性措施，逐步实现降低成本的目标。

产品生产成本表的内容可以包括实际产量、单位成本、本月总成本和本年累计总成本，也可以按照产品种类分别反映本月产量、本年累计产量，以及上年度实际成本、本年计划成本、本月实际成本和本年累计实际成本等内容，便于对比分析和改进。

11.4.3.2 费用报表分析

费用是指企业为销售产品、提供劳务等日常活动所发生的经济利益流出，包括生产费用和期间费用。企业发生的各项费用中，凡是在一定时期的产品生产过程中发生或支出的耗费称为生产费用；凡是在某生产经营期间发生或支出的，为了维持一定生产经营能力的费用为期间费用。

费用报表包括制造费用明细表、管理费用明细表、财务费用明细表和销售费用明细表。从性质上讲，这些费用是不相同的。制造费用是计入产品生产成本的费用，这项费用的高低直接影响产品生产成本。管理费用、财务费用和销售费用不计入产品生产成本，直接计入当期损益，称为期间费用。这三项费用的高低虽不影响产品生产成本，但直接影响当期利润。按照“重要性原则”将多项费用综合核算，是这些费用的共同点，因此在分析上有许多共性。

(1) 目的　主要是：

a. 按照各类费用的组成项目反映费用的构成内容，以便分析各项费用的开支是否合理；

b. 按照各类费用组成项目反映各项费用的上年度周期实际数、本年度计划数、本月实际数和本年度累计实际平均数，进一步分析各项费用计划的执行结果；

c. 按照各类费用项目的构成反映各类费用中各个项目的变化，以便分析各项费用超支或节约的原因，以及对产品成本和本期利润产生的影响。

(2) 方法　对各项费用明细表的分析主要采用对比分析法和构成比率分析法。

采用对比分析法，以分析目的选择表中的某项数字为基数，将本期实际数与基数进行对比，确定各个项目本期实际数与对比基数的差异。分析时，将各项费用的本期实际数与计划数进行对比，分析计划的执行结果；也可以将各项费用的本期实际数与上期实际数进行对比，了解其增减变化，分析发展趋势。

采用构成比率分析法，以各项费用的总额为基数，分别用各项费用的各个项目与总额进行计算，求出所占比重，找出影响费用总额的重点项目，确定管理的重点环节。

(3) 关注的主要问题

a. 先分析有明确规定的。凡是在有关制度中规定了费用开支比例和提取标准的费用项目应首先予以分析，看该项目是否符合有关制度的规定。例如，管理费用中的业务招待费是以年销售净额为基数，按一定比例确定支出数额。以企业年销售净额在 1500 万元以下为例，业务招待费的支出不得超过年销售净额的 0.5%，在对业务招待费项目进行分析时就可以按有关规定来衡量其支出是否合理。

b. 特殊情况要核实。不能仅从某项费用绝对数的增减来评价费用的控制情况，要联系与其相关的生产经营业务量的增减变化来评价。例如，本期营业费用中的宣传费、广告费比上期增加了 5000 元，不能简单地认为企业没有很好地对费用加以控制，而应结合主营业务收入的增减来加以评判，如果该项费用的增长速度小于收入的增长速度，则费用的增加是正常的，也是必要的。

c. 先整体后局部，抓主要矛盾。由于各项费用包括的项目都比较多，分析不能泛泛进行，应该选择费用比重较大、超支或节约数额较大的项目有重点地进行分析。

11.4.3.3　成本分析方法

(1) 因素分析法　因素分析法是将某一综合指标分解为若干个相互联系的因素，按顺序分别计算和分析各因素影响程度的一种分析方法。

成本指标是一个综合性指标，它受到许多因素的影响。只有把成本指标分解为若干个构成因素，才能明确成本指标完成情况的原因和责任，而且还能弥补对比分析法的不足，即能揭示产生差异的因素和各因素对指标的影响程度。

运用因素分析法时，首先要确定综合指标由哪几个因素构成，并建立各因素与该指标之间的函数关系，然后根据分析目的，选用适当的方法进行分析，测定各因素变动对指标的影响程度。因素分析法按照计算步骤不同可分为连环替换分析法和差额计算分析法。

① 连环替换分析法，是依次用各项因素的实际数替换基数，借以计算各项因素影响程度的一种分析方法。

采用对比分析法和比率分析法，可以揭示实际数与基数之间的差异，但不能揭示产生差异的因素和各因素的影响程度。采用连环替换分析法就可以解决这一问题，从而找出主要矛盾，明确进一步调查研究的主要方向。这种分析法的计算步骤如下：

a. 根据指标的计算公式确定影响指标变动的各项因素。

b. 排列各项因素的顺序。

c. 按排定的因素顺序和各项因素的基数进行计算。

d. 依次将前面一项因素的基数替换为实际数，将每次替换以后的计算结果与其前一次替换以后的计算结果进行对比，顺序算出每项因素的影响程度，有几项因素就替换几次。

e. 将各项因素的影响（有的正向影响，有的反向影响）程度的代数和，与指标变动的差异总额核对相符。

注意，采用这种分析方法，必须按照事物的发展规律和各因素的相互依存关系合理排列各因素的顺序。确定各因素排列顺序的一般原则是：如果既有数量因素，又有质量因素，先计算数量因素变动的影响，后计算质量因素变动的影响；如果既有实物数量因素，又有价值数量因素，先计算实物数量因素变动的影响，后计算价值数量因素变动的影响；如果有几个数量因素或质量因素，还应区分主要因素和次要因素，先计算主要因素变动的影响，后计算次要因素变动的影响。

② 差额计算分析法，是根据各项因素的实际数与基数的差额来计算各项因素影响程度的方法，是连环替换分析法的一种简化的计算方法。

上述连环替换分析法的计算原理，可按下列公式表示：

第 1 项因素的影响程度＝(第 1 项因素实际数×第 2 项因素基数×第 3 项因素基数)
－(第 1 项因素基数×第 2 项因素基数×第 3 项因素基数)
＝(第 1 项因素实际数－第 1 项因素基数)×第 2 项因素基数
×第 3 项因素基数

第 2 项因素的影响程度＝(第 1 项因素实际数×第 2 项因素实际数×第 3 项因素基数)
－(第 1 项因素实际数×第 2 项因素基数×第 3 项因素基数)
＝(第 2 项因素实际数－第 2 项因素基数)×第 1 项因素实际数
×第 3 项因素基数

第 3 项因素的影响程度＝(第 1 项因素实际数×第 2 项因素实际数×第 3 项因素实际数)
－(第 1 项因素实际数×第 2 项因素实际数×第 3 项因素基数)
＝(第 3 项因素实际数－第 3 项因素基数)×第 1 项因素实际数
×第 2 项因素实际数

在上述计算公式中，第二个等号后面的计算公式都是差额计算分析法的计算公式。这种分析法与连环替换分析法的因素排列顺序如果相同，则计算结果完全相同。

在只有两项因素的情况下，由于能够简便、合理地排列因素的顺序，因而普遍地采用差额计算分析法。例如，影响单位产品材料费用大小的因素只有材料消耗数量和材料价格（单价）两项，按照事物总是从量变到质变的发展规律，可以很容易地确定材料消耗数量因素排列在前，材料价格因素（质量因素）排列在后，因而在单位产品材料费用的分析工作中，普遍地采用这种分析方法计算材料消耗数量变动（量差）和材料价格变动（价差）对材料费用变动的影响程度，计算既准确又简便。

(2) 比率分析法　比率分析法是通过计算和对比经济指标的比率进行数量分析的一种方法。采用这一方法，先要把对比的数值变成相对数，求出比率，然后再进行对比分析。

① 相关指标比率分析。将两个性质不同但又相关的指标进行分析或相除得到比率，然后再对实际数与计划（或前期实际）数进行对比分析，以便从经济活动的客观联系中，更深入地认识企业的生产经营状况。例如，将成本费用与反映生产、销售等生产经营成果的产值、销售收入、利润指标对比求出产值成本率、销售成本率和成本利润率指标，据此分析和比较生产耗费的经济效益。

不同企业或一个企业的不同时期，由于生产规模不同，有些指标不具有可比性，如利润指标。采用相关指标比率分析方法，如将利润指标与同期企业的产品销售收入或产品成本指标对比求出比率，就可以把企业规模不同的影响剔除，把在某些不同条件下的不可比指标变为可比指标。

② 构成比率分析。构成比率是某项经济指标的各个组成部分占总体的比重。例如，将构成产品成本的各个成本项目同产品成本总额相比，计算其占成本的比重，确定成本的构成比率；然后将不同时期的成本构成比率相比较，通过观察产品成本构成的变动，掌握经济活动情况，了解企业改进生产技术和经营管理对产品成本的影响。比如，原材料费用比率＝原材料费用/产品成本。

(3) 趋势分析法　趋势分析法是通过连续若干期相同指标对比，来揭示各期之间的增减变化，据此预测经济发展趋势的一种分析方法。

采用趋势分析法，在连续若干期之间，可以按绝对数进行对比，也可以按相对数（即比率）进行对比，可以采用定基百分比法，也可以采用环比百分比法。

(4) 对比分析法　也称比较法，它是通过实际数与基数的对比来揭示实际数与基数之间的差异，借以了解经济活动的成绩和问题的一种分析方法。对比分析法的主要作用在于通过对比，揭露矛盾，发现问题，找出差距，分析原因，并为进一步降低成本指明方向。在实际工作中，工业企业各种成本报表的分析一般都采用这种方法，因此，它是成本报表分析的最基本的方法。

对比分析法所比较的基数由于分析的目的不同而有所不同，一般有计划数、定额数、前期实际数、以往年度同期实际数以及企业的历史先进水平和国内外同行业的先进水平等。在实际工作中，常用的有以下几种形式：

① 实际数与计划数或定额数对比，可以揭示计划或定额的执行情况。

② 将本期实际数与前期实际数或以往年度同期实际数对比，可以考察企业经济业务的发展变化情况，分析企业生产经营工作的改进情况。

③ 将本期实际数与企业的历史先进水平或国内外同行业的先进水平对比，可以在更大范围内发现与先进水平之间的差距，从而学习和赶超先进。

需要指出的是，采用对比分析法时，企业应注意相比指标的可比性。进行对比的各项指标，必须是同质指标的数量对比。例如，实际产品成本与计划产品成本对比，实际原材料费用与定额原材料费用对比，本期实际制造费用与前期实际制造费用对比等。同时，在经济内容、计算方法、计算期和影响指标形成的客观条件等方面，也应有可比的共同基础。如果相比指标之间有不可比因素，应先按可比的口径进行调整，然后再进行对比。

(5) 相关分析法　企业的各种经济指标存在着相互依存关系，一个指标变了，就会影响其他经济指标。例如，生产数量的变化必然会引起成本的相应变化，利用数学方法进行相关分析，就能找出有关经济指标之间规律性的联系。

11.5 混凝土企业成本控制

对于混凝土企业来说，其主要成本组成如图 11-5 所示，企业要想获利，其前提是销售价格必须大于成本与税金之和。简单来说，混凝土的销售价格主要由材料成本、运输成本、人员工资、水电费、维修费、税费和利润等组成。

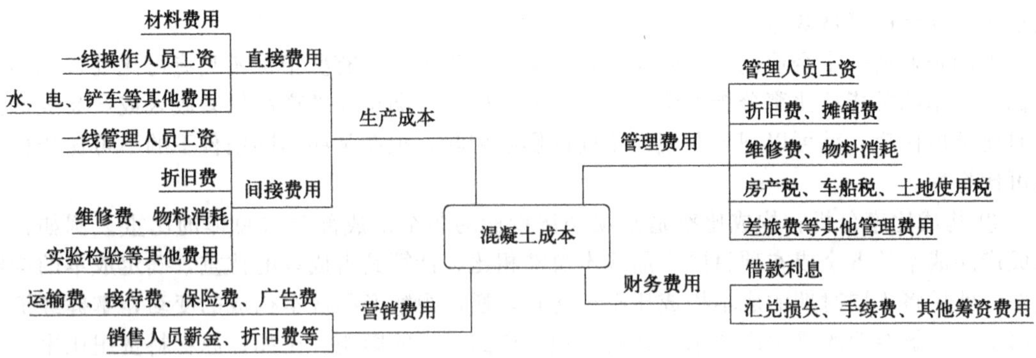

图 11-5 混凝土主要成本组成

11.5.1 生产成本控制

生产成本控制是指企业为了降低成本，对各种生产消耗和费用进行引导、限制及监督，使实际成本维持在预定标准成本之内的一系列工作。生产成本控制不仅是对生产消耗的控制，而且与企业的生产组织情况和产品销量有密切关系（图 11-6）。

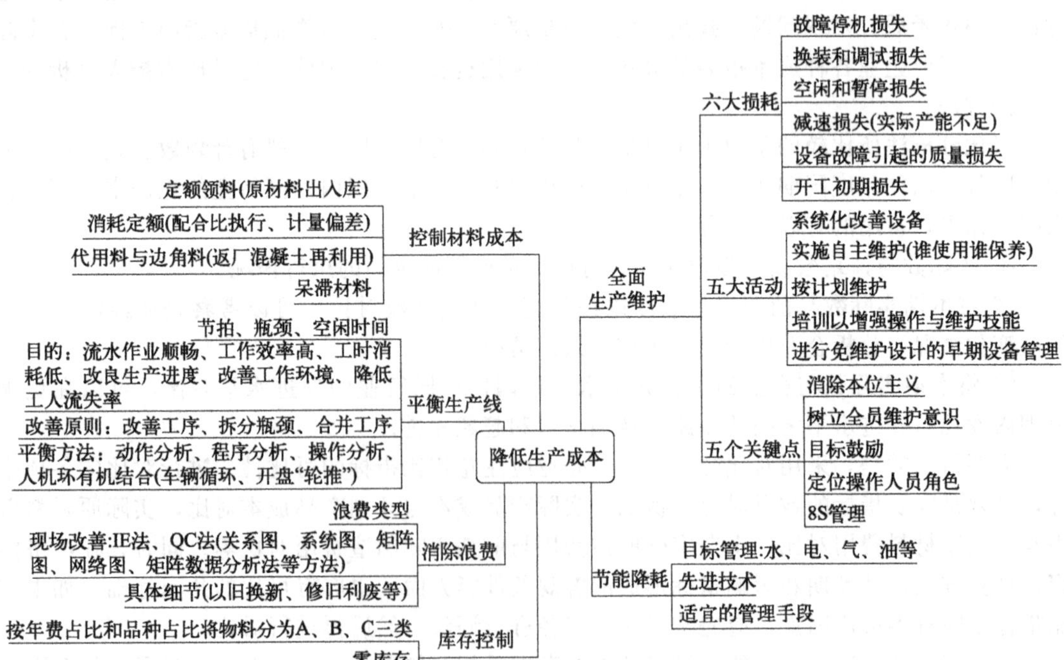

图 11-6 生产成本控制的内容

① 优化工作流程，通过改变、简化流程缩短加工时间、减少劳力成本。理顺流程，提

高效率，减少管理成本，如建立更精干的组织，减少组织人员开支。实施现场管理、走动管理、情景管理、会议控制体系等来提高管理效率，从而减少成本消耗。对作业进行研究，消除不必要的操作，实施“无为操作趋于零”的连续改善。引进更先进的设备，提高工作效率，降低设备投入成本，平摊加工成本。

② 提高设备的利用程度，合理组织安排生产，避免设备忙闲不均；加强设备的维修保养，提高设备的完好率。利用现代化科技手段，跟踪、控制搅拌机单位产品的生产时间和能耗，合理安排班次，增加设备实际工作时间，实行专业化协作等，这样可以减少单位产品的固定资产折旧费用。

全面生产维护是以提高企业综合素质为目标、全系统的预防维护为过程、全体员工参与为基础的设备保养和维修管理体系。追求的是生产系统效率的极限（综合效率最大化），力求降低不良损耗、故障损耗等一切损耗，实现“零故障、零缺陷、零不良”的目标。

实现生产线平衡，提高操作人员和设备的工作效率，设备不闲置，施工现场“不压车”，生产场区车辆“不等料”，物资上料、搅拌、装车、运输、现场卸料以及泵送作业等各个工序顺畅运作，真正实现生产顺畅。

③ 控制材料的消耗。从原材料采购开始，到最终产品或服务为止，合理制定原材料、燃料、辅助材料等物资费用的定额；严格并完善计量、检验和物资收发领退制度；健全产品、产量、品种、质量、原材料消耗、工时考勤和设备使用等原始记录，为财务统计部门提供有效、系统、准确的信息。同时，提高原材料性价比，寻求更优秀的替代原料或价格更便宜的供应商。就地取材，降低原料运输成本。

控制材料成本要根据物料清单做好材料入库数量和品质管理。控制材料消耗数量需要考虑混凝土配合比优化、是否按配合比投料（如粉煤灰下料较慢用矿粉补充等）、计量偏差是否合理（如正误差出现频繁等）、返厂混凝土的二次利用、生产报废率和一次出机不良品率等。如合理控制计量偏差方面，仅以水泥秤计量偏差为例，假如一个年产 30 万 m^3 的混凝土企业，每盘水泥用量 500kg，每年按 12 万盘计，标准规定误差±1%内，若按−0.6%计，则每年可节约 360t，而且对质量不会产生不良影响。又比如，大型商品混凝土公司的返厂率为 0.6%左右，能够二次利用的在 0.4%左右。

另外，采用价格更便宜、质量更好的可替代的配件，自己加工或外协生产。对于混凝土企业来说，库存管理也包括设备配件的控制，应减少库存，降低资金占用比例，以加快资金周转速度。降低库存需要从降低库存数量、降低库存单位价格方面着手。因此，应正确计算取得成本、储存成本、缺货成本，把存货量和库存金额控制在最佳的范围之内。

④ 控制质量成本，要打破提高质量增加成本、降低成本损害质量的观念，改进质量，事实上会带动成本的降低。改进质量成本，要提高工作过程的质量，才能减少废品损失、减少工作、减少返工时间、减少资源耗用，因而才能降低生产成本。比如，避免原材料质量出现大的波动甚至频繁更换原材料，混凝土强度保证率过高或过低等，评价指标可采用平均强度等级下的单方材料平均用量、同一等级时每兆帕强度的材料成本等。

⑤ 综合治理各类浪费：消除不增值劳动、能源、材料等各种浪费。实施各类堵漏活动，堵住水、油、电、气、汽，以及各种生产用介质的泄漏；对不合理的工艺流程、作业指导、材料及消耗品利用方法进行改善；从设计、工艺等各个环节减少原材料和辅料的浪费，减少边角废料损失。如采用搅拌机内视镜或电流曲线前置评价新拌混凝土出机质量，减少出机后二次调整的频次，既减少了物料浪费，又提高了生产效率。

注意，企业要消除生产中的浪费，不仅仅是指报废、退货、废弃等，所有不增值的活动都认为是浪费（如时间、成本的浪费），比如，砂石上料皮带空转时间过长等。企业中常见的浪费类型及内容如表 11-1 所示，工作中的浪费现象可参考表 11-2 中的示例进行检查。

表 11-1 常见的浪费类型和内容

序号	浪费类型	浪费内容
1	原材料与供应品的浪费	● 原材料请领太多，多余的原材料未办理退料 ● 原材料放置不正确、排列不整齐 ● 缺乏有效地防止原材料外流、避免损失或被偷的控制系统 ● 生产不良时未立即停止生产
2	机械设备和工具的浪费	● 缺乏工作计划，频繁停机、启动，使机械设备未得到充分利用 ● 未定期进行检查，机械设备未保持在良好的状态 ● 机械设备和工具缺乏必要的保养，受潮湿、灰尘、生锈等侵蚀 ● 小作业使用大型机械设备，重工作使用小型机械设备 ● 缺乏正确的操作或缺乏良好的设备操作纪律，员工滥用机械设备
3	人力资源的浪费	● 未对员工详细说明工作内容 ● 未根据员工的能力、特长安排岗位 ● 未对下属的进步与个人生活表示关心，随意指责下属的过错和缺点 ● 缺乏标准工时概念，缺乏人员效率管理的数据
4	时间的浪费	● 缺乏生产作业计划，造成等待或停工待料 ● 工具、原材料等缺乏定置管理 ● 员工有在岗不出力、擅离工作岗位等不良习惯 ● 办公室文件乱放，增加了管理及寻找的时间
5	空间的浪费	● 原材料及其他物品摆放不合理 ● 不良品、废弃物未及时处理 ● 空余的机械设备占据空间 ● 随意将物品放置在通道上，导致通道不畅

表 11-2 浪费现象检查表

	作业者	机械或设备	材料
勉强	● 作业人员是否太少 ● 人员的调配是否适当 ● 能否使员工工作得更舒服一点 ● 工作节奏是否合适 ● 处理方法有无勉强之处	● 机械的能力是否良好 ● 机械的精度是否良好 ● 计量器具的精度是否良好	● 材质、强度是否有勉强之处 ● 是否有难以加工之处 ● 交货日期是否拖延
浪费	● 有无“等待”的现象 ● 作业空暇是否太多 ● 是否有浪费的移动 ● 工作程序是否良好 ● 人员配置是否适当	● 机械的转动状态如何 ● 设备待命过程中空转时间是否过长 ● 机械的加工能力(大小、精度)有无浪费之处 ● 是否进行自动化、省力化 ● 平均的转动率是否适当	● 废弃物是否能加以利用 ● 材料是否剩余过多 ● 修正的程度如何 ● 有无过度涂饰
不均	● 忙与闲的不均情形如何 ● 工作量的不均情形如何 ● 工作人员的差异是否很大 ● 动作的联系是否顺利，有无相互等待的情形	● 工程的负荷是否均衡 ● 是否有等待、空闲的时间 ● 生产线是否平衡，有无不均衡的情形	● 材质有无不均的现象 ● 有无发生歪曲的现象 ● 材料是否能充分地供应 ● 尺寸、精度的误差是否在允许的范围之内

⑥ 降低能源消耗。在节能管理方面，应成立专门的管理组织进行目标分解，并对实施过程进行监督控制，如建立台账、日常核算、评价考核等。同时，也可以利用光伏、太阳能等先进技术成果，以减少水、电、燃气等能源的消耗。

11.5.2 采购成本控制

采购成本作为一项企业的主要运营指标，是企业生产经营管理水平的集中体现，同时也是企业产品成本与产品价格的重要组成因素。一般来说，采购成本是制造型企业经营成本中最大的一部分，一般占总支出的 60%～80%。研究表明，降低采购成本 1%，对企业利润增长的贡献平均为 10%。因此，控制与削减采购成本是制造业成本控制的核心环节。采购成本的降低，一方面可在企业现金流出的减少上有所体现，另一方面也能够直接体现在利润的增加与产品成本的下降，以及企业竞争实力的增强。在进行采购成本控制时，应根据不同物料区分采购成本控制侧重点，分析影响成本的因素，制定有针对性的采购计划和策略，以此降低采购成本（图 11-7）。

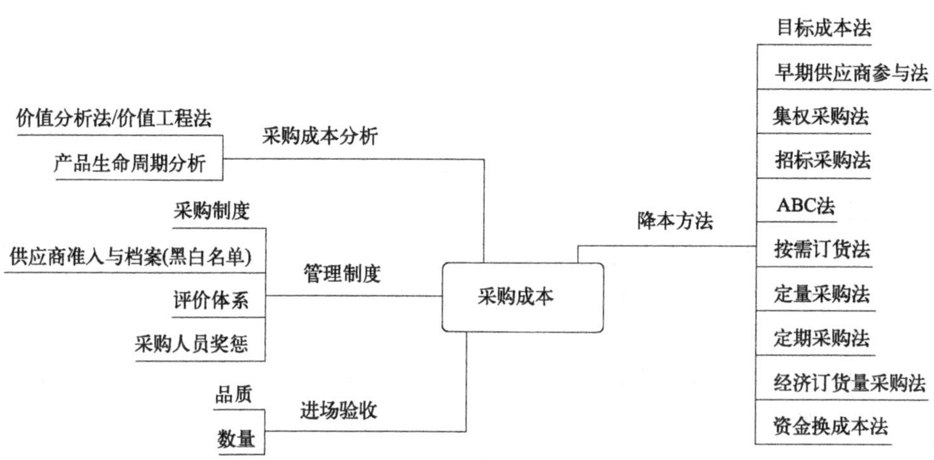

图 11-7　采购成本控制的内容

11.5.2.1 影响因素

企业采购成本的影响因素可分为内部因素和外部因素。

（1）内部因素

① 采购批次与采购批量。供需原理告诉我们采购物资的单价与数量成反比，即数量越多，采购的价格就越低。实际生产中，企业不可能一次采购过多的物资，因为这样虽然节约了一部分采购成本，但库存的积压和占用企业用于发展的资金所带来的成本远比所节约的成本多。

② 交货期、供货地点与付款账期。采购物资的价格成本是成本的一大部分，但供应商的交货期、供货地点、付款账期等因素也影响企业库存的大小及采购成本的高低。

③ 采购流程及部门间的沟通与协作。采购工作的开展不仅仅是采购部门的职责，它还涉及计划、设计、生产、销售和质检等部门。采购流程设计是否合理、高效，也会直接影响采购的效率及成本。为此，企业各部门之间要相互协作、保持良好沟通。

④ 价格成本分析与谈判能力。对供应商产品的成本与价格构成进行分析是确定采购价格和取得与供应商谈判的主动权的基础。采购部门在采购谈判之前，必须详细调查、分析所处市场的最新形势。这样才能针对不同的供应商选取不同的、有效的谈判议价方法，以达到降低采购价格的目的。

⑤ 产品的生命周期。阶段采购直接关系到产品生命周期的阶段，产品从导入期、成长期到成熟期的过程，也是一个采购量逐步增加、生产或技术逐步稳定、产品逐步走向市场的

过程，最终直至衰退期的出现。由于产品或技术会出现衰退、过时的情况，甚至也会有替代品出现。产品所在的生命周期为哪个阶段，降低采购成本的策略也应该由产品生命周期这个阶段的特点来确定，以使采购成本得到更合理、更有效的控制。

（2）外部因素

① 市场供需状况。市场供需状况直接影响采购成本。市场资源短缺、商品供不应求时，供应商就会因此涨价；相反，若是供过于求，则会选择降价。

② 供应商的生产能力、技术水平。若供应商的生产能力强大、生产技术先进、产品质量良好，则产品销售价格一般就会比较高。因此，采购部门就应该根据自身企业对产品技术功能、质量以及交货期的要求，科学、合理地选择适合的供应商，争取达到良好的性价比。

③ 供应商成本。企业处于新产品研发和投入阶段时，采购数量会比较少，供应商成本一般就会较高；之后进入成长期，随着采购量的增加、技术的成熟，供应商成本便会随之降低，产品供应价格就会有所下降。

④ 供应商的营销策略。供应商的营销策略及其报价方式直接影响采购成本。

⑤ 与供应商的关系。从卖方到传统供应商及熟悉的供应商，再到与供应商有着战略合作伙伴关系，再到联盟，成本分担有很多不同的方法。

11.5.2.2 采购原则与策略

（1）完善并严格执行采购制度及流程　一切采购活动都应在强而有效的采购约束机制下进行。对采购制度进行完善、严格，既规范了企业的采购活动，又有效提升了效率，也利于部门间利益分歧的消除，同时又可成功避免采购人员发生不良行为。为此，采购管理应以工作流程为中心，而不是以职能部门为中心，工作也由人为细化的简单工作转为面对整个流程的多面化工作。通常严格、完善的采购制度主要包括：供应商档案和准入制度、价格档案和价格评价体系、采购人员的考核评价体系、激励机制和监督机制等。

（2）建立系统的供应商管理体制　供应商的管理主要包括供应商选择、供应商伙伴关系管理、供应商差异化管理和供应商评价等方面。供应商选择是采购流程中的一个重要环节，直接影响采购活动的后续成本；供应商伙伴关系管理，即战略伙伴关系，建立与供应商结盟的采购控制体系，可以缩短采购周期和降低原材料的采购成本，可以实现制造商向生产厂家直接采购或结成同盟联合订购。供应商差异化管理是指根据产品细分的不同类型，对合格的供应商分类管理。供应商评价主要是用来对供应商进行监督管理，防止企业被“欺骗”，从而能够有效地控制外购材料的成本，减少和避免价格风险。

现代采购理念认为供应商与制造商是合作共赢的关系，是参与“产业链竞争”的重要一环，所以选择一个合适的供应商对采购成本的控制十分重要。以“合适的时间、合适的数量、合适的地点、合适的价格、合适的来源”的标准来选择供应商，在比较综合采购成本的基础上，结合供应商评价的指标体系再次评价，如采用熵权灰色关联分析法等，来对潜在供应商进行比较选择，避免判断失误错失重要供应商。

企业有必要为正式供应商建立档案，供应商档案不但要有地址、联系方式、编号，还要涵盖银行账号、交货条款、品质评级、付款条款、交货期限等，严格审核每个供应商档案后方可进行归档。关键物资供应商必须经质量检验、物流、财务等部门联合考核后才能进入，若条件允许，应亲赴供应商的生产现场进行考察。企业要在“入围”的供应商中进行采购，并且要定期、不定期地及时更新供应商档案，并配置专业人员进行管理。

（3）准确分析采购成本，建立价格档案和评价体系　企业要正确认识采购单价和采购成本的关系，而且还应采用合适的采购成本核算方法，合理降低采购单价，进而控制生产成本。采购成本是复合成本，它包括可直接计量的显性成本（如采购单价、运输费等）和不可直接计量的隐性成本（如延迟到货、付款时间等）。

所有采购货物的价格档案要有效建立，每批采购物品的报价要先同归档材料价格比对，并详细分析价格变化的原因。需要对重点材料价格建立起价格评价体系，并且价格评审小组要由公司相关部门组成，并能够定期收集有关供应价格信息，同时能结合实际，详细分析与评价现有价格水平，及时评价与更新归档的价格档案。此类评审可每季度或每半年举行一次。

(4) 灵活实施采购策略　企业应根据自身类型和采购产品的类别不同，分析采购成本的不同构成要素，选择适合本企业的采购成本控制策略与方法。

(5) 采购人员的培训、管理与监督　采购人员贯穿整个采购活动的始终，所以采购人员的综合素质对企业采购成本的管理至关重要。企业要加强采购人员的培训与管理，一是有利于培养采购人员对市场价格波动的敏感性，以把握住采购时机；二是能够提升采购人员的专业素养以及规范采购操作，以此提高企业的采购成本管理水平。

11.5.2.3　具体操作办法

(1) 谈判协商法　谈判协商法要求采购人员具备基本的谈判能力。而谈判不能只是局限在价格的协商上，还应能在一些特定的要求中使用。如果想要获得更多的降幅，就要提前了解物资市场和交易双方的实际需求，采用价值分析、价格和成本分析等技术手段和谈判技巧。

(2) 招标采购法　企业应当根据市场的具体情况，采取相应的采购措施，当货物进入买方市场时，应采用招投标方式采购大量物资，挑选供应商。

(3) 集中、批量采购法　企业将内部的各单位、部门的需求量进行统一归集，以增加采购量，有利于产生议价空间。

(4) 成本构成分析法　若对所购买产品的成本构成完全不了解，就无法获知产品价格是否公平、合理，也会丧失很多降低采购成本的机会。

(5) 物资四象限分类法　根据采购物资对企业的重要程度及其对采购成本的影响程度，将采购物资分为四大类，分别对应不同的采购方法（表 11-3）。

表 11-3　物资采购成本控制四象限分类法

物资类别	特性描述	控制方法	操作说明
Ⅰ类	重要程度高，成本影响大	招标采购	企业应尽量争取价格和非价格因素的平衡，避免由于信息不对称性而造成资源浪费。企业通过招标采购使不同供应商之间产生良性竞争，进而弥补采购业务中的不足，让企业自身拥有更大的自主选择权。按照性价比最高、服务最优原则进行采购
Ⅱ类	成本不高，数量小，但会给生产造成直接影响	战略库	主要依据是能否及时保证生产经营活动的顺利进行和最终商品的质量。这类物资的采购以保持充足的库存为首要目标，价格只是参考条件。通过库存控制来确定其采购频率和采购数量
Ⅲ类	成本影响程度大大超过对企业生产经营的影响	反向拍卖	价格是最关键的考虑因素。反向拍卖是指企业公开其期望的最高价，然后供应商竞价。供应商报价低于企业的最高价或者当前供应商所能给的最低价，最后企业再对供应商进行评估和选择
Ⅳ类	对生产和成本影响不大	定点采购	办公用品等零星物资的采购与管理，会花费大量的人力、物力，采购任务授权于各个需求部门，采用定点采购的方法满足各个部门的不同需求

(6) 供应定位模型法　供应定位模型主要是从企业所采购产品支出金额的多少及其对企业的影响（供应风险和机会）等方面，对所采购的产品进行分类，是企业采购在确定需求、获取与选择报价、供应商评价等活动中起指导作用的一种分析工具（表 11-4）。

表 11-4　物资采购成本控制供应定位模型法

物资类别	特性描述	控制方法	操作说明
日常类	低值采购，机遇、风险和影响发生可能性较低	供应管理	要降低显性成本中的采购管理成本。重点是降低供应商管理成本

续表

物资类别	特性描述	控制方法	操作说明
瓶颈类	低值采购，机遇、风险和影响发生可能性较高	风险控制	风险的发生意味着成本的上升，属隐性成本。重点是控制供应风险的发生
杠杆类	金额大，机遇、风险和影响发生可能性不高	价格管理	关键点是产品价格的变化，通过降低价格和交货成本来降低采购成本
关键类	金额大，机遇、风险和影响发生可能性较大	质量管理	重点是产品的质量和供应连续性。质量问题风险成本属于隐性成本，无法预测其何时发生以及损失多大，关键是提前预防

(7) 基于价格的目标成本法　基于价格的目标成本法在契约型供应链关系中是最为适用的，同时，供应链客户的需求也是比较稳定的。通过采取基于价格的目标成本法，可以在得到准确的市场信息的前提之下，确定出产品的市场接受价格（即“限价采购”），并可以计算出可以获取的利润，能够给供应链成员的利益分配带来比较合理的方案。采用基于价格的目标成本法的最重要的环节就是要保证供应链成员企业之间能够达成利益水平和分配时间的一致。

目标成本法主要是以市场为基础，而非在制造时对成本进行降低，是在产品生命周期研发和设计阶段，就对产品的成本进行了规划，这样就会使产品成本得到合理、科学的控制。

(8) 基于价值的目标成本法　一般来说，基于价值的目标成本法的适用场合是市场需求的变化非常快，要求供应链具备一定的柔性和灵活性。为了持续满足客户不断变化的要求，供应链企业就必须给市场提供生命周期比较短的、存在着差异性的高价值产品。那么供应链的运作就存在着比较高的风险。所以为了保证供应链成员企业的核心能力完全匹配客户的现实需求，重构供应链是必然的。通过采取基于价值的目标成本法，可以对客户需求进行快速反应，从而使供应链的整体竞争力得到实质性的增强。该方法是以价值为导向的，也就是说，目标成本的分摊是根据供应链上各种作业活动创造价值的比例来进行的。这种根据比例来进行分摊的成本就可以作为支付给供应链成员企业的价格。

(9) 基于作业成本管理的目标成本法　这种方法非常适用于紧密型或一体化型供应链关系，它要求供应链客户具备一致的、稳定的和已知的需求，供应链关系的长期稳定是通过协同安排来实现的。要采用这种方法，供应链必须可以控制和减少总成本，同时也要保证成员企业都可以由此而得到利润。所以供应链成员企业一定要想方设法来建立跨企业的供应链作业成本模型，分析整体供应链中的各项作业，剔除不增值作业，设计出联合改善成本管理的作业方案，从而保证供应链总成本的合理化。通过采用目标成本法，可以使成员企业的努力得到最大程度的激发和整合，并使得供应链的成本竞争力得到大幅度的提升。例如，在产品研发的早期阶段，邀请有关的合作供应商参与整个产品的开发、设计和生产，使供应商对产品的基本组成有所了解，参照市场的具体利润，一起合理、科学地制定一定的采购价格，最终建立更长期的战略合作伙伴关系，不但使企业的采购成本得以有效控制，同时又使双方实现了共赢。

总之，企业采购行为应该是基于“产品总成本最低”原则，而不只是追求“原材料采购单价最低”。

11.5.3　人力资源成本控制

人力资源成本是指企业为取得或重置人力资源而发生的成本，是企业为了实现自己的组织目标，创造最佳经济和社会效益，而取得、开发、使用、保障必要的人力资源及员工离职所支出各项费用的总和。如图 11-8 所示，企业在人力资源管理过程中要重视降低招聘成本、培训成本和员工流失成本等。

（1）影响因素　影响因素如下。

一是取得成本，主要有招聘需求，包括招聘的人员数量和职位、对应的市场价格，以及招聘方式、流程等。

二是开发成本，因为培训耽误工作而产生的机会成本等是不可控成本因素；培训需求、组织费用、培训效果为可控成本因素，其控制重点是提高开发成本的使用效率。

三是使用成本，如薪酬、保障费用及相关隐性成本等。

四是保障成本，包括劳动事故保障、健康保障、退休养老保障、失业保障等。退休养老保障成本相对固定，属不可控因素；劳动事故保障、健康保障具有可控性。

五是离职成本，主要指高级技术人员、管理人员等核心员工离职产生的成本，其中一部分是因疾病、伤残、年老、工作调动等不可控因素造成，一部分是激励不够、公平感缺失、发展空间受阻等可控因素导致。

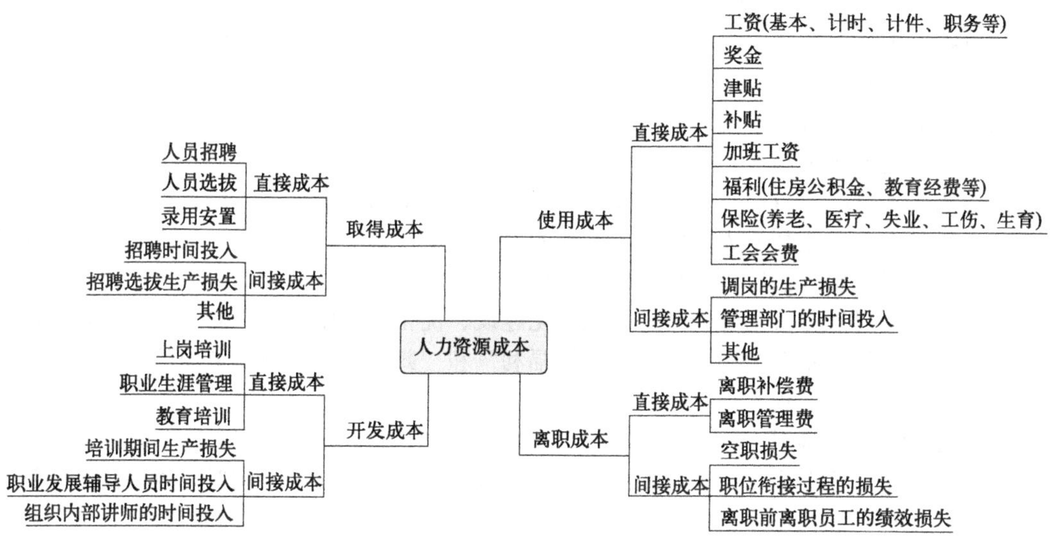

图 11-8　人力资源成本控制的内容

（2）控制原则与步骤

a. 前期的合理计划。预算前首先要判断人力资源成本是收益性支出还是资本性支出，并据此决定预算是短期的还是长期的、静态的还是弹性的。通过预算使成本在合理的幅度内变化，不至于严重不足或过分超出。各种财务管理运用的预算方法，几乎都能够用于人力资源成本预算上。同时，要有合理的规划，核心是进行人力资源成本的效益性分析，目的是最有效地利用人力资源，修正不经济的支出。

b. 严格的执行过程。完善人力资源成本费用统计台账，建立劳动工资、保险福利统计报表制度和财务报表制度，系统地、全过程地对人力资源成本进行监控。

c. 实时控制、适时调整。人力资源成本控制同时需要定期检查、及时纠偏、阶段性审查和统计分析，如果存在人力资源成本控制失当的情况，必须从机构、制度、执行等各环节分析原因，寻求对策，适时进行针对性调整、改进。

（3）控制措施

a. 改变观念，避免人才消费误区。许多企业误认为人才就是高精尖人才，但实际上大多数企业大量需要的是适用型人才。只要符合岗位描述的要求，能胜任工作岗位的需要，就是适用型人才。同时，也要坚持合理引进和使用人才，避免人才消费上的误区，企业要正确把握不同岗位的人才评价标准，切实把能力和业绩作为衡量人才的主要标准，不要过于看重荣誉的光环，要依据能力选择人才，不拘一格选人才。当然，也要加强自己培养人才的观念，充分发挥各级潜力，做到人尽其才。

b. 合理调整组织结构，建立学习型组织。优化组织结构，避免机构的重叠和无效。要明确每一个岗位的职能和责任，岗位衔接通畅，最大限度地减少员工之间的能量内耗，充分发挥员工的主观能动性，提高劳动生产率，真正做到“人人有事干，事事有人干”。同时，在知识迅速迭代的时代，不断学习已是基本要求。可持续发展就要求企业必须转变为学习型组织，因此，培训与考核就成了周而复始的事情。

c. 建立人力资源成本预算管理制度。通过预算，控制劳动力的投入，合理定岗定编，是企业加强用人管理的基础。同时，也可以增强企业对人力资源成本支出的预见性，避免或减少人力资源成本支出的随意性和盲目性，强化对人力资源成本支出的有效监督。

d. 实施灵活的分配制度。在市场经济条件下，人员的稳定是相对的，流动是绝对的。但流动应在一个合理的范围内（一般的企业每年流动率为10%左右，高科技企业为15%左右）。对于企业来讲，人才队伍的相对稳定是必要的，过快的流动不利于工作的延续和事业的发展。为此，企业对于不同的人力资源，可以根据收益与费用匹配的原则，结合资源的稀缺性，实行灵活的分配制度。合理的分配制度既能做到吸引优秀人才，又不至于使企业的人力资源使用成本过高。目前，企业专业技术人才（尤其是高技能人才）严重缺乏。在这种情况下，必须建立向专业技术人员倾斜的灵活的分配制度，如实行年薪制、科研成果利润比例提成制、节约成本奖励制以及按比例奖励科技股等。

同时，企业通过完善内部管理和企业文化建设、优化人员结构组合和科学配置，解决员工诸如“个人发展前景”“学习机会”“工资福利”和“归属感”等导致离职的问题，尽可能地减少人员流动引起的损失。

e. 稳定提升员工素质。企业要降低人力资源成本固然需要尽量减少员工的数量，但是要稳定员工队伍，适度提高薪酬和福利待遇无疑也是重要途径之一。同时，也要加强实施有效的培训，为员工提供不断学习的机会，以提升员工的综合素质，增加知识型和技能型员工的比例，使员工的能力与其岗位更加匹配，调动其主观能动性，在提高工作效率的同时，也有效控制了人员的流动性。

11.5.4 销售成本控制

企业营销过程中经常涉及的销售成本是对企业总体营销收入和其他必要的一些营销费用支出的一种统称。广义的销售成本则是从产品的最初持有者流入到最终持有者这整个过程中所耗费的经济代价，它是获得企业利润、促进经济效益提高的必要投入的部分。

就企业销售成本控制的组成要素来看，主要包括了信息成本的控制、设计成本的控制、谈判成本的控制、契约成本的控制、运营成本的控制、税收成本的控制以及协作和诉讼成本的控制等。销售成本也包括了一些特殊的可变成本费用的支出，比如，企业中用于营销工作的某些调研成本支出或是产品的推广所产生的一些成本支出，维护客户的一些支出，拓展企业环境的一些支出，甚至是企业广告投入、仓储运输和结算偏差等一些费用支出。实际上，对于混凝土企业来说，销售成本的控制重点不是降低营销费用，往往是结算损失和失控的回款账期。

稳定而广泛的客户源是企业生产经营目标实现的重要保证，所以客户维护与拓展也是企业销售成本的重要组成部分。企业要建立成本控制制度，建立对销售人员在与客户交往中费用支出的监督机制，防止出现企业资金的浪费和流失，并且要把销售成本控制与销售人员的业绩提成挂钩，作为激励和监督机制并存。

销售人员有别于一般管理人员和生产人员，因为他们的工作时间自由，完全以市场为导向，很难以上班时间的长短进行薪酬计算，通常以销售业绩来衡量，常见薪酬模式如表 11-5 所示。

表 11-5　销售人员的薪酬模式

模式	底薪	业务提成	奖金	福利	缺点	优点
纯基本工资制	有	无	无	#	完全没有激励性	员工收入稳定，有一定保证
基本工资+奖金制	有	无	*	#	激励性不强	员工收入稳定且有一定的激励性
基本工资+业务提成制	有	N×业务量	无	#	—	员工收入稳定且有较强的激励性
基本工资+业务提成+奖金制	有	N×业务量	*	有	—	员工收入稳定且有较强的激励性，有归属感
纯业务提成制	无	N×业务量	无	有	员工收入没有保证	激励性非常强

注："N"指不同的业务提成比例，"*"是指按一定比例发放，"#"是指与其他员工同等。

要注意的是，销售人员在扩大销售成果、提高市场占有率和货款回笼率的同时，要强化销售费用的使用效率，相对降低成本。首先，销售部门要研究、推进销售服务的营销体系，以规模经营降低成本。其次，要利用经济决策方法，降低运输成本。再次，优化销售人员薪酬体系，提高人员能动性，降低资金成本。比如，混凝土销售部门的薪酬可在表 11-5 的基础上增加结算激励、月度回款奖励等内容（表 11-6）。其中，月度回款奖励＝月度回款额×月度回款提成系数。当然，这些激励可根据实际分工不同在业务员、预算员和业务班组等岗位或团队进行不同比例的二次分配。最后，充分利用第三方资源或政府监管平台的影响力，加快资金回收，降低财务成本。

表 11-6　某混凝土公司结算激励与月度回款奖励措施

最终结算率/%	97	97.1	…	98.4	98.5	98.6	98.7	…	99.9	100
结算激励/(元/m^3)	−1.5	−1.4	…	−0.1	0	+0.1	+0.2	…	+1.4	+1.5

产值账期	预付款	1 个月内	2 个月内	3 个月内	…	24 个月内	24 个月后
月度回款提成系数/%	1～3	2	1.5	1	…	0.1	0

需要强调的是，在实际工作中，决策者要充分认识到销售成本控制对企业发展的重要意义。首先，销售成本控制有助于提高企业效益。如果企业只关注产品和服务质量，忽视销售成本控制，虽然一定程度上能够增加客户的忠诚度，但仍可能为企业带来成本过高、客户流失或者利润降低甚至亏损的处境。加强销售成本控制，提高产品和服务性价比，能够提高客户的信任度，获取更高市场占有率，更有助于为企业获取更多利润空间，提升企业效益。其次，销售成本控制有助于防范经营风险。随着市场经济的深入发展，实施销售成本控制，有助于缓解企业资金压力和经营压力，提升抗压能力和竞争实力，帮助企业在市场竞争中保持不败之地。最后，销售成本控制有助于促进企业可持续发展。通过销售成本控制，降低产品和长期服务成本，从而不断扩大销售规模，提升市场份额，强化企业生产经营基础，提高企业管理水平，帮助企业发展壮大，促进企业健康、可持续发展。

同时，企业要制订合理的资金回笼计划，促使客户严格按照合同约定进行货款支付，这样可以降低企业的资金成本，提高资金的周转率。另外，也要防止呆、坏账的发生，具体措施如图 11-9 所示。为了规避销售风险，应注意以下几点：

① 合同的签订应该规范，要组织统一的评审，对合同中部分条款要慎重研究，谨防陷

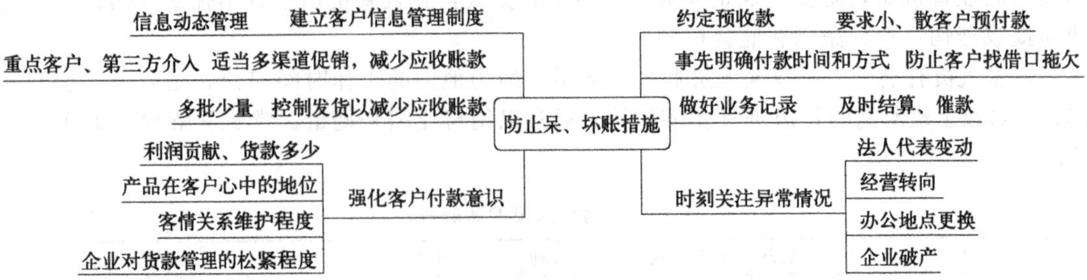

图 11-9 防止呆、坏账的措施

入施工单位设计的圈套，尽量规避今后在履行中产生的系列风险。

② 在合同的签订与履行过程中，要密切关注客户的经营状况、信用情况，发现有悖于正常经营的迹象时要及时向领导汇报，采取有效措施，降低经营风险。

③ 对于施工单位要求混凝土企业缴纳保证金的行为要谨慎对待，不能为了盲目地承接工程而不惜代价。

④抓好服务管理，认真对待生产质量方面的服务，不给对方寻找任何软肋的借口，这样不但能打造自身的品牌，而且在催讨应收账款时还能理直气壮。

⑤ 企业的生存靠的是诚信，不要有任何的小农意识，企业用投机取巧、贪图小利来发展企业，这样往往不能长久，反而容易因小失大。

总之，成本控制工作要以财务数据的变动来分析现状、发现差距和问题、制订计划并不断优化，使各级经营单元的经营成果不断接近甚至超越战略目标。混凝土企业在成本精细化管理过程中，通常采用每月开经营分析会的方式，基于财务报表，分析关键业务数据，认真讨论经营层面的问题，采取针对性措施实现既定目标。

第12章 行为与能力

企业管理中最重要的也最难的是人的管理，主要是识人、用人和沟通，为此，就需要了解一些心理行为学方面的知识，以提高沟通效率和效果。在应用国外的管理学、心理学理论时，不能生搬硬套，还要充分考虑我国的地域民族习俗和传统历史文化背景。

行为科学是研究人的心理和行为规律、调动人的积极性的一门综合性的科学，它是由心理学、社会学、社会心理学、人类学以及一切与研究行为有关的学科组成的学科群。它从个体心理、群体心理活动的特征出发，研究人的行为产生的原因和影响行为的因素，研究如何处理人际关系，借以预测和控制人的行为，以实现组织目标。管理心理学和行为科学在企业管理中是同义词。不过管理心理学更具有心理的气息，因为人们在从事生产经营活动时，人的心理调节和支配着人的行为。

12.1 组织行为学

组织行为学领域关注的是组织中人的活动，即管理者和操作人员，研究个体行为和群体行为。组织行为强调个体水平和群体水平的概念，并以它们为基础探求对行为的解释和预测。管理者通过管理其他人而工作，如果他们能够了解行为，则领导行为会变得更有效。

12.1.1 态度

态度是关于物体、人和事件的评价性陈述，无论喜欢与否，态度就是个体对任何所给定的客观对象的一种心理倾向。它反映了一个人对某件事情的感受，如“我喜欢”“我不愿意”。管理观念产生管理态度，管理态度影响管理的人伦关系，而管理的人伦关系可以决定管理的效果。一切由关系来决定，只有在人际关系很和谐、很协调的企业或组织中，大家才会乐于工作。

通常态度是由认知因素、情感因素和意向因素所构成的，其中情感因素最为重要。态度的认知成分由一个人所持有的信念、观点、知识或信息组成。态度的情感成分是态度中的情绪或感受部分，情感可能会导致行为后果。态度的意向因素是指以某种方式对某人或某事做出反应。人们在自己的态度之间、态度与行为之间寻求一致性，并通过协调态度而让态度和行为保持和谐。

员工与工作有关的态度中有三种最重要，即工作满意度、工作投入和组织承诺。工作满意度是员工对自己的工作的一般态度。当谈到员工的态度时，一般是指工作满意度。工作投入是指员工认可自己的工作，主动参与工作，认为工作绩效对自己的个人价值很重要。组织承诺是指员工对组织的忠诚度、认可程度及参与程度。

证据表明，生产效率导致了满意度，而不是人们普遍认为的逆向因果关系。也就是说，管理者应该帮助员工提高生产效率，这样就会得到预期的满意度。

(1) 态度的特性和功能

① 其特性主要有以下几点。

a. 态度形成的社会性。态度并非生而具有，而是在社会交往中形成的。个体在长期的社会生活中，人与人之间、人与社会环境之间相互作用，在这个过程中，人的态度逐步形成。态度形成以后，又会反过来作用于他人和外部环境。漫长的社会生活，使态度与社会环境中的人和事不断地发生循环往复的交互作用，这种交互作用使个体的态度体系日臻完善。

b. 态度目标的针对性。态度往往是针对某人、某事或某个观点的，即人的态度是有具体目标的，这就使态度具有主体与客体的对应关系。

c. 态度功能的稳定性。态度的形成是一个缓慢的过程，但它一经形成就比较持久、稳定，还有一定的拒变性，形成性格的一部分。态度的稳定性使人们在反应模式上呈现出规律性，使得个体易于适应社会环境。

态度的稳定性，既可以有利于管理工作，也可以有害于管理工作。员工形成正确的态度后，会自觉地完成各项任务，这种自觉性会持续很久，甚至保持一生。所以在对人的管理中，大量的教育工作都是为了改变员工的态度或为了帮助员工形成一种正确的态度。这一工作最好是在员工态度尚未完全形成的阶段进行，因为那时组成态度的因素还未固定，适时地引进新的认知因素，容易促进态度的改变；否则，若再打破其平衡，则十分困难。

d. 态度观测的间接性。态度是一种内在的心理体验，是人的内在心理品质，它虽然具有行为的倾向，但并不等于行为本身。所以态度本身不能直接被观察到，只能从人们的言论、表情及行为中进行间接的分析和推测，这就是态度观测的间接性。

e. 态度结构的协调性。正常情况下，个体对某人或某事所抱的态度中，三种组成因素（认知、情感和意向）之间常常是协调一致的，其心理处于平衡状态。但是由于认知的复杂性、情感与认知的矛盾性或信息来源的多样性等原因，人有时也会产生三种组成因素不相协调的状况。在这种情况下，人就会处于矛盾状态。但人们总会通过各种努力，使之协调，以达到心理平衡，即“心安理得”。

f. 态度来源的价值性。态度来自价值，取决于人的价值观。人们对于某个事物所具有的态度取决于该事物对人们意义的大小，也就是事物所具有的价值大小。某事物对人的意义大，人们就对其抱有积极的正面态度；反之，产生消极的态度。事物有无意义、意义大小是受个人需要、兴趣等个性倾向制约的。

态度是一种心理倾向，对人的行为有着极其重要的影响，对人们的社会认知和社会行为起着准备性的动机作用。态度驱使人们趋于满足自己的事物而避开有害于自己的事物。根据某人的态度，可以推断他对人或对事的评估及将要采取什么行动。

② 实验证明，态度有以下一些功能。

a. 态度与社会理解和认知。态度的特性之一是它具有稳定性和拒变性。态度形成后，易于使人产生一种习惯性反应，久而久之就形成一种刻板无弹性的固定看法，这种固定看法影响着人们对周围人或事的客观评价与认识，也容易使人们忽略群体中的个性差异。

b. 态度与行为表现。当人们做了努力，并付出了代价，但仍无法达到目标时，便产生了挫折。人们遇到挫折时，有的人敢于向挫折挑战，有的人却一蹶不振，这种对挫折的适应能力，即挫折的容忍力。容忍力的强弱与个体对引起挫折的事物的态度密切相关。

c. 态度与学习效果。态度影响学习效果。实验证明，当学习内容与个体的态度或想法不一致时，态度就会成为学习的障碍；态度一致时，态度就会成为动力，所学内容更容易吸收、记忆。

d. 态度与工作效率。态度与工作效率间存在着复杂的关系。这是因为：一是行为原因的复杂性，行为是由多种因素所决定的，态度只是众多因素的一个方面；二是情景因素的多样性，它有着重要影响；三是工作效率的间接性，对一般员工来说，工作效率并非其最主要的目标，工作效率仅是其达到其他目标的手段；四是人的需求的多面性，当个体生活上的基本需求获得满足之后，目标才会转移到社会性需求的满足上。

(2) 态度的形成与改变　态度不是生而有之的，而是在社会生活环境中逐渐形成的，是个从无到有的社会化过程。这个过程经历了三个阶段。

① 服从（顺从）。这是在表面上转变自己的观点和态度的时期。由于外界环境和舆论的作用，在行动上不得不服从，但认知、情感并没有发生改变，所以个人只是在外显行为上与别人保持一致，内心仍持怀疑、抵制甚至反对的态度，这是一种缺乏自觉性的被迫、被动的服从，是受强化原则制约的。如有些人对正常的作息规律、法律制度等缺乏正确认识，为了逃避惩罚而被迫服从，一旦外部条件发生变化或缺少监督，服从也就不复存在了。

② 同化（认同）。从被迫接受到自愿接受某人或某团队的观点、信念、态度和行为规范，改变自己原有的固定模式，进而使自己从各个方面去接近某人或某群体，这是一种从众行为的表现。这种从众行为的产生常有强烈的情感因素，往往是个人喜欢或热爱某人或某群体，将其视为典范和榜样。因此，在一个单位中，则可通过认同这一途径来养成员工的好习惯。

③ 内化。真正心悦诚服地相信并接受他人的观点，从而彻底地转变了自己的态度。经过内化，个人把他人的思想、观点、信念变成自己的思想、观点和信念，使态度中的认知、情感和意向三因素达到了新的平衡和统一，完全形成或改变了自己的态度。

个人的态度经过服从、同化、内化三个阶段后，态度就变成了人格的一部分，并且获得了相对的稳定性。

由此，也可以看出，影响态度形成的主要因素有个体因素（如价值观等）、群体因素（如群体对成员的态度）和知识与信息的影响等（如：独立性强的人不易接受他人的影响，难以转变原有态度形成新态度；依赖性强的人态度稳定性差，态度易形成也易改变；能力强、分析水平高的人，善于捕捉信息，把握新动向，容易改变态度；分析能力差的人则容易固执己见，坚持原有态度）。人们的许多态度就是由社会信息和知识的影响形成和改变的，因为人对客观事物的分析评价依赖于个体已掌握的知识和获得的信息，个体掌握的知识范围和深度、获得信息的广度和准确度都会影响个体的态度。知识有助于某种态度的形成，也有助于某种态度的改变。但知识信息绝非个体态度形成的唯一因素。个体在接受新知识、新信息时，必然会对自己原有的态度体系进行协调，协调之中可能会改变原有的认知系统，并谋求一致，也可能对新知识、新信息进行歪曲或抛弃，而维持原有的态度。不过要改变原有的态度，必须学习新的知识。学习并吸收新知识是改变态度的必要条件。

使员工形成正确的态度，对搞好管理工作是极其重要的。一个单位应使其成员自觉地认识和遵守企业的准则和行为规范，即统一了认识，形成统一的态度，这样管理工作就建立在自觉的基础之上了。员工建立起积极的态度，就会激发起巨大的工作热情、力量及勇气。同时，积极的工作态度可以延缓疲劳，提高工效，减少事故。态度的改变有一定的难度，因为态度一旦形成就产生了较强的拒变性，形成人格的一部分，进而影响个体的整个行为方式。但态度的形成是社会实践的锻炼及各种知识信息影响的结果，因而当客观情况及环境发生变化后也会使态度发生变化。

影响态度改变的主要因素有以下两大类。

第一类是态度系统方面，具体有：

a. 童年早期形成的态度，拒变性强，不易改变。

b. 态度确立的事实根据充分、全面、确凿，改变态度难度大。如果态度确立只依赖于一个事实，或所依据的事实是虚假的，只要驳倒那个事实或证实其虚假，态度就可得到改变。

c. 态度越极端，改变越困难。比如，刻骨的仇恨、极端的热爱等。

d. 个体对人对事的态度，形成了某种信念，成为其人格的一部分，改变起来有难度，除非用充分的事实动摇其信念，否则其态度是不会发生变化的。

e. 个体已经形成前后一贯的系统认识和态度，这种态度已经成为个体一种习惯性反应，难以改变。

f. 态度的认知、情感及意向三个因素协调一致，互相依赖、强化，产生很强的拒变性，不易改变。

g. 与个体的基本价值观相关联的态度不易改变。

第二类是个体人格特征方面，具体内容是：

a. 智力因素。智力水平高的人面对复杂的问题能从正反两方面做出全面的分析与比较，以判断其正误真假，从而主动地维持或改变自己的态度。智力水平低的人，缺乏全面的分析判断能力，缺乏主见，易于受别人或群体态度的影响，从而容易改变态度。

b. 性格特征。比如，顺从型的人缺乏判断能力，依赖性强，暗示感受性强，崇拜权威，容易改变态度。另一些人对其他人的劝告总是拒绝，他们对于别人所提出的资料缺乏认真分析，固执、倔强且思想僵化，不肯接受新的观念，态度很难改变。

c. 年龄与性别。年轻人较少保守，易于吸收新知识，接受新观念，创新精神强，态度容易改变，而多数老年人相对而言改变态度则比较困难。研究表明：女性比男性更容易接受劝告，改变态度。

d. 气质类型。胆汁质气质的人，灵活性较差，适应多变环境的能力较差，一旦形成对人对事的态度后，难以改变；而多血质的人，灵活多变，适应能力强，相对而言，改变态度要容易得多。

e. 自我防卫机制。自我防卫机制强的人，特别注重保护自己已有的态度以增强自尊，这种人改变态度较困难；自我防卫机制弱的人，则较容易改变态度。

f. 个体与客观情景的关系。当某人对所属团队有强烈的归属感、亲切感和认同感时，其态度很自然地就会与团队规范保持一致。团队中职务高的人易于与群体规范保持一致态度，而职务低或得不到应有尊重的人，其态度易于动摇。所以员工能参与管理，参与制定群体规范，其贡献又能得到群体领导者认可，能够明显地改变个人对群体的态度，易于与团队规范保持一致。

12.1.2 个性

个性是用以区分个体的一种综合的心理特质，并能够据此预测一个人的行为。人的个性心理特征包括能力、气质和性格等。

(1) 个性的基本特征　人们的个性尽管各不相同，但却都具有以下三个基本特征：

① 个性的稳定性。在每一个人身上总会表现出很多心理特征，其中有些是经常出现的、稳定的，有些是偶然的、一时性的。只有经常出现的稳定心理特征才算个性心理特征。个性心理特征虽然具有稳定性，但不排斥可变性。人的个性是在一定社会历史条件下，在长期生活经历中逐渐形成的，但受客观现实影响，人的个性心理特征也会或多或少地产生变化。

② 个性的整体性。人的个性是统一的整体，在一个具体的、活生生的人身上，不存在彼此孤立、互不联系的个性特征。

③ 个性的倾向性。一个人在生活实践中形成的需要、兴趣、信念、理想与世界观，反

映出个性的倾向性。个性倾向性不仅对改造客观世界有重要作用，并对人的心理活动也有很大影响，表现为对事物的不同态度、不同的行为模式等。

虽然个性特征有几十种之多，但其中六种基本特征与行为表现关系较大（表 12-1）。

表 12-1 个性特征与行为表现

个性特征	行为表现
控制型	内控型认为自己能主宰命运，外控型认为自己受命运(外部力量)操纵。外控型对工作更不满，投人更低
权威主义	人们具有地位和权力差异的信念。极端高权威主义者个性表现为思想僵化，对他人主观判断，对上司毕恭毕敬，对下级剥削利用，不信任他人，抵制变革
马基雅维利主义	主张为了目的不择手段。高马基雅维利主义者讲究实用，对人保持情感距离，相信结果，能替手段辩护
自尊	根据喜爱自己与否的程度进行划分。自尊与成功预期呈正相关性，低自尊者对外界影响更敏感，更注重取悦他人，更乐于赞同他人，更倾向于按照自己尊敬的人的信念和行为行事。高自尊者对工作更满意
自我控制	是指根据外部环境因素调整自己行为的个体能力。高自我控制者倾向于更关注他人的活动，行为更符合习惯，更易变换角色，适宜管理岗位。低自我控制者倾向于在各种情境下都表现出自己真实的性情和态度
冒险性	高冒险性的管理者决策比低冒险性的管理者决策更迅速，在做出选择时使用的信息更少

（2）个性的形成和发展　由于人既是生物实体——自然人，又是社会实体——社会人。人的个性差异是由下列因素形成的：

① 人的遗传素质不同。遗传对人的个性有一定影响，如：一个人的智力、知觉等特征和遗传有密切关系。但遗传素质只是形成个性的不可缺少的物质前提，而不起决定作用。

② 人的后天社会生活条件不同。人所出生的家庭环境、接受学校的教育、参加的社会活动、所接触的人等都是千差万别的，即使生活在同一个家庭中，所受的影响也不会完全一样，这就使人的个性带有独特性的色彩。

③ 人的主观努力不同。生活在社会中的人对自己的要求是不同的，有的人律己甚严，力求上进；有的人放松对自己的要求，任性散漫，因而在个性上也有不同的表现。

研究表明，人的社会生活条件和主观努力是形成个性差异的主要因素，而且，人的个性也会随之变化和发展。

管理工作者研究个性心理特征对了解员工的思想动态、工作实际情况，提高思想觉悟，增强责任感和发挥积极性等都是非常有益的。心理学家霍兰德划分了六种基本的个性类型和六类相应的职业（表 12-2）。他发现，当个体的职业与他们的个性特点相匹配时，他们对工作最满意，离职率也最低。为此，管理者可以根据员工的个性差异安排适合的岗位。

表 12-2 个性类型与相应的职业

个性类型	特征描述	个性特点	相应的职业
现实型	偏好需要技能、力量、协调性的体力活动	害羞、真诚、持久、稳定、顺从、实际	机械师、操作工、装配线员工
研究型	偏好需要思考、组织和理解的活动	分析、创造、好奇、独立	生物学家、经济学家、数学家、新闻记者
社会型	偏好能够帮助和提高别人的活动	社会、友好、合作、理解	社会工作者、教师、官员、心理学家
传统型	偏好规范、有序、清楚、明确的活动	顺从、高效、实际、缺乏想象力、缺乏灵活性	会计、业务经理、银行出纳员、档案管理员
企业型	偏好那些能够影响他人和获得权力的活动	自信、进取、精力充沛、盛气凌人	法官、房地产经纪人
艺术型	偏好需要创造性表达的模糊且无规则可循的活动	富于想象力、无序、杂乱、理想、情绪化、不实际	画家、音乐家、作家、室内装饰者

(3) 能力差异与管理　能力是指直接影响人的行为结果，使人能够顺利完成某种活动所必需的个性心理特征。研究人与人之间存在的能力差异，有助于掌握员工的特点，量才使用，使人力资源及相应的物力资源都得到充分的发挥。为此，要注意以下几个方面。

① 掌握能力局限，搞好人机配合。不同的工作要求不同能力的人来承担。每一种工作都有一个能力范围，它既不需要超过一定的能力范围，也不能低于这个范围，恰如其分的能力水平才能使工作效率达到最高。由于个体之间的差异，不同的人对同一工作会有不同的适应性。

如果能力很强的人从事一项相对来说过于简单的工作，那他往往就会对工作感到乏味，从而影响工作效率。相反，如果能力较低的人从事相对较为复杂的工作，则会感到力不从心，产生焦虑心理，严重的还会导致人格异常。由此可见，好的管理者并不在于把社会上智力、能力强的人都聚集在自己周围，而在于合理地根据工作岗位正确地确定本企业所需要的能力范围，并据此网罗人才。同时还要注意不同工作偏重某种特殊能力的程度也有所不同。因此，为了切实保证企业效率，不仅需要确定什么工作需要什么样的特殊能力，而且还需要衡量其特殊能力，以确定什么人适合这项工作。

② 合理分配工作，做到人尽其才。管理者应该根据员工的能力水平分配工作，以做到人尽其才。为此，应注意以下内容。

第一，要承认同一个人不能适应所有部门的每一项工作。因此，同一个人在不同的工作条件下，不可能时时事事都保持同样的工作成绩。

第二，要承认受教育的程度相等，能力水平也并不一定相等。知识的掌握并不等于能力的发展，它仅仅是能力发展的前提条件。所以，要分清文凭与能力的关系。文凭并不标志着实际能力水平，只意味着他接受了某种训练。

第三，要承认同样智力水平的人，并不一定适合同一种工作。因为任何一种工作除需要一定的智力水平外，还要求具有某种特殊能力。管理者要了解员工的各种特殊能力状况。

第四，要求管理者根据员工的素质及所要从事工作的性质实施不同的教育训练计划。因为人的智力与能力分布状态呈正态分布，也就是说属于中间层次的人才居多。因此，可广泛实施普通教育与职业教育。

③ 完善组织结构，确立人才金字塔。从管理心理学角度看，工作能力的高低等于智商与所受教育或训练的乘积。任何一个组织，客观上都存在着能力高、中、低三种人。管理者必须协调好这三种人的结构，才能达到组织管理的目标。经验表明，企业内部一个好的人才金字塔，塔的梯度不能过陡，各种能力层次的衔接应该是平稳的。如果相差过于悬殊，则往往影响管理和沟通工作。例如，下级难以正确理解上级意图和组织目标等。

④ 充分理解和尊重每位员工。因为员工是情况各异的个体，基于能力和态度两个指标可以把员工分成四种。第一种是能给企业带来绩效的，叫“人财”；第二种是可以培养的未来的“人材”；第三种是可以带来绩效，但是会破坏性使用制度的，叫“人才”；最后一种是能力和态度都不够的，叫“人裁”。如果觉得企业里大概只有30%的人好用，其实这很正常。不同的人采用不同的模式，比如，特别能干的“人财”就得授权，这种员工你能给的最大的激励其实是授权和信任；目前不会干的“人材”需要培养，让他们变得能干；一定要挑战制度规则的“人才”，需要激励；而“人裁”需要把他们调整到适合的岗位。所以说“管理是个过程”，管理者把要做的事跟员工讲清楚，然后采用不同的安排模式。简而言之，有德有才，破格重用；有德无才，培养使用；有才无德，限制录用；无德无才，坚决不用，包括那些发生问题推责任的、拒绝学习的、无追求无欲望的。

在实际工作中，可以利用能力差异理论提高管理水平。

a. 各部门各岗位要有自己选用人才的能力标准。每个企业、工种和职能部门都有自己不同的工作内容和特性，对任职者有不同的要求。例如，司机需要快速反应能力等。

b. 企业要努力寻求各种职位间的相关系列。各种职位间存在着正相关、负相关或不相关的关系。正相关的职位之间往往具有相近的工作内容，对任职者的能力要求也相似，如会计与统计之间的关系等。管理者通过对各种职位间相互关系的研究，把高度正相关的职位归为同一职位系列，并根据各种职位系列之间的相关方向与程度，编制职位系列图，帮助人事部门对员工进行合理安排。如需要进行人员调整，可根据此图调某人到与其原任职正相关的新职位上去。同时，还可以用来指导人事部门做好晋升工作。职位系列图不仅指出同一层次各职位之间的关系，而且也指出了不同层次的工作岗位之间存在的纵向相关关系。

c. 管理者要注意用人之长、避人之短。企业中样样精通、十全十美的人是罕见的，但擅长某一方面、适合某项工作的人才却不少。在选择和安排员工时，要尽可能考虑每个人的特长和兴趣，以便人尽其才，最大程度地发挥人的价值。比如，内向的人善于思考，外向的人善于行动。

d. 各级管理部门要探索招聘人员的方法和途径。目前，招聘应着重考虑两个问题：一是如何确定文化水平，二是如何选用人员。文化水平的确定有两种方式：一种是封闭式选择，其核心是根据工种的性质确定文化水平的最低标准与最高标准，严格按标准招聘；另一种是普遍采用的开放式选择，即根据求职者的状况确定合格线，达到或超过合格线者予以录用，这种合格线随着求职者人数和水平的变化而变化。

在人员选择方面，以往招工考试往往以文化考试为主，辅之以某些现场操作，这种方法欠妥。研究表明，文化考试反映一个人已掌握的部分知识水平，并不代表他的能力。许多人的能力和知识、技能发展并不完全一致，而且，工作要求的某种特殊能力又是文化考试无法测量出来的。因此，管理者必须把文化知识考核、技能考核与心理测量结合起来，只有这样才能准确地选用人才。

12.1.3 知觉

知觉是个体对环境的感觉印象。不同的个体看到同样的客体，会产生不同的认知。比如，重大决策需要几天时间，有人认为这是行动缓慢、畏惧决策、无魄力，评价积极的人则认为考虑周全、细致。当然，活动通常是根据自己的知觉进行的。

当人们试图对自己所看到的客体进行解释时，会在很大程度上受到主观因素的影响，包括态度、性格、动机、兴趣、过去的经验和期望等。当然，被观察的客体的特点也影响着知觉。在群体中，活跃的人比安静的人更容易引起注意；极有吸引力的人或极其令人反感的人也同样。当然，客体的背景和所处的环境因素也会产生影响。

理论表明，对他人的不同判断取决于把他们的行为归因于内因还是外因。而这取决于三个因素：区别性、一致性和一贯性。比如，某员工完成目前工作的水平与其他类似的工作相同（低区别性），而在这项工作中其他员工的水平总是和该员工的水平十分不同（或低或高），即低一致性，并且该员工的这一工作绩效无论何时都是稳定的，即高一贯性，则他的管理者或其他任何人在判断该员工的工作时，都会认为他自己对这一绩效负有主要责任（内部归因）。

应注意，工作中也常常存在归因失真的错误或偏见。尽管在评价他人的行为时有充分的证据支持，总是倾向于低估外部因素的影响而高估内部或个人因素的影响，这称为基本归因错误。比如，当销售业绩不佳时，销售经理倾向于将其归因于下属的懒惰而不是竞争对手拥有革新产品。个体还有一种倾向是把自己的成功归因于内部因素（如能力或努力），而把失败归因于外部因素（如运气），这称为自我服务偏见，即员工根据知觉而不是客观现实做出反应。因此，管理者对员工的评估是否客观公正，以及薪金水平是否是同行中最高的，都比不上员工对这些方面的知觉。如果个体知觉评估为存在偏见或薪金水平很低，则他们的行为恰如这些条件事实上客观存在一样。员工们对他们所看到的事情进行理解和解释，这导致了知觉失真存在潜在的可能性。

所以，管理者要密切注意员工对他们的工作和管理实践的知觉。一个有价值的员工因不正确的知觉而离职，与因正当理由而离职相比，企业的损失是同样巨大的。

12.2 个体的了解与能力的提升

12.2.1 个体的了解

有时会感觉到“自身优势不清楚，目前的工作是否最适合”“工作完成得还可以，就是没有什么成就感”“想要换一个工作，可是不知道去干什么”等类似的想法，而这一切源于我们对自己的未来还有很多的期望，但是现在的生活状态、工作状态让自己努力过后仍然感到不满意、不喜欢，甚至是迷茫。这些本质上看是没有深入地了解个体，导致人生目标规划不当，甚至无规划。通常可以从六个层面的素质对个体进行评估（表 12-3），以寻求个体的独特优势。

表 12-3 个体素质的评估

<table>
<tr><th>素质</th><th>内涵</th><th>考查、评估与改变</th></tr>
<tr><td>知识</td><td>指个人在某一特定领域拥有的事实型与经验型信息</td><td rowspan="2">大部分与工作所要求的素质直接相关，可以在比较短的时间内使用一定的手段进行衡量。如通过考试、面谈等形式来衡量，也可以通过培训、锻炼等办法来提高这些素质</td></tr>
<tr><td>技能</td><td>指结构化地运用知识完成某项具体工作的能力，即对某一特定领域所需技术与知识的掌握情况</td></tr>
<tr><td>社会角色</td><td>指一个人基于态度和价值观的行为方式与风格</td><td rowspan="4">往往很难度量和准确表述，又少与工作内容直接关联。只有其主观能动性变化影响工作时，其对工作的影响才会体现出来。考察这些方面时，每个管理者都有自己独特的思维方式和理念，但往往因其偏好而有所局限。管理学及心理学的衡量手段较为复杂或效果不够准确</td></tr>
<tr><td>自我概念</td><td>指一个人的态度、价值观和自我印象</td></tr>
<tr><td>特质</td><td>指个性、身体特征对环境和各种信息所表现出来的持续反应。特质与动机可以预测个人在长期无人监督下的工作状态</td></tr>
<tr><td>动机</td><td>指在一个特定领域的自然而持续的想法和偏好（如成就、亲和、影响力），将驱动、引导和决定个人的外在行动</td></tr>
</table>

可以采用冰山模型深入分析人的个体素质。冰山模型将个体素质的不同表现形式划分为表面的（“冰山以上部分”）和深藏的（“冰山以下部分”）两个部分（图 12-1），它也可以用来分析个体与一个岗位是不是匹配，匹配的程度如何，市场薪资多少等。

第一部分是知识、技能。知识、技能都是后天积累和培养的，也是个体差异很明显的部分，是外在表现，是容易了解与衡量的部分，所以是冰山以上的部分，相对而言也比较容易通过培训来改变和发展。如果工作中有很多不知道的东西，或者没有办法很轻松地去解决工作问题，那么就说明这个工作岗位和知识储备、技能不是很匹配，所以经常会感到很累，力不从心。

第二部分是能力。它一般是指学习能力、思考能力、人际交往能力等，也就是俗称的通用的、可迁移的能力，它是冰山模型的中间部分。如果感到工作效率低，和同事无法沟通，面对问题没办法厘清头绪，无从下手，那么就说明能力和工作不匹配。常说的通用能力，如沟通、思维、协调和管理能力等是初步的，复杂问题解决能力、创新能力、激励能力、表达能力、人际关系冲突处理能力等是高一级的能力，而经济学思维、领导力等是更高一级的能力。

第三部分是天赋。它包含了价值观、性格特质、动机这三类要素，是人内在的、难以衡量的部分。这些要素与原生家庭、所处环境和接触的社会群体有很大关系，不一样的圈层会带来不一样的价值观，不同的原生家庭性格也大不相同，而且很难随外界改变，但对人的行为与表现起着关键性的作用。其中，价值观是人认为一个事情好坏的标准；性格特质是行为爱好；动机是对事情抱以什么样的态度去做，不同的动机会让事情的结果产生很大的偏差。

当员工认为工作是错的、企业做法不对时，说明员工和这个岗位、这个企业的价值观出现了

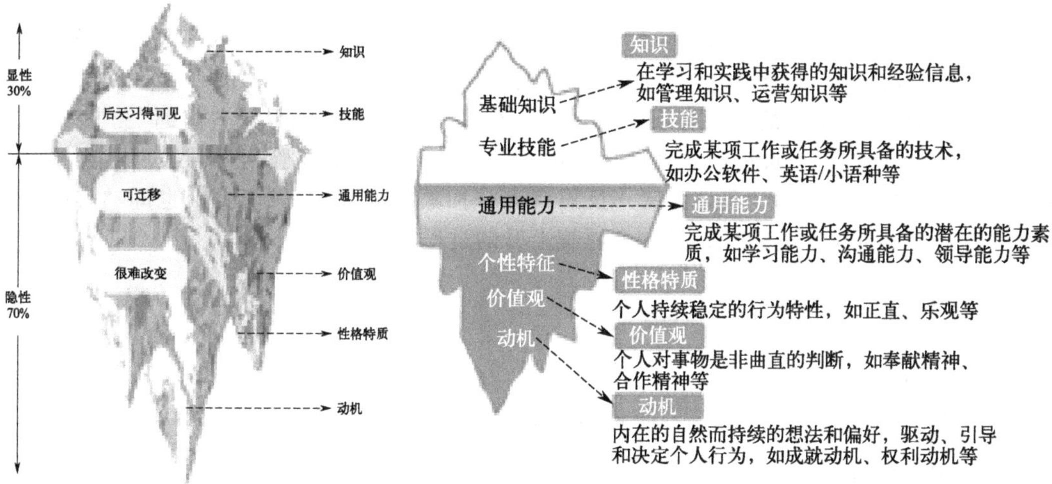

图 12-1 冰山模型示意图

很大的偏差。当感觉和同事合不来，这个岗位要求也无法去和客户沟通时，那就表明性格特质不适合这个工作。当觉得对工作没兴趣时，说明当初工作的动机已经没有了。总之这些都说明员工有很大的岗位抵触情绪，所以要先搞清楚价值观、性格特质，再去思考岗位的匹配度。

从冰山模型中可以看出，冰山以上部分是人的知识与技能，是表象部分，容易被感知。冰山以下部分是“价值观、性格特质、动机”，是潜在的特征，很难被一下子看到。从上到下，深度不同，被挖掘与被感知的难易程度不同，越向下，越不容易被挖掘与被感知。

然而，大多数企业看人只看重了技能，却忽略了技能以外的东西。从这个角度来看，一个企业有四类员工：既有才能又高度认同企业价值的人，为核心型人才；仅有才能而没有价值认同度的是特殊型人才；只有价值认同度而没有能力的是通用型人才；既没有才能也没有价值认同度的属搭配型人才。企业的核心型人才应该具备以下几种素质：有较好的人格修养和职业道德；有比较出色的才能，具备核心竞争力；对企业理念、价值观有比较高的认同度，起到模范带头作用；关注企业未来的发展，投入真情。一个企业的核心型人才约占员工总数的 20％，这 20％的员工又推动着另外 80％的人发展前进。企业领导必须重视对核心型人才的培养和保护，要用良好的薪酬福利、领导的个人魅力留住核心型人才。

12.2.2 个体能力的提升

个体可以采用相应的分析模型与方法（表 12-4）进行自我认识，并据此实施个体发展规划和具体能力提升。关于个体的通用能力，通常认为主要体现在三个方面，即人际交往（如人脉拓展、高难度沟通等）、工作效率（时间管理、辅导下属、领导力、向上管理等）和思维模式（独立思考、创新思维、解决问题等）。普遍认为，每位员工最应提高的能力主要有：学习能力、表达能力、沟通能力、结构化思维能力、自我管理能力和创新能力等。简要说明如下。

表 12-4 自我认识分析模型与方法

模型与方法	马斯洛需求	达克效应	成长破圈	人生画布模型	胜任力模型	职业三叶草	人生控制图	NLP 逻辑层次
目的及用途	洞察人性需求、人生规划	认知偏差、评价自己、靠近智者	认识自我、突破圈层、提升自我	把自己当公司经营	自我价值认识、能力提升	找到完美职业	减少焦虑、控制人生、扩大影响圈	层层规划、自我发展、人际关系

(1) 学习与思考能力　学习和思考，存在于每个人每天的生活、工作中。只有通过学习和思考，能力才会提高。所以，“活到老，学到老”。学，更要强调习、练习，时间长了就成了下意识的习惯。“学而时习之”“性相近，习相远”，都说明了“习”的重要性。学习的方法很多（图 12-2），不同的方法有不同的效率、效果。如费曼学习法，“掌握”“变成自己的”，学习效果最好，很快可以达到“现学现卖”的效果。库伯经验学习圈表明，经验学习的过程是 4 步循环的，即“具体经验→反思观察→抽象概念→付诸行动”，也即“实践→理论→再实践→再理论”的循环，是一个螺旋上升的过程。

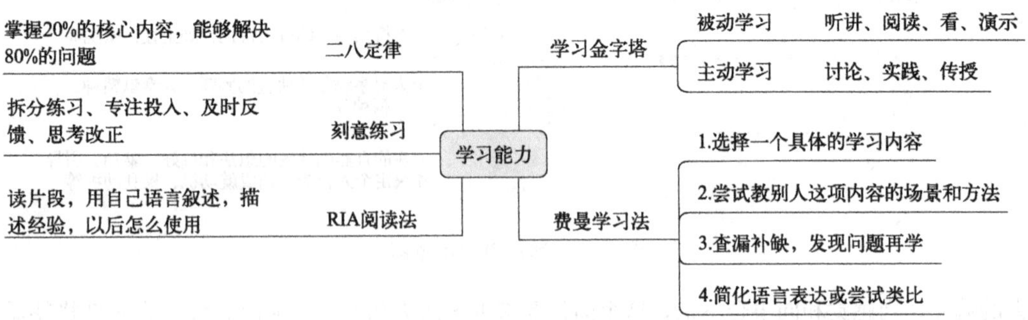

图 12-2　学习能力提升思维导图

当然，学习、思考和分析问题等，有很多的具体方法或思维模型可以参照、运用（图 12-3）。比如，如何给客户送礼达到预期效果，可以运用“黄金圈法则”进行分析。黄金圈从里到外，有 3 个层次：why、how、what。研究表明，成功者的思考、行动或者传达方式，都遵循着这一法则。本例的具体分析过程如下：

why 工作目的：维护与客户的关系，为了之后合作更加顺利

how 具体操作：

1. 如何找到最合适的理由

2. 如何选择合适的礼物

3. 如何送到客户手中

what 工作产出（具体办法）：

1. 找一个合适的无法拒绝的理由

2. 选择一个让人满意的礼物

3. 快递给客户

(2) 表达能力　表达的主要目的是让对方准确接收到表达者所要表述的真实信息。表达主要包括四个部分：提出主张、阐述理由、举个例子、总结观点。即：第一步，想一想要表达的主题思想是什么；第二步，有哪些素材支持此观点，提炼并表述出重要的 3 点；第三步，运用 SCQA 模型（背景、冲突、问题、答案），将所表达的观点和核心信息连成一句话。日常工作生活中，可以结合不同场景灵活运用 SCQA 模型（图 12-4）进行表达。比如，在论述答案时，采用结构化表达形式（即主题先行、逻辑递进），主题要讲出观点，不陈述讨论对象；主题要符合预期、适度并且有思想。

表达能力分为三个层级，依次分别是条理清晰、有说服力、有影响力。为了表达得更清晰，应注意以下三点：

① 用客观事实代替主观态度。比如，如果你想表达：“我觉得这个方案不太可行。”可以换成：“我对以往数据进行了分析，发现了以下规律……从这个规律来推论的话，目前方案存在三大风险，分别是……”

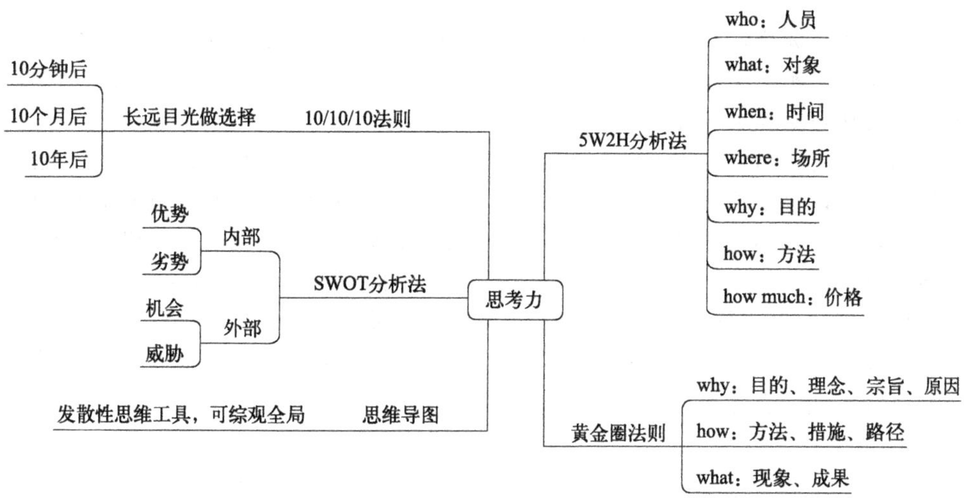

图 12-3 思考能力提升思维导图

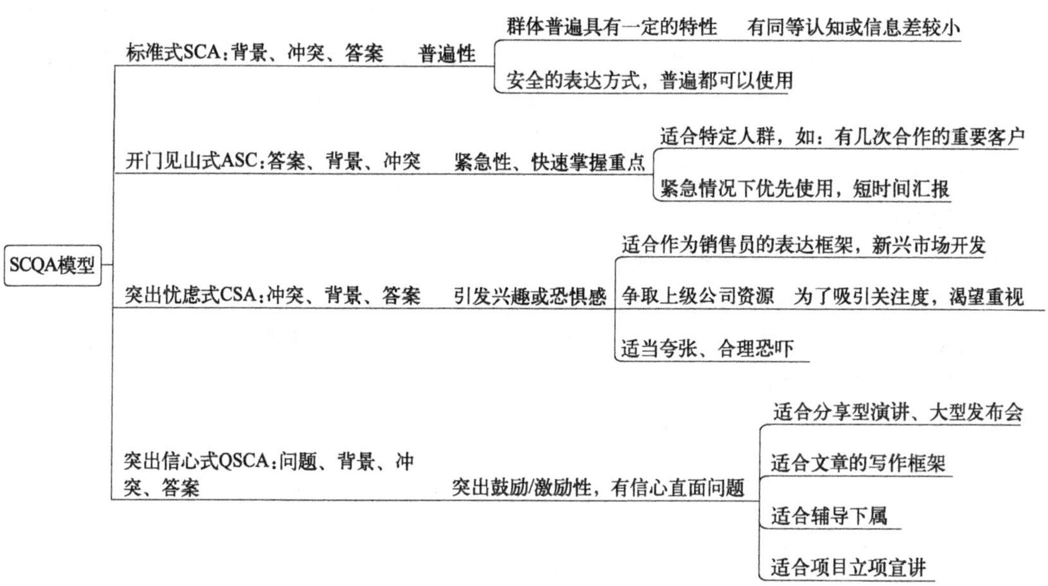

图 12-4 SCQA 模型的几种形式

② 用名词代替形容词。比如，你想表达："这份 PPT 需要更有设计感。"可以换成："PPT 不仅内容重要，视觉呈现也会影响用户体验。因此这份 PPT 需要从三个方面进行调整：配色上……配图上……文字排版上……"

③ 用框架结构代替长篇大论。我们越来越习惯手机阅读，文字超过三行不空行，大脑就会觉得累。因此，运用框架和排版把大段的内容进行分割就尤其重要。

另外，可以增加过渡句，用文字把其中的逻辑表达出来。过渡，可以使结构更紧凑、更连贯。比如：

本报告将用利润等于收入减去成本的"利润模型"，分析企业上个季度的利润下降原因。（过渡）基于此方法，我们获取了企业收入与成本的相关数据。

企业上个季度的收入下降。（过渡）尽管企业上季度收入下降，但成本控制却是不错的。

企业上个季度的成本基本保持不变。（过渡）基于这个成本情况和利润模型，我们发现核心问题是收入不够。下一步的重点是增加收入。

下个季度的改进建议为：通过活动，拉动收入增长。（过渡）通过“利润模型”，本报告指出企业的核心问题是收入不足，建议下个季度继续有效控制成本，同时通过活动来拉动收入增长，从而使企业健康发展。

又比如，年终总结发言是工作中比较常见的，可以按照“感谢、回顾、价值、愿景”的模板进行。同时，也要注意：总结为什么成功时，要更加精准、明确。比如，成功原因是“用户思维”，可以表述为：“这个项目之所以能成功主要得益于正确的方向和强大的执行力。方向是始终坚持用户第一，执行力是即使遇到困难依然不放弃。正是这两点打动了用户，也赢得了他们的尊重。”当然也可以根据场合、环境，让发言更有趣、更幽默一些。

另外，表达过程也常常含有说服的目的。通常可按表 12-5 对所交谈的内容与背景进行分析，采取针对性的表达技巧。

表 12-5 游说矩阵

类别	立场一致	立场不一致
不存在约束	罗列事实：提供给对方需要的事实	说服：强调利益所在，说服对方转换立场
存在约束	解决问题：对受约束的问题，提供解决方案	既要说服，也要解决问题

比如，谈升职加薪常见的一种说服工作，其底层逻辑是共赢。谈升职加薪的底气来自你为企业创造的价值和不可替代性。这时，达成共赢主要有以下四个步骤：

第一步，澄清需要，找到对方的真实利益需要。

在职场中，领导的真实利益需要其实就是你所创造的价值。所有你成功解决的问题，都是你升职加薪中的谈判筹码。

第二步，多方突破，不要把焦点都局限在一个问题上。

在加薪谈判中，如果双方只盯着薪酬这一个因素谈，很容易陷入困境。很多人会拿过去完成的功绩跟领导提加薪，但是领导会担心：过去的业绩不代表未来也会同样有效。最后大家陷入了争论功绩的拉锯战，无法达成双赢。

第三步，以退为进，掌握更多斡旋余地。

一般人遇到领导“找茬”，都会本能地反击：“我没有错啊，我一直都在努力工作嘛。”这种时候，你的情绪越抗拒，就会越脱离自己本来的沟通目标，最后导致话题脱轨，沟通以失败告终。

第四步，心理暗示，让对方觉得自己赢了。

其实就是营造给人占了便宜的感觉。实际上，我们对输赢的判断并不是完全客观的，而是一种情绪体验。比如说，你跟同事争吵对一个热点事件的看法，最后对方妥协了，你会有赢的感觉。但实际上在此过程中，你让对方不高兴了，从而失去了一些机会，并且这个争论本身就浪费了你的时间，但你不会意识到，你只会感觉很好，感觉自己赢了。

与智者言依于博，与博者言依于辩，与贫者言依于利，与贱者言依于谦。沟通能力强的人跟人沟通的时候，会让对方感觉他自己很聪明，而不是轻易被骗的傻瓜。

（3）沟通能力　沟通与管理成效是密切关联的。沟通的意义是传递与理解。沟通的目的是让所有人的认知和目标实现统一。沟通的本质是建立信任，而信任可以通过了解、认可和共鸣这三点来建立。沟通有两个维度，即“内容（说什么）＋关系（对谁说）”。完善的沟通，是接收者感知到的信息与发送者发出的信息完全一致。目前，沟通方式主要有口头沟通（交谈）、书面沟通、非言语沟通（体态语言、语调等）和电子媒介等。在沟通过程中，信息过滤、选择性知觉、情绪、语言和非言语提示等，都会造成信息失真。为此，要运用反馈、简化语言、积极倾听、控制情绪和注意非言语提示等，采用一些沟通模型或框架（图 12-5、

表 12-6），克服沟通障碍，尽可能不让信息失真，提高沟通效率。

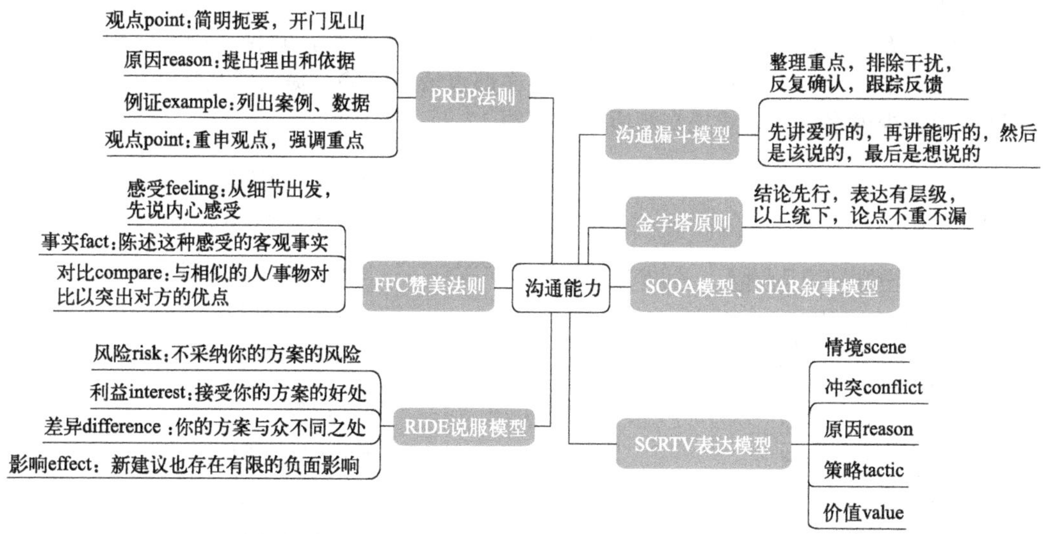

图 12-5　提升沟通能力的模型

表 12-6　沟通框架及示例

类别	框架	示例
夸人	先夸人＋再夸物＋可以再说下场景	同事问："这件衣服好不好看？" 答："你真有眼光，你选的这件衣服很有品位，不管是上班还是参加公司聚会都很合适。"
反套路	直接反问他/她为什么问这个	同事问："你在公司有关系背景吗？" 答："你为什么问这个？"
附和	重复对方的关键词＋当下感受	同事说："今天晚上的电影很好看。" 答："电影确实很精彩，很感人，当时眼泪差点流出来。"
转移话题	直接转换一个不关键的动词＋转移话题	同事问："领导 a 和领导 b，你更看好谁的发展？" 答："怎么能用看好这个词呢？对领导应该说尊敬，这两位领导我都非常尊敬。"如果他/她再继续追问，就可以用反套路来应对
回复领导感谢	不客气＋表明态度＋谦卑受教的话	领导让你帮忙写一个报告，你写完后给他，他对你说谢谢。 可以这样说："领导，不客气，我一定再接再厉，把工作做得更好，如果这个报告有什么不恰当的地方，您随时指正，我再改改。"
自我介绍	我是谁＋跟你有什么关系＋能给你提供什么价值	我是××，是一名专注于职场分享的博主，你现在看到的这篇文章就是一篇关于高情商沟通技巧的干货，未来我会继续坚持输出实用并且真诚的内容，希望对各位的职业发展道路有那么一点点启发
延续话题	把部分选择权交给对方	男生："今天我们吃什么？" 女生："随便，你决定吧。"（虽然女生把选择权交给你，但你一定不能全权决定） 男生："我看你的朋友圈上次跟闺蜜吃了火锅，今天要不要尝试下×××街新开的那家火锅店？"（吃什么不重要，重要的是让对方知道，你很在意她，你有把她放心上。）
延续话题	避免让对方回答"封闭式"问题	如果你抛出个问题，对方只能答"是或否""对或不对"，只会让话题早点结束。想约同事、异性吃饭，不妨直接问他/她中午一般都喜欢吃什么，不仅能了解对方喜好，还能顺其自然地向话题靠近
避免尴尬	不说"真的吗？""我不信！"	"我拿下项目了！" "真的吗？我不信，合同书拿来我看看。"换成"真的吗？你太棒了！"
提高接受度	别轻易用否定句	"小王，你工作能力不错，但是你工作不够认真。"换成"小王，你工作能力不错，要是再认真点就更完美了。"

当然，沟通能力并不是天生的，而是可以后天训练、学习、精进的。人际交往技能和效果是可以通过训练或使用技巧提高的。

积极倾听方面，这主要包括专注内容、接受而不做判断等，确保正确、完整地得到信息。这个过程中，可以通过目光接触、恰当的面部表情和手势、提问或复述，以及避免中途打断说话者、少说多听等方式提高倾听效果（图 12-6）。

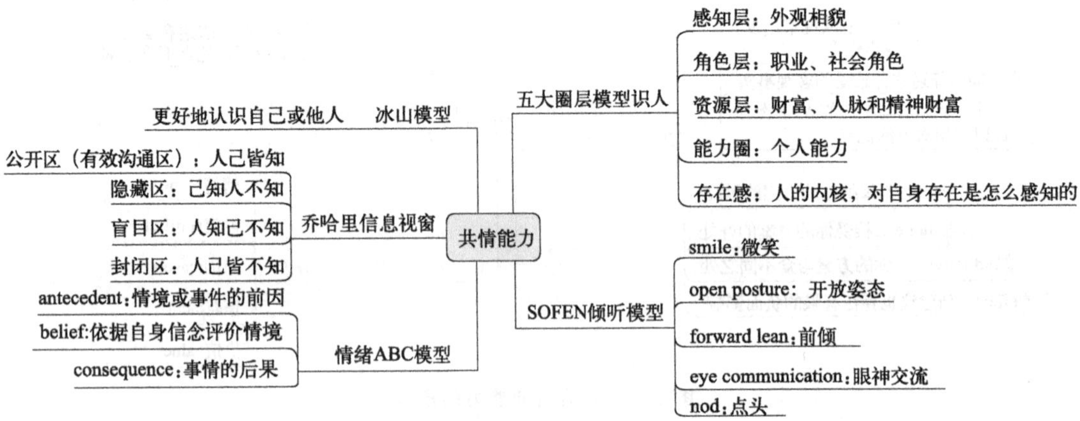

图 12-6　共情能力模型

情绪系统是人体的一种自我保护机制，是自身各种内在反应的一个信号。情绪是由信念直接导致的，而诱发事件只起间接作用（图 12-7）。不同的信念或不同的价值观（不同的看问题角度），对同一事件或情境会产生不同的判断（态度、想法、评价、解释等），进而产生不同的情绪结果（如焦虑）、行为结果（如攻击）或生理结果（如心悸、手脚冰凉）。因此，消极情绪是由非理性信念直接导致的。情绪问题的关键不在情绪，而是情绪带来的感受以及对情绪的负面理解而产生的阻抗。情绪管理的本质其实是在理解和完全接纳自己情绪的前提下依旧能够理性地思考和控制自己的行动。情绪不会消失，也无法被压制，每个人都必须理解和接纳它：情绪只是一个异常的提醒。不要让情绪影响选择和决策，这是情绪管理的根本目的。“可以说气话，但不能办气事。”控制情绪的方法有很多，比如：意识控制（提醒自己应当保持理性）、自我鼓励（用某些哲理或名言安慰、鼓励自己）、分散注意力（换个环境，远离生气的源头）、宣泄情绪（如运动、听音乐等）、换位思考、寻求帮助、心理疏导（与朋友、家人聊天）等。

反馈方面，应具体化而不是一般化，即强调具体行为。而且，使反馈不对人，尤其是消极反馈，应是描述性的，而不是判断性或评价性的。比如，工作中无论多么失望，不要因为一个不恰当的活动而指责某个人，说某人“很笨”“没能力”等。也应注意，反馈要指向目标，并要把握反馈时机（如对该行为的反馈时间间隔越短，越有意义），同时，确保全面、准确地理解本意，使消极反馈指向接受者可控制的行为。

在训导方面应注意的原则是：即时性、事先警告、一致性、不针对具体的人。因此，在日常工作中，有效训导的行为主要有：以平静、客观、严肃的方式面对员工；具体指明问题所在；讨论不针对具体的人（对事不对人）；允许员工陈述自己的看法；保持讨论的控制；对今后如何防范错误达成共识；逐步地选择训导程序，考虑环境因素的影响。

当然，工作中经常会遇到冲突，此时，分析与解决冲突的步骤是：以自己了解的基本的冲突处理风格为起点；审慎地选择那些值得花费精力和能够处理的冲突；评估冲突当事人；评估冲突源；选择符合你风格和当时情况的最佳冲突解决办法（如回避、迁就、强制、妥协

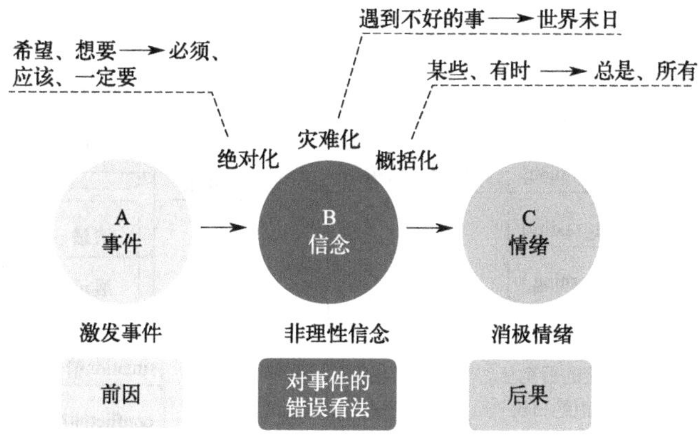

图 12-7 情绪 ABC 模型

或合作等）。如果组织出现冷漠、迟滞、缺乏新思想或对变化反应迟钝，可以人为主动地激发冲突，比如，改变组织文化、进行沟通、引进外人、重新建构组织或任命一名吹毛求疵者等。

另外，谈判也是沟通技能的一种。有效的谈判技能主要有：研究对手，积极主动地表示谈判针对问题不对个人，不要太在意最初的报价，重视双赢的解决方式，以及以开放的态度接纳第三方的帮助等。

（4）讲故事能力（说服力、感染力） 任何想要说服别人、激发对方情感的场合，都需要注意一些沟通的方式方法，最常用的方法是“讲故事”，因为只有故事才能引发共情。亚里士多德说：“我们无法通过智力去影响别人，而情感却能做到这一点。”我们在解决问题的时候，可以用逻辑、用理性。然而，当我们要去影响别人，让他们认同我们的时候，只有逻辑是不够的。我们需要故事，因为只有故事，才能达到共情，建立人与人之间的连接，让他们站在你这边。比如，联合国一直在公布偷渡溺亡的难民数字，但直到那名叙利亚儿童死后被冲上岸，各国政府和民众才真正改变对待难民的态度。

一个好的故事，包括三个基本要素以及两个附加要素，如图 12-8 所示。冲突是讲故事模型中最大的核心。“冲突＝渴望＋障碍”。有冲突，必然有行动，行动之后就是结局。而附加要素是情感和展示。情感的作用是：建立跟观众或读者的连接，引起共鸣。比如，“小明背负着巨大的家庭债务，还常被领导责骂、侮辱，很可怜”，这样的叙述很难让人产生共鸣，这就需要把小明被辱骂时候的情绪描写出来，他是愤怒、委屈或是隐忍？而这些情绪他又是如何表现的？展示的作用是：让观众或读者身临其境。

同样，在商务工作中，故事可以用来说服别人。例如：

假设有两位咨询顾问，分别帮企业进行了管理体系的诊断，结论都是一样：组织架构冗余、资源重复配置。

顾问 A：“我们访谈了贵公司高管，调研了主要竞争对手，也研究了贵公司的组织架构。我们发现，贵公司组织架构冗余，比如各工厂间研发资源重复配置，导致它们之间产品同质化、恶性竞争。”

顾问 B：“正如您所知道的，行业面临严重产能过剩。贵公司要继续发展，优化资源配置、淘汰落后产能、开发高端产品是成功的关键。然而，目前组织架构冗余，比如各工厂间研发资源重复配置，导致内部恶性竞争（××与××两家工厂已在互相压价）；同时资源分散，导致高端产品开发能力弱（高端产品占比是××，而竞争对手是××），只能在中低端产品上打价格战。因此，我们建议将××与××资源集中到总部来应对这些问题，实现继续

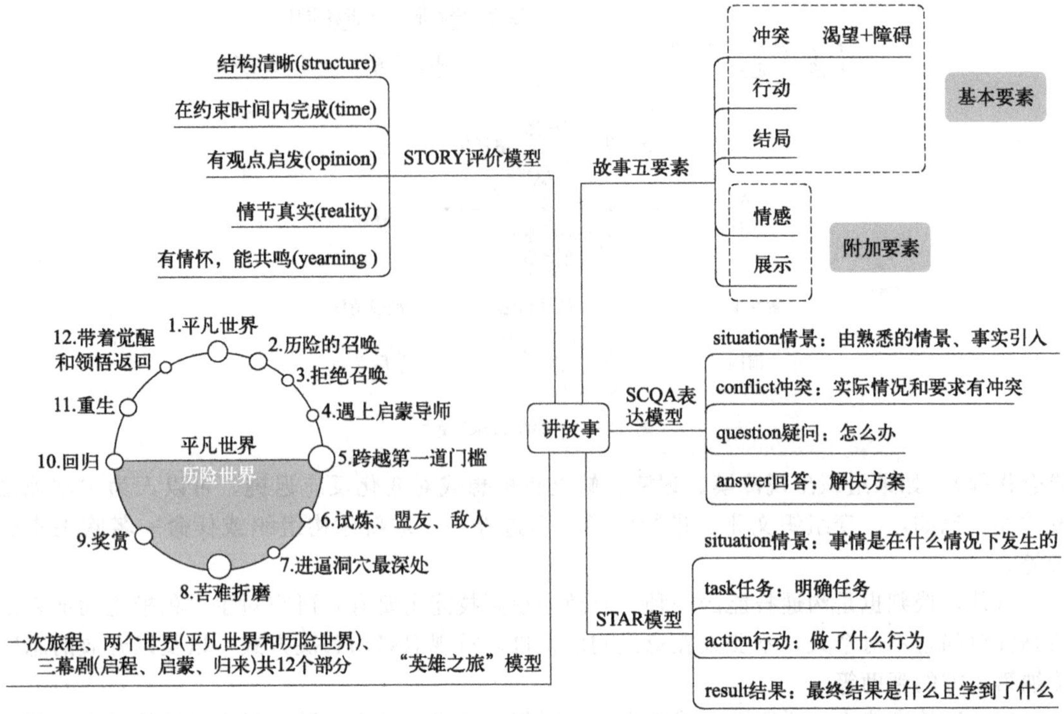

图 12-8 讲故事模型思维导图

发展，且这样做，可以节省10%的人力成本。"

两种汇报思路，显然顾问B更容易让人认同。拆解一下两种汇报思路的结构后发现，顾问B相较于顾问A有三大主要优势：

第一，通过制造冲突，让CEO更加意识到问题的重要性：渴望——面临产能过剩，需要优化资源配置、聚焦高端产品；障碍——组织架构的冗余，导致资源浪费、开发能力弱。所以，这就构成了一个冲突。第二，通过数据、案例等展示方式来支持观点。第三，给出了可行动的解决方案及正面展望（解决问题并节省10%人力成本）。

作为一个CEO，每天看到的管理问题很多，只能挑最要命的去解决。如果不能够说清楚未意识到的问题（组织架构冗余）跟他的渴望（企业发展）之间到底有什么冲突，他就不会意识到问题的关键性。

总结以上，可以看出，商业故事的特点主要在于以下四个方面：

① 渴望通常是对方认同的。在商业故事中，不能人为制造渴望，而是需要挖掘：想要影响的对象，他的渴望是什么，并将这种渴望描述出来。

② 故事通常是通过结局倒推的。商业故事是有目的的，需要根据目的来定好结局，然后倒推能够唤起对方众多渴望的故事，才能跟你想说的问题形成冲突，并导出最终结局（目的）。所以，以终为始才是正确的讲商业故事的方式。总之，商业故事的套路，用一句话概括就是：开始于众人皆知的常识，结束于仅你所知的洞见。

③ 并非所有故事都需要情感，而且情感的运用通常不会太夸张。比如，去拉投资的时候，讲你的梦想；给员工画饼的时候，激情展望。除此之外，大部分的商业场合，并不像生活中讲故事那样需要太夸张的情感。

④ 展示常常是数据或者案例。商业故事中，数字和案例，往往比语言更加有力。

在日常工作中，一些常见故事如下：

故事 1：“我是谁”，这个故事用来增加双方感情。当你加入一个新团队、跟陌生人交往、进行面试等的时候，不妨适当讲讲你自己的故事，有助于建立双方的情感连接，包括你的梦想、成就、失败、价值观等，这些才构成了你，将你与他人区分开，变成一个活生生的人。

故事 2：“我为什么在这儿”，这个故事用来解释你的目的。当洽谈合作、进行谈判等的时候，不妨讲讲你为什么在这儿的故事，有助于建立信任。可以告诉合作对象，你谈的项目，公司会让你负责到底。客户满意、公司声誉是公司考核你的重点，所以，你没有任何动机为了拿下项目而承诺未来做不到的事情。也可以聊聊为什么你会在这行这么多年，为什么甲方高价挖人你不会动心，以及替客户解决问题会带给你多大的成就感。

故事 3：“教育”，这个故事用来让他人有所改变。当希望他人做出努力、进行改变的时候，不妨讲讲教育的故事，因为展望未来才能改变现在。很多公司喜欢在内部树立员工典型，通过榜样员工的故事，来激励大家向公司鼓励的方向努力，这也是教育故事的一个应用。

故事 4：“我知道你在想什么”，这个故事用来更好地解释自己或者告诫他人。当你讲到一个观点的时候，你预计会受到别人的哪些质疑甚至反对，然后提前讲出他们心中的疑虑，再自己解答，让他们继续跟随你的思路，而不是往相反方向去。所以，当你传递一个可能引起质疑的观点，想要警告他人的时候，都可以用这个故事。

应注意，尝试说服他人的时候，往往只是从自己的渴望出发，而没有考虑到被说服者的渴望。所以，请记住：要永远从对方的渴望出发想问题，而不是从自己的渴望出发想问题。

（5）结构化思维能力　在分析问题时，常常出现“东一榔头，西一棒槌”“胡乱假设，乱枪打鸟”的情况，其实质是：思维混乱，没有清晰的分析体系。为此，就需要将分析思维结构化，利用思维导图，依次将论点整理和归纳、递进和拆解、完善和补充。结构化思维不是“结构＋思维”，而是把思维收敛并结构化。

结构既是一种观念形态，又是物质的一种运动状态。结是结合，构是构造，合起来理解就是主观世界与物质世界的结合构造。因此，“结构”一词在意识形态世界和物质世界得到广泛应用。例如，语言结构、文章结构、建筑结构、数据结构、产品结构、管理结构、组织结构、政府结构等。但是管理结构、组织结构、政府结构一般都叫作机构。这是人们用来表达世界存在状态和运动状态的专业术语。

思维方法是人们通过思维活动为了实现特定思维目的所凭借的途径、手段或办法，也就是思维过程中所运用的工具和手段。思维方法属于思维方式范畴，是思维方式的一个侧面，是思维方式具体而集中的体现。思维方法是由多层次、多要素构成的复杂系统。按其作用范围的不同，可以把思维方法划分为三大层次：一般的思维方法、各门具体科学共同的思维方法和各门科学所特有的思维方法。相对于感性思维和线性的逻辑思维来说，结构化思维是平面的。

结构化思维是指一个人在面对工作任务或者难题时能从多个侧面进行思考，深刻分析导致问题出现的原因，系统制定行动方案，并采取恰当的手段使工作得以高效率开展，取得高绩效。结构化思维，首先是一种思维方式，其次才是一种管理方法。因此，需要经过有意识的持续训练，才能够培养起这样的思维方式和思维习惯。注意，模型只是一个工具，我们需要借用这个模型，通过改造、填充，变成属于自己的东西。结构化思维应用最广泛的职业之一是咨询顾问，若论对行业的理解、对企业的理解，其实并不会比客户更多，其赖以生存的基础主要是解决问题的思维方式，即用更加结构化的方式解决问题。

通常，结构化思维主要有三个特征，即：主题先行；归类分组；逻辑递进（图 12-9）。

逻辑递进的意思就是整个结构里各层各组的信息都是逻辑紧密地联系在一起的，包括纵向逻辑和横向逻辑两种形式。纵向逻辑：一是演绎推理，即从一般规律推论到具体事实；二是归纳推理，即从大量个例中总结出一般规律。横向逻辑（递进或并列）：一是时间顺序，即按前后因果的顺序陈述，如时间点、周期、流程或步骤等；二是空间顺序，即按照地理位置概念来划分，如地点、一个整体的组成部分、抽象要素概念、二维矩阵等；三是程序顺序，即按照重要程度进行排列，如重要性程度、紧急性程度等。

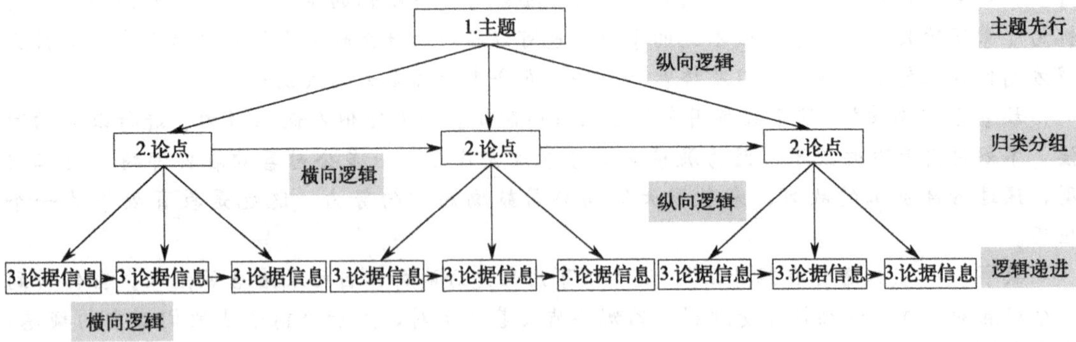

图 12-9 结构化思维特征示意图

研究表明，人类大脑在处理信息的时候，有四个习惯规律：第一，喜欢归纳主题；第二，喜欢归类分组；第三，偏爱数字“3”以及短时间不能记住太多信息，太多会让大脑负荷过大；第四，喜欢有规律的信息。如果我们在沟通、解决问题以及进行选择的时候，能够找到一个结构，将所有的碎片信息放进去，就能够大大减轻大脑的负担，更容易地解决问题。而这就是所谓的“结构化思维”。它的价值和作用在于：

第一，有助于更全面、更系统地思考，将复杂问题简单化。

第二，方便相互沟通，更好地理解所表述的意思。有些人常说自己沟通能力差，其实本质上不是沟通问题，而是思维问题，几乎不存在思维清晰但沟通不清的人。

第三，互联网时代，信息都是碎片化的，采用结构化思维随时把新的碎片信息塞到自己的知识体系中，否则信息只是信息。

所以说，采用结构化思维沟通、学习、解决问题，效率就会得到很大提高。日常工作中可参照图 12-10 加强练习和应用。

当我们面临一个难题的时候，有两种方法可以建立结构：一种是自上而下地找结构；另一种是自下而上地归纳提炼结构。

① 自上而下地找结构：思考一个框架，然后将信息或解决方案放入框架。一般包括三个步骤：第一步，定主题，即想好所要表达的观点；第二步，搭架子，即论证主题时需要分几个论据；第三步，填素材，即根据几个方面分类，填充事例或数据，推进论据向观点靠近。

比如，安排工作任务时，可以用紧急性和重要性的二维矩阵，来决定自己先做什么、再做什么。当进行商业分析时，宏观大环境分析比较常见的结构是 PEST 模型。所以，针对一些常见问题，可以很容易地找到一个结构，将思维结构化。

② 自下而上地归纳提炼结构。如果不清楚用什么框架，一般通过四个步骤把信息结构化，即：

第一步，收集素材。头脑风暴，把关于这个问题的所有碎片想法都列出来，反复读这些碎片想法，并且将类似的进行连线。

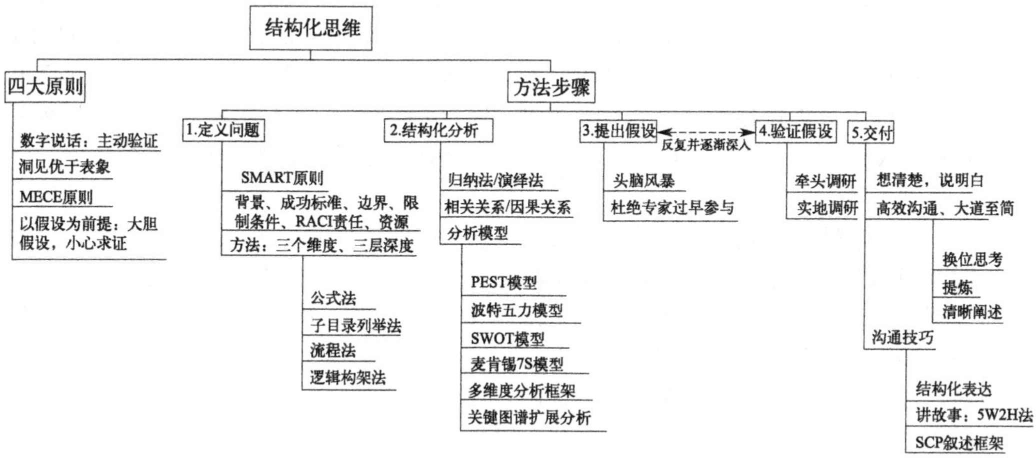

图 12-10　结构化思维实施方法

第二步，连线分组。根据连线的情况，将想法进行分组。

第三步，结构提炼。分析这些分组是否存在某种规律，按照这样的规律，是否需要补充或调整组。如三要素类、流程类、二维矩阵等。在进行分类、分组调整时，采用 MECE 原则，即相互独立、完全穷尽、不重不漏。最后形成的组，其实就是所需的结构。

第四步，补充信息，提炼主题。确定了结构之后，看每个结构之下是否还需要补充其他信息，最后完善思路。

找结构的时候，可以采用两个重要的技巧，即：

① 通过常见结构类型来推导结构。

其实，很多思维结构都很相像。比如，二维矩阵类主要有：任务分析矩阵（紧急性、重要性）、波士顿矩阵（市占率、增长率）、安索夫矩阵（新/老产品、新/老市场）；流程类主要有：产品价值链、客户生命周期；三要素类的主要有：3C 战略三角（corporation，customer，competition，即公司、顾客、竞争对手）、爱情三元论；利益相关方类的主要有：波特五力模型等。

② 通过学习知识来积累结构，将知识内化为能力。

在看书、看文章、学习新知识的过程中，积累这些思维结构并加以应用，内化成能力。比如，马斯洛的五层次需求论，这只是知识，如果在分析问题（比如分析员工为什么离职）的时候，把这个知识应用为分析框架，就会让思维更加严谨和结构化，也会使沟通更加清晰，这就是知识内化成能力。

经验表明，面对一个问题的时候，先不要马上进入细节，而要先思考框架，如果无法找到框架，列出所有信息，用自下而上地归纳提炼的方法找到框架。

有时，可以先确定核心论点（也就是金字塔的塔顶，也是思维导图的中心节点），可以是假设、问题、预测或原因。接着，自上而下地进行结构拆解，将核心论点层层拆解成分论点。最开始可能无法把握脉络，可以随机头脑风暴，找到上下之间的因果或依赖关系，之后将“浮动节点”归纳到思维导图，建立整体框架。然后，在思维导图上合并或补充节点，调节层次关系，完善思维导图。最后，用数据说话，尽可能量化要素或论点，转化成各种可验证的指标。

应注意，结构化并不是完美的！结构化是分析思维，但是不够数据化，容易发散，导致无法验证。为此，更深一步的工作是公式化和业务化。

公式化是在结构化的基础上，将思维导图上的节点数据化，转化成公式。运用加减乘除等将各个节点联系起来。加法，是不同类别业务的叠加；减法，是业务间逻辑关系的体现；乘除，是各种比例或比率。父节点是等式右边，是结果；子节点是算式里的数据，同层子节点之间，通过四则运算连接起来。这样，思维导图上的节点，上下互为计算，左右存在关联。公式化的关键，在于找到指标之间的关系，找到把指标联系起来的公式。公式化，考验的是对业务的了解。

当然，有的问题，公式是不明确的，需要根据对行业业务的了解，假设影响因素，逐层分析并拆解问题。业务化的分析，目的在于将分析结果落地，使之有用并且可验证。不要为分析而分析，却没有深入理解业务，俗称不接地气。好的数据分析思维，本身也是要具备业务思维的。实际工作中，一是考虑是否从业务角度思考。真正的分析目的是什么，是找到问题的原因，还是验证假设，还是对业务的预测，等等。二是注意分析的结果是现象，还是原因。有时候，对问题利用“结构化＋公式化”拆解后，得到的最终分析论点，可能是现象，是某个结果的表现，而不是原因。要避免这种问题，就要对思维导图上的节点不断完善，挖掘下一层，不断提问：是什么，为什么。三是分析的结果要可行，能落地，可检验。量化的数据可衡量，执行的措施要可行，有预期，有对比。

（6）创新能力　应注意，思维是可以提升的，创造力也是可以训练的（图 12-11）。创造力，即个体产生新异的和合适的思想和产品的能力。当然，这里的产品包括一切有形、无形的产品。所以，创造力其实是一种综合概念，而思维是创造的方式。研究表明，创造力取决于很多要素（智力、思维、社会环境等），而这些要素中很多是可以后天培养的。虽然说“人人都有创造力”，然而，并不是每个人的这种潜力都能随时任意表现出来，关键是进行思维训练。工业企业所用的创造力，大多是技术创造力，而非艺术创造力。技术创造力是为了解决问题，而艺术创造力并没有明确的目的。

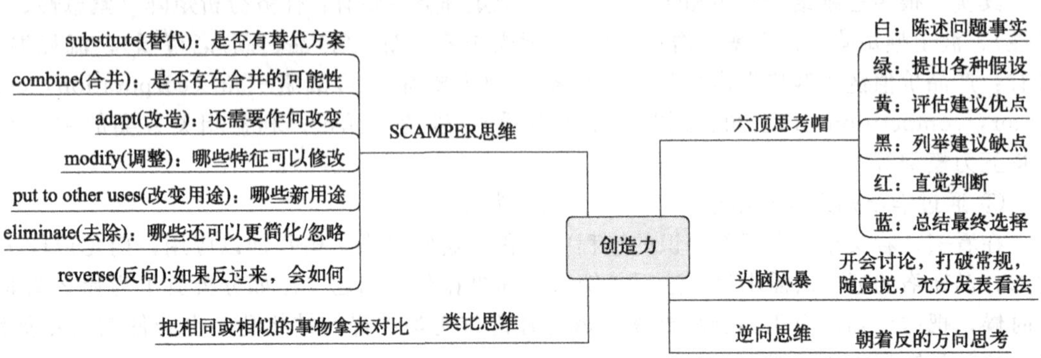

图 12-11　创造力思维提升方法

每个人的思维方式是有差异的。有的人结构化思维明显，有的人思维虽无条理性但显现出不同的视角。结构化思维，属于垂直思维，它能够让我们从一个点开始，跟随严密的逻辑一步步往下推导。但它忽略了水平方向的可能性。水平思维，即以非直接、非传统的方式或者显然非逻辑、非一步步推导的方式，来寻求解决问题的办法。也就是说，解决问题，也可以用非逻辑的方式。所以，有的人虽然条理清晰，却没有洞见。垂直思维令人思考更清晰、想法更完善、表达更有逻辑，但是要有更创新的洞见，往往还需要结合水平思维。

在处理具体问题时，通常可按如图 12-12 所示的步骤结合垂直思维和水平思维提升创造力。实际工作生活中，应注意以下几点。

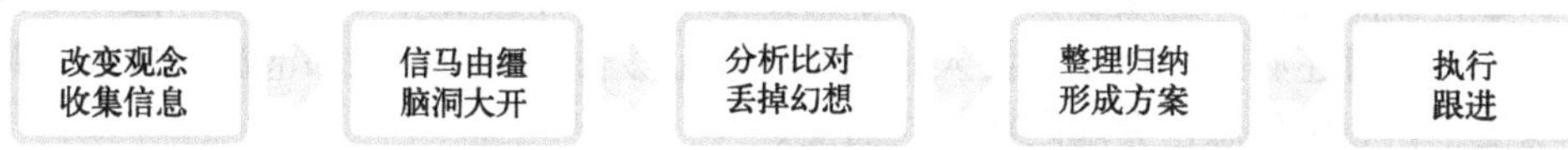

图 12-12　创造力思维提升步骤示意图

① 信息收集要全。要变成一个有创造力的人，需要在心态上做到：第一，要解决的不仅仅是涌现出来的现存问题，更重要的是，要善于发现潜在问题并解决；第二，任何变化、挫折、失败都是创新的好机会，而不是一个麻烦；第三，随时关注外部变化和趋势。

解决问题之前，我们需要收集以下三类信息：

第一类是特征信息，即该领域内一些好的方案所具备的特征，这能够确保我们时刻记住最终目标，而不会跑偏。例如，面对同一难题，就要先去看看做得好的企业都有怎样的特点。第二类是主题信息，即与待解决问题相关的方法论、学习材料，这能够确保方案有实质内容。第三类是对象信息，即受众的真实需求，这能够确保方案能够接地气地解决问题。

② 天马行空地想。关于脑洞的正确打开方式，主要有四点，如图 12-13 所示。

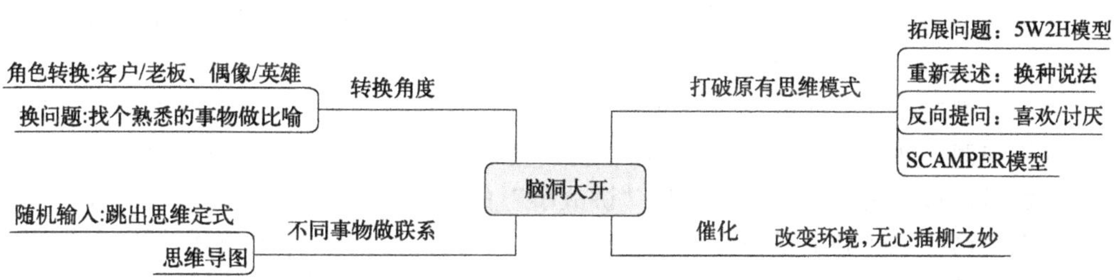

图 12-13　脑洞的正确打开方式

我们的思维在多次解决同类问题、处理同类信息之后，会逐渐形成习惯，也就是思维定式。思维定式一方面让我们处理同类问题更加快速，但另一方面，也会让我们的思维受限。如何打破思维定式呢？核心要义是拒绝下意识的条件反射。所以，如果我们能够将问题用非习惯的方式进行表述，或者问自己一些从未思考过的问题，都能帮助我们打破思维定式。通常主要有这几种打破思维定式的方法：拓展问题、重新表述问题、SCAMPER 思维等。比如，策划某一工程混凝土销售工作时，可以采用 5W2H 模型进行思考：

who：和谁谈（中间人？商务经理？项目经理？）？合同主体是谁？劳务分包是谁？竞争对手有谁？

what：工程特点是什么？对混凝土的需求（技术、供应、价格等）有哪些？痛点是什么？产品切合点有哪些？

why：为什么会和我们合作？为什么特定的竞争对手不参与？

where：工程具体位置在哪里？在哪里见面商谈最好？

when：什么时候开工？工期如何？何时商谈？

how：如何更快、更有效地建立互信？

how much：多少方量？资金如何？费用如何？成本如何？

这七个问题一来，脑洞会更容易打开。

催化灵感，可以通过放空自己和更换环境来实现。实际上，这是因为你的大脑已经积累了足够多的素材，所以当你做一些没有动脑的琐事的时候，对周围环境的敏感度减弱，大脑开始对之前的信息进行处理。这种现象称为大脑的静息默认网络。研究表明：要引导大脑进入这种状态，你需要做一些琐事，而这些事情必须维持一种频繁的活跃状态，但又不需要太多的注意力，同时还必须让你足够投入，能够持续足够长的时间，比如泡澡、散步、蹲马桶等。环境变了，心中的念也会随之而生、而变。

③ 丢掉幻想。天马行空、脑洞大开，迸发尽可能多的想法，但是其中必然有靠谱和不靠谱的部分。所以，就要过滤信息，摒弃不靠谱的想法，方法就是同时对各个想法进行分析、比对，包括风险分析（发掘哪些地方可能会出现问题）、影响分析（可能产生的方方面面的影响有哪些）、阻力分析（可能面临的压力和阻力，阻力排除的可能性），并在此基础上进行比对和决策。最后，把这些零散的想法进行结构化，去重、归纳，形成一个全面考虑的方案并实施。

另外，研究表明，自主性是创新者的内在基础。创新者的性格与普通人最大的区别是：性格复杂，但往往能兼容对立的两面。比如，活跃与安静、玩乐与守纪、幻想与现实、内向与外向、谦逊与骄傲、传统与叛逆等。正是这种兼容的性格让他们可以既能够创新，又能够将之传播出去。可是，为什么普通人很少具备复杂的性格呢？往往是因为自主性的缺失。普通人喜欢给别人、给自己贴标签，就像学校和父母在小时候给我们贴标签一样。当人们缺乏自主性的时候，往往就会被外界贴的标签所限制。而创新者的高自主性，让他们得以摆脱社会对性格的偏好和定义，保持自己的兼容性。所以，要想让自己的思维突破定式的限制，首先就要让自己突破外在标签的限制。

总之，日常工作就是处理一个问题又一个问题的过程。当遇到一个问题的时候，我们首先应该分析问题（如采用5W2H方法等）；再用结构化思维和分析模型找出解决方案；确定解决方案之后，最后用恰当的方式（如“讲故事”的套路），将它呈现出来。另外，最重要的是，要把自己的工作和上级关心的目标挂上钩。“干活不由东，累死也无功”，工作其实就是为了协助领导达成目标，而不单单只是完成手头任务。对于任何一个员工来说，工作的首要前提是先把任务澄清，主要涉及以下两个问题：

① 澄清什么。领导的目标就是员工的目标。工作中的上下级，要达到合作双赢。为此，员工需要了解：企业/部门/岗位的目标是什么；领导现在的处境是什么；员工的任务在领导达到这个目标的过程中，作用是什么等。了解了这些背景，才能从宏观到微观，让具体的任务目标不跑偏。

② 怎么澄清。了解上述背景信息的方式有很多种，比如：企业年报；多和各部门的同事了解企业各方面情况；观察团队情况；留心领导平时关心什么；直接问领导等。

12.3 群体行为及人际关系与个体行为

群体是一种社会现象，生存在社会中的人不可能脱离群体而单独活动。两个以上的人为了实现共同的特定目标，相互作用和相互依赖，就构成了群体。群体介于组织与个人之间，是人们根据协同活动的某些特点而结合的共同体，一群人随意凑在一起不能称为群体。人们加入群体是出于对安全、地位、自尊、归属、权力或成就的需要。

现代企业管理所面对的是群体，而不是一个个散漫的人。企业中的一个个小群体如班组、车间、科室等是高层领导的中间环节。一个人在群体中的行为和个人独处时的行为有所不同，个人在群体中的行为较每个人单独时的行为具有更多的内容。所以，研究群体行为，就是要研究一个人在群体中的行为规律，以及群体的行为规律。

12.3.1 群体功能、动力与冲突

首先要关注群体结构。群体结构是指由不同的个体所组成的、有特定功能的有机整体的

结构。一般来说，群体结构可分为年龄结构、能力结构、知识结构、专业结构、性格结构等。群体结构对群体的工作效率有很大影响。如果群体结构合理，会使群体协调一致，密切配合，提高工作效率；否则，会使群体涣散，降低工作效率。

长期以来，许多学者对群体结构的同质和异质问题进行了研究。所谓同质是指群体的成员在年龄、知识、能力、性格等方面都比较接近；所谓异质则恰恰相反。许多研究表明：在完成简单任务时，同质结构群体效率较高；而在完成复杂的任务时，异质结构群体则有更高的效率。所以，一般来说，企业中基层的生产班组具有同质结构比较适当。而领导层则最好具有异质的结构，因为领导层所承担的任务是比较复杂的，需要有不同能力、知识、性格、年龄的人相互协作，取长补短，才能有效地发挥其职能。

(1) 群体功能　群体有两方面的功能：一方面它能完成组织的基本任务，群体是研究和探索问题的工具，它能比个人做出更好的决策。另一方面它能满足个人的心理需要，如“归属”和社交需要，能使成员获得安全感，增加信心和力量。同时，也能满足成员的“责任感”需要、“成就感”需要和自我确认的需要等。

现代企业都是由大小不同、多少不一的群体组成的。除了正式群体（班组、车间、工会等）外，由于人们在日常工作生活中心理动机一致，会自然形成种种非正式群体。非正式群体的特点是：情感密切；信息传递迅速；兴趣、爱好和信念等某些方面一致；有不成文的规范；有自然形成的且威信很高的领袖人物；有自卫性和排他性。同时，还具有相对的不稳定性。对企业来说研究非正式群体是非常重要的，因为它对生产效率和员工的积极性等有很大影响，要研究非正式群体产生的背景、思想倾向和领袖人物的特点，创造条件，因势利导，使其与正式群体互相配合。对于优秀的领袖人物，要尽可能把他们的特长和才干用到正路上来，这样有利于发挥非正式群体的作用。

(2) 群体动力　群体动力学主要研究群体对人的行为的影响以及群体的行为规律。群体对其成员的行为有着重要的影响和作用。群体动力是在群体的发展过程中形成的，并且是不断发展变化的。群体动力还来自群体的一致性，如：共同的目标、观点、理想、兴趣、爱好等。

① 群体规范和内聚力。群体规范指群体所确立的行为准则和标准。这种准则有一些是成文的，但大部分是不成文的。群体成员为了行为的统一，在相互作用下，彼此接近，相互模仿，或受某种暗示，表示顺从某种意见，从而逐渐形成了群体规范。这是一个群体能保持一致的基本准则，当成员的行为偏离或完全破坏这种准则时，群体将会用各种方法加以纠正，维护其准则。群体内聚力指使成员在群体内团结一致、积极参加群体活动和拒绝离开群体的吸引力，这是一种向心力。对于正式群体而言，一个良好的群体都是内聚力很强的群体，内聚力促使成员对群体忠诚并严格遵守群体规范。一般来说，内聚力大的群体，工作效率和生产效率较高，生产任务就完成得较好。

② 群体压力和顺从行为。群体压力指由于群体规范的形成而对其成员的行为产生的压力，且个体在心理上很难抵抗这种压力。当一个人发现他的思想和行为与群体不一致时，就会感到群体的压力，产生一种紧张、恐惧的心理状态，而促使他产生与群体行为求得一致的愿望。在群体压力过大时，会使其成员违背自己的意愿而产生完全相反的行为，即顺从行为。群体的规范和压力对群体的存在和发展起决定性的作用。企业管理者应正视并研究群体行为这一特征和规律，利用正确的“规范”和“压力”，使群体中每一个成员都能够“顺从”，即为了组织的目标而自觉地团结一致、协同奋斗。

③ 群体信息沟通，是指群体内外人与人之间传达思想、观念、态度、感情或交换情报的过程。群体信息沟通对群体完成其目标的效率有着十分重要的作用和影响。一个群体只有有了有效的信息沟通渠道和传递方式，成员之间在工作和生产中才能很好地交流各种信息，

彼此才能很好地理解对方和上级的意图，相互给予支持。有效的信息沟通也有利于领导做出正确的决策，有利于群体成员工作的开展与协作，从而提高整个企业的工作效率。

信息沟通是循着一定的路径进行的，可分为正式路径和非正式路径。正式路径是指由组织机构正式规定的信息沟通通道。非正式路径是指不是由组织机构正式规定的信息沟通通道，也称“小道消息”，这种消息均以口头传播，容易形成，也容易消散，正确性较低，甚至纯属谣言，但有时它也反映了员工的向往和某些忧虑的心理。一般来说，正式路径畅通，则小道消息减少。所以，企业应当保持正式路径畅通，从而驱除小道消息。

信息沟通的效率与沟通方式有关。企业应当研究自身的信息沟通方式，改进薄弱环节，以保证上下左右信息渠道的畅通。

(3) 群体冲突　群体冲突指个人、群体以及群体之间由于目标或利益上的矛盾而产生的对立。冲突分为“破坏性冲突”和“建设性冲突”两种。

破坏性冲突是消极的冲突，一般是双方目标不同造成的。这类冲突的特点是：双方对自己的观点都十分自信，不愿听取对方的观点、意见；由问题的争论转为人身攻击；互相交换的情况不断减少，以致完全停止。无论是在个人之间或在群体之间，一旦发生破坏性冲突，必然会带来不良后果，影响群体成员之间的感情，破坏群体成员之间的关系，阻碍群体目标的顺利完成。因此，最好避免发生或扩大破坏性冲突。对群体成员要加强集体主义观念教育，加强群体信息的沟通，及时交换意见，在人与人之间、个人与群体之间培养起真挚的感情。要提高管理水平，就要及时发现破坏性冲突的因素和苗头，将其消灭在萌芽状态之中。一旦破坏性冲突发生，应用协商、仲裁、行政命令等方法尽快加以解决。

建设性冲突是指双方目的一致，而由于手段（或途径）不同所产生的冲突。建设性冲突一般会带来积极的作用。企业管理者要善于引导和敢于发展建设性冲突，员工要敢于充分发表自己的意见，使上下左右信息渠道畅通，积极平衡群体成员之间的心理差异，这样，才有利于激发员工的积极性，不断推动企业向前发展。

总之，群体中的冲突总是客观存在的，“冲突”就是矛盾，有矛盾就有斗争，而斗争则是推动事物前进的动力。所以，要正确认识和正确处理冲突。心理学家布朗（L. D. Brown）认为，冲突过多时，要设法减少；冲突过少时，要设法增加。这样才能使群体始终保持既和谐又活跃的气氛，才能集思广益，推动事业的发展。

12.3.2 人际关系与个体行为

人际关系就是人与人之间的相互交往与联系。人际关系的外延十分广泛，可以小到人与人之间的朋友关系、家庭关系；可以大到团体关系和社会关系。管理心理学研究的人际关系主要是群体中的领导与领导的关系、个人与领导的关系、上下级关系、个人与群体的关系以及个人与个人的相互关系等，这里包括工作关系和私人关系。由于民族文化的影响，群体中最重要的是人际关系，即五伦关系（君臣、父子、夫妻、兄弟、朋友），而且这种伦理关系存在亲疏有别、长幼有序、有上有下、参差不齐的事实。实际工作中要充分了解员工的人际关系状况，目的在于增强群体的凝聚力、提高员工积极性，并使员工保持良好的情绪，从而使员工的行为合理，提高企业的生产和工作效率。

人际关系对工作效率有极大的影响，是决定企业成败的重要因素之一。因此，企业领导要特别重视并努力协调人际关系，以调动人的积极性。不公平是伦理的一种常态。人与人之间，人格是平等的，但地位是不平等的，伦理社会追求的是“合理的不公平”，而不是“不合理的公平”。受民族文化因素影响，人际关系是企业家面临的最困难、最特殊的重大问题，这个问题已成为制约企业家成长、关系到企业成败的重要因素之一，应加以特别注意。

（1）人际关系的影响因素　人与人之间会建立各种各样的关系，并且关系的密切程度各不相同，有亲有疏。影响人际关系亲疏的主要因素有：

① 距离的远近。人与人之间在地理位置上较近，交往较多，容易形成较为密切的关系；而距离较远则交往少或不交往。

② 交往的频率。人与人之间接触频繁，则容易形成较为密切的关系，长久不交往，则关系逐渐疏远。

③ 态度的相似性。在对待某个事物的态度上或对某个问题的看法上，态度相同或相似者，有共同的理想、信念和价值观者，容易形成较密切的关系。

④ 需要的互补性。现实生活中，有时需要并也会和性格完全相反的人形成较密切的关系，这是因为他们能彼此取长补短，互相满足对方的需要。

上述这四种因素是由国外学者研究和实验得出的结果。就我国情况看，影响群体内人际关系的因素还远不止这些，如：工作中的分歧；个人情感和性格方面的差异；兴趣、爱好不同；个人态度、价值观和认知水平不同所产生的矛盾以及利益分配等。而且往往多种因素交织在一起。因此，调节人际关系必须根据具体情况“对症下药”，才能取得好的效果。

（2）个体在群体中的反应　个体在群体中由于受到其他成员的影响，往往表现出不同于个体在单独情境下的心理反应。这种反应是群体影响下的产物，也是个体适应环境的方式。

由于群体不同，群体人数的多寡不同，群体的气氛不同，故对个体有不同的影响力。同时，同一群体内的个体，由于个性特征的差异、对群体期待的差异，也会产生不同的适应方式。

① 社会助长作用。社会助长作用是指个人在与其他人一起工作时，即使他们之间互不沟通，由于其他人在无形中激发了工作动机，从而使工作效率得到提高。研究证明，当人们从事较为简单而熟练的工作时，诸如包装、装配零件等，各自独立工作，不如许多人在一起工作效率高。但在从事脑力劳动，特别是从事创造性思维活动时，许多人一起工作，工作效率并不能提高，有时由于注意力不集中，甚至还会降低劳动效率。但是如果群体成员有共同的目标，对某一问题展开研讨，互相启发，便有助于新观念、新方法的产生。

② 社会标准化倾向。每个人对事物的知觉、对事物的判断以及工作的速度、生产的数量，在单独情境下，个体间的差异是比较大的；但若个人在群体中，其个体差异则会明显变小，逐渐趋于同一标准。我们把这种现象称为社会标准化倾向。群体中人们的行为是相互作用、相互影响的。经过长时间的潜移默化会形成一种风气、一种常规，并被其成员自觉地遵循。这种群体常规、风气一旦确立，对其成员的行为便有极大的影响力，成为其行为的规范。

③ 社会顾虑倾向。社会顾虑倾向是指个人在大庭广众面前由于感到不自在，其行为表现与一般情境下的不尽相同。个体的行为不仅受到所属群体内成员的相互影响，同时还受到群体外（甚至看不见）群众的影响，正如舞台上的演员会受到台下无数不相识的观众的影响一样。社会顾虑倾向因人而异，一般来说，性格内向的人，社会顾虑倾向明显；性格外向的人，则社会顾虑倾向不甚明显。

④ 社会从众行为。社会从众行为是指个体在群体中，常常不自觉地受到群体的影响，而在知觉、判断、信仰以及行动上，表现出与群体中多数人相一致的现象，俗称随大流。这是人们在共同的社会生活中，相互影响的结果。从众行为有行为的表面反应与内心反应之分。对于一个个体来说，这种内外两种反应并不一定是一致的，可分为以下四种情况：

a. 表面从众，内心也接受，即口服心服；

b. 表面从众，内心拒绝，这是假服从；

c. 表面不从众，内心却接受；

d. 表面不从众，内心也拒绝。

从众行为是个体在群体中，因受多数人的影响而采取的与群体一致的行为。在群体中，对于个体来说，如果自己的行为不被群体的多数人所承认，便会感到一种群体的压力，会产生孤独感、不安全感。这时，就很容易失去信心，产生随大流的思想。只有与多数人相一致时，才能感受到一种心理上的满足。

（3）影响从众行为的因素　一般来说，当个体的行为与群体的行为一致时，心理上才会感到安定。但也有一些人，宁肯坚持自己的独立性，也不肯随大流，这与情境、问题的性质和个性特征有关。

① 情境因素。每个人由于在社会生活中所处的地位、角色、环境不同，从众心理也有所不同。

如果群体是个体愿意认同的群体，则个体容易表现出从众行为；如果个体感到群体内多数成员的地位或能力都高于自己，则容易放弃自己的意见，而顺从群体；若群体比较一致地反对某个人的意见，则此孤立者所感受到的群体压力必然很大，这时也易于屈服；但若某个人或某几个人与自己意见相同，则从众就会明显减弱。事实证明，群体的内聚力越强，个体越易从众。

② 问题的性质。即个体表明从众或独立态度的对象，当某一问题其性质比较复杂，不清晰，没有绝对标准，个体没有把握坚持自己的意见和看法时，便容易受到群体中多数人的影响，发生从众行为。

③ 个性特征。与从众的趋向有关。一般来说，智力低者比高者容易受群体影响而从众；情绪不稳定、焦虑、独立要求较低者容易受群体压力影响而从众；缺乏自信心的人较易从众；当与别人相处时，持依赖他人的态度者，容易接受别人的暗示而放弃自己的意见；重视道德与权威、墨守成规的人，较易屈服于群体而从众。由此看出，个性特征对从众行为有很大的影响。

（4）社交关系的测量方法　社交测量方法又称社交计量分析，是分析和测量群体中人与人之间关系的一种方法。美国社会心理学家莫里诺（Moreno）认为，当人们与别人交往时，首先考虑的是对方对我是友好还是不友好，赞成我还是反对我等。人们就是按这种态度，决定自己与他人的关系。莫里诺的方法，就是以人们彼此喜欢的或厌恶的感情为依据，来探索群体中人与人之间的关系。他设计了一种调查表，由群体成员自行填报。填报内容分成三类，即“吸引”“排斥”“不关心”。每一成员对其他成员按上述三类内容无记名填报，然后，再根据调查表的资料，并结合面谈，绘出社交成员关系图。这种以问卷形式确定群体中人们之间的好感、厌恶、冷淡等情绪关系并且用图表表示的方法，可以较快地明了群体中人际关系是否融洽，谁在群体中最受爱戴，群体中是否存在小圈子等问题。它可以帮助管理者正确地决定人员的工作分配，了解和改进群体结构，使工作得以顺利开展。

高效工作团队的重要特征之一是成员之间相互信任。从组织行为学的角度来看，在实际工作中，管理者可以通过以下方式在员工中建立信任：开放的沟通；支持下属团队成员的想法；对员工尊重、公正；办事前后一贯，具有可预测性；向员工展示自己的能力。

12.4 激励

企业常常发愁缺乏人才，实际上是缺少有效的激励机制。激励，是指激发人的行为动机，以促使个体更好地完成行为目标，是创造条件使每个人都能够实实在在地以最高效率水平工作的一种艺术。小功不赏，则大功不立；小怨不赦，则大怨必生。经验表明，没有不能被激励的员工，只有阻碍或促进员工激励的系统。应注意，某种诱因或激发事件必须刺激对诱因做出反应的需求，从而导致反应行为的产生。例如，如果一个员工被要求实现其加工的零部件零缺陷的目标，那么他可能会产生一种保住自己这份工作的需求，该员工可能会被恐惧刺激，进而做出认真工作的反应以实现其目标。而另一位不太担心的员工或许会产生想使其工作受到同事或上司表扬的需求，从而受到自豪感这种诱因的激励，该员工就会对这种需求做出反应，生产出高质量的零部件。

12.4.1 个体心理需求

个体行为规律是指每一个人所固有的共同的行为规律。人受到外界刺激产生需求，在需求未得到满足前，会心理紧张，产生某种动机，在动机支配下，采取目标导向行动和目标行动，以求达到某种目标。如果目标达到了，当前的需求就得到了满足，于是又产生了新的需求，又要开始新的循环；如果目标没有达到，就会采取积极行动（继续追求需求）或对抗行动，行动的结果再反馈回去。人的行为虽然十分复杂，但它总是遵循自己的规律，即以上的循环过程。

引导个体心理与行为的基本理论是激发动机的理论。一个人的动机和行为总是有根源的，基本根源就是需求。需求激发动机，动机产生行为。人的需求是正常的、合理的现象，是一个积极因素，因为需求可以激发人的积极性，需求是人的积极性的源泉。为了生活的需求，人们才从事和发展生产，因此，需求又是生产的源动力。企业管理的任务就是唤起人的需求，掌握人的需求，把需求、动机、行为联系起来，引导到发展生产、提高效益中去，这是检验管理活动是否有效的重要标志。

心理动机理论很多，主要有以下几种。

(1) 需求层次理论　美国心理学家马斯洛（A. Maslow）认为，需求从低到高可分为生存需求、安全需求、社会需求、尊重需求和自我实现需求等（图 12-14）。

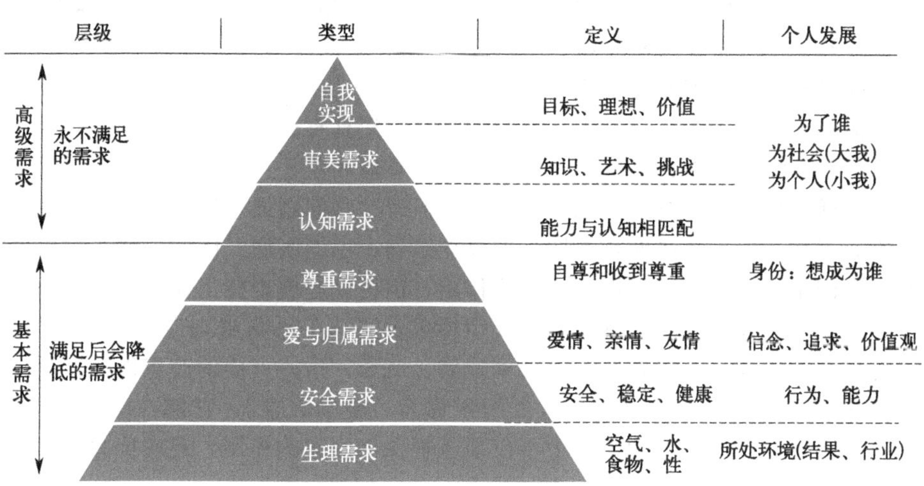

图 12-14　马斯洛需求层次理论模型

a. 生存需求。这是人类最原始和最基本的需求，即：饥有食品，渴有饮料，寒有衣服，住有居所，病有所医等。这些需求如不能满足，就会有生命危险，所以是最强烈的和最低层次的需求。

b. 安全需求。它包括要求劳动安全、职业安定、生活稳定，希望免于灾难，未来生活有保障，要求劳动防护、社会保险、退休金等。

c. 社会需求。也称爱的需求或归属需求。人过群居生活，希望有伙伴并参加集体，希望和同事保持良好的关系，得到信任和友爱，渴望有所归属。

d. 尊重需求。它包括两方面：一是个人的自我尊重和自爱，表现为自尊、自我评价和自我约束；二是被别人认可、赏识和尊敬，表现为对权威和权力的欲望、对荣誉和地位的欲望。

e. 自我实现需求。它包括认知需求和审美需求。认知需求指人们对知识、理解、探索和智力活动的内在渴望，核心是追求真理、求知欲和好奇心。审美需求是人们对美、和谐、秩序和艺术表达的追求，强调感官体验与精神升华的结合。满足这些需求能提升生活质量，促进创造力与心理健康，也是教育、艺术和文化领域的重要驱动力。满足这些需求就能最充分地发挥个人的潜在能力和聪明才智，进行创造性的劳动。这种需求可分为两方面：一是胜任，表现为要出色完成任务的欲望；另一个是成就，表现为进行创造性的劳动，并取得成功。

马斯洛认为，上述需求的五个层次是逐级上升的，当下一层次的需求相对满足后，人的需求就再上升一层。人在不同的心理发展水平上，其动机结构也不相同。其局限性在于需求层次有明显的机械主义色彩，认为五个层次只能逐级上升，不能超越，忽视人的思想觉悟和主观能动性，根本无法解释在生理需求和安全需求都没有保证的条件下却能为人类解放事业奉献生命的革命需求。但是，人总是有需求的，从研究人的需求出发，研究人的动机和行为是可取的，人既有物质需求，又有精神需求，需求有着从低级向高级发展的趋势，满足高层次精神需求对发挥人的潜力、调动人的积极性来说是一种稳定的、持久的力量。注意，低层次需求的满足带来的是满意度（“重奖之下必有勇夫”），高层次需求的满足带来的是忠诚度（“士为知己者死”）。

应注意，马斯洛的需求层次理论是基于西方文化的个人价值的观点，而传统文化是以实现与血缘有关的家族价值为基础的，“修身、齐家、治国、平天下”，即幸福感来自和谐的“五伦”关系。简单来说，中国人奋斗的主要目的是：告慰父母，为了子女未来以及得到身边人的尊重并给他们带来快乐与欣慰。

（2）双因素理论　美国心理学家赫茨伯格（F. Herzberg）对不满意因素和满意因素进行了区分，消除不满意因素是不足以激发行动的，必须具有满意因素。比如，在企业管理过程中，造成员工不满的原因，主要是企业的政策、管理和监督、人际关系、工资水平、工作条件、个人生活、地位和安全等问题处理不当。但若这些问题处理好了，只能消除员工的不满，使人安心工作，但不能激发积极性，即只能防病，不能医病。因此，称为“保健因素”，它是一种外在因素，对人的积极性没有激励作用，但可以起到维持工作现状的作用，防止反激励的发生。如使工作富有成就感，工作成绩得到认可，工作本身则应具有较大的挑战性，个人应负有较大的责任，才能在职业上得到发展、成长。这些方面的改善能激发员工的积极性和热情，从而促进生产率的增长。这类因素称为“激励因素”，它能在工作中得到满足，是一种内在的因素。因此，管理工作中不仅要重视保健因素的作用，还应努力扩大内在动机的激励作用。

双因素理论提出要从内在激励和外在保健两个方面来调动员工的积极性，它和需求层次理论是相吻合的。普遍认为双因素理论比需求层次理论更接近企业实际。据调查统计，过半数的男人都认为工作的首要条件是工作要有成就感，把这种工作列为首位的人要比把缩短工作时间列为首位的人多七倍。所以管理者都在考虑如何使自己的工作对员工产生吸引力，产生长期效果。

（3）期望理论　从激励的角度来说，员工不是看薪酬数额的绝对值，而是看薪酬绝对值与个人期望值的差距。期望理论是研究需求与目标之间规律的一种理论，用简单的式子表示为

$$激励力量=效价\times期望值$$

“效价”是指达到目标对满足个人需求的价值，即激励对象将目标价值看得多大。“期望值”

是指一个人对某个目标实现概率的大小的主观估计。

由上式可以看出，若一个人将目标的价值看得越大，估计可能实现的概率越高，激励的力量也就越大；反之亦然。效价与期望值的不同结合，决定着不同的激励力量。就效价而言，同一目标，由于个人的需求不同，所处的环境不同，个人对这个目标的效价也不一样。例如，某人将某一目标看得很重要，其效价也就很高；如果他认为这个目标对他无足轻重，他就会漠不关心，那么，效价就是“零”；如果他害怕这一目标，则其效价就是负值。期望值既和目标价值相联系，也和目标的可行性相联系。目标价值的大小直接反映并影响一个人的需求和动机，因而影响他对实现目标的情绪和努力程度。可行性是指目标实现的期望值为环境所左右。期望很大的目标，如果客观条件不允许就难以实现，而难以实现的目标，对人的激励作用就小。因此，企业在制定目标时，要周密考虑其可行性。目标定得太高，缺乏可行性，员工的积极性会受到打击；目标定得太低，不需努力就可实现，也形不成激励力量。所以目标的期望值要保持在一个适当的水平上。另外，特别重要的是企业目标要和员工的正当需求相联系，使他们能从企业目标中看到自己的利益，把实现企业目标变成激励力量。而且，两者的贴合度越高，激励越有效。

（4）公平理论　公平理论是一种比较理论，侧重研究工资报酬分配的公平性、合理性对员工积极性的影响。其主要概念是：人们把自己现在付出的劳动和所得的报酬同自己过去所付出的劳动和所得的报酬进行比较。另外，一个人在企业中所注意的不只是自己所得报酬的绝对值，而且还特别注意与别人相比较所得的相对值。这种将自己与别人所进行的比较称为“社会比较”，社会比较的关系式如下：

$$(\text{自己的})\frac{\text{报酬}}{\text{付出}}\begin{matrix}>\\=\\<\end{matrix}(\text{别人的})\frac{\text{报酬}}{\text{付出}}$$

上式说明，一个人不仅关心本人的报酬（工资、奖金、工作成绩的认可等）和付出（个人努力的程度、付出的劳动量的大小及经验知识的多少等），而且还关心自己的报酬与付出的关系以及别人的报酬与付出的关系，并与别人进行比较。比较中，当这个人觉得他所获得的报酬与他的行动付出的比值与别人的这项比值相等时，就有了公平的感觉，就心情舒畅；当这项比值不相等而是上式右端＞左端时，他就觉得不公平。

心理学家认为，不公平使人们产生紧张和不安的感觉，因而影响人们的行为动机，导致积极性下降与生产效率降低。因此，在管理工作中，必须充分注意在工作上、待遇上的不公平、不合理现象对人的心理状态及人的行为动机的消极影响。在工作任务的分派、工资和奖励报酬的评定以及工作成绩的评价中，应力求公平合理，努力消除不公平、不合理现象，以保证有效地调动员工的积极性。

12.4.2 激励理论模型

研究者构建了许多的理论和模型来阐述人们被激励的方式和原因。理论是对现实世界中所观察到的事物进行描述、预测和控制的一种方式。模型则是用图形或符号对理论阐释的说明。由于模型与理论的联系非常密切，因此这两个术语往往是可互换的。例如，双因素理论中，保健因素是指员工所期望的工作条件，包括安全的工作环境，一定程度上的工作保障、指导，以及恰当的工资报酬。处于满足这些条件的情境中的员工一般不会感到不满，但保健因素并不会让人们更加努力地工作。激励因素，如认可、提升、成就以及工作本身的性质等，一般都更加抽象，但它们确实能够激励员工更加努力地工作并提高他们的工作满意度。从双因素理论中产生了职位丰富化的概念。通过职位丰富化，员工会因为完成了一项完整的工作而感到一种成就感（满足感）。获得跨职能的技能、团队工作等都是职位丰富化的具体形式。

众多的激励理论（表 12-7）和模型中，有许多思想都是重叠的。事实上，孤立地看各个理论的做法是错误的，许多理论观点是相互补充的（图 12-15），应充分理解各种理论的本质，结合不同的企业文化实施个体的有效激励，有助于我们设计更好的工作系统和工作环境。在实践中，最有效的激励员工的方法主要包括几个方面：认清个体的差异，使人与职位相匹配；运用目标管理；确保个体认为目标是可以实现的；个别化奖励；奖励与绩效挂钩；检查公平性系统并重视金钱的激励作用等。

表 12-7　激励理论的分类

	内容型	过程型	外在环境型
内容类别	需求层次理论 激励与保健因素理论 X-Y 理论 三种需求理论	偏好-期望理论 权变理论 目标设定理论 领导的路径-目标理论	操作性条件理论 公平理论 社会学习理论 自我效能理论

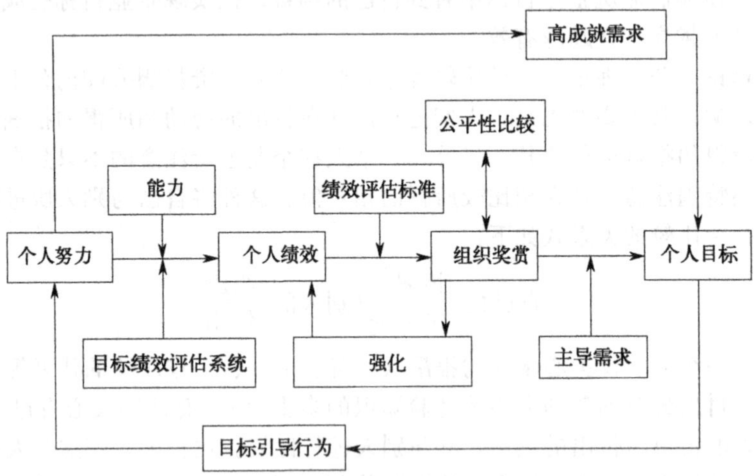

图 12-15　当代激励理论关系示意图

12.4.3　激励途径和方法

赏轻生恨，罚重不共。为此，在实际管理工作中，创建适合企业特点的企业文化，实行目标激励，建立和实施多方式、多层次的激励机制。具体主要从以下几个方面入手分析。

（1）认真研究人的需求　人的动机是由需求引起的，如果要激发人的工作动机，就必须深入了解和研究人的需求。在现实工作生活中，主要有如下需求：

① 工作的保障与安全；

② 志同道合的工作伙伴和融洽的同事关系；

③ 通情达理和体贴员工的领导；

④ 良好的工作环境；

⑤ 满意的福利待遇；

⑥ 工作和学习有进步的机会；

⑦ 有施展才能的机会；

⑧ 合理的工作时间；

⑨ 便利的交通。

（2）激励活动要有明确的目标　目标是重要的激励因素，必须设置适当的目标。为了充分发挥目标的激励作用，并且为了把目标确定得更明确，在设置目标时，要遵循 SMART 原则并注意以下三点：

① 目标要与员工的物质和精神需求相联系。

这就是要把目标与需求和动机挂钩，使目标既能激励、鼓舞人的斗志，又能满足人的物质和精神需求。行赏吝色者沮，多许少与者怨。为此，就要使小目标和大目标结合，只有大目标，没有一个个连续的小目标，大目标就可能变成一句空话；只有小目标，而无大目标，就可能失去直接激励人们奋斗的持续动力。

② 设置目标时，要让员工参加。

员工参与目标的制定，可以提高其责任感和主人翁意识，在设置目标时，领导者务必使每个员工都关心和了解企业所要实现的目标，并发动其积极地参与该目标的制定。

③ 目标要有挑战性。

目标的设置要难易适度（如基础任务、目标任务、冲刺任务），这样一来，就能使员工感到它既不能轻易实现，也并非可望而不可即，而是只要经过努力奋斗，就可以实现。并且，也只有这样，才能使员工的干劲和力量充分地发挥出来。

（3）及时反馈和赏罚分明　在管理过程中，及时的信息反馈，是十分必要的，这是因为人们对眼前和较近的刺激印象较深刻，反应也较大，而时间久了就容易淡化和遗忘。所以，要使激励活动具有较好影响，就必须及时做出反应。比如，当员工做出成绩时，领导就要充分认可、肯定和奖励他们，甚至予以提拔，使其看到成果的意义和价值，并从而产生成就感和信心，以便更好地激励员工继续努力工作。同样，如果员工工作做得不好，领导就要严肃指出、警告、批评、扣奖，甚至罚款、降级等。赏不服人，罚不甘心者叛。赏及无功，罚及无罪者酷。总之，只有赏罚分明，才能形成良好的氛围。

（4）积极推广“工作扩大化”和“工作丰富化”的劳动组织办法

① 工作扩大化，是指在横的方面要增加员工的工作种类，扩大工作范围，以改变员工在现代化大生产条件下终日进行简单重复劳动的状况，从而提高员工的劳动热情。

② 工作丰富化，是指让员工从纵的方面参加不同层次的工作，使其才能和智慧得到充分的发挥。比如，除让员工参加生产劳动以外，参加一些管理工作，以便使其在工作中激发责任感和成就感，并进而调动其生产积极性。

（5）要有正确的激励方式　激励方式有很多种（表 12-8），通常分为以下两大类：

① 外在的激励方式。这主要有：福利、晋升、授衔、表扬、嘉奖等。

② 内在的激励方式（内生动力思维导图见图 12-16）。常用的主要有：学习新知识、新技能，有责任感、光荣感、成就感等。

外在激励方式能显著提高工作效率，但不持久，处理不好有时还会影响情绪、降低工作效率；内在激励方式，激励过程需要时间较长，但一旦完成，不仅可以提高效率，而且能够持久。因此，在激励过程中，既要充分注意和运用内在激励方式，又要合理、巧妙地把两种激励方式结合起来。

表 12-8　激励方式

名称	具体方法与措施
目标激励	通过推行目标责任制，使企业经济指标层层落实，每个员工既有目标，又有压力，产生足够的动力，努力完成任务
示范激励	通过各级主管的行为示范、敬业精神来正面影响员工
尊重激励	尊重各级员工的价值取向和独立人格，尤其尊重企业的小人物和普通员工，达到一种知恩必报的效果
参与激励	建立员工参与管理、提出合理化建议的制度和职工持股制度，提高员工主人翁参与意识
荣誉激励	对员工劳动态度和贡献予以荣誉奖励，如会议表彰、发荣誉证书、在公司内外媒体上宣传报道、推荐获取社会荣誉等

续表

名称	具体方法与措施
关心激励	对员工工作和生活关心，如建立员工生日情况表，总经理签发员工生日贺卡，关心员工的困难，慰问或赠送小礼物
竞争激励	提倡企业内部员工之间、部门之间的有序平等竞争以及优胜劣汰
物质激励	增加企业家、员工的工资、生活福利、保险，发放奖金，奖励住房，工资晋级等
信息激励	交流企业、员工之间的信息，进行思想沟通，如信息发布会、发布栏、企业报、汇报制度、恳谈会、经理接待日制度
文化激励	形成企业文化，形成共同的价值观、共同利益和共同追求，从而提升忠诚度和凝聚力，使人高效率地开展工作。包括：物质文化(队服等)、行为文化(日事日毕、不找借口、结果导向、我是榜样)、制度文化和精神文化(追求卓越)
自我激励	包括自我赏识、自我表扬、自我祝贺
处罚	对犯有过失、错误，违反企业规章制度，贻误工作，损坏设备设施，给企业造成经济损失和败坏企业声誉的员工或部门，给予警告、经济处罚、降职降级、撤职、留用察看、辞退、开除等处罚

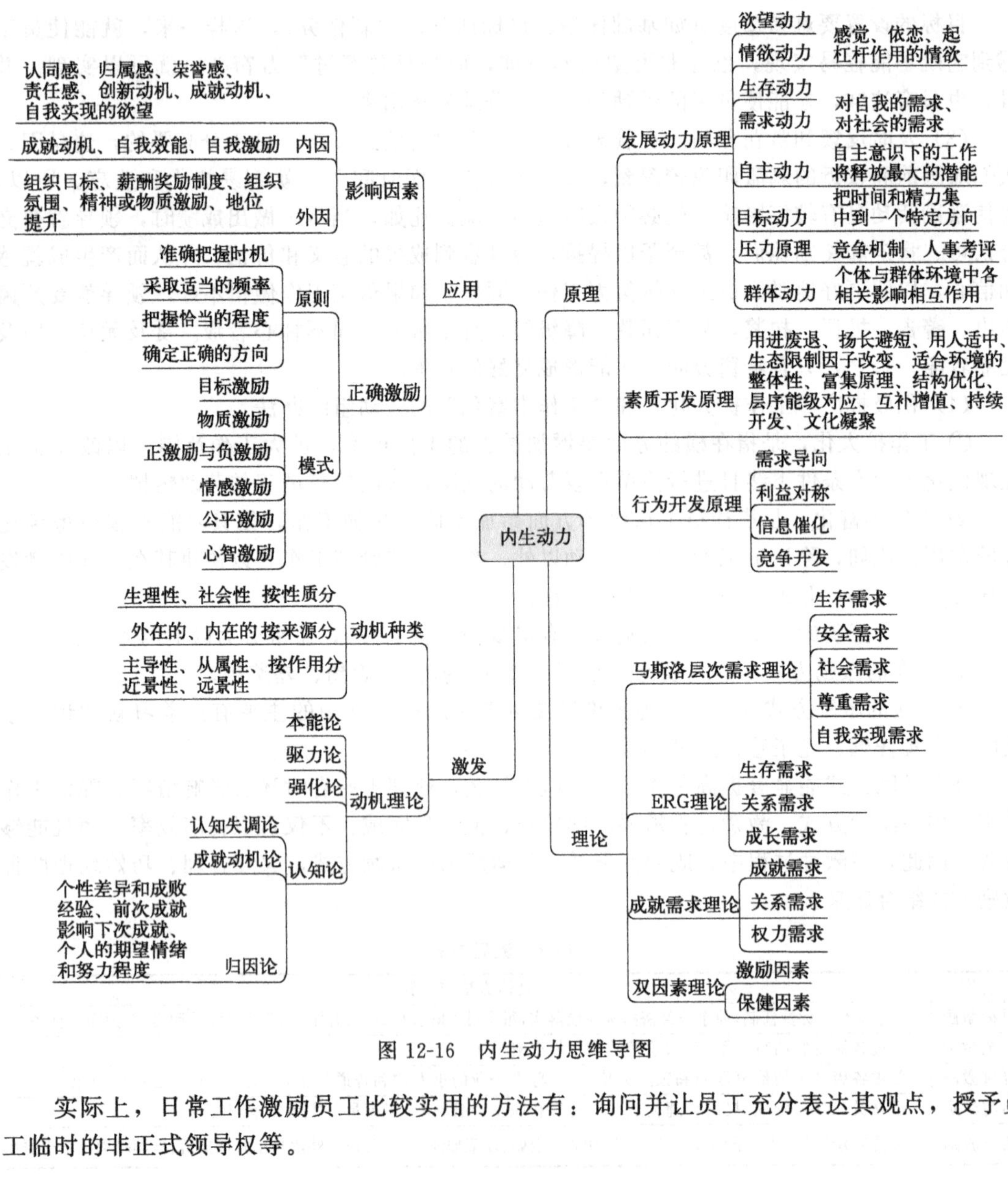

图 12-16 内生动力思维导图

实际上，日常工作激励员工比较实用的方法有：询问并让员工充分表达其观点，授予员工临时的非正式领导权等。

12.5 领导

同样的管理制度，在不同的企业实施效果却差别很大。究其原因，主要与领导者个人的意识形态有关，决策态度变了，“道”就变了，依附于其上的“术”的效果也就发生了变化。企业领导者的管理意志，决定了企业一套处理日常事务的方法（也是企业文化的一部分），所以说，有什么样的管理哲学就会产生什么样的管理效果。

除了领导理念之外，有效地领导也是企业取得成功的一个重要条件。领导既涉及人，也包括测量及控制系统。要理解如何领导，就必须理解其管理理论。这方面的研究很多，产生的领导理论也多达数十个（表 12-9）。比如，特质理论认为，领导者主要有六项特质，即：进取心、领导意愿、诚实与正直、自信、智慧和工作相关知识。然而拥有这些特质并不能保证成为领导，因为其中忽略了情境因素。权变理论认为，按照三项情境变量（领导者-成员关系、任务结构和职位权力）分类，在十分有利和十分不利的情境中，任务取向的领导者工作得更好；在中度有利或不利的情境中，关系取向的领导者工作得更好。情境理论认为存在四种领导风格：指示、推销、参与、授权。领导者选择何种风格取决于下属的工作成熟度和心理成熟度，如果下属的成熟水平较高，领导者的做法是减少控制和参与。目标模型认为，领导者所选择的具体行为（指导型、支持型、参与型、成就导向型）应与两类权变变量（环境变量和下属个性特点）相匹配。

表 12-9 领导理论的分类

类型	特质理论	领导行为理论	权变/情境理论	角色方法理论	新兴理论
名称	“伟人”理论	俄亥俄州研究 密歇根研究 X 理论和 Y 理论 管理方格模型	领导有效性模型 监督式权变决策模型	管理角色理论	魅力理论 转变理论 替代领导理论 情感智力理论

应注意，领导和领导者是两个有区别的概念。领导者是指担任某种领导职务、领导角色的人。领导是指引导和影响个人或群体在一定条件下实现一定目标的行动过程。它是一种动态过程，即领导行为是领导者、被领导者和环境三项变量的函数：

$$领导=f(领导者,被领导者,环境)$$

根据以上函数关系，行为科学家认为应该针对不同情况和环境，创造出各种理论模式，以帮助领导者预测在各种情况下应该采取的最适当的领导行为。研究表明，只有具备技术、人文和观念三种技能后才能实施有效领导。

a. 技术技能。领导者使用以往经验以及新掌握的知识、方法和专门技术，并能善于将其应用到管理之中。

b. 人文技能。领导者要具有善于与人共事并对部下实行有效领导的能力，即善于把行为科学知识应用到管理中去的能力。

c. 观念技能。领导者必须具有了解整个组织及自己在该组织中的地位和作用的能力。要求领导者随时都能按照整个组织的目标行事，对整个组织具有战略眼光和全局观念，有较强的决策能力。

当然，不同层次的领导，对掌握以上三种技能的要求不同，三种技能随领导者所处的层次不同而有不同的组合。但人文技能对每一层次的领导者都有同样的重要性。

注意，领导者和管理者是两个不同的概念，二者既有联系，又有区别。管理者主要是制定目标，按照既定目标对团队组织进行管理，带领团队组织实现目标。领导者主要是分析变化的趋势，指出团队组织应该前进的方向，并描绘出美好的愿景，能够激发相关人员的积极性，带领团队组织朝着描绘的美好愿景前进。如果一位经理的管理行为过多而领导行为过少，就易产生上下级关系紧张、工作推进受阻的现象；如果领导行为过多、管理行为过少，就常常产生用个人魅力和组织关系去管理团队、“你好我好大家好”的局面，甚至还会山头或帮派林立。在实际工作中，要清晰界定管理与领导，“左手管理右手领导”，平衡好管理与领导的关系。管理与领导的区别见表 12-10。

表 12-10 管理与领导的区别

项目	管理	领导
活动	管理事务，注重效率，关注现在和短期发展	领导人心，注重效果，关注将来和长期发展
关注点	“登梯速度”，在系统内把工作做好	“梯子是否放对了墙”，把系统工作做好
目标	把事情做正确，基础是职位权力（强制、惩罚、奖赏）	做正确之事，基础是个人权力
循环	PDCA，即：计划→实施→检查→改善	愿景→动员→展开→学习
行为	重在建立秩序：关注计划与预算，组织及配置人员，控制过程并解决问题。保证底线：监督控制	重在产生变革：确定方向，整合利益相关者，激励和鼓舞下级。关注上线：愿景牵引
认知	外方内方，主导行为是强化职责、执行制度、管控流程、配置资源	外圆内方，主导行为是激励追随者意愿、培养追随者能力
信条	细节决定成败	领导力就是影响力
逻辑思维	先有理性分析，再发动变革：分析→思考→变革	先有感受，再推动变革：目睹→感受→变革
实践关系	对立关系。管理行为组织化，是指在处理问题时，要依照企业标准而非个人好恶来做决策，避免下级把矛头对准上级，认为是上级有意难为他	追随关系。领导行为个性化，是指对下级的关心、爱护可以有自己的风格。管理行为都是相似的，而领导行为各有千秋

“枉士无正友，曲上无直下”说的是领导的重要性，但是，在有些情况下，领导者可能并不那么重要，比如：当个体变量可以取代领导者的支持或能力而使工作程序化和任务的模糊性降低时；当工作明确、常规或本身能满足个体时；当组织的特点为目标明确、规则与程序严格时；当高内聚力的群体活动可以取代正式领导时。

12.5.1 新兴领导理论

新兴的领导理论建立在传统理论的基础之上，是对传统理论的扩充，这些理论试图回答传统理论提出的但未得到回答的问题，主要有以下几种。

（1）归因理论　该理论主张领导者在特定情境下如何与下属打交道取决于他们将下属的行为归因于内部原因还是外部原因。例如，如果一个管理者发现员工生产次品，他也许会将此归因于员工可以控制的内部因素，如不努力、投入不够或缺乏能力等。同样，管理者也可以将之归因于诸如原材料不合格或设备缺陷之类的外部因素。在这些归因的基础上，管理者就会决定是采用惩罚措施（警告、降级或开除）还是整改方案（重新设计岗位等）来解决问题。

（2）魅力（交易）理论　该理论认为，某些领导者能够激发下属付出超常的努力去实现组织目标，这是由于领导者具有自身的愿景并且他能够将愿景很好地融入下属的发展需求中。这种领导者具有一定的领袖魅力，他们往往被认为是自信的、有远见的，对目标有强烈的信念，反传统，并被认为是激进变革的代言人。

（3）替代领导理论　该理论认为，在许多组织中，如果下属（团队成员）的个性、工作任务的性质以及组织提供的指导和激励能够协调一致，则正式的领导往往无用甚至会起反作用。一般认为，这种领导方式在低领导有效性情境中可能是有用的，这种情境下领导者不会由于各种政治因素或其他原因而被撤换，或者是团队成员的训练水平和能力特别强（如一个含有专家型员工的团队），或者是形势处于急剧变化，等等。在这些情况下，自我管理、专业教育甚至计算机技术都可以起到替代领导的作用。这一理论的启示在于，不同的情境要求不同程度的领导（不能过多也不能过少），这样才能实现高质量的成果。

（4）情感智力理论　该理论认为，情感智力型领导者具备五个要素：自我认知、自我规范、激励、共情力和社交技能。该理论的前提是：在以往的研究和实践中过多地强调了领导的理性方面，对情感智力的期望普遍未被纳入绩效测评体系中，但上述五要素所代表的自我管理（前三个要素）和人际技能（后两个要素）对于最高层领导者而言，与“传统的”智力和技术能力同样重要。对于有效的管理而言，情感智力型领导的重要作用体现在他将一个综合的领导系统的“愿景”和长期的计划过程转化为行动。没有可靠的自我管理，组织中的下属就很难接受领导者的愿景。没有共情力和社交技能，领导者就很难与顾客、供应商以及组织外的其他人进行有效合作以建立起友好关系，而这对于组织的长期有效性以及全过程控制管理的实施是极为重要的。

12.5.2　领导力

一般人认为，领导力往往与领导挂钩，甚至等同于领导的个人能力。领导力是整个领导团队及核心骨干队伍的能力。它必须获得越来越多的，而且是心甘情愿的追随者。善于利用每个人的长处，就像刘邦，他本身并非能人，但他却善于用人，与张良、萧何、韩信一同构成一个领导团队，击败了项羽。所以经常说，好的领导是制造英雄的最大推手。

但是，领导力并非全部来源于“职位权威”，而更多的是源于“非职位权威”。职位权威由观念、职权和资历等因素组成。非职位权威则包括知识因素、才干因素、感情因素和人格因素，使部下对领导敬佩、敬服、敬爱和敬仰。

我国文化特点要求一个成功的企业领导者的基本条件是：在政治品质方面，应该做到政治坚定、工作勤奋、品德高尚；在知识素养方面，应具有法律、经济理论、管理学、社会学、心理学、工程技术等方面的知识；在实际能力方面，应具有创造能力、决策能力、组织指挥能力、洞察能力、自控能力、技术能力、应变能力、同理心、激励他人的能力和社会活动能力等；在作风方面，应具有良好的思想作风、工作作风、生活作风，并善于处理人际关系；在思维方式方面，应具有科学思维方式，主要包括理论思维、逻辑（概念）思维、整体思维、开放式思维、多维式思维、求异式思维、超越式思维等思维方式。

影响力是指一个人在与他人交往中影响与改变他人心理与行为的能力。一个企业领导者，要能有效地影响和改变员工的心理与行为使之服从企业目标的要求，在客观上就要求领导者具备超过一般人的影响力，否则就不可能实施有效领导。管理者是被任命的，他们拥有合法权力进行奖励和处罚，其影响力来自他们所在的职位赋予的正式权力。而领导者则可以是任命的，也可以是从一个群体中产生出来的。领导者可以不运用正式权力来影响他人。领导的影响力分为权力性影响力和非权力性影响力，前者属强制性影响力，后者属自然性影响力。

权力性影响力由社会赋予个人的职务、地位、权力等构成。这种影响力一般掌握在掌权者手中，它是建立在法定、奖励和惩罚等基础上的，使人服从和敬畏，对别人的影响带有强迫性、不可抗拒性。它以外力的形式发挥作用。在外力的作用下，被影响者的心理和行为主要表现为被动和服从，缺乏主动和创造精神，它对人的激励作用十分有限，难以持久。

非权力性影响力与权力性影响力有着本质的区别，它是由于领导者自身的才能、学识专长和高尚品德，而使被领导者产生的敬爱感、敬佩感和信赖感。

企业领导者要想提高领导影响力，关键在于要努力提高非权力性影响力，即以自己的优良品质、高超的才能、丰富的知识和与员工之间良好的感情关系来建立威信，使人敬佩并得到别人的信赖，从而引导和激励员工充分发挥生产积极性，协调一致地达到企业目标。

从图 12-17 所列的模型中可以看出，领导力的提升需要一个过程，而且，不同时期、不同情况需要不同的管理手段才能实现控制效果。

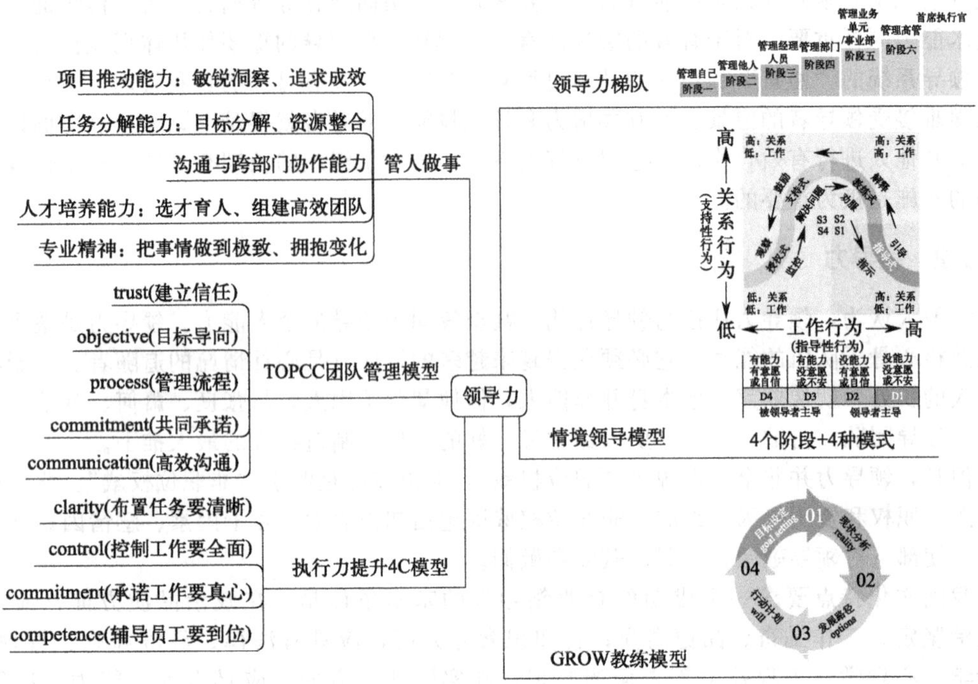

图 12-17　领导力提升模型

应注意，职业发展不是线性发展，而是每一段时间（约三年）都会有一个平台期。每个平台期，实现突破所需的能力并不相同，此时需要换一种思维方式、工作方式来突破，从而实现顺利晋升（图 12-18）。按照上一级目标和定位要求，提升自己的能力（表 12-11）。日常场景下，很难看出员工能力有什么差异，往往需要在一些特殊场景下才能看出一个人是否靠谱。管理晋升是最重要的决策，被提拔为管理岗位的人，晋升前都没有做过管理，因此就需要选一个具备管理潜力、决策安全的人。

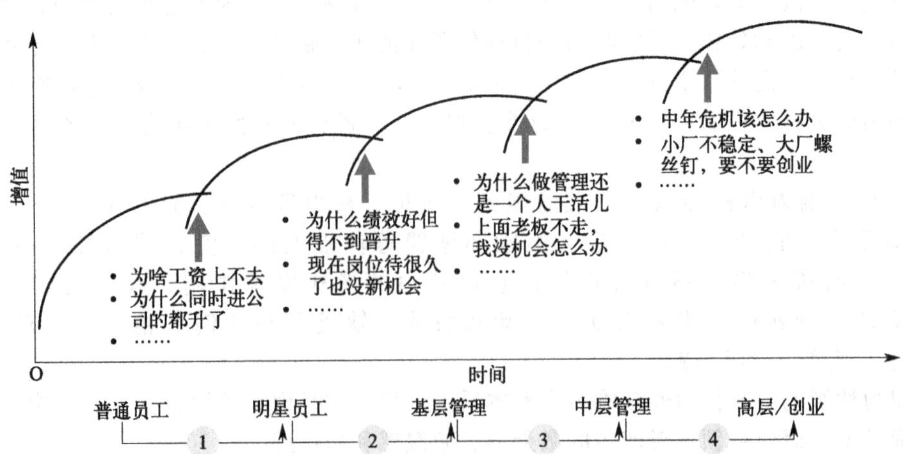

图 12-18　职业发展与个人增值关系示意图

表 12-11　不同岗位对能力的基本要求（1）

岗位	靠谱员工	明星员工	基层管理	中层管理
要求	临时又紧急的工作，是否能够合理安排时间、按时交付； 耗时长且重要的工作，是否能够定期沟通/汇报，给上级掌控感； 高难度的工作，是否能够不依赖上级，输出自己的独立思考； 需要协作的工作，是否善于与其他同事一起完成工作	是否能够合理安排时间、按时交付； 是否能够定期沟通/汇报，给上级掌控感； 是否能够输出自己的独立思考； 是否善于与同事一起完成工作	建团队，是否能够辅导/教出明星员工； 拿结果，是否能够不断激励团队成长和贡献； 制定具体打法，面对高难度的问题，是否能够思路清晰，带团队到正确的方向，而不是带到沟里； 是否能够与各种类型、各种性格的人合作，搞定上级、平级、下级	是否有战略眼光、战略思维，能看到行业趋势； 搭班子，是否能够形成企业/部门范围的影响力、领导力，正向引导团队； 做导演，是否能够根据业务发展，做好角色分工，提升人员效率； 做方案、定战术，是否能够很好地分配预算，提升资金使用效率； 是否能够做好企业内外的高难度沟通，践行企业价值观

另外，有很多管理者的具体业务能力很强，但对管理的理解、团队的凝聚、人员的赋能等，还有不小的差距（表 12-12）。与受过专业管理培训和学习的人相比，下君尽己之能，中君尽人之力，上君尽人之智。无论哪个职级的管理者，都要能够更清晰地形成自己管理角色的认知，都需要认识管理的重要性，意识到管理系统的搭建也是需要深耕与实践的。

表 12-12　不同岗位对能力的基本要求（2）

项目	普通管理者	高级管理者
边界能力	只擅长处理单一问题	能够突破业务边界及专业能力限制，解决多个复杂问题
规划管理	只关注任务本身，一味地要求执行，容易忽略所需的必要条件	用清晰的逻辑系统地开展工作，能够从任务成熟度、资源成熟度、人才成熟度这三个维度全面规划管理工作，有具体计划和步骤
焦点管理	只关注 KPI 是否达成，有功抢，有错推	注重过程，能够带领团队及时发现隐患，功劳归共、勇于担当
精力管理	忙于具体业务，员工得不到成长，团队综合绩效低	用“授权＋辅导”撬动团队潜力，激发士气，提高团队绩效
辅导下属	对没经验的员工，只会鄙视、吐槽；对有经验的，只会说教、批评。没有积极辅导	根据员工的经验和工作难度，灵活选择授权或辅导策略，赋能且激励员工
任务管理	控制进度时，只会“大棒＋小萝卜”	在任务启动、进行期和收尾等不同阶段进行检查与推动，通过过程控制提升团队执行力
自我管理	归因于外，“啥都不行”，责怪别人	归因于内，系统思维，反思自己
冲突管理	火冒三丈，臭骂一顿	先管理情绪，再处理事情。心存善念＋“下刀快”
关系管理	只有工作任务，只要绩效，“加班工友”	注重团队建设，建立互信，让团队愉悦地完成挑战，成为朋友
时间分配	主要时间：开会＋具体业务	主要时间：团队能力建设，态度建设，关系建设，战略性的思考与规划，30%用于具体业务
氛围管理	站在金字塔的头部，高高在上	人人平等

12.5.3　领导体制

领导体制是指组织中正式或非正式地实施领导的方式，包括组织各层次的关键决策如何进行以及如何沟通和实施。比如，决策的结构和机制、领导者和管理者的挑选和培养，以及价值观、方向和绩效期望的强化等。领导体制基于共同的价值观来构筑忠诚和团队合作，鼓励首创精神和冒险，使组织置于宗旨和职能之下。有效的领导体制中包括领导者的自我检查和改进机制，也尊重员工及其他利益相关者的能力和要求，并且针对绩效和绩效改进设定一定高度的期望。

常见的领导体制有三种：一是在总裁领导下的领导班子；二是由跨职能部门的管理者和专家组成的指导委员会；三是由多个委员会协调、整合后形成一个主席团作为领导团队。

（1）领导班子　领导工作是一种高级的智力劳动，它需要各方面才能的有机组合，而管理方面的全才是极少见的，绝大多数人都只具有某一方面的才能。如何将具有不同才能的人有机组合起来，这就是领导班子的合理结构问题。一个结构合理的领导班子，不仅能使每个成员都人尽其才、才尽其用，做好各方面的工作，还能通过有效的组合，发挥新的、巨大的集体能量。

领导班子成员的合理结构包括年龄结构、知识结构、智能结构、专业结构和素质结构等。

① 年龄结构。因为不同年龄的人具有不同的智力、不同的经验。所以，领导班子年龄的最佳结构是十分重要的。年轻人富于创造，有冲劲；老年人有丰富的经验和阅历。因此，领导班子的合理结构应该是老、中、青三结合。由于现代社会处于高度发展之中，知识老化的周期越来越短，新知识、新技术日新月异、不断涌现，在吸收新知识这一点上，无疑优势在中青年方面。故领导班子总的趋向是年轻化，并处于不断发展的动态平衡之中。但是，不能片面理解年轻化为青年化，而是指一个领导集体应有一个合理的老、中、青比例，有一个与管理层次相应的平均年龄界限。这样既可防止领导老龄化，又保证领导的继承性。

② 知识结构。一个企业的领导，总是面对着十分复杂的、全面的情况，这就要求领导者必须具备广博的知识。此外，随着教育的普及，下属的科学文化水平不断提高，也要求领导者有更高的知识水平。但是，个人的知识是有限的，集体的知识则全面和广博得多。所以，在领导班子中必须有一个合理的知识结构。一般来说，领导班子成员中既应有自然科学技术方面的人才，也应有经济、管理、经营方面的人才，还应有社会科学、人文科学方面的人才。既要有理论专家，也要有具备丰富实际知识的专家。学历对一个领导者来说固然是很重要的，但要注意不唯学历论，主要应注重一个人的实际知识水平和工作能力。

③ 智能结构。智能是指人们运用知识的能力。对一个企业领导来说，不但要有知识，还要会运用知识，这就是智能问题。智能主要包括：学习能力、研究能力、思维能力、沟通能力、组织能力和创造能力等。一个人缺乏知识，可以查找百科全书，而思考问题、设想方案、准确流畅地表述问题等却是任何东西也代替不了的。因此，对一个领导班子来说，智能是很重要的，应有合理的智能结构。既有具备高超创造能力的思想家，又有具备高度组织能力的组织家；既有有实干精神的实干家，又有善于交往的社会活动家。只有这样，才能发挥最优的智能效能。

④ 专业结构。专业结构指在领导班子中各类专长人员的比例。在现代企业中，科学技术渗透一切领域，是提高劳动生产率的主要手段。因此，领导者专业化是现代生产的必然的客观要求。领导班子中的成员应按其所担负的职能，形成一个合理的专业结构。这种专业结构包括管理、工程技术、社会科学及人文科学等。领导者应懂技术、懂业务、懂管理、懂经营等。

⑤ 素质结构。一个企业领导者应具备上述条件，但在现实中，完全具备以上条件的人很少。因此，合理的素质结构就要求具备不同素质的领导者在领导班子中互相支持、互相配合、互相补充、团结一致，发挥各自的长处，共同搞好工作。这是提高领导班子战斗力的基础。

(2) 指导委员会　指导委员会确立企业的发展方向，整合绩效目标，促进全体员工的发展。委员会成员经常与员工交流，检查企业的总体绩效。定期召开会议，对绩效进行评估并确定需要改进的方面。比如，由高层管理者组成的指导委员会在推行全面质量管理的组织中非常普遍。这些委员会有很多职责，如将全面质量管理的观念融入企业的战略制定过程中，协调各方面的活动等。这类指导委员会通常具有以下基本特征：

① 领导。推动和宣传质量愿景，沟通管理活动的责任和期望，协调业务过程与质量管

理，展现承诺和参与，在教育、咨询、方法及工具方面提供全企业范围的支持。

② 计划。制定有关质量的战略目标，理解顾客需要和企业能力，确立长短期目标，制定人力资源目标和政策，理解雇员对质量和工作的看法，保证所有员工拥有参与的机会和技能，使奖励认可制度包含质量管理相关内容。

③ 实施。组建关键的业务过程团队，授权团队来管理和改进这些过程，评估改进方案，为改进提供资源，使所有管理者参与到改进过程中，评审各部门的质量计划，与供应商和业务伙伴共同实施质量计划。

④ 检查。借助于顾客满意度和内部质量指标来追踪进展情况，监督改进目标的实现，庆祝所取得的成功，通过审核和识别改进机会来改进质量体系，确定改进计划，确认改进的成效。

常见委员会主要工作及开会周期见表 12-13。

表 12-13 常见委员会主要工作及开会周期

委员会	主要工作	开会周期
运营委员会	沟通业务状况，制定战略及业务计划	每半年
质量委员会	监督顾客满意度和运营质量	每月
销售及运营计划委员会	安排目前及未来的工作，监督供应商绩效提升	每月
制造资源计划指导委员会	过程改进，标杆对比，对员工满意度、流程成熟度进行等级评估	每月
产品委员会	制定新产品开发及产品战略	每月
培训指导委员会	培训和教育，以及人力资源开发	每季度
环境委员会	对产品和生产过程的环境影响进行控制	每季度
ERP/IT 委员会	对信息技术进行规划及部署，规划企业资源	每月
审计委员会	对内外部政策、法规遵守情况及业务等进行监督	每季度
道德与合规委员会	评审合同，对遵守法律和道德情况进行监督	每季度

12.5.4 领导的社会责任

对于企业负责人来讲，企业的利益是最高利益，一切以企业利益为衡量标准，企业的生死存亡，是企业领导最高的信仰。与此同时，企业的另一个重要内容便是承担公共责任和做优秀的企业公民。这包括企业伦理以及保护公众健康、安全及环境方面的责任。为此，组织必须考虑管制的压力、人口特征的变化、来自非政府组织的压力和更高的透明度。

企业的计划活动，如产品设计，应预计到企业产品在生产、物流、运输、使用和处理过程中可能产生的负面影响。应建立应急处理制度，预防问题的发生，出现问题时立即采取措施，确保信息公开，这也是企业最高层领导者的职责。组织不能只限于遵守国家的、地方性的所有法律和法规要求，更要把它们当作持续改进的机会。优秀的企业公民应当主动带头确立行业对社区的责任。

总之，履行公民义务，意味着企业在其资源许可的范围内，对重要的社会公共目的或活动的支持和示范引领，包括改进教育、公共卫生、环境、资源利用、社区服务等方面。

附录 1　顾客满意度调查表

第____页　共____页

施工单位			
工程名称			
工程地址			
电话传真		工程联系人	
调查形式	□现场　□电话		

对本公司产品质量的满意程度：

1.混凝土工作性：□很满意　□满意　□一般　□较不满意　□很不满意

2.凝结时间：□很满意　□满意　□一般　□较不满意　□很不满意

3.强度及其增长：□很满意　□满意　□一般　□较不满意　□很不满意

4.质量稳定性：□很满意　□满意　□一般　□较不满意　□很不满意

可分别说明情况：

对本公司产品价格的满意程度：

1.价格竞争力：□很满意　□满意　□一般　□较不满意　□很不满意

2.货款支付期：□很满意　□满意　□一般　□较不满意　□很不满意

3.结算及时性：□很满意　□满意　□一般　□较不满意　□很不满意

可分别说明情况：

对本公司生产供应的满意程度：

1.送货时间：□很满意　□满意　□一般　□较不满意　□很不满意

2.车辆配备：□很满意　□满意　□一般　□较不满意　□很不满意

3.数量：□很满意　□满意　□一般　□较不满意　□很不满意

4.资料提供：□很满意　□满意　□一般　□较不满意　□很不满意

可分别说明情况：

对本公司服务可靠性与人员配合的满意程度：

1.特殊需要响应：□很满意　□满意　□一般　□较不满意　□很不满意

2.货单准确性：□很满意　□满意　□一般　□较不满意　□很不满意

3.问题处理及时性：□很满意　□满意　□一般　□较不满意　□很不满意

4.技术咨询与服务：□很满意　□满意　□一般　□较不满意　□很不满意

5.销售人员配合：□很满意　□满意　□一般　□较不满意　□很不满意

6.调度员沟通配合：□很满意　□满意　□一般　□较不满意　□很不满意

7.司机友善配合：□很满意　□满意　□一般　□较不满意　□很不满意

可分别说明情况：

其他建议或意见：

调查人：　　　　　　　　　　　　年　　月　　日

注：填写时根据实际情况在对应的□处画√或在空白处书写文字。

附录 2　顾客满意度评价表

调查时间	从		至		调查次数 N	共 43 次		
结果分析								
项目		调查结果 n(次数)					满意度	
		很满意 $K_1=1.0$	满意 $K_2=0.9$	一般 $K_3=0.7$	较不满意 $K_4=0.4$	很不满意 $K_5=0$	$\sum K_j Y_{ij}$	CSD= $\sum X_i \sum K_j Y_{ij}$
产品质量	混凝土工作性 $X_1=0.3$	4	22	11	5	1	77.9%	78.9%
	凝结时间 $X_2=0.2$	1	37	5	0	0	87.9%	
	强度及其增长 $X_3=0.3$	0	23	18	2	0	79.3%	
	质量稳定性 $X_4=0.2$	0	11	26	6	0	70.9%	
	备注							
产品价格	价格竞争力 $X_1=0.5$							
	货款支付期 $X_2=0.3$							
	结算及时性 $X_3=0.2$							
	备注							
生产供应	送货时间 $X_1=0.4$							
	车辆配备 $X_2=0.2$							
	数量 $X_3=0.3$							
	资料提供 $X_4=0.1$							
	备注							
服务可靠性与人员配合	特殊需要响应 $X_1=0.1$							
	货单准确性 $X_2=0.2$							
	问题处理及时性 $X_3=0.2$							
	技术咨询与服务 $X_4=0.1$							
	销售人员配合 $X_5=0.1$							
	调度员沟通配合 $X_6=0.2$							
	司机友善配合 $X_7=0.1$							
	备注							

续表

注：1. $Y_{ij}=n_{ij}/N$，n 和 N 由顾客满意度调查表统计得到。

2. 顾客满意度评价：CSD 小于 70%为差，70%～80%为合格，80%～90%为良，90%～100%为优

评价结论（针对具体项目给出相应结论或建议）：

备注：

记　录		审 批		年　月　日

附录 3　供应商基本信息表

<table>
<tr><td>供应商全称</td><td colspan="3"></td><td>使用商标</td><td colspan="3"></td></tr>
<tr><td>行业类别</td><td></td><td>业务性质</td><td></td><td>企业类型</td><td colspan="3"></td></tr>
<tr><td>占地面积</td><td></td><td>厂房面积</td><td></td><td>企业负责人</td><td colspan="3"></td></tr>
<tr><td>固定资产</td><td></td><td>年产值</td><td></td><td>销售额</td><td colspan="3"></td></tr>
<tr><td>公司地址</td><td colspan="7"></td></tr>
<tr><td colspan="8">主要联系人</td></tr>
<tr><td>联系人姓名</td><td>性别</td><td>职务</td><td>办公电话</td><td>手机号码</td><td colspan="3">电子邮件</td></tr>
<tr><td></td><td></td><td></td><td></td><td></td><td colspan="3"></td></tr>
<tr><td></td><td></td><td></td><td></td><td></td><td colspan="3"></td></tr>
<tr><td colspan="8">主要产品</td></tr>
<tr><td>产品名称</td><td>年产量</td><td>销售额</td><td>占总销售额的百分比</td><td>剩余产能</td><td>产品量产时间</td><td colspan="2">优势说明</td></tr>
<tr><td></td><td></td><td></td><td></td><td></td><td></td><td colspan="2"></td></tr>
<tr><td></td><td></td><td></td><td></td><td></td><td></td><td colspan="2"></td></tr>
<tr><td colspan="8">主要客户市场</td></tr>
<tr><td>主要客户名</td><td>行业和地区</td><td>提供的产品</td><td colspan="2">该客户占企业销售额的百分比</td><td>业务开始时间</td><td colspan="2">说明</td></tr>
<tr><td></td><td></td><td></td><td colspan="2"></td><td></td><td colspan="2"></td></tr>
<tr><td></td><td></td><td></td><td colspan="2"></td><td></td><td colspan="2"></td></tr>
<tr><td colspan="8">关键设备</td></tr>
<tr><td>设备名称</td><td>产地/型号</td><td>生产商</td><td colspan="2">技术指标和优势</td><td>设备生产时间</td><td colspan="2">数量</td></tr>
<tr><td></td><td></td><td></td><td colspan="2"></td><td></td><td colspan="2"></td></tr>
<tr><td></td><td></td><td></td><td colspan="2"></td><td></td><td colspan="2"></td></tr>
<tr><td colspan="8">人员信息</td></tr>
<tr><td>管理人员</td><td>技术人员</td><td>业务人员</td><td>质检人员</td><td>生产人员</td><td>总人数</td><td colspan="2">其他信息</td></tr>
<tr><td></td><td></td><td></td><td></td><td></td><td></td><td colspan="2"></td></tr>
<tr><td colspan="8">财务信息</td></tr>
<tr><td>总投资额</td><td>总资产额</td><td>年产值</td><td>销售额</td><td>年出口额</td><td>年研发经费</td><td colspan="2">其他信息</td></tr>
<tr><td></td><td></td><td></td><td></td><td></td><td></td><td colspan="2"></td></tr>
<tr><td colspan="2">发展简介</td><td colspan="6"></td></tr>
<tr><td colspan="2">质量与供应保证能力</td><td colspan="6"></td></tr>
<tr><td colspan="2">供应商体系认证及有效期</td><td colspan="2"></td><td>认证机构名称</td><td colspan="3"></td></tr>
<tr><td colspan="2">供应商负责人签字
（单位盖章）</td><td colspan="2"></td><td>填表人签字</td><td></td><td>日期</td><td>年　月　日</td></tr>
</table>

附录 4　供应商入库评审记录表

编号			日期		
供应商名称			产品类别		
生产地址			供应产品名称		
序号	评审项目	评审内容	分值/分	得分/分	评审部门
1	质量管理体系的运行情况	质量管理是否通过 ISO9000 认证	2		
		管理层对质量管理是否足够重视	2		
		是否有明确的质量目标和持续的改进计划	2		
		是否能在合理时间内进行质量分析	1		
		产品的生产是否有明确的企业标准	1		
		纠正措施是否能有效预防缺陷的产生	2		
2	技术能力	加工过程中用的原材料是否都具有明确的技术标准和检测方法	1		
		与原料供应商的合作是否相对稳定，原料供应商的储备是否充分	1		
		是否能够掌握行业的新技术	1		
		有些先进的设备是否能够满足一些有特殊要求的产品的制作需要	1		
		出厂报告是否能包含相关产品的技术参数标准所含的信息	1		
		是否可以按照要求及时提供样品	1		
		是否可以按照提供的材料及时提供报价	1		
		对产品风险规避方面是否能够提供专业的意见	1		
		根据产品的要求是否能够提供新的、有价值的工艺建议	1		
		是否能够提供一些具有特殊性能的新材料以及新颖的结构	1		
3	检验机构	检验机构是否独立运作	2		
		是否有足够独立的检验人员	2		
		是否有足够的检测设备	1		
		每一生产工艺是否都有明确的检验标准和检验负责人	2		
		有关质量反馈是否能触发改进行动	1		
		操作人员是否参与持续质量改进	1		
		有关检验设备是否定期由专门机构校验	1		
4	作业检验文件	是否有明确的原料、材料出入库检验标准	2		
		原料、材料、产品的出入库是否有记录	2		
		每一工艺或工序是否有详细的作业指导书	2		
		生产过程是否有详细的质量检验记录	2		
		相关操作人员是否有培训记录和上岗资质	2		

续表

序号	评审项目	评审内容	分值/分	得分/分	评审部门
5	不合格产品	对不合格品是否有明确的处理程序	4		
		采购或生产过程中的不合格品是否分开存放	4		
		采购或生产过程中的不合格品是否有处理记录	2		
6	生产设备及维护	设备服役年限	1.5		
		设备管理制度及其执行情况	2.5		
		设备运行状况	2.5		
		设备维护保养状况	2		
		设备设计、制造质量	1.5		
7	生产现场管理情况	车间人员佩戴安全防范用品的情况、违规行为以及员工精神面貌情况	4		
		车间现场物料摆放、标识情况，人流、物流的整体情况	3		
		机器设备情况	2		
		工作环境以及工作秩序的情况	4		
		各种备用工具的摆放、标识以及工具清洁情况	2		
		对生产过程是否有完善的控制方法以及过程控制记录	5		
8	仓储条件	是否有足够仓库储存货物	4		
		所有材料是否堆在垫板上	2		
		仓储贮存区内是否留有合理的通道	2		
		仓储贮存区内是否未有过昆虫、鼠类	2		
9	供应商现场评估技术能力	管理技术人员文化水平	2		
		生产人员文化水平	2		
		样品制作达标水平	2		
		技术标准制作水平	2		
		生产设备配备先进性	2		
总分		100	—		
等级	A(　),B(　),C(　),D(　)				
分数	得分≥90分(优秀),90分>得分≥80分(良好),80分>得分≥70分(合格),得分<70分(不合格)				
评价结论			评审小组成员		

附录5　供应商年度评价与评级表

供应商名称		所供产品名称		评价周期		
考核内容		考核部门	满分/分	考核标准	得分/分	签字
质量	质量体系	采购部	5	无认证不得分		
	执行标准	技术部	5	不执行标准不得分		
	进料批次合格率	技术部	15	每退货1次扣1分		
价格	价格水平	采购部	15	依评分标准进行		
财务状况	资金周转能力	采购部	10	依评分标准进行		
供货能力	交货准时性	采购部	10	按订单延迟天数扣分		
	同类产品中供应量占比	采购部	10	按排名次序给分		
服务水平	品质不良的回复或改善情况	技术部	8	依评分标准进行		
	退换货及时性	采购部	7	依评分标准进行		
供应商类型	生产类、贸易类	采购部	5	生产类得5分， 非生产类得2分		
配合度	生产进度配合或纠纷处理	采购部	5	依评分标准进行		
信誉	其他部门或同行的评价	其他相关部门	5	依评分标准进行		
总分			100			
评级结论						
部门经理审核		签字：		日期：　　年　月　日		
主管领导批示		签字：		日期：　　年　月　日		

附录 6　岗位职责说明书

<table>
<tr><td>从事岗位</td><td colspan="2"></td></tr>
<tr><td>上级岗位</td><td colspan="2"></td></tr>
<tr><td>下级岗位</td><td colspan="2"></td></tr>
<tr><td rowspan="4">任　职
条　件</td><td>学　历</td><td></td></tr>
<tr><td>工作经历</td><td></td></tr>
<tr><td>专业知识</td><td></td></tr>
<tr><td>业务了解范围</td><td></td></tr>
<tr><td>管理权限</td><td colspan="2"></td></tr>
<tr><td>岗位职责</td><td colspan="2"></td></tr>
<tr><td rowspan="2">考核指标</td><td>一级 KPI</td><td></td></tr>
<tr><td>二级 KPI</td><td></td></tr>
</table>

附录 7　职位任职要求（说明书）

工作关系	所属部门	
	岗位名称	
	管理部门	
	汇报对象	
	管理对象	
	协调岗位	
任职条件	年龄	
	性别	
	籍贯	
	学历	
	婚姻状况	
	经验要求	
	知识要求	
	能力要求	
	性格特质	
	岗位特质	

附录 8　技术人员工作考核表

（适用对象：试验室人员、质量控制人员）

部门：__________ 岗位名称：__________ 被考核人姓名：________ 考核日期：________

项目	比例	考核内容	分值/分	考核得分/分
工作任务	30%	能时时跟进、追踪工作，提前完成任务	30	
		能跟踪、按期完成任务	25～29	
		在监督下能完成任务	15～25	
		在指导下，偶尔不能完成任务	<15	
工作质量	20%	出色、准确，无任何差错	20	
		完成任务质量尚好，但还可以再加强	15～19	
		工作疏忽，偶有小差错	10～14	
		工作质量不佳，常有差错	<10	
工作协调	10%	与人协调无间，为工作顺利完成尽最大努力	10	
		爱护团体，常协助别人	8～9	
		应他人要求能帮助别人	7	
		仅在有必要与人协调的工作上与人合作	5～6	
		散漫，不肯与别人合作	<5	
工作态度与责任感	15%	任劳任怨，竭尽所能完成任务	15	
		工作努力、主动，能较好完成分内工作	13～14	
		有责任心，能自动自发	10～12	
		交付工作需要督促方能完成	7～9	
		敷衍了事，无责任心，做事粗心大意	<7	
工作技能	15%	具有极丰富的专业技能，能轻松完成本职工作	15	
		有相当的专业技能，足以应付本身工作	13～14	
		专业技能一般，但对完成任务尚无障碍	10～12	
		技能程度稍有不足，执行任务常需请教他人	7～9	
		对工作必需技能不熟悉，日常工作难以完成	<7	
工作纪律	10%	自觉遵守和维护公司各项规章制度	10	
		能遵守公司规章制度，但需要有人督导	8～9	
		偶有迟到，但上班后工作兢兢业业	7	
		纪律观念不强，偶尔违反公司规章制度	5～6	
		经常违反公司制度，被指正时态度傲慢	<5	
减分项		说明：		
综合考核得分				

总经理：________ 人力资源或办公室：________ 考核人：________ 被考核人：________

附录 9 普通职员工作考核表

（适用对象：办公室职员、文员）

部门：________岗位名称：________ 被考核人姓名：________ 考核日期：________

<table>
<tr><th colspan="2">项目</th><th>比例</th><th>考核内容</th><th>分值/分</th><th>考核得分/分</th></tr>
<tr><td colspan="2" rowspan="4">工作任务</td><td rowspan="4">30%</td><td>能保质保量，能提前完成任务</td><td>30</td><td rowspan="4"></td></tr>
<tr><td>能保质保量，能按时完成任务</td><td>25～29</td></tr>
<tr><td>在监督下能完成任务</td><td>15～25</td></tr>
<tr><td>在指导下，偶尔不能完成任务</td><td><15</td></tr>
<tr><td colspan="2" rowspan="4">工作质量</td><td rowspan="4">15%</td><td>无工作错误，并经常自觉提高质量</td><td>15</td><td rowspan="4"></td></tr>
<tr><td>无工作错误，亦无改善建议</td><td>12～14</td></tr>
<tr><td>需在指导下才能保证较高的工作质量</td><td>7～11</td></tr>
<tr><td>工作质量低，在指导下工作仍有错误</td><td><7</td></tr>
<tr><td colspan="2" rowspan="5">工作协调</td><td rowspan="5">10%</td><td>与人协调无间，为工作顺利完成尽最大努力</td><td>10</td><td rowspan="5"></td></tr>
<tr><td>爱护团体，常协助别人</td><td>8～9</td></tr>
<tr><td>应他人要求能帮助别人</td><td>6～7</td></tr>
<tr><td>仅在有必要与人协调的工作上与人合作</td><td>5</td></tr>
<tr><td>散漫，不肯与别人合作</td><td><5</td></tr>
<tr><td colspan="2" rowspan="5">责任感</td><td rowspan="5">15%</td><td>任劳任怨，竭尽所能完成任务</td><td>15</td><td rowspan="5"></td></tr>
<tr><td>工作努力，能较好完成分内工作</td><td>13～14</td></tr>
<tr><td>有责任心，能自动自发</td><td>10～12</td></tr>
<tr><td>交付工作需要督促方能完成</td><td>7～9</td></tr>
<tr><td>敷衍了事，态度傲慢，无责任心，做事粗心大意</td><td><7</td></tr>
<tr><td rowspan="9">工作能力</td><td rowspan="5">处理能力</td><td rowspan="5">10%</td><td>理解力很强，对事判断非常正确，处事能力很强</td><td>10</td><td rowspan="5"></td></tr>
<tr><td>理解力强，对事判断正确，处事能力强</td><td>8～9</td></tr>
<tr><td>理解力及判断力一般，处理事务基本没有错误</td><td>7</td></tr>
<tr><td>理解较迟钝，对复杂事务判断力不够</td><td>5～6</td></tr>
<tr><td>迟钝，理解力及判断力不佳，经常无法独立处理事务</td><td><5</td></tr>
<tr><td rowspan="4">工作技能</td><td rowspan="4">10%</td><td>在工作作业改善方面，经常有创意性建议并被采纳</td><td>10</td><td rowspan="4"></td></tr>
<tr><td>有时在工作方法上自觉改进</td><td>8～9</td></tr>
<tr><td>偶尔有改进建议，能完成任务</td><td>5～7</td></tr>
<tr><td>工作技能基本没有改善，勉强能完成任务</td><td><5</td></tr>
<tr><td colspan="2" rowspan="5">工作纪律</td><td rowspan="5">10%</td><td>自觉遵守和维护公司各项规章制度</td><td>10</td><td rowspan="5"></td></tr>
<tr><td>能遵守公司规章制度，但需要有人督导</td><td>8～9</td></tr>
<tr><td>偶有迟到，但上班后工作兢兢业业</td><td>7</td></tr>
<tr><td>纪律观念不强，偶尔违反公司规章制度</td><td>5～6</td></tr>
<tr><td>经常违反公司制度，被指正时态度傲慢</td><td><5</td></tr>
<tr><td colspan="3">减分项</td><td colspan="2">说明：</td><td></td></tr>
<tr><td colspan="5">综合考核得分</td><td></td></tr>
</table>

总经理：________ 人力资源或办公室：________ 考核人：________ 被考核人：________

附录 10　管理人员工作考核表

（适用对象：主管及以上级别管理人员）

部门：________ 岗位名称：________ 被考核人姓名：________ 考核日期：________

项目	比例	考核内容	分值/分	考核得分/分
工作任务及效率	15%	能出色完成工作任务，工作效率高	15	
		能胜任工作，效率较高	13～14	
		工作不误期，表现符合标准	11～12	
		勉强胜任工作，无甚表现	7～10	
		工作效率低，时有差错	<7	
成本控制	10%	成本意识强烈，能积极节省，避免浪费	10	
		具有成本意识，并能节约	8～9	
		尚有成本意识，尚能节约	7	
		缺乏成本意识，稍有浪费	5～6	
		无成本意识，经常浪费	<5	
沟通协调	10%	善于上下沟通、平衡协调，能自觉与人合作	10	
		乐意与人沟通协调，顺利达成任务	8～9	
		尚能与人合作，能达成工作要求	7	
		协调不善，致使工作较难开展	5～6	
		无法与人协调，致使工作无法开展	<5	
工作态度	10%	品德廉洁，言行诚信，立场坚定，足为楷模	10	
		品行诚实，言行规矩，平易近人	8～9	
		言行尚属正常，无越轨行为	7	
		固执己见，不爱与人相处	5～6	
		私务多，经常利用上班时间处理私事，或擅离岗位	<5	
责任感	15%	有积极责任心，能彻底达成任务，可放心交代工作	15	
		具有责任心，能达成任务，可交付工作	13～14	
		尚有责任心，能如期完成任务	11～12	
		责任心不强，需有人督导，亦不能如期完成任务	7～10	
		无责任心，时时需督导，也不能完成任务	<7	
计划能力	15%	工作计划性强，工作安排井然有序	15	
		工作有计划，工作安排有条理	13～14	
		工作有计划，但条理不足	11～12	
		只能做交办事项，不知改进	7～10	
		缺乏计划能力，须依赖他人	<7	
授权指导	10%	善于分配权力，积极传授工作知识，引导下属达成任务	10	
		灵活分配工作与权力，有效传授工作知识，达成任务	8～9	
		尚能顺利分配工作与权力，指导下属完成任务	7	
		欠缺分配工作与权力及指导下属之方法，任务进行偶有困难	5～6	
		不善分配权力与工作及指导下属，内部时有不服及怨言	<5	
领导能力	15%	善于领导下属提高工作效率，积极达成工作计划和目标	15	
		灵活领导下属顺利达成工作计划和目标	13～14	
		尚能领导下属勉强达成工作计划和目标	11～12	
		不得下属信赖，工作意愿低，态度消极	7～10	
		领导方式不佳，常使下属不服或反抗	<7	
减分项		说明：		
综合考核得分				

总经理：________ 人力资源或办公室：________ 考核人：________ 被考核人：________

附录 11　营销人员工作考核表

（适用对象：销售人员、销售服务人员）

部门：________ 岗位名称：________ 被考核人姓名：________ 考核日期：________

项目		比例	考核内容	分值/分	考核得分/分
工作业绩		30%	能时时跟进、追踪工作，提前完成工作任务	30	
			能跟踪、按期完成工作任务	25～29	
			在监督下能完成工作任务	15～25	
			在指导下，亦不能完成工作任务	<15	
成本意识		10%	成本意识强烈，能积极节省，避免浪费	10	
			具备成本意识，并能节约	9	
			尚有成本意识，尚能节约	8	
			缺乏成本意识，稍有浪费	3～7	
			无成本意识，经常浪费	<3	
工作能力	客户满意度	15%	有强烈的服务意识和规范的服务行为，多次受到客户的赞赏	15	
			服务意识良好，服务行为符合公司要求，受到过客户的表扬	12～14	
			有服务意识，服务行为能达到公司的最低要求，无客户投诉	7～11	
			服务意识一般，受到过客户的投诉	<7	
	产品认识	10%	对产品及相关业务知识的掌握全面而深刻	10	
			对产品及相关业务知识的掌握很全面	8～9	
			对产品及相关业务知识的掌握比较全面	5～7	
			对产品及相关业务知识的掌握基本全面	<5	
工作态度	职业道德	5%	职业行为规范执行很出色	5	
			职业行为规范执行基本不出错	4	
			职业行为规范执行时有违反现象	2～3	
			职业行为规范执行不认真	<2	
	信息管理	10%	收集、整理客户或者市场信息很出色	10	
			收集、整理客户或者市场信息积极主动	8～9	
			收集、整理客户或者市场信息基本完成	5～7	
			收集、整理客户或者市场信息做得较少	<5	
	合作精神	10%	与他人或部门沟通协调很有成效	10	
			与他人或部门合作有效	8～9	
			与他人或部门时有合作	5～7	
			与他人或部门很少合作	<5	
工作纪律		10%	自觉遵守和维护公司各项规章制度	10	
			能遵守公司规章制度，但需要有人督导	8～9	
			偶有迟到，但上班后工作兢兢业业	7	
			纪律观念不强，偶尔违反公司规章制度	5～6	
			经常违反公司制度，被指正时态度傲慢	<5	
减分项			说明：		
综合考核得分					

总经理：________ 人力资源或办公室：________ 考核人：________ 被考核人：________

附录 12　某预拌混凝土公司部分职位薪酬管理规定（暂行）

一、目的

为了提高并鼓励员工的积极性和主观能动性，增强员工的企业归属感，消除一些不合理的现象，更好地提高企业利润和员工收入，特对部分职位的薪酬体系进行调整。具体由人力资源部负责实施和解释。

二、基本原则

1. 在符合国家相关法律法规要求的前提下，按照“按劳分配、多劳多得、同工同酬”的原则，并根据行业水平、职位特点（包括劳动强度、作业时间）和我公司具体情况制定岗位薪金。

2. 薪金水平尽可能做到“公平、合情、合理”，力图达到并保持在行业中的岗位竞争力。

3. 考虑到混凝土企业不定时工作制的特点，按照经营生产一线和生产保障两条线，分别制定相应的薪酬管理办法。

4. 在保障员工基本收入（与生产量无关的“保底收入”）的基础上，根据企业经营状况，稳步提高员工岗位收入和福利待遇。

三、目前需要解决的问题

1. 薪金组成结构不合理，不能充分体现“高业绩高收入”“多劳多得”。

2. 考勤不严格，“考勤送人情、出工不出力”的现象时有发生，不能体现公平、合理原则。

3. 与同行企业或同岗位相比，部分岗位的薪酬市场竞争力不足，人员流动频次上升，不能充分保证正常生产需要。

4. 目前薪金计算办法易误导部分部门或岗位间的横向比较，易造成不合理、不满意的误解或假象。

5. 部分职位薪金组成未充分体现员工的企业归属感。

6. 综合奖等部分绩效考核内容、发放办法不合理，存在“大锅饭”现象。

四、具体实施办法

职位薪金组成由“基本工资＋责任工资＋技能（含工龄）绩效＋月度生产绩效＋综合绩效＋年终奖”六个部分组成（简称六元体系），其中“基本工资＋责任工资＋技能（含工龄）绩效”为“保底”收入。具体如附表 12-1 所示。

附表 12-1　薪金组成、体系及适用岗位

薪金体系	薪金组成	适用岗位
六元	基本工资＋责任工资＋技能(含工龄)绩效＋月度生产绩效＋综合绩效＋年终奖	调度、司磅员、库管员、罐车司机、泵工、质检员、铲车司机、维修工
五元	基本工资＋责任工资＋月度生产绩效＋综合绩效＋年终奖	操作工、上料力工
四元	基本工资＋责任工资＋综合绩效＋年终奖	后勤食堂

1. 基本工资因岗位作业环境和人员能力要求不同而不同。

2. 根据不定时工作制特点，充分考虑岗位劳动强度、作业时间、环境条件与出勤情况，以及日常工作行为和态度，设置不同的岗位责任工资标准。该工资每月足额预计预提，按照当月考核标准扣减后发放。当需增加或扣减时，按照国家相关规定进行计算。

3. 技能（含工龄）绩效充分考虑技能高低和熟练程度对岗位工作的影响，重点依据之一是员工在本公司服务时间的长短。计算服务时间时以年为单位（以每年 7 月 1 日为节点，满 12 个月的为一年），不足 1 年的不发放技能（含工龄）绩效，最长不超过 30 年，如附表 12-2 所示。

附表 12-2　绩效计算示例

服务时间	技能(含工龄)绩效计算额度	示例
≥20 年	每月为 60.0 元/年	如 24 年,每月为 24×60=1440(元)
≥10 年	每月为 50.0 元/年	如 19 年,每月为 19×50=950(元)
＜10 年且≥1 年	每月为 40.0 元/年	如 9 年,每月为 9×40=360(元)

4. 月度生产绩效为各岗位当月实际工作业绩绩效，即量化的“计件类奖金”。

5. 综合绩效主要包括综合奖、安全奖、环保奖、质量奖和服务奖等，综合绩效以月度生产绩效为基准，乘以个人月度综合绩效考核评分系数后发放。

6. 年终奖按照年利润总额的一定比例计取，按不同比例发放给全体岗位。

（一）罐车司机岗位

1. 基本工资为 900 元。
2. 责任工资为 1600 元。
3. 月度生产绩效具体计算示例见附表 12-3。

附表 12-3　月度生产绩效计算示例（1）

个人当月运输趟数	月度生产绩效计算额度	示例
＞60	超出部分,34.0 元/趟	如当月 80 趟,月度生产绩效为 60×32+20×34=2600(元)
≤60	60 趟以下部分,32.0 元/趟	

注:运距较远的工地或单车往返运输时间超过 5h 的,趟数按 1.5 倍计。

4. 当月综合绩效具体计算示例见附表 12-4。

附表 12-4　当月综合绩效计算示例（1）

个人当月运输趟数	综合绩效计算额度	示例
＞60	共 500 元/月	如当月 80 趟,个人综合绩效考核无扣除情况,其综合绩效为 500(元)。
＞40 且≤60	共 300 元/月	如当月 50 趟,因个人综合绩效考核扣除 100 元,其综合绩效为 300×0.95=280(元)。
≤40	共 100 元/月	如当月 40 趟,因个人综合绩效考核扣除 100 元,其综合绩效为 100－100=0(元)

注:个人综合绩效考核评分系数按本岗位相关规定计算得到。

（二）泵工岗位

1. 基本工资为 900 元。
2. 责任工资为 1400 元。
3. 月度生产绩效具体计算示例见附表 12-5。

附表 12-5　月度生产绩效计算示例（2）

当月泵送总方量	月度生产绩效计算额度	示例
＞5000 方	超出部分,0.25 元/方	如当月 6000 方,月度生产绩效为 1000×0.25+5000×0.20=1250(元)
≤5000 方	5000 方以下部分,0.20 元/方	

注:表中为平均每人月度生产绩效标准,按本岗位人员总数进行发放,由部门根据当月岗位人员工作具体情况进行调整、分配。

4. 当月综合绩效具体计算示例见附表 12-6。

附表 12-6　当月综合绩效计算示例（2）

当月泵送总方量	综合绩效计算额度	示例
＞5000 方	司机，共 400 元/月； 泵工，共 300 元/月	如当月 5001 方，个人综合绩效考核无扣除情况，其综合绩效为 400 元。
⩽5000 方	共 200 元/月	如当月 4666 方，因个人综合绩效考核扣除 100 元，其综合绩效为 200－100＝100(元)

注：个人综合绩效考核评分系数按本岗位相关规定计算得到。

（三）搅拌楼操作工岗位

1. 基本工资为 900 元。

2. 责任工资为 2500 元。

3. 月度生产绩效以 0.05 元/方（班长以 0.07 元/方计）乘以当月生产总方量计算，得到平均每人月度生产绩效标准，按照本岗位人员总数进行发放，由部门根据当月岗位人员工作具体情况进行调整、分配。

4. 当月综合绩效具体计算示例见附表 12-7。

附表 12-7　当月综合绩效计算示例（3）

个人当月搅拌方量	综合绩效计算额度	示例
＞30000 方	共 300 元/月	如当月 30001 方，个人综合绩效考核无扣除情况，其综合绩效为 300 元。
⩽30000 方	共 200 元/月	如当月 26666 方，因个人综合绩效考核扣除 100 元，其综合绩效为 200－100＝100(元)

注：个人综合绩效考核评分系数按本岗位相关规定计算得到。

（四）搅拌楼上料工岗位

1. 基本工资为 800 元。

2. 责任工资为 1700 元。

3. 月度生产绩效以 0.04 元/方乘以当月生产总方量计算，得到平均每人月度生产绩效标准，按照本岗位人员总数进行发放，由部门根据当月岗位人员工作具体情况进行调整、分配。

4. 当月综合绩效具体计算示例见附表 12-8。

附表 12-8　当月综合绩效计算示例（4）

当月生产总方量	综合绩效计算额度	示例
＞30000 方	共 300 元/月	如当月 30001 方，个人综合绩效考核无扣除情况，其综合绩效为 300 元。
⩽30000 方	共 200 元/月	如当月 26666 方，因个人综合绩效考核扣除 100 元，其综合绩效为 200－100＝100(元)

注：个人综合绩效考核评分系数按本岗位相关规定计算得到。

（五）铲车司机岗位

1. 基本工资为 800 元。

2. 责任工资为 1600 元。

3. 月度生产绩效以 0.05 元/方乘以当月生产总方量计算，得到平均每人月度生产绩效标准，按照本岗位人员总数进行发放，由部门根据当月岗位人员工作具体情况进行调整、分配。本岗人员暂定为 6 人。

4. 当月综合绩效具体计算示例见附表 12-9。

附表 12-9　当月综合绩效计算示例（5）

当月生产总方量	综合绩效计算额度	示例
＞30000 方	共 400 元/月	如当月 30001 方，个人综合绩效考核无扣除情况，其综合绩效为 400 元。
⩽30000 方	共 300 元/月	如当月 26666 方，因个人综合绩效考核扣除 100 元，其综合绩效为 300－100＝200(元)

注：个人综合绩效考核评分系数按本岗位相关规定计算得到。

（六）质检员岗位

1. 基本工资为900元。

2. 责任工资为1500元。

3. 月度生产绩效以0.05元/方（班长以0.06元/方计）乘以当月生产总方量计算，得到平均每人月度生产绩效标准，按照本岗位人员总数进行发放，本岗位当月生产绩效总额中的20%作为“外检”补贴。由部门根据当月岗位人员工作具体情况进行调整、分配。

4. 当月综合绩效具体计算示例见附表12-10。

附表12-10 当月综合绩效计算示例（6）

当月生产总方量	综合绩效计算额度	示例
＞30000方	共300元/月	如当月30001方，个人综合绩效考核无扣除情况，其综合绩效为300元。
≤30000方	共200元/月	如当月26666方，因个人综合绩效考核扣除100元，其综合绩效为200－100＝100(元)

注：个人综合绩效考核评分系数按本岗位相关规定计算得到。

（七）维修工岗位

1. 基本工资为800元。

2. 责任工资为1600元。

3. 月度生产绩效以0.045元/方乘以当月生产总方量计算，得到平均每人月度生产绩效标准，按照本岗位人员总数进行发放。由部门根据当月岗位人员工作具体情况进行调整、分配。本岗人员暂定为12人。

4. 当月综合绩效具体计算示例见附表12-11。

附表12-11 当月综合绩效计算示例（7）

当月生产总方量	综合绩效计算额度	示例
＞30000方	共300元/月	如当月30001方，个人综合绩效考核无扣除情况，其综合绩效为300元。
≤30000方	共200元/月	如当月26666方，因个人综合绩效考核扣除100元，其综合绩效为200－100＝100(元)

注：个人综合绩效考核评分系数按本岗位相关规定计算得到。

（八）司磅员与收料员岗位

1. 基本工资为800元。

2. 责任工资为1400元。

3. 月度生产绩效以0.04元/方乘以当月生产总方量计算，得到平均每人月度生产绩效标准，按照本岗位人员总数进行发放。由部门根据当月岗位人员工作具体情况进行调整、分配。本岗人员暂定为4人。

4. 当月综合绩效具体计算示例见附表12-12。

附表12-12 当月综合绩效计算示例（8）

当月生产总方量	综合绩效计算额度	示例
＞30000方	共200元/月	如当月30001方，个人综合绩效考核无扣除情况，其综合绩效为200元。
≤30000方	共100元/月	如当月26666方，因个人综合绩效考核扣除100元，其综合绩效为0元

注：个人综合绩效考核评分系数按本岗位相关规定计算得到。

（九）库管员岗位

1. 基本工资为800元。

2. 责任工资为1400元。

3. 月度生产绩效以0.03元/方乘以当月生产总方量计算，得到平均每人月度生产绩效标准，按照本岗位人员总数进行发放。由部门根据当月岗位人员工作具体情况进行调整、分配。本岗人员暂定为2人。

4. 当月综合绩效具体计算示例见附表12-13。

附表12-13 当月综合绩效计算示例（9）

当月生产总方量	综合绩效计算额度	示例
>30000方	共200元/月	如当月30001方，个人综合绩效考核无扣除情况，其综合绩效为200元。
≤30000方	共100元/月	如当月26666方，因个人综合绩效考核扣除100元，其综合绩效为0元

注：个人综合绩效考核评分系数按本岗位相关规定计算得到。

（十）调度岗位

1. 基本工资为2000元。

2. 责任工资为1800元。

3. 月度生产绩效以0.06元/方（副总调以0.07元/方计）乘以当月生产总方量计算，得到平均每人月度生产绩效标准，按照本岗位人员总数进行发放。由部门根据当月岗位人员工作具体情况进行调整、分配。

4. 当月综合绩效具体计算示例见附表12-14。

附表12-14 当月综合绩效计算示例（10）

当月生产总方量	综合绩效计算额度	示例
>30000方	共300元/月	如当月30001方，个人综合绩效考核无扣除情况，其综合绩效为300元。
≤30000方	共200元/月	如当月26666方，因个人综合绩效考核扣除100元，其综合绩效为200−100=100(元)

注：个人综合绩效考核评分系数按本岗位相关规定计算得到。

（十一）后勤岗位（食堂）

1. 本岗位不设技能（含工龄）绩效。

2. 基本工资为800元。

3. 责任工资为1900元。

4. 本岗位不设月度生产绩效。

5. 当月综合绩效具体计算示例见附表12-15。

附表12-15 当月综合绩效计算示例（11）

当月生产总方量	综合绩效计算额度	示例
>50000方	共400元/月	如当月50001方，个人综合绩效考核无扣除情况，其综合绩效为400元。 如当月30001方，个人综合绩效考核无扣除情况，其综合绩效为200元。 如当月26666方，因个人综合绩效考核扣除100元，其综合绩效为0元
>40000方	共300元/月	
>30000方	共200元/月	
≤30000方	共100元/月	

注：个人综合绩效考核评分系数按本岗位相关规定计算得到。

（十二）班长津贴

1. 班长津贴300元/月。

2. 部门经理级津贴500元/月（仅限12小时跟班作业时）。本津贴与班长津贴不同时发放。

五、有关非满勤情况的薪金处理

1. 岗位薪金中已经考虑岗位作业时间所涉及的加班加点，并在当月满勤时足额发放。

2. 非满勤需扣减时按照50元/天（当月累计不多于3天时）或90元/天（当月累计多于3天时）为计算基数计算。

3. 岗位责任工资扣减标准另行公布。

六、年终奖

经董事会研究决定，年终奖的来源与数额为年度净利润的9%，分配给所有部门全体员工，具体分红方案如附图 12-1 所示。

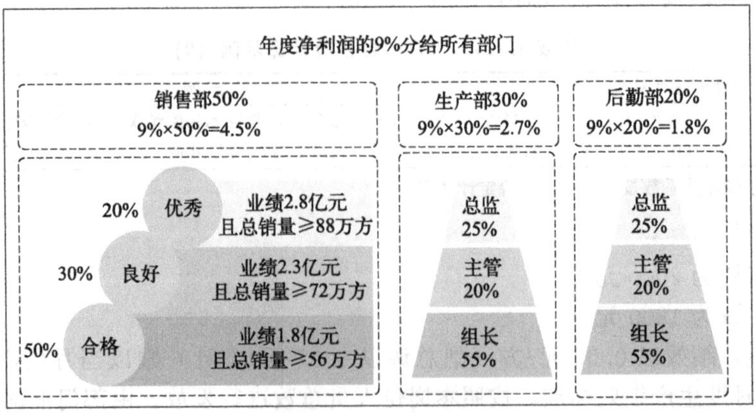

附图 12-1　具体分红方案

例如，销售部共 8 人（年度考核后，实际达到良好级 3 人、优秀级 1 人），年度净利润 1000 万元，本部门待分红金额为 1000×9%×50%=45（万元）。具体分配见附表 12-16。

附表 12-16　分红具体分配（1）

类别	个人年度业绩指标	年终分红奖励标准	各档总人数	示例
合格	>1600 万元（≤2300 万元）	平分总奖金的 50%	4	一名合格级员工，分红个人应得：450000×50%÷8=28125(元)。 一名良好级员工，分红个人应得：450000×30%÷4+28125=61875(元)。 一名优秀级员工，分红个人应得：450000×20%÷1+61875=151875(元)
良好	>2300 万元（≤3500 万元）	平分总奖金的 30%	3	
优秀	>3500 万元	平分总奖金的 20%	1	

又如，生产部共 10 人，年度净利润 1000 万元，本部门待分红金额为 1000×9%×30%=27（万元）。具体分配如附表 12-17 所示。

附表 12-17　分红具体分配（2）

级别	年终分红奖励标准	各级别人数	示例
组长	平分总奖金的 55%	6	组长级员工，每人应得分红：270000×55%÷6=24750(元)。 主管级员工，每人应得分红：270000×20%÷3=18000(元)。 总监级员工，每人应得分红：270000×25%÷1=67500(元)
主管	平分总奖金的 20%	3	
总监	平分总奖金的 25%	1	

同理可计算其他部门岗位具体分红金额。

七、本办法中所述的各种薪金均为应发数额。

八、本规定自发布之日起实施。

附录 13 企业投资项目可行性研究报告编制参考大纲

一、项目及企业概况

（一）项目名称。项目全称及其简称，概述投资项目建设地点、目标定位、主要建设内容和规模、主要建设方案、主要技术经济指标等内容。

（二）企业概况：简述企业基本信息、企业发展现状和总体能力、有关金融机构支持和政府批复等内容。如果是国有企业，应说明其主责主业。

二、项目需求及产出方案

（一）企业战略需求分析通过分析评价企业内部环境，论述企业战略对拟建项目的支撑程度和拟建项目对促进企业战略实现的意义，评价项目投资与企业战略目标的一致性等。

（二）项目市场需求分析分析项目所在行业的业态、市场环境和容量、产业链、供应链、产品或服务价格，结合企业自身情况，评价项目产品或服务的竞争力，提出市场营销策略方向。

（三）项目商业模式明确项目投资目的，分析拟建项目收入来源和结构，判断项目是否具有充分的商业可行性和金融机构等相关方可接受性。结合当地政府或相关单位可以提供的条件，提出商业模式及其创新需求，研究项目综合开发等模式创新路径及可行性。

（四）政策符合性分析论述拟建项目建设背景和前期进展情况，与国家发展战略、相关规划以及产业政策的符合性。对标行业和市场准入标准，判断拟建项目是否符合相关条件。

（五）项目产出方案阐述拟建项目总体目标及分阶段、分领域目标，提出拟建项目建设内容和规模，确定项目产品或服务方案。

三、项目选址与要素可获得性

（一）项目选址方案选定拟建项目场址及其建设条件，通过场址方案比选，确定最佳或合理场址方案。明确拟建项目场址的土地权属类别、占地面积、土地利用状况、占用耕地情况、取得土地方式等内容。

（二）要素保障能力分析分析拟建项目规划建设条件，用地现状和规划条件，当地的水资源、能耗、碳排放强度和污染减排指标控制要求及保障能力等。

（三）征地补偿安置方案对于涉及征地补偿安置的项目，应根据国家有关政策法规规定及当地实际情况，明确征地补偿安置的原则、范围和方式，明确相关实物量指标，提出移民生产生活安置和搬迁规划。

四、项目建设方案

（一）项目技术方案简述项目技术来源及其实现路径，确定项目生产方法、工艺流程和应用技术。对于关键核心技术，需要分析其知识产权和自主可控性。如果关键技术源于国外，需要关注可能存在的“卡脖子”技术风险，保障产业链、供应链安全稳定。

（二）项目设备方案综合比选确定建设项目主要设备的规格、性能参数和数量、来源和价格，提出关键设备推荐方案并说明进口设备国产化替代状况。利用和改造原有设备的，提出改造方案及其效果。涉及超大型、超重、超高设备的，研究提出相应的运输和安装的技术措施。

（三）项目工程方案通过综合比选确定拟建项目的建设标准、工程总体布置方案、主要建筑物和系统的设计方案。

（四）资源开发方案对于资源开发类项目，应依据资源开发规划、可开发量、自然品质、赋存条件、开发价值等，研究制定资源开发和综合利用方案，评价资源利用效率。

（五）建设管理方案提出项目建设组织模式、控制性工期和分期实施方案，确定项目建设是否满足投资管理合规性要求。如果涉及招标，明确招标范围、组织形式和招标方式等。

五、项目运营方案

（一）生产经营方案对于产品生产类企业投资项目，基本确定拟建项目的产品质量安全保障方案、原材料供应保障方案、燃料动力供应保障方案以及维护维修方案，评价生产经营有效性和可持续性。对于运营服务类企业投资项目，明确拟建项目运营服务内容、运营服务标准、运营服务流程、运营服务计量和运营维护与修理方案等，基本确定运营服务方案，评价运营服务效率。

（二）安全保障方案分析项目运营管理中存在的危险因素及其危害程度，建立安全评价体系，设置安全管理机构，明确安全生产责任要求，提出相应的防范措施，制定项目生产安全应急预案。

（三）运营管理方案简述拟建项目的执行机构设置方案，明确项目治理结构要求，包括项目负责人的专业能力、员工配置标准、薪酬以及选聘方案和培训计划等，阐述项目绩效标准、激励奖惩机制及绩效评价结果应用等要求。

六、项目融资与财务方案

（一）项目投资估算说明投资估算编制依据，估算项目建设投资费用、流动资金数量、建设期融资费用，制定建设期内分年资金使用计划，编制相关表格。

（二）财务盈利能力评价估算项目营业收入和补贴性收入及各种成本费用，分析项目的现金流入和流出情况，评价项目的财务盈利能力。

（三）项目融资方案比较项目融资和企业主体融资模式，结合企业自身能力，分析项目资本金和债务资金来源及结构、融资成本以及资金到位情况，评价项目的可融资性。结合环境-社会-治理（ESG）责任投资要求，评价项目获得绿色金融、绿色债券支持的可能性。对于基础设施项目，研究提出项目建成后通过不动产投资信托基金盘活存量资产，实现资本金退出。如果企业拟申请政府投资补助或贴息，还应根据相关要求研究提出申请投资补助或贴息的资金额度。

（四）债务清偿能力评价按照负债融资的期限、金额、还本付息方式等条件，编制预测的项目借款偿还计划表等财务报表，计算偿债备付率、利息备付率、借款偿还期等债务清偿能力评价指标，从而判断项目支付利息及偿还债务本金的能力。

（五）财务持续能力评价根据投资项目财务计划现金流量表，统筹考虑企业整体财务状况、总体信用及综合融资能力等因素，判断拟建项目是否有足够的净现金流量维持正常运营及资金链安全。

七、项目影响效果评价

（一）资源和能源利用效率评价分析论证拟建项目所需消耗的资源品种、数量、来源情况，提出资源综合利用方案和资源节约措施；分析采取节能措施后的能源消耗总量和强度指标，评价项目节能方案是否符合当地节能审查要求。

（二）生态环境和“双碳”目标影响评价分析拟建项目所在地的生态环境现状，分析项目污染物排放、生态环境保护等影响，论证绿证交易、碳交易等市场化工具应用的可能性及实施路径，评价项目碳排放水平、固碳量与中和程度以及对当地“双碳”目标的影响。

（三）经济影响评价对于具有明显外部效应的企业投资项目，论证项目费用效益或费用效果，以及项目对宏观经济、产业经济和区域经济可能产生的影响，评价拟建项目的经济合理性。

（四）社会影响评价通过社会调查和公众参与，识别项目主要社会影响因素和关键利益相关者，分析不同目标群体的诉求及其对项目的支持程度，评价项目在促进企业员工发展、社区发展和社会发展等方面的社会责任，提出减缓负面社会影响的措施和行动方案。

八、项目风险管控方案

（一）项目风险识别和管控方案识别项目市场需求、融资环境、建设运营、财务盈利性、生态环境等方面的主要风险，分析其发生的可能性和造成的损失，判断各风险后果的严重程度及其可控性，提出对主要风险因素的防范和化解措施。

（二）重大项目社会稳定风险管控方案针对拟建项目直接关系人民群众切实利益且涉及面广、容易引发的社会稳定问题，进行风险评价并提出“邻避”问题的应对措施。

（三）项目重大风险管控应急预案根据前述风险评价，对存在重大风险的企业投资项目，应进行专题研究并制定应急预案。

九、研究结论及建议

（一）主要研究结论归纳总结拟推荐方案的项目建设内容和规模、建设和运营方案、投融资和财务效益、环境-社会-治理（ESG）责任投资效果和风险，得出项目是否可行的研究结论。

（二）问题与建议指出项目可能存在的问题，提出相关措施及建议。

十、附表、附图和附件

根据项目实际情况，按照相关规范要求，确定可行性研究报告的附表、附图和附件等内容。

参考文献

[1] 程国良，金光华．工业企业管理原理和方法．上海：复旦大学出版社，1990.
[2] 余成行，葛兆明，韩兆祥，等．商品混凝土实用技术手册．北京：化学工业出版社，2023.
[3] 姚大庆，于明．预拌混凝土质量控制实用指南．北京：中国建材工业出版社，2014.
[4] 罗富荣，马昕，尹兆旭，等．北京市轨道交通工程预拌混凝土管理手册．北京：化学工业出版社，2013.
[5] 戴淑芬．管理学教程：第 4 版．北京：北京大学出版社，2013.
[6] 罗宾斯，库尔特．管理学：第 13 版．刘刚，程熙鎔，梁晗，等译．北京：中国人民大学出版社，2017.
[7] 黄卫伟．以奋斗者为本．北京：中信出版社，2014.
[8] 柴小青．规划与决策：面向解决实际问题的理论、方法、案例．北京：经济管理出版社，2016.
[9] 戴维．战略管理：理论与案例：第 14 版．徐飞，译．北京：经济科学出版社，2015.
[10] 张所地，吉迎东，胡琳娜．管理决策理论、技术与方法．北京：清华大学出版社，2013.
[11] 张智光，等．决策科学与艺术．北京：科学出版社，2006.
[12] 陈忠卫，等．企业战略管理．北京：中国统计出版社，2003.
[13] 杨林泉．预测与决策方法应用．北京：冶金工业出版社，2011.
[14] 阿代尔．决策与解决问题：第 3 版．姚晓宁，译．北京：中信出版社，2017.
[15] 艾森·拉塞尔．麦肯锡方法：用简单的方法做复杂的事．张薇薇，译．北京：机械工业出版社，2020.
[16] 科特勒，凯勒．营销管理：第 15 版．何佳讯，于洪彦，牛永革，等译．上海：格致出版社，2010.
[17] 李葆文．设备管理新思维新模式：第 4 版．北京：机械工业出版社，2019.
[18] 曹俊超，戴克商．物资管理理论与实务．北京：北京交通大学出版社，2006.
[19] 埃文斯，林赛．质量管理与质量控制：第 7 版．焦叔斌，译．北京：中国人民大学出版社，2010.
[20] 张炼周，生产与作业管理．沈阳：辽宁教育出版社，2009.
[21] 陆渭林．实验室认可与管理工作指南．北京：机械工业出版社，2016.
[22] 李斯．混凝土生产质量控制与配合比设计技术实用手册．北京：金版电子出版社，2004.
[23] 刘德文．实验室管理．西安：西北大学出版社，1986.
[24] 朱丽娜，代春雷．精益企业之成本管理实战．北京：人民邮电出版社，2017.
[25] 刘昕．人力资源管理：第 4 版．北京：中国人民大学出版社，2020.
[26] 贺志东．企业成本管理操作实务大全．北京：企业管理出版社，2018.
[27] 张文霖，等．谁说菜鸟不会数据分析．北京：电子工业出版社，2011.
[28] 米哈里·希斯赞特米哈伊．创造力：心流与创新心理学．黄珏苹，译．杭州：浙江人民出版社，2015.
[29] 明托．金字塔原理．王德忠，张珣，译．北京：民主与建设出版社，2002.
[30] 考夫曼．穷查理宝典：查理·芒格智慧箴言录．李继宏，译．北京：中信出版社，2016.
[31] 西蒙斯．你的团队需要一个会讲故事的人．尹晓虹，译．南京：江苏凤凰文艺出版社，2016.
[32] 泽拉兹尼．用图表说话：麦肯锡商务沟通完全工具箱．马晓路，马洪德，译．北京：清华大学出版社，2008.
[33] 乐国安．管理心理学．北京：中国物资出版社，1990.
[34] 任志安．管理经济学．北京：中国人民大学出版社，2013.
[35] 希克斯，等．吸引力法则．邹东，译．北京：光明日报出版社，2015.
[36] 细谷功．高维度思考法：如何从解决问题进化到发现问题．程亮，译．北京：中国华侨出版社，2018.
[37] 海恩．经济学的思维方式：第 12 版．史晨，译．北京：世界图书出版公司北京公司，2011.
[38] 曾仕强．中道管理．北京：北京大学出版社，2010.
[39] 黄清林，孙继成．从业必读——预拌混凝土实用管理读本．北京：化学工业出版社，2014.
[40] 魏立学，李娇，等．预拌混凝土企业卓越绩效模式管理手册．北京：中国建材工业出版社，2015.

[41] 北京市住房和城乡建设委员会．北京市预拌混凝土行业绿色发展实践．北京：中国建材工业出版社，2021.
[42] 许林芳．刷新管理：数字化企业快速成长．北京：人民邮电出版社，2022.
[43] 周国元．麦肯锡结构化高效沟通：如何有逻辑地表达、演讲与写作．北京：人民邮电出版社，2023.
[44] 周国元．麦肯锡结构化战略思维：如何想清楚、说明白、做到位．北京：人民邮电出版社，2021.
[45] 苏引华，李超．商业的底层逻辑．广州：广东经济出版社，2023.
[46] 罗伯特．议事规则．王宏昌，译．北京：商务印书馆，2005.
[47] 海蓝．不完美，才美．北京：北京联合出版公司，2016.
[48] 张超．职场潜伏心理学．长春：北方妇女儿童出版社，2010.
[49] 斯通，佩顿，汉．高难度谈话．王甜甜，译．北京：光明日报出版社，2014.
[50] 胡运权．运筹学基础及应用：第 5 版．哈尔滨：哈尔滨工业大学出版社，2013.
[51] 章义伍．流程密码．北京：人民邮电出版社，2023.